Histoire
universelle
de la musique

Roland de Candé

Histoire
universelle
de la musique

tome 1/Seuil

ISBN 2-02-00-4976-7 © Éditions du Seuil, 1978.

La musique est une antique sagesse collective, dont la longue histoire se confond avec celle des sociétés humaines. Pour être pratique, l'étude d'un si vaste sujet doit s'imposer des limites arbitraires.

Ainsi, j'ai dû résumer dans un seul chapitre les fondements des principales traditions musicales non européennes. Or une histoire universelle de la musique devrait aborder les différentes civilisations sous des angles semblables et s'attarder sur chacune en proportion de sa richesse. Mais ce serait décevoir la plupart des lecteurs européens, dont l'expérience musicale se réfère à la polyphonie occidentale des cinq derniers siècles.

Au point de vue chronologique, on est limité par les lacunes de nos connaissances. Excepté la lyrique grecque, où sont enracinées nos traditions, la musique de l'Antiquité ne nous est connue que par l'iconographie, souvent inexacte, et les vestiges d'instruments. Nous manquons de textes musicaux déchiffrables ou de témoignages sûrs antérieurs au Xe siècle de notre ère et la plupart des sources littéraires sont trop imprécises pour permettre de reconstituer avec un minimum de rigueur les pratiques musicales aux temps de saint Augustin, de saint Grégoire ou même de Charlemagne.

Pour éviter cependant un trop grand déséquilibre en faveur des derniers siècles, si riches en compositeurs vedettes, les biographies seront sommaires et isolées dans des encadrés, de sorte que le texte principal soit consacré au développement historique d'un aspect de civilisation. On trouvera dans les dictionnaires et les monographies les informations complémentaires sur tel sujet que le présent ouvrage aura situé dans l'histoire. Enfin l'objectivité à laquelle s'efforce le chercheur scientifique est bien illusoire ici, particulièrement dans le choix nécessaire de tout ce qu'il faut omettre pour ne pas transformer cette histoire de la musique en inventaire...

Le lecteur peu familiarisé avec la théorie me pardonnera sans doute certains développements où j'ai voulu offrir à sa réflexion des sujets qui en soient dignes, au risque de lui demander un effort d'attention. La réalité musicale est subtile et complexe. En se le dissimulant, on perd le sens de son évolution. La « vulgarisation » complaisante isole la réalité musicale de la société qui l'a engendrée et qui doit pouvoir l'assumer. Pour que l'amateur ingénu cesse d'être mystifié par le connaisseur, pour que la « grande musique » perde ses privilèges de rite aristocratique, il est préférable d'en examiner scrupuleusement les principes et les fonctions, pour que chacun puisse dégager l'essentiel de tout un fatras de conventions et de luxes « culturels ». Ce ne sont pas les vies romancées, les catalogues d'œuvres, les analyses harmoniques, ni quelques bribes de science ésotérique qui garantissent à la musique, en tant que sagesse, sa place dans notre civilisation.

Roland de Candé.

sommaire

La liberté de créer
La seconde
renaissance
L'Ars nova

La grande
Renaissance
Apogée de la
polyphonie et
commencement des
temps modernes

Formation
du mélodrame et
du style concertant
L'âge baroque du
classicisme

La musique classique
et le siècle
des lumières

Prémisses

Écouter : un rituel?

Il me semblait
que la musique
était une belle muette
aux yeux
pleins de sens.
Sartre

Mirages d'une définition

Privilège exclusif de l'homme, la musique n'est jamais définie convenablement : on observe mal une action où l'on se trouve impliqué. Pour J.-J. Rousseau, c'est « l'art d'assembler les sons de manière agréable à l'oreille » (définition adoptée par le Petit Larousse). Or ni la musique rituelle, ni la musique dramatique, ni la musique militaire, n'ont pour vocation essentielle d'être agréables à l'oreille. Est-il seulement possible qu'une même musique soit agréable aux oreilles de tous les hommes, quelles que soient leur race et leur culture?

A la désinvolture de Rousseau s'oppose le pédantisme de Littré : « science ou emploi des sons qu'on nomme rationnels, c'est-à-dire qui entrent dans une échelle dite gamme ». Il manque à cette définition la référence à un projet : la « science ou l'emploi des sons » doit avoir un but, un sens, et c'est cela l'essentiel, si difficile à circonscrire. Lorsqu'un petit enfant tape sur le clavier d'un piano, employant les sons d'une échelle déterminée qu'on nomme « rationnels », fait-il de la musique? tandis qu'avec leurs nébuleuses de sons indéterminés, Penderecki, Ligeti ou Xenakis n'en feraient pas, ni les tambourineurs africains, ni les joueurs de *tablā* indiens (sons « irrationnels »)?

Une des meilleures définitions proposées dans notre temps est celle d'Abraham Moles : « un assemblage de sons qui doit être perçu comme n'étant pas le résultat du hasard ». Sa faiblesse est d'admettre que tout assemblage de sons programmés et perçus comme tels peut être qualifié de musique... ce qui est peut-être excessif (répétition ou permutation automatique de quelques sons choisis arbitrairement... langage parlé...).

La plupart des définitions proposées oublient ou refusent de considérer la musique comme un système de communications. Et pourtant une communication singulière s'établit entre ceux qui émettent la musique et ceux qui la reçoivent, dans la mesure où les seconds perçoivent un ordre spécifique, un sens, voulu par les premiers (soit un processus d' « encodage » et de « décodage »). Mais c'est un système de communications non référentiel : le sens de la musique lui est immanent.

En dépit d'une terminologie abusive (langage musical, phrases, discours, expression, syntaxe, musique descriptive, etc.), la musique n'est pas un langage que l'on peut traverser sans s'y arrêter et dont la signification, transcendante au signe, peut être retenue lorsqu'on a oublié celui-ci [1] : son éventuelle « signifi-

---

1. « Il peut arriver qu'après avoir ouï un discours, dont nous aurons fort bien compris le sens, nous ne pourrons pas dire en quelle langue il aura été prononcé! » (Descartes, *Traité de la lumière*).

La *Neuvième Symphonie* place de la Concorde, le 21 juin 1975.

cation » est sans référence à la réalité extérieure, à quelque échelon qu'on se place. Le linguiste Nicolas Ruwet considère la
musique comme « un langage qui se signifie soi-même » : formule
ambiguë mais séduisante, qui sous-entend que la musique ne
véhicule pas d'idées, ne définit pas de concepts nouveaux, est
incapable de s'analyser ou de se décrire elle-même. Les efforts
stériles que font certains amateurs pour lui trouver des significations extra-musicales les persuadent qu'ils ne sont pas musiciens : ils poursuivent des fantasmes au préjudice de l'intelligence
du sens purement musical.

« La définition de la foi, tout comme celle des arts, n'est pas
de l'ordre du concept, mais de l'action. » Ce bel aphorisme du
philosophe Roger Garaudy nous décourage de chercher une
définition universelle où toute la musique à venir devra se reconnaître. Dans le foisonnement de sons et de bruits, naturels ou
provoqués par l'homme depuis des millénaires, à quels signes
un Martien reconnaîtrait-il donc ce que nous appelons musique...

Jan Brueghel, *le Concert d'oiseaux*.

« Olivier Messiaen et les oiseaux »,
film de Denise Tual.

à supposer que nous nous accordions nous-mêmes sur son identification? Ou encore, comment faudrait-il programmer un ordinateur pour qu'il distingue la musique des autres ensembles de
sons?

Nous constatons que tout ce qui nous semble musique est :

○ un complexe sonore, sans signification ni référence extérieure
(le langage n'est pas musique, même dans les langues « à tons »);

○ le fruit d'une activité projective, plus ou moins consciente :
un « artefact » (il n'y a pas de musique « naturelle », ni purement
aléatoire);

○ une organisation communicable : elle associe un organisa-
teur-émetteur (musicien actif, compositeur-interprète) à un
récepteur (auditeur) par un ensemble de conventions permettant
une interprétation commune du « sens » de l'organisation sonore.
Au minimum, l'activité projective sera perçue comme telle, car
si l'assemblage des sons paraît naturel, il ne peut être qualifié
de musique que par métaphore (musique d'un ruisseau).

En somme, la musique semble avoir été jusqu'à ce jour l'action d'assembler des sons, en fonction d'un projet communicable, sans référence à une réalité extérieure. Ou bien : la musique est la communication d'un assemblage de sons organisés, assemblage non signifiant, mais collectivement interprétable.

Ces essais de définition impliquent que toute intervention humaine dans le monde des sons, qui obéit à un projet non conceptuel (esthétique), peut être appelée musique. Si j'enregistre dans sa continuité le monde sonore, naturel ou aléatoire, qui m'entoure (oiseaux, ruisseau, insectes, voix, machines, etc.), je n'obtiens qu'une copie, plus ou moins fidèle, de ce monde; mais, en sélectionnant et en assemblant par montage certains fragments d'enregistrement, éventuellement en les superposant, je fais de la musique... à condition toutefois que mon intervention soit projective et non aléatoire. Berlioz écrivait déjà : « Tout corps sonore utilisé par le compositeur est un instrument de musique », de sorte que des bruits de machines, par exemple, assemblés selon un projet (« composition ») peuvent devenir musique. L'ensemble des conventions qui rendent le projet communicable peut constituer un système musical.

Les qualités que nous attribuons à la musique sont liées à notre interprétation de ce projet. En effet, la musique parvient à nous émouvoir, parfois intensément, par des qualités imprévisibles attribuées au « génie », et non par l'ordre prévisible découlant du système. Si cet indéfinissable génie pouvait se mesurer à la science combinatoire dans le cadre d'un système, l'ordinateur surpasserait les plus grands musiciens de l'histoire... Le « sens » de la musique, auquel j'ai fait plusieurs fois allusion, est la somme des intentions du musicien, la direction de son projet (sens = direction). Il constitue la spécificité d'une musique par rapport à une autre de même style et de même forme.

Reprenant les idées de Damon d'Athènes, Aristote *(Poétique)* considère que la musique est, comme les autres arts, une *imitation* : elle imite l'âme humaine. J'y reviendrai dans le chapitre sur la musique des Grecs. A son tour, saint Augustin emprunte cette théorie. Mais il dit aussi que la musique est un mouvement, dont la finalité est sa propre perfection... par opposition au geste qui produit un objet. L'apparente contradiction avec la théorie de l'imitation se résout en faisant remarquer que le « modèle » est ici un idéal. D'où l'impossibilité de fixer *objectivement* les règles du beau musical, par manque de référence à un objet ou à une finalité extérieure.

Ce caractère subjectif du modèle musical est illustré par la diversité des « interprétations ». L'interprète imite un archétype, une musique intérieure mémorisée. Celle-ci ne s'accorde pas toujours à d'autres archétypes : ceux que portent dans leur mémoire les auditeurs et qui leur serviront à juger l'interprétation.

L'idée hégélienne de l'unité des arts s'accorde mal à ces caractères spécifiques : la musique est une action perpétuellement renouvelée (du moins jusqu'aux musiques électro-acoustiques) et elle se passe de modèles extérieurs. De certains points de vue, cependant, elle présente des similitudes avec l'architecture, la poésie, le cinéma et les mathématiques. Comme l'architecture, elle est un système de communications non référentiel; l'une organise des rapports temporels comme l'autre des rapports spatiaux. Comme la poésie et le cinéma, elle est essentiellement un art du temps. Et, comme les mathématiques, elle se fonde sur un système de symboles opérationnels, qui désignent des actes, des « opérations », non des objets ou des idées. L'essence de la musique est dans sa structure, comme celle de l'architecture, de la poésie ou des mathématiques, quelles qu'en soient les fonctions.

Fonction sociale et perception

S'il est difficile de définir la musique, il l'est autant d'expliquer sa fonction sociale et de découvrir son *modus operandi*. A ces questions est liée la perception du « sens » musical : plus la musique sera « fonctionnelle » (au sens large), mieux on la comprendra.

> La musique
> d'un groupe humain,
> c'est la voix de ce groupe,
> et c'est
> ce groupe même.
> A. Schaeffner

Antiquité A l'origine la musique n'était qu'une activité musculaire (membres, larynx) adaptée aux conditions de lutte pour la vie. Son développement a suivi, de diverses manières, celui des sociétés humaines. Longtemps elle reste un prolongement, un soutien, une exaltation de l'action. Liée à la magie, à la religion, à l'éthique, à la thérapeutique, à la politique... au jeu et au plaisir aussi, elle constitue l'un des aspects fondamentaux des vieilles civilisations. Sa transmission sera assurée de génération en génération, par imitation, puis par enseignement systématique.

Dans l'Antiquité (et jusqu'à nos jours dans certaines civilisations) la musique constitue la plus haute sagesse, car elle est la clé de toutes les autres. « Il n'est pas de concept en ce monde qui ne soit transmis par les sons. Le son imprègne toute la connaissance. Tout l'univers repose sur le son » (*Vākya padīya*). « Tout ce que nous entendons nous porte bonheur ou malheur. La musique ne devrait pas être exécutée inconsidérément » (Seu Ma-tshien). « Pour être instruit en toutes choses, il faut étudier avec soin la musique en ses principes naturels » (Confucius). « Tout changement en matière de musique est lourd de conséquences pour la cité... On ne peut rien changer aux modes de la musique sans ébranler la stabilité de l'État » (Platon)... Les pythagoriciens voient dans la musique une représentation de l'harmonie universelle. Non seulement sa connaissance est indispensable à tous ceux qui veulent s'élever dans la voie de la sagesse et de la science, mais elle est aussi nécessaire au peuple et aux esclaves, parce qu'elle élève l'âme et y entretient des sentiments nobles et justes, garantissant ainsi la stabilité et la prospérité de l'État.

Les contemporains de Terpandre, de Pindare ou de Damon, ou ceux de Confucius n'ont certainement pas été tous également musiciens, également réceptifs et intelligents vis-à-vis du phénomène musical. Mais jamais sans doute autant qu'aujourd'hui le fossé n'aura été aussi profond entre l'hyper-musicien (professionnel ou non), l' « hyper-acousique » et, d'autre part, l'analphabète ou l'idiot musical, « anacousique » ou « amusique »! Au ${IV}^e$ siècle av. J.-C., la sagesse acousmatique n'ayant pas résisté à la rhétorique des géomètres et des sophistes, la musique grecque dégénère et le goût public se dégrade à tel point que bientôt les descendants des auditeurs de Sophocle se repaîtront des combats de gladiateurs et s'exalteront au vacarme solennel des hymnes totalitaires.

Dépréciation de l'auditif Désormais, la primauté du visuel va se substituer à celle de l'auditif dans la civilisation occidentale : la musique perd sa situation privilégiée dans la culture et la vie quotidienne. Il s'ensuit, au cours des siècles, une diminution progressive de la sensibilité aux phénomènes sonores, particulièrement à la musique : les peuples d'Occident deviennent « anacousiques », si l'on me permet ce néologisme, hormis une faible proportion d'initiés. L'enseignement lui-même fait de plus en plus confiance à la vue de l'enfant (livres illustrés, objets exemplaires, dessins, tableaux, gestes démonstratifs) et de moins en moins à son ouïe (déclin de l'enseignement oral).

Dans la société industrielle, la dépréciation de l'auditif est devenue encore plus aiguë. La raison peut en être la suivante. L'œil est attentif, laborieux, précis, il choisit et contrôle l'objet de sa fonction. L'ouïe ne s'ouvre ni ne se ferme à notre guise, elle reçoit pêle-mêle tous les objets sonores qui sont à sa portée, elle ne choisit que difficilement, elle est peu attentive, elle n'est pas naturellement laborieuse. Comparée à l'œil, elle paraît indolente et subit le tabou que notre société impose à toute forme de paresse! La musique, dans ces conditions, est suspecte, au point que l'état de musicien, dans une certaine bourgeoisie, paraît singulier, presque indigne. De surcroît, la musique est fugitive : elle se prête mal à l'observation, à l'analyse, dont le monde moderne ne peut se passer. C'est un art du temps, de ce temps hostile dont la vie dépend (« Le temps est toujours le lieu du supplice », écrit Domenach). La difficulté de l'aborder objectivement, scientifiquement, est illustrée par un jeu de société que propose Roland Barthes : parler d'une musique sans utiliser d'adjectif!

Il semblerait naturel au moins que l'élite intellectuelle fût toujours soucieuse de conserver à la musique une place honorable dans sa culture et ses travaux. Or, pour ne prendre qu'un exemple particulièrement significatif, il semble que la musique ait été comme refoulée chez Freud par les tabous sociaux [1]. Comment est-il possible en effet qu'un intellectuel viennois de la fin du XIXe siècle ait été amusique comme il le laisse entendre? Lorsqu'il définit les fantasmes, ou lorsqu'il explique comment les obsessions mélodiques sont toujours porteuses d'un sens extra-musical se rapportant à l'inconscient du sujet, il paraît nier l'existence d'un sens musical pur (il y a bien des mélodies obsédantes pour tout le monde et d'autres qui ne le seront jamais). Pour lui, comme pour bien d'autres penseurs, la vue est privilégiée : c'est l'instrument de la découverte scientifique, de l'observation.

L'aggravation continue de cette tendance « anacousique » peut expliquer la situation servile habituellement imposée aux musiciens pendant plusieurs siècles. Beaucoup ont été considérés comme des domestiques, certains comme des vauriens. Jugés inaptes à gouverner leur vie en citoyens conscients, ils sont souvent l'objet de sollicitudes hautaines et, pour peu, on les aiderait à traverser la rue. En se plaçant au service de familles puissantes, ou sous leur protection, beaucoup de grands musiciens se sont trouvés dépendre entièrement d'une élite sociale souvent incapable, depuis le XVIIe siècle, de justifier ses prétentions à un certain rang culturel. L'humilité inconvenante de nombreuses dédicaces sonne d'autant plus faux que les dédicataires, dont il faut à tout prix s'attirer les bonnes grâces, ont accumulé bévues et injustices.

Pour montrer qu'ils échappaient à cette subordination, de très grands musiciens se sont fait un honneur de se proclamer « amateurs », c'est-à-dire indépendants. Satisfaits de n'avoir pas à étaler, en tête de leurs œuvres gravées, les signes d'une quelconque servitude, ils s'intitulent fièrement : *dilettante veneto* (Albinoni), ou *nobile veneto dilettante di contrapunto* (Marcello). Il appartiendra à Beethoven de rendre à tous les musiciens le sentiment de leur dignité. Mais c'est à peine si leur activité marginale trouve à se justifier aujourd'hui autrement qu'en termes économiques, tant leur fonction sociale est incertaine.

1. Sur Freud et la musique, voir *Musique en jeu*, n° 9, 1973.

La musique
dans la vie sociale.

Musique fonctionnelle Dans toutes les civilisations, cependant,
le développement de la musique a été lié à sa fonction dans la
société. Cette fonction fut l'un des principaux facteurs d'évolution de la musique occidentale, presque toujours suscitée, jusqu'au XVIIIe siècle, par des circonstances de la vie publique et
privée. Toute la musique de Lully, Purcell, Scarlatti, Couperin,
Vivaldi, Bach, Rameau est encore « fonctionnelle » et même
une bonne partie de celle de Haydn et Mozart... Ces relations
de fonctions expliquent que tant de chefs-d'œuvre, aujourd'hui
diffusés dans le monde entier, n'aient pas été publiés en leur
temps : cette musique « de circonstance » n'était pas destinée
à la postérité!

A partir du XIXe siècle, le mythe du compositeur romantique
et la conception nouvelle de l'art pour l'art créent un préjugé
en faveur d'une musique « pure », toute musique de circonstance
ou fonctionnelle étant dépréciée artistiquement, mais pratiquée
subsidiairement avec des mobiles économiques.

En même temps qu'elle se détournait peu à peu de ses fonctions
sociales originelles, la musique occidentale, devenue polyphonique, croissait en complexité. Au départ de cette double évolution, l'apparition du concept d'*œuvre* musicale est une singularité
dont l'action évolutive aura été déterminante. L'œuvre est

l'ensemble des traits permanents d'une action musicale renouvelée : elle encourage une préparation minutieuse, raffinée, de l'action future, se référant au souvenir de l'action passée. La musique s'en trouve généralement enrichie et sa complexité de structure tend à s'accroître.

Spécialisation : le public Ainsi s'accuse un phénomène d'une grande importance sociologique : la spécialisation. Des musiciens passifs (auditeurs) tendent d'abord à se distinguer des musiciens actifs; puis, à mesure que l'œuvre s'affirme comme le fondement de notre tradition musicale, les deux groupes se divisent encore en sous-catégories de plus en plus diversifiées : compositeurs, éditeurs, interprètes, auditeurs, de différents types comme on le verra plus loin.

Dès que la spécialisation s'impose, la musique dépend de la présence d'un « public », de son comportement, des pressions qu'il exerce, donc de contingences psychosociologiques, historiques, politiques. Si les grands artistes venaient à Sparte, avant l'hégémonie athénienne, au VIIᵉ siècle, c'est déjà parce qu'ils y trouvaient un public. Selon qu'elle s'adresse au peuple, à la cour, à la bourgeoisie pré-industrielle, aux jeunes, ou à diverses catégories de cybernanthropes de l'ère industrielle, la musique évoluera de façon déterminée. En revanche, il est très rare qu'une théorie purement hédoniste préside à son évolution, une théorie des assemblages de sons « agréables à l'oreille » ou qui, plus exactement, stimulent le parasympathique en provoquant les réactions végétatives liées au plaisir. Plus encore que les difficultés pratiques, les préjugés éthiques s'opposent à une telle théorie, car le plaisir est suspect dans la civilisation chrétienne : y associer la musique serait déprécier celle-ci encore davantage.

De toute façon le vrai artiste ne cherche pas à plaire immédiatement, sauf lorsque sa survie en dépend. Fondamentalement subversif, il garde sa liberté d'imposer des changements malgré le public, en obéissant à des nécessités historiques, techniques, esthétiques. L'artiste est intégré à la société avec sa liberté et s'il est incompris c'est parce qu'il est prophétique : le conflit de l'art et de la société est une réalité objective qui tient à l'essence de l'un et de l'autre.

C'est en Grèce que l'on découvre les premières manifestations d'un « public » socialement conscient, dont le jugement pouvait être déterminant, lors des grands spectacles concours de Delphes et d'Athènes. Eschyle, Euripide et Sophocle briguaient eux-mêmes, régulièrement, les suffrages du peuple athénien. A partir de la conquête romaine et surtout de l'avènement du christianisme, la musique n'est plus destinée au peuple, si ce n'est pour son édification ou pour son salut. La musique « savante » restera pendant des siècles l'apanage de l'Église et des pouvoirs. Il faut attendre l'apparition, aux XVIIe et XVIIIe siècles, des théâtres d'opéra et des concerts publics, les uns et les autres payants, pour que se manifeste à nouveau cette foule d'auditeurs qui achète avec ses billets le droit d'être contente ou mécontente.

Ce « grand public » s'est souvent distingué, depuis trois siècles, par son conservatisme esthétique : il se plaint parfois des changements qui lui rendent la musique « incompréhensible » et son souci de comprendre (si étrange vis-à-vis d'un art non signifiant) tourne à l'obsession. Mais il ne faut pas être systématique : l'artiste prophétique en avance sur son temps est une tarte à la crème de l'histoire de la musique. Le décalage existe toujours, mais habituellement il est rapidement surmonté : d'abord perçues comme des anomalies, les nouveautés sont intégrées à la tradition, servant à leur tour à contrôler de nouveaux progrès. Le refus catégorique de la musique moderne par une majorité du public est une singularité de notre temps.

Consommateurs de musique N'étant plus responsables collectivement de notre civilisation musicale, depuis déjà longtemps, nous étions prêts à recevoir passivement la musique qu'une industrie spécialisée nous destinerait. Celle-ci a parié sur le conservatisme du public, encouragé par le culte exclusif de la musique ancienne que suscitent les progrès de la musicologie. La musique moderne, celle qu'on a vue naître, cesse d'être prépondérante comme elle l'a toujours été : jugée désormais selon des critères du passé, elle devient de plus en plus suspecte à la grande masse des auditeurs.

Les créateurs indépendants vont avoir tendance à fuir en avant, accentuant leur spécialisation, leur isolement, la dépréciation de leur art, et condamnant au ghetto leurs productions les plus originales. Il s'ensuit que la plus grande partie de la musique « consommée » de nos jours n'est pas du tout représentative de la pensée esthétique contemporaine... ce qui paraît incroyable si on juge avec un recul suffisant! Produit de consommation aux fonctions indéterminées, une musique neutralisée est diffusée partout aujourd'hui sous une forme « prêt à écouter ». On ne choisit plus, on subit ce que le show business a décidé de vendre.

La musique des peuples surdéveloppés n'est plus un événement sonore privilégié : baignant perpétuellement notre système auditif et notre inconscient musical, elle est un aspect vibratoire du milieu, bienfaisant ou maléfique, et l'on doit parfois s'en protéger comme des intempéries. Saturé de décibels synthétiques, l'homme d'aujourd'hui ne perçoit plus la symphonie des sons rares ou familiers, les cris des oiseaux, les rumeurs de la forêt et ces bruits innombrables chargés de symboles qui montent de la vallée : il les prend pour le silence, ne sachant plus entendre que le battement solitaire de son cœur quand cesse la musique d'ambiance. Le double phénomène de la complexité des musiques avancées et de la pollution de l'environnement sonore fait de lui un anacousique, un amusique, physiologiquement et psychologiquement. Pour s'intégrer de nouveau dans les courants de civilisation musicale, il lui faudra réapprendre l'innocence.

La transmission des idées : l'œuvre et sa notation

Les plus anciens témoignages de civilisations musicales raffinées remontent à plus de six mille ans et il y a tout lieu de penser que la musique a des origines plus lointaines. Par l'iconographie, les vestiges d'instruments, les récits légendaires ou la tradition philosophique, nous apprenons ce qu'étaient ses fonctions et les conditions de son développement dès la plus haute antiquité, notamment en Asie Mineure, en Égypte, en Chine, en Inde.

Un livre est un arbre mort.
Saint-John Perse

Mais ces riches civilisations ne nous ont pas laissé la moindre trace d'une œuvre musicale notée, et dans l'abondance des documents on ne trouve pas de représentation d'un musicien lisant. Ces peuples anciens ne paraissent pas s'être souciés de la transmission exacte d'un patrimoine d'objets musicaux, d'idées musicales, pas plus qu'aujourd'hui les musiciens traditionnels de l'Inde. Ils pratiquaient la musique dans des circonstances déterminées, à leur seul bénéfice, ou à celui de leur famille, de leur caste, de leur cité, exceptionnellement pour la satisfaction d'un vainqueur, s'en tenant au respect des échelles et des règles traditionnelles.

Les plus anciens systèmes de notation qui nous soient connus sont ceux des Grecs (depuis environ — 600); ce sont les premiers, du moins, qui nous ont été transmis sous une forme intelligible. Les Chinois auraient utilisé, dès le 2e millénaire avant notre ère, des symboles représentant les sons de leur échelle; mais on ne connaît aucun document musical noté antérieur au XVIe siècle de notre ère. Quant aux systèmes de l'Inde, dont on sait qu'ils existaient dès l'époque védique, ils avaient probablement à l'origine un caractère ésotérique, lié à l'interprétation des hymnes; ils ne nous sont accessibles que sous la forme, relativement récente, qu'ils ont conservée de nos jours, avec des fonctions principalement théoriques et pédagogiques.

Il est impossible d'assurer qu'une notation de la musique a fonctionné ou non à des époques très lointaines, en Mésopotamie ou en Égypte par exemple, malgré les résultats encourageants de recherches récentes. De toute manière, aucun système n'a pu être d'un usage courant dans l'Antiquité. Des musiciens lisant n'apparaissent dans l'iconographie qu'à la fin du XVe siècle de notre ère lorsque, dans la civilisation occidentale, la notation est devenue pratique et indispensable. Nous ne connaissons pas non plus de textes musicaux, en dehors des références du *Sāma Veda* (— 1200 environ) et d'une quinzaine de documents grecs, la plupart assez tardifs. Si l'usage de la notation avait été plus répandu, il est certain que la civilisation hellénique, dont la poésie lyrique, la tragédie, la philosophie sont connues par d'abondantes sources littéraires, nous eût laissé des témoignages nombreux de son patrimoine musical. Certes, plusieurs de nos rares documents représentent des œuvres musicales autonomes, au sens où nous le comprenons aujourd'hui. Mais ce sont des cas isolés, peu significatifs. Les symboles graphiques paraissent avoir eu alors pour objectif principal de guider la récitation lyrique en cas de nécessité et surtout de fournir un instrument de travail aux théoriciens et aux pédagogues.

Quant à la musique chrétienne primitive, ni la notation alphabétique latine (incohérente adaptation de la notation grecque),

Les anges musiciens
(Grünewald, retable d'Issenheim).

ni la notation byzantine, toutes deux beaucoup trop ambiguës et compliquées, ne pouvaient contribuer à son développement et à sa diffusion. Pratiquement, la musique chrétienne s'est passée de notation jusqu'à l'apparition des premiers neumes vers le VIIIᵉ siècle (p. 205 s.) : la mémoire des chanteurs, leur connaissance des règles et quelques gestes conventionnels suffisaient à garantir la cohésion des chœurs [1].

Encore les premiers neumes n'étaient-ils qu'une sténographie imprécise, presque indéchiffrable aujourd'hui, destinée seulement à aider la mémoire en indiquant l'allure de formules mélodiques déjà connues. Jusqu'au XIIᵉ siècle, l'interprétation des textes musicaux reste très incertaine, souvent hasardeuse. Le rythme ne sera clairement noté qu'au XVᵉ siècle; et il faut attendre le XVIIIᵉ siècle pour que les nuances et l'instrumentation soient déterminées avec exactitude. C'est à mesure que la polyphonie devient plus complexe et raffinée que, par nécessité, la musique occidentale se dote lentement d'un système de notation de plus en plus précis.

Ainsi, la préoccupation de conserver et de transmettre à la postérité avec exactitude l'idée musicale paraît extrêmement récente et nulle part elle n'a été aussi contraignante que dans notre civilisation. Depuis des millénaires, la musique était un art de tradition orale, comme la pantomime [2]. Des règles fondamentales, profondément assimilées, constituaient l'essentiel de la culture musicale transmissible. Ce sont elles que l'on respectait et non ce que nous appelons des « œuvres ». La musique était en perpétuel devenir, soit dans l'improvisation, soit dans l'interprétation renouvelée de formules traditionnelles. Elle était un geste qui s'évanouissait pour en susciter un autre et ne pouvait se figer dans un système illusoire de correspondances graphiques. Même lorsqu'une œuvre littéraire supposait une interprétation musicale déterminée à l'avance (lyrique et tragédie grecques, par exemple), c'est à un mode de récitation que l'on se référait, plutôt qu'à une composition musicale juxtaposée au texte.

La notation occidentale Selon J. Handschin, la notation est le symptôme d'un affaiblissement du sens musical. La mémoire musicale, remarquablement fidèle là où s'impose la tradition orale, s'affaiblit et se dégrade sous l'influence de la notation. En créant une catégorie de musiciens exécutants, distincts des créa-

---

1. Il faut remarquer que la mémoire joue un rôle fondamental dans la perception même de la musique : la mélodie n'existe qu'en devenir et n'est perçue que par le souvenir que nous gardons des notes écoulées.
2. L'écriture, cependant, est extrêmement ancienne. Mais elle ne s'est toujours intéressée qu'à la pensée conceptuelle. Et les vieux rêves prémonitoires de conservation des sons ne concernent eux-mêmes que le langage parlé, véhicule privilégié de la pensée.

teurs, elle accentue une spécialisation préjudiciable à la culture musicale collective. En privilégiant la partition, au point d'en faire l'objet musique par excellence, elle précipite le déclin de cette culture. Il est intéressant de remarquer qu'à partir du XVIᵉ siècle, lorsque notre notation est devenue souveraine et la partition précise et tyrannique, les anges musiciens disparaissent de l'iconographie et sont remplacés par des professionnels lisant : à l'inspiration angélique s'est substituée l'ingéniosité des « compositeurs » ...

De fait, la mutation provoquée par l'écriture dans la musique occidentale a été très profonde. Incapable de fixer a posteriori les subtiles fluctuations agogiques de l'acte musical (ce qu'elle avait vocation de faire au départ), elle inaugure de fixer a priori la manière dont les sons *doivent* être produits. Elle devient un canon fixe, dont le respect favorise le culte démesuré de l'*œuvre*. L'importance que nous donnons à ce concept, en tant que représentation de prétendus objets musicaux, est très excessive. Les « œuvres » écrites, dont l'étude est le souci majeur des historiens et des musicologues, ne sont pas des objets achevés, mais des objets à faire. A cet égard, la partition est comparable au plan d'architecte, au découpage de film ou à la recette de cuisine. L'élément permanent, reconnaissable, transcendant aux interprétations possibles, ce n'est pas l'œuvre, mais son projet. La représentation que se fait un musicien en lisant la partition sans la jouer se réfère nécessairement à une interprétation imaginaire : le souvenir qu'il en garde est celui d'une musique entendue et non d'un ensemble de symboles qui représentent une musique à jouer. N'existant que si elle apparaît dans l'interprétation, l'œuvre est une « apparence » et non une chose. Pour le compositeur, c'est un idéal.

Les systèmes de notation et de composition se développent ensemble, par interaction. Plus la notation est complexe, plus la théorie devient arbitraire et rigide. Les règles imposent des schémas rigoureux et intelligibles (rationnels), auxquels le musicien professionnel s'adapte nécessairement : la musique est contrainte à devenir telle qu'elle puisse être notée [1]... ce qui n'exclut pas la périlleuse ambition de composer *tout* ce qu'on peut écrire. La décadence de la musique grecque vient en partie de là et les linguistes pourraient évoquer Saussure, dénonçant le danger que l'écriture contamine la langue.

On peut classer les différents types de notation de la façon suivante, selon le sens de l'information qu'on en reçoit :

---

1. Un phénomène semblable est apparu avec l'enregistrement sonore (sorte de notation analogique) : certaines musiques sont composées pour le micro, en tenant compte d'un processus technique, dont elles exploitent toutes les possibilités et qui les fige dans une interprétation unique et invariable.

1. Représentation symbolique du son
- méthode analytique : notation traditionnelle. Peu d'initiative de l'interprète sur les moyens de produire le phénomène global souhaité; recherche d'exactitude.
- méthode globale : certains signes d'agrément de la notation traditionnelle, trémolos, batteries, glissandi, une partie des notations nouvelles (clusters * par exemple). L'interprète a le choix des moyens de provoquer la perception globale souhaitée : les structures fines sont inventées dans l'action musicale.
- méthode schématique : neumes * et certains procédés utilisés en musique électro-acoustique.

2. Indication des moyens matériels de produire le son (position des doigts sur les cordes, par exemple) : tablatures (voir p. 399) et certaines notations modernes (Stockhausen). Les résultats sont sensiblement les mêmes qu'avec la représentation symbolique par la méthode analytique, en laissant encore moins d'initiative à l'interprète.

3. Suggestion de musiques possibles : formes « ouvertes », *Textkomposition*, et peut-être certains systèmes orientaux.

La grande faiblesse des méthodes de notation des deux premiers types, par quoi elles exercent une influence contraignante sur la composition, est qu'elles introduisent la discontinuité dans un phénomène continu, qu'elles quantifient en quelque sorte la musique. Cette particularité les rend impropres, quel que soit leur raffinement, à rendre compte de la musique de tradition orale, trop subtile et fluctuante.

Les bienfaits de la notation, en revanche, ne sont pas négligeables. Celle-ci a permis, avec les progrès de l'imprimerie et de l'édition, de répandre largement les fruits du génie musical occidental, dont la fécondité est remarquable. Mais, en favorisant l'énorme diffusion de notre musique dans le monde, elle a provoqué le nivellement des traditions régionales, faisant perdre leur vitalité aux folklores d'Europe et corrompant même certaines traditions d'Asie et d'Afrique. Cette conséquence est inévitable, à moins d'inventer une notation universelle qui s'adapte à tous les systèmes musicaux, sans leur imposer de contrainte, et qui favorise la circulation de toutes les musiques du monde, dans tous les sens, ce qui paraît utopique, tant notre musique et sa notation sont étroitement unies. La musique nouvelle de cette seconde moitié du XXe siècle s'est souvent préoccupée d'universalité. Mais elle n'a pas apporté de transformation fondamentale à notre conception de l'écriture musicale, qui reste spécifiquement occidentale; même lorsque certains, au nom

* Les termes suivis d'un astérisque figurent au *Lexique* à la fin du tome 2.

d'un syncrétisme illusoire, croient voir dans le graphisme des partitions un aspect essentiel de la musique, ou lorsque Stockhausen rêve d'une notation idéale où « le sens musical sera inscrit de manière si immédiate que le projet exclura tout doute quant aux modalités possibles de réalisation ». La seule originalité de la musique nouvelle vis-à-vis de la notation est son refus de s'adapter aux particularités de l'écriture traditionnelle, créant plutôt celle qui lui est nécessaire... pour la première fois depuis cinq siècles.

Catégories socio-musicales

La manière de concevoir la musique et de réagir à ses manifestations a considérablement varié selon les époques et les groupes sociaux. Des types de musique, souvent très différenciés, sont apparus au gré de ces variations, déterminant à leur tour des comportements musicaux particuliers. Ainsi des catégories socio-musicales, plus ou moins nettes, peuvent être distinguées de différentes façons, par exemple :

○ selon les comportements musicaux collectifs,
○ selon les comportements individuels, tels que les analysait Adorno vers le milieu de notre siècle,
○ selon les types de phénomènes musicaux qui sont le plus fréquemment observés.

Comportements collectifs En tant que phénomène social, la musique a considérablement évolué au cours de l'histoire, révélant des comportements collectifs différents.

1. Dans les sociétés primitives, la musique est un acte communautaire. Il n'y a pas de public, pas d'auteur, pas d'œuvre : les assistants sont presque tous participants. Si la notion de propriété artistique apparaît ici ou là, à l'échelon des petits groupes humains (exclusivité d'un type d'émission vocale, ou d'une technique instrumentale), les manifestations musicales n'en demeurent pas moins continuellement variables, dans les limites de certaines règles précises. Ces dernières sont liées aux circonstances de la vie sociale : choix des instruments, mode d'exécution, rythmes caractéristiques. Il existe de nos jours des communautés qui pratiquent la musique de cette façon, notamment en Afrique et en Océanie.

2. Pendant une très longue période, qui englobe la plupart des grandes civilisations de l'Antiquité et les huit ou dix premiers siècles de la chrétienté, la musique est toujours la manifestation d'une culture collective, mais la communauté en délègue l'exercice à des catégories spécialisées : il se produit une séparation entre musiciens actifs et assistants, exécutants-créateurs et audi-

teurs. Ce public ancien, vaste et indifférencié, est assez réceptif à
une musique qui lui est généralement accessible et qu'il rattache
à des rituels, à des traditions sociales, à des principes éthiques.
Lorsque la musique est suffisamment simple et connue, il conserve même son rôle actif, prenant part aux chants de la liturgie
chrétienne ou aux célébrations des fêtes traditionnelles; mais il
reste musicalement passif quand le chant devient subtil et compliqué, sous l'influence des professionnels. Toutefois, ce n'est
pas un auditeur inerte : il manifeste au bon moment son plaisir
ou son mécontentement, parfois de façon spectaculaire (en
Orient, on s'est longtemps servi d'un tambour pour applaudir)
et il sait reconnaître le bon musicien du mauvais. Dans l'Europe
chrétienne, le savoir musical est concentré dans les monastères,
et les auteurs sont anonymes; on ne s'intéresse pas à leur personnalité, ni à celle des exécutants, les uns et les autres n'étant
que des spécialistes au service de la collectivité, ou des guides,
austères conservateurs de la tradition.

3. A l'époque hellénistique en Grèce et dans la civilisation
chrétienne à partir du Xe siècle environ, une musique savante,
de plus en plus complexe, tend à devenir l'apanage d'une élite
sociale et culturelle. Bien éduquée musicalement, celle-ci forme
un public très réceptif, mais peu démonstratif. Son comportement
est passif, sauf dans l'exécution domestique de musique plus ou
moins simplifiée à l'usage des amateurs. Les grands musiciens

commencent à sortir de l'anonymat et la façon dont ils maîtrisent une technique de plus en plus complexe et raffinée leur vaut un grand prestige : les premières vedettes internationales apparaissent (troubadours et polyphonistes de la Renaissance). Tandis que les princes, la noblesse, l'Église et (à partir du XVIe siècle) une riche bourgeoisie de commerçants, de financiers et d'armateurs, rivalisent de talents et de fastes musicaux, le peuple se détourne d'une musique trop savante, qu'il n'entend guère qu'à l'église ou dans les antichambres. Il en cultive une autre, transmise oralement et adaptée à ses besoins, et prend à peine conscience du développement de la polyphonie. Le monopole des classes dominantes sur ce qu'on appellera la « grande musique » s'accroît continuellement jusqu'au XVIIIe siècle. Un fossé s'est alors creusé qui ne sera jamais tout à fait comblé.

4. Au XVIIIe et au XIXe siècle, la musique s'est relativement démocratisée, grâce à la multiplication des théâtres d'opéra et des concerts publics (apparus, les uns et les autres, au XVIIe siècle). Cependant, le rituel attaché à ces institutions exerce une action dissuasive sur une grande partie du public populaire et la commercialisation de la musique encourage la formation de

Musiques de fête.

classes d'auditeurs différenciées. Ce phénomène gagnera même certaines civilisations d'Orient. Les publics sont de moins en moins réceptifs et cultivés, mais la musique devient économiquement rentable, du fait de la plus large diffusion des œuvres objets. Il s'en compose de différents types pour toutes les classes d'auditeurs et en fonction de la demande; et les préférences, en s'accusant, font apparaître de véritables spécialisations dans le public, à mesure que la musique moderne paraît plus difficile et que ses styles sont diversifiés au point d'être parfois antagonistes. Dans la seconde moitié du XIXe siècle, beaucoup d'amateurs s'intéressent à la musique ancienne, tandis que d'autres trouvent leur bonheur dans une riche floraison de musique légère.

5. L'essor de l'industrie musicale (radiodiffusion, disque, show business) accentue fortement, d'un côté les mythes, les tabous et la fausse culture qui entourent la « grande musique », d'un autre, le prestige vulgaire attaché à la musique légère commerciale, en raison de ses fabuleux chiffres d'affaires. La vie musicale est contrôlée par des profanes, promoteurs ingénieux pour qui la musique est un bien de consommation comme un autre : ils diffusent du prêt-à-écouter, en fonction d'une demande qu'ils ont eux-mêmes suscitée. Ils décident de diviser le public musical en deux familles, de grandeurs inégales : les amateurs de « grande musique » ou « musique classique » et les amateurs de « variétés » ou musique légère, qualifiée parfois de « musique moderne ». Cette distinction et l'opposition qu'elle suscite sont un reflet des classes et des conflits sociaux : la famille « classique » est en majorité bourgeoise, la famille « variétés » en majorité populaire. Tandis que le grand public suit la mode sans discernement, l'amateur éclairé a de plus en plus l'impression d'appartenir à une élite. Mais cet amateur n'est plus un musicien actif; ou s'il l'est, très exceptionnellement, c'est en virtuose solitaire qu'il exécute au piano la musique des deux siècles précédents, jamais celle de son temps. Le snobisme mis à part, il y a un grave divorce entre le public, même cultivé, et la musique qui se fait près de lui. En dépit des apparences, l'industrie musicale a déclenché le processus inverse de la démocratisation amorcée au XVIIIe et au XIXe siècle. Le disque est parfois un remarquable instrument de culture populaire; mais il est plus souvent, hélas, un dispensateur de fonds sonores ou un objet de collection distingué.

6. Depuis l'Antiquité, le public, populaire ou aristocratique, a longtemps suscité, par son comportement ou ses exigences, la musique répondant à ses besoins, assumant ainsi la responsabilité d'une évolution qu'on peut considérer comme naturelle. Mais parfois une minorité s'est avisée de décider pour le public de ce qui lui convenait, fixant a priori les normes de la *bonne* musique; l'évolution est alors provoquée. Si cette minorité

agissante est constituée de spécialistes ne disposant de pouvoir que dans leur art, un style inhabituel, généralement de tendance avancée, peut être imposé au public malgré lui, au nom d'une pensée ou d'un goût supérieurs. Les musiciens de la Grèce décadente, les théoriciens du Moyen Age, les humanistes florentins de la Renaissance, les musiciens italianisants du XVIIIe siècle ou germanisants du XIXe, les dodécaphonistes, ont ainsi établi la primauté de leur vérité musicale, avec l'acharnement des prosélytes persécutés et parfois l'agressivité d'un terrorisme esthétique... Si au contraire la minorité agissante est formée de non-professionnels, disposant d'un pouvoir politique ou économique, ses critères seront d'ordre pratique ou idéologique. De véritables dictatures artistiques peuvent alors s'exercer sur le public comme sur les créateurs. Cette fois, la liberté de choix n'est plus seulement orientée par une propagande musicale ou une campagne d'intimidation doctrinaire : elle est simplement abolie! L'histoire nous fournit plusieurs exemples de ce totalitarisme musical : l'action « purificatrice » et unificatrice de saint Grégoire et de Charlemagne, les exigences des conciles, celles de la Réforme et de la Contre-Réforme, les condamnations au nom du nazisme ou au nom du réalisme socialiste selon Jdanov... et enfin l'empire du show business. Ces phénomènes totalitaires seront examinés dans les chapitres historiques qui leur correspondent. Leurs traits communs sont le conservatisme esthétique, la méconnaissance de la musique, la confiance en son pouvoir expressif et le mépris du public. Tous procèdent d'une confusion des valeurs et d'une démagogie primaire.

L'éthique musicale de la Grèce classique n'a pas conduit à cette sorte d'abus de pouvoir : il n'y aurait aucune raison de la condamner ici au nom de la liberté artistique, non plus que les philosophies musicales chinoise, hindoue et arabe. Sans être des musiciens professionnels, au sens où nous l'entendons, les philosophes de l'Antiquité étaient parfaitement compétents. Ils ne furent ni des démagogues ni des censeurs, mais des moralistes et des éducateurs soucieux du bien public. Au lieu de soumettre la musique à une idéologie, ils ont créé une idéologie musicale, dont l'action n'est absolument pas assimilable à un totalitarisme esthétique.

Comportements individuels A l'échelon des individus, Theodor W. Adorno distingue dans notre société huit types de comportement musical [1].

1. « Introduction à une sociologie de la musique » (trad. Vignal, in *Musique de tous les temps*). Adorno prévient le lecteur de la difficulté de « déterminer scientifiquement, par-delà les indices extérieurs, le contenu subjectif de l'expérience musicale » : effets psychologiques, témoignages verbaux, introspection musicale sont d'un faible secours pour cerner la vraie nature des expériences esthétiques individuelles.

La musique pour le plaisir
(XVᵉ siècle).

1. L'expert est l'auditeur idéal à qui rien n'échappe. Se recrutant presque exclusivement parmi les professionnels, il est capable de rattacher chaque détail à l'ensemble de ce qui précède et de ce qui va peut-être suivre; il reconnaît les techniques de développement, distingue les éléments successifs et simultanés de la polyphonie la plus complexe. Le compositeur voit en lui le seul auditeur qui puisse le comprendre parfaitement grâce à « une audition totalement adéquate », une « écoute structurelle ». Au stade de complexité auquel est parvenue la musique occidentale, ce type est pratiquement négligeable, tant il est rare, même parmi les professionnels.

2. Le bon auditeur, lui aussi, entend plus que des phénomènes sonores successifs. Mais s'il comprend parfaitement le sens de la musique et porte des jugements motivés, il est peu conscient des moyens mis en œuvre, car il n'est pas technicien. Ce type était assez répandu à la cour et dans l'élite culturelle et sociale jusqu'au dernier quart du XIXᵉ siècle. Adorno en trouve de bons spécimens chez Proust, par exemple le baron de Charlus. Ce type se rencontre encore dans la haute bourgeoisie ou dans les milieux intellectuels,

mais il se fait de plus en plus rare à mesure que la musique moderne devient plus difficile et qu'une culture superficielle mais éclectique devient plus facilement accessible.

3. Le consommateur de culture, type spécifiquement bourgeois, tend aujourd'hui à se substituer au « bon auditeur ». Assidu au concert et collectionneur de disques, il écoute énormément de musique, retient des thèmes, sait identifier les œuvres célèbres, connaît leurs tonalités et leurs numéros d'opus. Malgré son attitude concentrée pendant l'audition, ce mélomane perçoit mal le sens de la musique : il est moins attentif aux structures musicales qu'aux incidents de l'exécution. Entre « consommateurs de culture », on s'entretiendra indéfiniment des mérites comparés des interprètes, ou bien chacun fera l'inventaire des œuvres que l'autre ne connaît pas. Les jugements ne sont pas motivés : presque toujours conformistes, ils sont inspirés par des préférences personnelles ou des questions de prestige (snobisme). Dans cette catégorie, relativement peu nombreuse mais très influente, se recrutent les abonnés des sociétés de concerts, les pèlerins de Salzbourg ou de Bayreuth et les membres des comités de pro-

grammes. Tous « respectent la musique en tant que bien culturel, souvent comme quelque chose qu'on doit connaître pour des raisons de prestige social ».

4. L'auditeur émotionnel est encore plus éloigné de la réalité musicale. « La musique lui sert essentiellement à libérer des instincts habituellement refoulés ou réprimés par les normes de la civilisation. » Ses préférences vont à la musique romantique. Dénué de snobisme, il est naïf, ne veut rien savoir et se laisse donc facilement manipuler : il subit notamment « l'influence d'une idéologie fabriquée de toutes pièces par la culture musicale officielle : l'anti-intellectualisme ». Son goût est jugé exécrable par les catégories 3 et 5. Il se recrute dans tous les milieux, principalement dans la petite bourgeoisie.

5. L'auditeur rancunier, contrairement à l'auditeur émotionnel, fait du tabou imposé au sentiment la norme de son comportement musical. Superficiellement non conformiste (il méprise la vie musicale officielle), il se réfugie dans un passé qu'il s'imagine plus pur : la musique postérieure à Bach ne l'intéresse pas. Émotion et subjectivité l'irritent; sa préoccupation majeure est la fidélité rigoureuse à ce qu'il estime être le mode d'exécution authentique. Au sein du répertoire qu'il défend, les différences qualitatives semblent lui échapper, la pureté du style suffisant à son austère satisfaction. Ce type récent est apparu d'abord en Allemagne parmi les exécutants et les musicologues; il s'est vite étendu et recrute des représentants parmi les collectionneurs de disques.

6. L'expert en jazz, contrairement à l'expert n° 1, n'est pas nécessairement un professionnel, mais c'est toujours un spécialiste. Il s'apparente à l'auditeur rancunier par sa contestation de la culture officielle et par son aversion de l'idéal classico-romantique. Ce type est intransigeant, voire sectaire : toute critique contre une forme de jazz considérée à un instant précis comme particulièrement progressiste est un sacrilège, toute attirance vers un jazz périmé ou marginal est une faiblesse vulgaire. Les représentants de ce type se recrutent principalement parmi les jeunes. Adorno considère leur comportement comme œdipal : révolte contre un système père, auquel on se soumet humblement (échelles, harmonie et rythmes traditionnels).

7. L'auditeur de musique de fond est principalement un auditeur de variétés, totalement soumis à la pression des mass media. Sa façon d'écouter « se définit plus par le malaise ressenti quand on ferme la radio que par le plaisir éprouvé, aussi mince soit-il, quand elle marche ». Contrairement au consommateur de culture (3), volontiers orgueilleux, l'auditeur de variétés se fait une vertu de l'apathie culturelle. Pour lui, la musique n'a pas de sens et n'a pas à solliciter son attention. Au mieux, elle est un excitant,

une drogue; ordinairement, sa fonction est de sonoriser, comme celle de la lumière est d'éclairer. Ce type, auquel est indissolublement lié le show business, est quantitativement le plus important. Il se recrute dans toutes les classes sociales, la classe supérieure se distinguant cependant par le choix d'une musique de fond dite de qualité.

8. L'a-musical, indifférent ou hostile, est celui pour qui la musique est entièrement inutile ou gênante. C'est presque un cas pathologique, dont l'origine n'est pas un manque de dispositions naturelles, mais un processus mis en route pendant la première enfance. Adorno envisage l'hypothèse que le sujet a-musical doit ses manques au fait d'avoir été soumis très tôt à une autorité brutale. Ce type est souvent exagérément réaliste; « on le trouve chez les individus exceptionnellement doués pour une spécialité technique » et « dans les groupes exclus par les privilèges culturels et par la situation économique de la culture bourgeoise ».

Catégories musicales Si des types de comportement musical, individuel ou collectif, peuvent être distingués assez nettement, le classement des types de musique en fonction des conditions sociologiques de leur production est beaucoup plus décevant. On ne découvre que de fausses catégories, reflets de la culture

La musique pour le plaisir (XXe siècle).

et des habitudes de tel groupe agissant. Plutôt que des caractères spécifiques, ces fausses catégories distinguent assez confusément des manières de produire la musique. Profondément intégrées à notre pensée musicale, elles se présentent par couples opposés.

1. Musique spontanée ou composée. Depuis que l'homme vit en sociétés sédentaires, il n'y a plus de communauté musicalement vierge, d'où la musique puisse jaillir *ex nihilo*. Toute création dite spontanée est en fait conditionnée par un système musical et nourrie de réminiscences : l'exécutant y transforme une information reçue (stockée au niveau préconscient) selon le génie de sa race, l'occasion ou la nécessité. Ainsi le répertoire de ce que les ethnologues ont appelé le folklore musical est à la fois conditionné et en continuelle mutation. L'élément créatif réside précisément dans les transformations que subit l'héritage. C'est essentiellement un art de tradition orale. En le fixant par l'enregistrement ou la notation, rendant possible des répétitions identiques, on le dénature; mais on peut considérer qu'il demeure un folklore, c'est-à-dire *une création populaire à usage populaire*, où producteur et consommateur se confondent.

D'autre part, la musique composée, écrite, n'est pas exempte de spontanéité, par la place qu'elle laisse à l'initiative des interprètes : les seules musiques absolument fixes sont les musiques électro-acoustiques.

2. Musique savante ou populaire. Ces catégories sont plus nettes que les précédentes, mais les limites en sont encore imprécises. La musique savante est produite en principe par une élite culturelle, en fonction de critères esthétiques laissés à l'inspiration des créateurs. Elle n'est plus destinée à un public particulier, mais son degré de difficulté et le niveau culturel des divers groupes sociaux créent une sélection parmi ses auditeurs virtuels.

La musique populaire, au contraire, ne se définit que par sa destination. Tantôt elle est issue des couches populaires, généralement paysannes, et consommée sur place (folklore), tantôt elle est produite industriellement par la classe dirigeante, en fonction de critères purement commerciaux. Dans ce dernier cas, sa pérennité est incertaine, bien qu'elle soit systématiquement diffusée. Parfois la bonne musique populaire est une musique savante, en ce qu'elle est fondée sur un système savant : il existe des musiques populaires très savantes.

3. Musique classique ou variétés. Extrêmement inhibantes et corruptrices, ces catégories sont absurdes, car elles ne sont pas musicales mais commerciales. Leur apparition relativement récente est liée au développement du disque et de la radiodiffusion. Dans le jargon des industries musicales, on range sous le signe des *variétés* toute la musique mélodique moderne de diver-

La musique professionnelle
... savante ou populaire?

tissement, à l'écriture très simple et stéréotypée. Pour la commodité des classements, on y ajoute le jazz (authentique ou frelaté) et la pop music, bien qu'ils aient peu d'affinités profondes avec une catégorie se définissant par le conformisme et la simplicité.

En catégorie *classique* est rassemblée toute la musique savante occidentale, des origines à nos jours. Bien entendu, les folklores et les musiques savantes extra-européennes échappent à cette classification simpliste, de même que certaines formes de la musique nouvelle... On pourrait distinguer les « variétés » des autres sortes de musique en y observant des méthodes particulières. D'une part dans la composition : collaboration d'un mélodiste et d'un arrangeur, attachement à certaines conventions instrumentales, rôle majeur de l'amplification électrique; d'autre part dans l'interprétation et la diffusion commerciale. On observe aussi que la musique de variété n'est représentative, ni d'une pensée musicale en évolution, ni de la tradition; elle ne correspond d'ailleurs au goût du public que dans la mesure où la demande est provoquée par la publicité; son caractère éphémère est son originalité.

C'est de la musique savante ou « historique » qu'il est question dans ce livre. Je ferai allusion à la musique populaire commerciale d'un point de vue sociologique seulement et au jazz pour en montrer l'influence sur la musique européenne. Le folklore, auquel se rattache d'ailleurs une partie du jazz, pourrait faire l'objet d'un autre livre (qui aurait un caractère ethnologique et non historique, étant donné la fragilité de nos informations sur les traditions populaires du passé).

Musicologie et histoire

Les hommes font leur propre histoire ; ils ne la font pourtant pas dans des conditions choisies par eux, mais dans des conditions directement données, léguées par la tradition.

Marx

De toutes les sciences de la musique, l'histoire est une des plus fertiles en sujets de réflexion, car c'est une histoire de l'imagination et du comportement. Son domaine englobe une grande diversité de connaissances (théorie, esthétique, sociologie, etc.), d'où l'enrichissement qu'elle apporte si l'on ne poursuit pas le mirage de la culture individuelle encyclopédique. Car toute science bien comprise fait progresser d'abord la culture collective, ne laissant à l'individu que le sentiment de ce qui reste à découvrir.

L'histoire de la musique, cependant, se heurte aux limites de toute étude historique et aux difficultés qui lui sont spécifiques. Ainsi il ne peut y avoir d'histoire de la musique objective, au sens familier du terme, car la démarche historique emprunte ses concepts fondamentaux (parfois l'objet même de ses recher-

ches) à la philosophie personnelle de l'historien. Plus particulièrement, les jugements musicaux se réfèrent nécessairement à
des préférences individuelles ou collectives, en l'absence de
modèles extérieurs.

Ce subjectivisme rend les témoignages sur la musique particulièrement fragiles. Or les phénomènes musicaux passés ne
peuvent être étudiés directement, comme les monuments de la
peinture ou de la littérature, et ne se prêtent pas, comme les événements politiques ou militaires, à des comptes rendus exacts et
précis : la musique est fugitive et indescriptible. Les sources dont
l'historien doit alors se contenter sont, d'une part des témoignages
suspects et sans rigueur, d'autre part la reproduction approximative des phénomènes musicaux, grâce à la notation (quand
elle existe).

D'autres embûches sont à craindre : l'intérêt anecdotique des
vies de musiciens célèbres, sur lesquelles on est tenté de s'attarder
longuement; l'apparente logique déterministe de l'évolution
des formes; ou la confiance dans la rigueur et la fécondité des
analyses. A moins de consacrer une étude à un compositeur
particulier, la biographie n'est capitale que si elle éclaire l'œuvre.
Quant à l'évolution des formes, la manière dont la fugue succède
à la passacaille ou la sonate à la suite, elle est d'une importance historique assez faible si l'on ne connaît aucune raison humaine à
cette évolution. Le développement de la polyphonie n'est lui-
même qu'une curiosité technique, au succès inexplicable, si l'on
ne cherche pas à en découvrir les causes et les conséquences.
L'analyse enfin, malgré le goût immodéré qu'en ont aujourd'hui
les commentateurs, n'explique rien en général et crée une confusion entre l'apparent et l'essentiel. Elle révèle dans la pratique
ordinaire trois grandes faiblesses méthodologiques :

1. L'analyste néglige le plus souvent de rechercher les formes
et les structures qui sont vraiment pertinentes et intelligibles
pour la culture et la société qui ont suscité la musique étudiée.
Or c'est cela qui importe, avant la découverte de détails insoup-
çonnés.

2. La musique n'existe que par l'audition dans le temps.
Or l'analyse arrête le temps et introduit l'observation visuelle
(notation) et la pensée dialectique. Elle permet de *voir* et de
comprendre comment la musique est faite, sans toujours aider à
entendre comment elle fonctionne.

3. L'analyste est toujours tenté de plaquer des structures
apprises sur des ensembles non structurés dans la réalité physique.
Les successions d'accords les plus inhabituelles, voire purement
intuitives ou même aléatoires, peuvent être rapportées ainsi aux
schémas de l'harmonie d'école.

Il faut ajouter, pour compléter cette reconnaissance de nos limites, que la sociologie de la musique est une discipline récente et encore balbutiante. Notre connaissance des publics reste insuffisante pour déterminer sûrement quels signes sont reconnus et compris par les différents publics dans la musique de leur temps, c'est-à-dire le degré de communicabilité de la musique contemporaine aux différentes époques. Ce serait pourtant capital. Rigueur dans la méthode, audace dans la recherche, sérieux dans la réflexion : telles sont les conditions d'une historiographie moderne, qui permette de comparer les civilisations, de comprendre l'évolution singulière de la musique occidentale et peut-être de prévoir, par extrapolation, ce que sera son avenir et, éventuellement, sa fin...

Et la musicologie? Le public y voit une science hautement spécialisée, distincte des autres sciences musicales. Souvent les professionnels encouragent cette représentation, qu'ils trouvent peut-être flatteuse. A la lettre, la musicologie est la science et l'étude de la réalité musicale au sens le plus général : elle englobe normalement l'histoire, l'esthétique, la théorie des systèmes et des échelles, la sociologie, la psychophysiologie, etc. Le mot français est en usage depuis le début du xxe siècle seulement : c'est la traduction de l'allemand *Musikwissenschaft*, employé pour la première fois par Chrysander en 1863, à l'époque où naissait en fait la musicologie moderne.

Beaucoup de musicologues ont tendance à limiter leur discipline à l'étude des sources musicales, à la découverte des musiques oubliées, enfin à la restitution des œuvres du passé sous une forme qui en permette l'interprétation adéquate. Cette musicologie traditionnelle néglige certains aspects fondamentaux :

○ l'aspect sociologique : Qui produit la musique? Qui l'écoute? Pourquoi? Dans quelles circonstances et dans quelles conditions?

○ l'aspect sémantique : Que perçoit l'auditeur, comment « interprète-t-il » l'ensemble des signes sonores? Comment la musique est-elle « comprise » par le groupe auquel elle est destinée?

○ l'aspect psychophysiologique : Comment s'élabore cette perception? Quelles en sont les conditions favorables et les causes de perturbation?

○ certains aspects théoriques : Choix des échelles et des modes, causes et conséquences de l'évolution des systèmes, implications philosophiques, méthodes d'analyse modernes appuyées sur une description complète des systèmes.

Une nouvelle musicologie semble s'attacher aujourd'hui à combler ces lacunes. Lorsqu'elle sera moins encombrée de sémiologie, lorsqu'elle aura fini sa croissance, défini ses méthodes et élargi son champ d'action, elle sera peut-être l'instrument d'une renaissance de notre culture musicale.

Préhistoire et Antiquité
Cent siècles de
civilisation musicale

J'ai tant rêvé,
j'ai tant rêvé,
que je ne suis plus
d'ici.
Léon-Paul Fargue

A la recherche des origines

Il est généralement admis que la musique est le privilège de l'espèce humaine. Ce sont nos habitudes d'anthropomorphisme qui nous font qualifier de chant le cri des oiseaux [1], de musique le bruit de la source ou du vent... Mieux, ce que nous appelons « son musical » ne pouvait sans doute pas exister avant l'apparition de l'homme. Le son musical est une variation périodique de pression, dont la fréquence et l'amplitude sont variables dans des limites définies. Or il n'existe pas de phénomène de ce type dans la nature, autre que ceux provoqués par l'homme : on observe bien des phénomènes périodiques (cycles astronomiques et atomiques, phénomènes électromagnétiques), mais ce ne sont pas des variations de pression (des vibrations élastiques) et la mécanique dont ils relèvent est étrangère à celle de notre échelle.

Les sons complexes et irréguliers (bruits) étaient fatalement beaucoup plus probables que les « sons musicaux » périodiques formés d'éléments harmoniques [2] : c'est presque un truisme, dans la mesure où l'ordre arithmétique est toujours, dans les événements naturels, une hypothèse peu probable. Étant improbable, le son musical exigeait une activité projective, un apport d'information : dès l'origine, c'était un artefact. L'homme l'a créé pour convenir non seulement à son ouïe, adaptée à tous les phénomènes sonores indistinctement, mais aussi à son cerveau... ce qui nous reporte à une période relativement récente de l'évolution de l'espèce. Ce raisonnement vaut aussi pour toute combinaison systématique de bruits.

Paléolithique La musique est née lorsque « des combinaisons créatrices, des associations *nouvelles*, réalisées chez un individu, ont pu, transmises à d'autres, ne plus périr avec lui » (J. Monod, *le Hasard et la Nécessité* : à propos du langage). Si, comme certains le croient, une rupture s'est produite (guerre, génocide?) entre l'homme de Néanderthal, qui disparaît brusquement, et l'Homo sapiens, les traditions musicales du premier n'ont peut-être pas été transmises au second, et nous devrions chercher les origines de nos civilisations musicales historiques chez l'Homo sapiens, cet ancêtre proche qui est apparu il y a quelque 30 000 ou 40 000 ans. Mais il est probable que l'émergence d'un Homo

Rhombe de La Roche de Birol
(Dordogne), époque magdalénienne.

← Crotales égyptiens.

← Harpiste
(Cyclades, 3e millénaire).

1. Les musiciens savent combien la notation en est difficile. Si évocateur de musique et si agréable qu'il soit, le « chant » des oiseaux est presque toujours riche en partiels non harmoniques que notre imagination filtre, mais qui rendent incertaine l'appréciation des hauteurs. De plus, les conditions d'émission de ces sons complexes (domination, appel, conquête, plaisir...) les apparentent au cri.
2. Sons partiels harmoniques : dont les fréquences sont multiples d'une même fréquence fondamentale.

Flûte en os, périgordien supérieur,
Pair-non-Pair.

Sifflets magdaléniens du
Roc de Marcamps (Dordogne).

musicus s'est produite bien avant, coïncidant avec d'importants remaniements de la partie antérieure du cerveau.

Cependant, il ne peut être question de musique tant que les manifestations sonores sont sporadiques et individuelles. La musique suppose un minimum d'organisation et un effort d'adaptation des corps sonores à une finalité pratique, sinon artistique : expression vocale du vouloir, plus ou moins adaptée à une communication entre individus, frappement des mains entre elles ou sur le corps, percussion d'objets entre eux, dans le dessein d'accentuer la force expressive du geste en le « sonorisant » (colliers, ceintures, bracelets rudimentaires), pratique collective de cette expression audio-visuelle.

Ces différentes activités prémusicales ont pu apparaître, simultanément ou successivement, dans plusieurs régions du globe. De nombreuses migrations semblent avoir provoqué des brassages de races, de sorte que des ancêtres assez évolués de l'Homo sapiens ont pu coexister, au paléolithique moyen, avec des types beaucoup plus rudimentaires.

Aucune donnée scientifique ne permet d'établir, même approximativement, l'ordre d'apparition des phénomènes musicaux [1]. On peut seulement imaginer une succession hypothétique d'étapes évolutives, comme ceci :

1. Organisation rythmique rudimentaire, par pilonnage, percussions sur le corps, objets secoués ou entrechoqués, en fonction de mouvements vitaux (anthropoïdes du tertiaire).

2. Imitation des rythmes ou des bruits de la nature, par la bouche et le larynx. Le cri est aussi une soupape de sûreté des sensations et des émotions primaires, un moyen d'expression des besoins élémentaires (hominiens du paléolithique inférieur : pithécanthrope, sinanthrope, etc.).

Extrémité d'un bâton de chef,
muni de sonnailles (âge du bronze,
station de Grésine,
lac du Bourget).

1. L'histoire des origines de l'homme est elle-même très incertaine. Chaque nouvelle découverte modifie les évaluations chronologiques dans des proportions énormes. Il semble y avoir en outre des décalages évolutifs très importants entre les différentes parties du globe. Les ossements des plus anciens « hommes » (chasseurs et producteurs d'artefacts) ont été trouvés en 1976 en Éthiopie : ils dateraient de — 3 millions d'années. Ce type était considéré jusqu'alors comme beaucoup plus récent (vers — 1 700 000).

3. L'émotion ou l'intention expressive provoque des variations dans la hauteur et le timbre de la voix : l'homme essaie de les cultiver et la voix s'adapte progressivement aux variations volontaires. Un Homo musicus émerge lentement chez les ancêtres de l'Homo sapiens, à mesure qu'apparaît l'expérience individuelle, et par conséquent la conscience (— 70 000 à — 50 000).

4. Fabrication d'objets sonores, mieux différenciés, plus efficaces, capables d'expression « artistique » et d'imitation des bruits de la nature. Cette imitation peut avoir un caractère magique : ainsi, de nos jours, certains Pygmées imitent la pluie sur les tambours pour la faire tomber... Au terme d'une lente adaptation encéphalique et musculaire, l'homme devient apte à parler (maîtrise du langage abstrait) et à chanter. Il aura l'idée géniale d'associer l'expression vocale et l'expression « instrumentale », dont il n'avait pas deviné d'abord la parenté. L'Homo sapiens acquiert une conscience musicale (vers — 40 000).

5. Sous la pression des sociétés en formation, les phénomènes sonores provoqués s'organisent systématiquement : le chant se distingue alors clairement du langage parlé, la danse et la musique instrumentale de l'expression gestuelle sonorisée. La conscience du futur donne aux actions humaines un caractère prospectif et réfléchi. Naissance des premières civilisations musicales (vers — 9000).

D'autres schémas seraient concevables. Rien ne prouve par exemple que la « musique vocale » ait précédé ou suivi la « musique instrumentale »; tout dépend d'ailleurs de la définition qu'on en donne... Il faut certainement attendre le paléolithique supérieur (Homo sapiens) pour que soient façonnés des objets permettant de produire des sons de hauteur déterminée : pierres ou troncs d'arbres creusés (ancêtres des lithophones, xylophones, tambours), sifflets en os, roseaux taillés. Mais c'est au néolithique seulement (vers — 9000) que les outils en pierre polie permettent de façonner *d'après un modèle* des objets sonores accordés à la hauteur voulue : condition nécessaire au développement d'une civilisation musicale. C'est alors qu'apparaissent sans doute les instruments à membranes et à cordes. Ce sont ensuite les premières civilisations métallurgistes (cuivre en Asie Mineure vers — 5000) qui pourront fabriquer des instruments répondant aux exigences d'une tradition musicale raffinée. Et le progrès des instruments déterminera l'évolution de la musique en suscitant des idées musicales nouvelles : ici l'outil inspire son utilisation, l'organe crée sa fonction.

L'apparition du chant est liée à un phénomène remarquable d'adaptation fonctionnelle secondaire. L'ensemble de ligaments qui prend appui sur les cartilages du larynx et qui forme la glotte a pour fonction essentielle d'obturer l'orifice respiratoire

pendant la déglutition. Cependant, la plupart des mammifères
ont appris à produire des sons, grâce à de brèves expirations
associées aux contractions des bords de l'orifice glottique. Les
hominidés du paléolithique inférieur ont probablement cultivé
une expression vocale rudimentaire de ce type (voir plus haut).
Mais la voix chantée utilise un mécanisme beaucoup plus
raffiné. On a pu montrer expérimentalement qu'elle répond à une
stimulation encéphalique capable de déterminer la hauteur du
son émis : les nerfs moteurs du larynx (nerfs récurrents) sont le
siège d'influx nerveux périodiques, à la fréquence du son désiré,
qui provoquent des contractions vibratoires des ligaments appelés
« cordes vocales ». Le larynx et son système nerveux se
sont adaptés à une fonction originale qui n'était pas primitivement
la leur.

Le chant suppose donc un développement cérébral avancé.
Est-il seulement concevable avant le paléolithique supérieur,
quelque quarante ou trente mille ans avant notre ère? Peut-être
son évolution a-t-elle coïncidé avec celle du langage organisé, qui
demande une aptitude à l'abstraction et fait appel, lui aussi, pour
la production de sons et de bruits différenciés (vocales et conson-
nes) à une stimulation encéphalique complexe et précise.

Il est difficile de définir un concept originel de « chant » :
aux différentes époques et dans les différents groupes humains,
il présente des caractères autonomes, déterminés par l'organisa-

Lithophone du néolithique,
conservé au Musée de l'Homme,
découvert près de Dalat
(Vietnam). Voir p. 145.

tion sociale, l'héritage historique, les croyances, le langage...
Aujourd'hui même, à quelques heures d'avion de l'Europe, des
peuples féconds, héritiers de très anciennes civilisations, pratiquent et vénèrent un chant, si différent du nôtre dans son principe même que beaucoup lui contestent étourdiment sa qualité
de musique vocale. Certaines façons de chanter qui nous sont
plus familières constituent encore des recherches de timbre ou
d'articulation singulières (*cante jondo* andalou, *jodler*, chant du
muezzin...). Dès l'origine du langage, le système phonétique de
chaque race a certainement déterminé une manière de chanter qui,
à son tour, a influé sur le langage parlé et, par lente adaptation,
sur l'anatomie des organes de la phonation. Mais certaines
particularités d'émission ont pu être cultivées artificiellement par
des collectivités ou des individus : chez beaucoup de peuples
primitifs actuels, elles constituent un élément fondamental de
l'identité des personnes.

Il est probable que la musique n'aurait jamais été ce qu'elle
est si l'Homo musicus naissant avait choisi de fabriquer des sons
avec ses lèvres plutôt qu'avec son larynx. Le phénomène d'adaptation qui est à l'origine du chant ne se serait pas produit. En

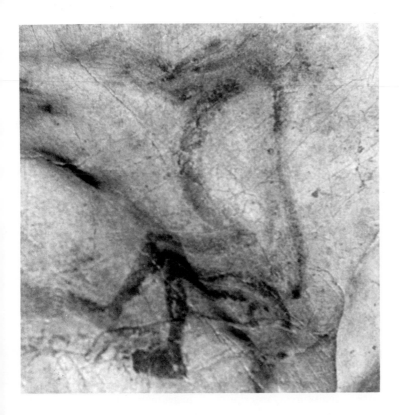

Gravure magdalénienne : « sorcier » jouant de la flûte ou de l'arc musical (grotte des Trois Frères, Ariège).

revanche, la langue, les dents et les lèvres se seraient adaptées au besoin de siffler ; le langage se serait développé différemment, exerçant à son tour des influences imprévisibles sur l'art de siffler !

Néolithique L'association de la voix au geste, du chant aux instruments, et l'établissement de systèmes transmissibles, ont permis à l'expression sonore de perdre son caractère individuel et d'exercer une force d'envoûtement favorable aux rituels ou aux activités collectives. Au début du néolithique est apparu un phénomène sociologique d'une importance considérable pour l'évolution de la musique : certaines tribus nomades se fixent sur des plateaux étagés, à proximité des vallées riches en alluvions, créant les premières civilisations agricoles sédentaires. Une organisation sociale fondée sur le matriarcat se substitue alors au patriarcat primitif et elle évolue vers une économie de production, où la division du travail s'imposera nécessairement. Il est très probable que le matriarcat stable a donné à la musique la dimension « mélodique » qui lui sera essentielle pendant des millénaires, grâce à la stabilité morale de la femme, à son apport affectif, à son penchant lyrique. L'un des premiers témoignages d'activité musicale dont nous disposons date de cette période d'importantes transformations : c'est une gravure rupestre magdalénienne représentant un joueur de flûte ou d'arc musical (grotte des Trois Frères, dans l'Ariège, vers — 10 000).

Cependant, la formation d'une tradition musicale exige une société suffisamment structurée pour qu'une partie de la population soit libérée de l'obligation de produire la nourriture. Cette situation est réalisée, sinon dans les premiers villages, du moins dans les villes entourées de murailles (dans la vallée du Jourdain, Jéricho, entre — 8000 et — 6000, comptait probablement trois mille habitants) : ces concentrations urbaines favorisent le développement d'une organisation économique et d'une société différenciée par la division du travail.

Mais il est bien évident que ces progrès n'ont pas été les mêmes partout. Certains peuples accusent des retards évolutifs par rapport aux plus avancés, et les acquisitions culturelles n'ont pas toujours l'occasion de se diffuser : elles restent longtemps l'apanage de riches civilisations fixées dans les vallées fertiles, en Mésopotamie (Tigre et Euphrate), en Inde (Indus, actuellement au Pakistan), en Égypte (Nil), en Chine (Huâng-ho).

La faible idée que l'on peut avoir des pratiques musicales du néolithique n'est pas démentie par les documents un peu plus récents dont nous disposons (début de l'âge des métaux) : peintures, sculptures, inscriptions, instruments trouvés dans les sépultures. A ces témoignages directs de riches civilisations musicales qui fleurissaient au 4e millénaire vient s'ajouter l'enseignement traditionnel de textes plus tardifs. Tous font apparaître l'importance des fonctions rituelles, magiques, thérapeutiques et même politiques de la musique. Les règles, fondées sur de mystérieuses correspondances, ne sont pas relatives au goût. Elles sont absolues, immuables, essentielles : gages de paix et de prospérité, elles commandent le devoir moral de les respecter.

La croyance métaphysique dans la correspondance de la musique à l'ordre du monde et dans les vertus qui en découlent, trouve des résonances nombreuses dans le monde actuel : langage des tambours, symbolisme des gongs, éthos des modes. Le caractère magique du son et plus particulièrement de la voix humaine est implicitement reconnu chaque fois qu'on nous oblige à dire à haute voix un texte rituel, sans se contenter que nous l'approuvions d'un signe : pratiques religieuses (prière, sacrements), cérémonie du mariage, serment devant un tribunal, lecture d'un acte ou d'un commandement par l'officier de justice.

Premières civilisations musicales

Les plus anciennes traditions musicales sont probablement celles de la Mésopotamie, de l'Égypte et de la Chine. Il est impossible de déterminer avec certitude un ordre d'antériorité. Les documents dont on dispose témoignent de civilisations en pleine prospérité. Mais ils sont d'interprétation incertaine : « textes » fragmentaires dont la datation est hasardeuse, instruments incomplets (il manque notamment l'embouchure des instruments à vent, indispensable pour en reconnaître le type), représentations graphiques peu réalistes. D'ailleurs, un cataclysme dont les textes chaldéens, indiens et hébreux ont conservé le souvenir (le Déluge biblique) ravage la Mésopotamie et sans doute les contrées voisines, vers — 3600, créant une rupture avec les civilisations antédiluviennes et nous privant certainement d'une documentation précieuse. Des villes florissantes, comme Ur, sont entièrement détruites et rebâties peu après. Les premiers témoignages musicaux et les premiers textes cunéiformes qui nous sont parvenus, tant d'Égypte que d'Asie occidentale, sont datés de la période immédiatement postérieure au cataclysme (4e millénaire).

Inde Il est peu probable que la première civilisation sédentaire, capable de promouvoir une tradition musicale, soit apparue dans la vallée de l'Indus, comme on l'a parfois suggéré. Certes les hymnes védiques (à partir de — 1300) se réfèrent à un passé déjà lointain et, selon la légende, le dieu Shiva aurait enseigné la musique aux hommes six mille ans avant notre ère. Les historiens d'Alexandre, quand celui-ci visite l'Inde du Nord vers — 300, se réfèrent encore à cette légende ; ils confondent le dieu avec Dionysos.

Mais la péninsule indienne ne connaît pas de civilisation néolithique comparable à celle qui, en Asie occidentale, est déjà très prospère au 5e millénaire. La brillante civilisation de l'Indus fleurit entre — 2500 et — 1500, juste avant la colonisation aryenne, peut-être sur les fondements ethniques et culturels des civilisations de Mésopotamie, dont le rayonnement a été considérable. Elle connaît la métallurgie, l'urbanisme, l'écriture, les canalisations d'eau. Malheureusement, l'absence de témoignages précis et de chronologie sérieuse avant le Bouddha (VIe siècle avant notre ère) nous prive de la moindre idée sur la musique de l'Inde archaïque, où l'on aimerait chercher les sources d'une tradition incomparable (voir p. 130 s.).

Mésopotamie L'Asie occidentale fut pendant des millénaires un intense foyer de culture, probablement le premier. Dans tous les domaines, les peuples de cette partie du monde étaient très avancés : apparition précoce de la pierre polie, de la culture des céréales, de l'élevage du mouton, de la poterie, de l'écriture, de la métallurgie... Il y a six mille ans, les plaines de Mésopotamie abritaient déjà une riche civilisation. Dans la basse vallée de l'Euphrate s'était établi un peuple très évolué, dont on ignore l'origine : les Sumériens. Lors des premières infiltrations sémites, vers — 2800, ils étaient en possession d'une riche et ancienne culture que les nouveaux venus assimilèrent, en fondant l'empire de Sumer et d'Akkad. Un peu plus tard, vers — 2000, lorsque sous l'impulsion des Sémites (Cananéens, Élamites, Assyriens) s'édifieront les deux empires rivaux d'Assour et de Babylone, c'est encore la culture sumérienne qui fécondera la nouvelle civilisation.

Cithare ou harpe de Sumer :
bas-relief de Lagash (Tello)
(3ᵉ millénaire).

Harpistes babyloniens (2ᵉ millénaire).

En Mésopotamie : la ziggourat d'Agarkouf (3ᵉ millénaire).

Stèle de Gudea
(3e millénaire).

La musique jouait un rôle capital dans les rites solennels ou familiers de Sumer. Il n'y avait sans doute pas de notation; toutefois la découverte récente de trois tablettes babyloniennes (XVIIIe à XVe siècle) témoigne d'une théorie très élaborée [1]. De plus, les instruments recueillis dans les fouilles du cimetière royal d'Ur et les représentations de scènes musicales nous révèlent un art raffiné qui faisait usage des flûtes en argent et en roseau, de la harpe, de la lyre (de cinq à onze cordes), d'un luth à long manche, du tympanon (harpe élamite à cordes *frappées*, ancêtre du piano!), des cymbales. Un bas-relief du Louvre, provenant

1. Grâce aux magnifiques travaux du Pr Gurney et de Marcelle Duchesne-Guillemin (voir *Revue de musicologie*, 1963, I, 1966, II et 1969, I) ces tablettes cunéiformes ont livré leur contenu : une méthode d'accord de la lyre-kithara à neuf cordes, permettant d'établir une théorie de la gamme babylonienne! Celle-ci serait une échelle diatonique de sept sons, d'acquisition assez récente; les spécialistes pensent en effet que les gammes pentaphoniques * étaient alors usuelles.

Luthiste babylonien
(2e millénaire).

des ruines de Lagash, montre une sorte de harpe ou de cithare *avec colonne de soutien* (vers — 2400) dont on ne trouvera pas d'autre exemple avant quinze siècles (en Syrie). Des textes de la même époque révèlent la pratique de litanies chantées avec accompagnement d'instruments.

Les Assyriens nous ont laissé de nombreuses représentations, soigneuses et détaillées, de leurs pratiques musicales, que complète une précieuse documentation littéraire. La fonction sociale de la musique devient de plus en plus importante : elle est symbole de puissance, de respect, de victoire. Les musiciens sont honorés plus que les savants, immédiatement après les rois et les dieux; et, dans les massacres qui suivent les conquêtes, les Assyriens épargnent toujours les musiciens, qu'ils ramènent à Ninive avec le butin... usage qui subsistera encore longtemps, comme en témoigne le Psaume 137. Très tôt l'on forme de véritables orchestres qui, à l'apogée de la civilisation babylonienne, peuvent prendre des proportions énormes. Un riche Babylonien aurait même entretenu un orchestre de cent cinquante femmes (chanteuses et instrumentistes).

Les traditions musicales suméro-babyloniennes et assyriennes ont rayonné sur la Syrie et la Phénicie d'où elles ont fécondé les musiques égyptienne, crétoise et celle des peuples d'Asie Mineure (Phrygiens et Lydiens); les Grecs en subiront plus tard l'influence. Ainsi fut sauvegardée une culture plusieurs fois millénaire qui aurait pu être submergée par le raz de marée des invasions indo-européennes. Peut-être des traditions musicales de même souche ont-elles été introduites aussi en Inde par les Aryens védiques (vers — 1500). Venus on ne sait d'où (steppes septentrionales), ils n'apportèrent aucun enrichissement aux cultures existantes, mais en favorisèrent sans doute la diffusion, du Gange au Tage...

Chine A l'autre extrémité du continent asiatique, la civilisation musicale chinoise se manifeste, selon la tradition, dès le 4e millénaire. Vers — 3200, à l'époque où commence le défrichement des terres, la musique joue un rôle social en Chine et porte un nom. Selon les anciens théoriciens, le *k'in* à sept cordes et le *sê* à cinquante cordes auraient été inventés vers — 2900; le système des *lyu* (tuyaux étalons qui fixent la gamme et le diapason), sur quoi repose toute la musique chinoise, daterait du règne de Huâng-ti (2698-2598); l'empereur Shun, vers — 2250, aurait créé un genre mélodique appelé *Ta-Shao* qui bouleversa Confucius (1700 ans plus tard!); et c'est une reine légendaire, Nyu Wa, qui aurait inventé le *sheng* (orgue à bouche), au milieu du 3e millénaire [1].

1. Les noms des « empereurs » du 3e millénaire représentent des périodes historiques et non des individus. Cela explique qu'on leur ait prêté beaucoup!

Malheureusement, ces données traditionnelles sont incontrô-
lables, car un décret impérial en — 212 a ordonné la destruction
des livres, nous privant de toutes les sources antérieures à ce
catastrophique holocauste. Existait-il alors un système de notation? Les Chinois ne semblent pas en avoir utilisé par la suite
avant le VIIe ou VIIIe siècle de notre ère, ce qui représente de toute
façon dix siècles de haute culture musicale sans notation. Il est
extraordinaire qu'en dépit de la destruction des livres, cette culture
n'ait pas connu les mêmes éclipses profondes, les mêmes ruptures,
que dans les autres civilisations. Aussi loin que peuvent remonter
nos informations, elle est déjà riche, ancienne et stable et la
continuité de ses traditions, jusqu'à nos jours, est probablement
unique dans l'histoire musicale. Elle peut s'expliquer par l'importance que les Chinois attribuaient à la perfection de la musique,
dans la philosophie et dans la vie publique. Les décisions concer-
nant le système font toujours intervenir des empereurs, des minis-
tres, des sages; et l'on considérait que si la détermination du
huâng-tchong (premier *lyu*) était exacte, le gouvernement serait
bon et l'État prospère.

Egypte La civilisation musicale égyptienne a peut-être une
origine aussi lointaine que celle de Mésopotamie. Au 6e millénaire,
Badari est un centre important de civilisation néolithique (producteur de belle céramique bleu vert). Au 5e millénaire, une première unification du pays est réalisée autour d'Héliopolis, que les
nombreux mouvements de tribus soumettent à des influences
africaines et asiatiques (Sumer). De cette période nous est parvenue une statuette de danseuse (vers — 4800) et pendant les
millénaires qui suivent, l'art chorégraphique manifestera sa
prépondérance dans la musique égyptienne, à travers d'innombrables figurations et inscriptions. Le plus ancien document
musical connu de l'époque historique est une plaque de schiste
sculpté représentant des danseurs masqués jouant de la flûte
(— 3500).
De l'Ancien Empire (IIIe à X^e dynastie : vers — 2635 à
— 2060), un relief mural nous montre des chanteurs, un harpiste,
un joueur de flûte longue, qui évoquent une musique douce
et raffinée, à fonction domestique plus que religieuse; et de nombreuses figurations chorégraphiques avec des inscriptions nous
renseignent sur les danses qui étaient exécutées pour les pharaons.
Au cours de cette longue période, où furent édifiées les grandes
pyramides, une très brillante civilisation artistique s'épanouit
en Égypte. La tradition musicale pharaonique semble atteindre
alors son classicisme, à l'époque où la civilisation sumérienne
approche de son déclin. Faut-il en conclure à l'antériorité culturelle de Sumer? C'est une hypothèse permise; mais on ignore

même si la tradition égyptienne est autochtone, ou si elle fut importée avant la monarchie pharaonique, au 4e ou 5e millénaire.

Sous le Moyen Empire (xIe à xvIIe dynastie : — 2060 à — 1554), les documents, beaucoup plus nombreux, représentent des ensembles plus importants, où figurent harpes, luths, lyres (d'origine sémite), flûtes à anche * double, trompettes, crotales, tambours, etc. Ces instruments se multiplient et se perfectionnent sous le Nouvel Empire (xvIIIe à xxe dynastie : — 1554 à — 1080), époque des Ramsès et de Toutânkhamon, des temples de Karnak, de Louxor et d'Abou-Simbel. La musique est alors plus vive, plus forte, à fonction rituelle, religieuse et même militaire.

Les principaux instruments de l'Égypte antique ont été les suivants :

o harpe ou *baïnit* Seul instrument à cordes autochtone, elle apparaît pour la première fois dans l'iconographie vers — 2550. Elle mesure de 1,50 à 2 m sous l'Ancien et le Moyen Empire et augmente encore de taille sous le Nouvel Empire, avant qu'apparaissent de petits instruments portables. Au cours des mêmes périodes, le nombre de cordes est passé de sept à vingt-deux.

o cithare ou lyre Importée de Syrie par les Sémites pendant la xIIe dynastie, elle préfigure la cithare nationale grecque. Répandue surtout à partir de — 1500 elle était probablement jouée avec un *plectrum*. Son nombre de cordes varie de cinq à dix-huit.

o luth ou pandore D'origine sémite, lui aussi, c'était le seul instrument à manche utilisé en Égypte. Pourvu de trois ou quatre cordes, il se jouait avec un plectre. On ne connaît pas son nom égyptien ancien, pas plus que celui de la cithare.

o flûte Il en existait de deux types : 1. la flûte proprement dite ou *saïbit*, tuyau ouvert aux deux bouts, que l'on tenait obliquement pour diriger un filet d'air sur le bord d'une des extrémités (mesurant de 0,25 à 1 m, elle apparaît au 4e millénaire); 2. un instrument à anche double, cylindrique comme la flûte ou conique comme le hautbois, le *maït* (ancêtre du *zamr* actuel), qui au Nouvel Empire s'employait par paire, comme l'*aulos* grec.

o trompette Courte et de perce conique (c'est donc plutôt un cornet), elle apparaît à la fin du Moyen Empire dans des fonctions militaires.

o sistre [1] Instrument que nous classons aujourd'hui dans la percussion, il était, avec la harpe, un attribut traditionnel de l'Égypte. Il en existait deux types : 1. le *sakhm*, cadre en bois muni d'un manche, à l'intérieur duquel des anneaux métalliques enfilés sur des tringles parallèles s'entrechoquent lorsqu'on secoue l'instrument (sorte de hochet raffiné); 2. le *saïschschit*, instrument de même type, mais sans anneaux, où le son est produit par

---

1. Ne pas confondre avec le cistre, instrument européen à cordes pincées, des xvIe et xvIIe siècles.

le mouvement longitudinal des tringles, dont une extrémité recourbée heurte le cadre quand l'instrument est secoué.

o crotales   Cet instrument, qui existait déjà à l'époque préhistorique, était utilisé par paire selon le principe de nos castagnettes, mais en tenant un élément dans chaque main, pour remplacer ou renforcer le battement des mains. Primitivement en bois, ils furent ensuite construits en ivoire, puis en métal. La *maïnit* est une paire de crotales allongés, liés par une courroie et munis aux extrémités se faisant face de petites cymbales métalliques.

o tambours   Il en existait une grande diversité de types : en bois, en terre cuite (ancêtres du *tabl* moderne), en peau du type tambour de basque...

o orgue hydraulique   Cet instrument, apparu sur le sol égyptien assez tardivement, n'est pas vraiment autochtone : il fut inventé au IIIᵉ siècle avant notre ère, par un certain Ktèsibios, Grec d'Alexandrie. Le mécanisme, dont Héron d'Alexandrie a laissé une description détaillée, était extraordinairement ingénieux (voir p. 84).

A défaut d'instruments à sons fixes, on a cherché à connaître les échelles musicales des Égyptiens, en interrogeant les flûtes qui ont été retrouvées. Malheureusement, on ne parvient à aucune conclusion sérieuse, car, selon le type d'embouchure utilisé et le mode d'émission, on obtient des échelles différentes.

Au contraire de la Mésopotamie et de la Chine, l'Égypte ancienne semble avoir réservé à ses musiciens une situation subalterne. Ils sont rarement mentionnés dans les textes, et l'iconographie les représente souvent agenouillés devant leurs maîtres et vêtus comme l'étaient les esclaves. Sous les Ramsès (XIIIᵉ et XIIᵉ siècle), l'invasion d'éléments musicaux étrangers provoque une réaction hostile des prêtres et l'on apprend bientôt aux enfants à mépriser un art exercé par les esclaves et les prostituées.

Sous les derniers Ramsès commence une période de troubles, de morcellement et de décadence, qui précipite la chute de la XXᵉ dynastie et inaugure une longue domination étrangère. L'Égypte de la basse époque est successivement l'objet des conquêtes libyenne, éthiopienne, assyrienne (avec infiltrations ioniennes), perse. Elle est grecque de la conquête d'Alexandre (— 332) à celle d'Octavien (mort de Cléopâtre : — 30); elle est ensuite romaine, jusqu'à la conquête byzantine (+ 395), puis elle devient arabe en 693... L'autonomie culturelle de l'Égypte a pu résister aux influences étrangères de la basse époque, mais pas à l'hégémonie gréco-romaine. Sous les successeurs d'Alexandre, les temples et les quartiers populaires maintiennent à peu près la tradition. En revanche, dans les quartiers riches, les centres commerçants et administratifs, on encourage une nouvelle culture musicale, celle de la Grèce décadente, propagée par de véritables vedettes internationales que cautionne la cour des Ptolémée. La

Trompette
(2ᵉ millénaire).

Sakhm (sistre)
(3ᵉ millénaire).

Danseuses et joueuse de *maït*
(—1915).

Harpe
(2ᵉ millénaire).

conquête macédonienne provoque ainsi la fin d'une civilisation avec la perte d'une indépendance que l'Égypte ne recouvrera pas avant nos jours. Certains égyptologues pensent trouver dans la liturgie copte et dans le folklore des vestiges de la musique pharaonique.

Il est probable que cette civilisation n'a pas connu de système de notation, la très riche documentation dont on dispose n'en ayant pas laissé le moindre témoignage.

Les Hébreux Lorsque Abraham quitte Ur pour la terre de Canaan (vers — 1800), l'histoire des Hébreux commence. Mais il est peu probable qu'une tradition musicale originale et homogène se soit formée avant le règne de David (vers — 1000 à — 962). En effet, les différentes tribus nomades issues d'Abraham, marquées par la civilisation sumérienne, avaient dû hériter les riches cultures musicales de Mésopotamie. C'est certainement ce patrimoine, enrichi de l'influence égyptienne, que le peuple de Moïse a introduit en Canaan après l'Exode (vers — 1250). L'union des douze tribus, devenues sédentaires, était alors propice à la formation d'une tradition musicale spécifiquement hébraïque. Mais c'est le talent et le sens de l'organisation de David qui semblent lui avoir donné son plein épanouissement.

La Bible constitue notre principale source de documentation sur la musique des Hébreux. Ses nombreuses références à des instruments et aux circonstances de leur emploi doivent toutefois être interprétées avec précaution car, dans cette matière, des terminologies impropres ou imprécises sont souvent source de confusion. En revanche, les fonctions sociales de la musique, les coutumes musicales populaires, l'organisation des cérémonies du Temple, sont évoquées dans des tableaux détaillés et précis. Rien ne permet cependant de se faire une idée du style ou du système musical adopté par les Hébreux : malheureusement, on ne possède ni traité théorique, ni spécimen d'instrument, ni fragment musical noté, antérieurs à l'ère chrétienne.

Les textes bibliques étant largement diffusés aujourd'hui dans des traductions offrant les plus hautes garanties scientifiques [1], je donne ici les références des passages les plus intéressants du point de vue de l'histoire de la musique.

Genèse 4, 21 ; 31,27.

4,21 *Kinnor* et *ougab* (ici au sens général d'instruments à cordes et à vent) dont l'invention est attribuée à Youbal, cinquième descendant d'Hénoch, fils de Caïn : en usage en Mésopotamie à l'époque d'Abraham.

Schophar
(Musée instrumental
de Bruxelles).

1. Voir en particulier la remarquable édition critique du chanoine Osty, *la Bible*, le Seuil 1973.

31,27 Du temps de Jacob, les membres de la tribu avaient coutume de faire un peu de route avec celui qui partait, l'accompagnant de leurs chants et du son des *kinnoroth* et des *toupim* (sing. *toph* : sorte de tambour de basque).

Exode 15 ; 19 ; 20 ; 32, 17-18.

15 Cantique des Hébreux après le passage de la mer Rouge. La prophétesse Miryam, sœur d'Aaron, entonne le chant en s'accompagnant d'un *toph*. Les femmes prennent des *toupim* et des *meholoth* (sing. *mahol* : sistre), et lui répondent (v. — 1250).

19 et 20 Promulgation de la loi sur le Sinaï au son du cor (*schophar*, cor ou cornet en corne de bélier).

Nombres 10 ; 29.

10,1-10 et 29,1 Fonctions rituelles et militaires des trompettes d'argent *(Haçoceroth)* qu'on doit façonner d'une seule pièce. Le premier jour du septième mois est le jour de la fanfare (vers — 1200).

Josué 6,4-20.

Prise de Jéricho vers — 1190. Sept prêtres précédant l'arche ont fait sept fois le tour de la ville, le septième jour, en sonnant du cor (*schophar*, en corne de bélier)... et non pas des trompettes !

Juges 5 ; 7 ; 11,34 ; 21,21.

11,34 Les jeunes filles accueillent les leurs par des danses, en s'accompagnant de sistres et de tambours de basque, *toupim* et *meholoth* (— 1200 à — 1050).

21,21 Danse prénuptiale dans les vignes.

1 Samuel 10,5 ; 13,3 ; 16,16-23 ; 18,6. (vers — 1000)

10,5 Les prophètes et leurs élèves sont accompagnés ou précédés de divers instruments de musique : *kinnor* (cithare ou harpe-cithare), *nebel* (harpe ou luth ?), *halil* (flûte ou hautbois), *schalish* (triangle ?), *toph*. Plus de deux siècles après l'Exode, Samuel est le premier à mentionner le *nebel*, qui n'a sans doute pas été importé d'Égypte par les compagnons de Moïse : ce serait plutôt un instrument d'origine phénicienne, syrienne ou crétoise. Samuel, le dernier des Juges, est certainement un connaisseur, car il a fondé vers — 1030 une école de prophètes et de musiciens !

16,23 Effets thérapeutiques de la musique : le *kinnor* du jeune David guérit le roi Saül de ses maux (névroses ou mélancolie).

18,6 David, au retour de son combat contre le géant philistin Goliath, est accueilli par les femmes d'Israël qui chantent et dansent au son des flûtes et des tambours de basque (ce terme est moderne, mais il est le meilleur équivalent de *toph*).

2 Samuel 6 ; 19,35.

6 David et le peuple d'Israël dansent devant l'arche, au son du *kinnor*, du *nebel*, des sistres, des tambours de basque et des

Joueur de schophar devant le Mur des Lamentations.

cymbales *(mananaïm, toupim, metsilthaïm)*. L'exubérance et le débraillé du roi scandalisent Mikal, fille de Saül. Chaque transport de l'arche donne lieu ainsi à un cortège avec danses, chants et accompagnement d'instruments (vers — 1020).

1 Rois 10,11-12; 18,25-29. (xᵉ à vıᵉ siècle)

10,11-12 *Le nebel* du roi Salomon est en bois d'*algoummim*, rapporté d'Arabie — probablement du bois de santal (v. — 960).

Isaïe 5,12; 16,11; 23,15-16. (vers — 700)

Le prophète jette l'anathème sur le *kinnor*, le *nebel*, le *halil* et le *toph*. Luxe futile, agrément des festins, la musique empêche de contempler l'œuvre de Yahvé. Le *kinnor* est un instrument de séduction des prostituées de Tyr.

Ézéchiel 26,13. (vers — 580)

Ce prophète condamne lui aussi la musique, qu'il présente encore, plus d'un siècle après Isaïe, comme une spécialité des villes phéniciennes, symboles de luxe et de dépravation, particulièrement Tyr. Peut-on comparer ce port florissant à la Venise de notre xvıııᵉ siècle, dont les contemporains nous disent qu'on y entendait de la musique nuit et jour sur toutes les places et dans toutes les ruelles? et le prophète Ézéchiel à quelque patricien réactionnaire et puritain? Il est plutôt probable qu'à partir du ıxᵉ siècle les désordres intérieurs, les influences étrangères favorisées par les guerres et par le développement du commerce aient fait dégénérer la tradition musicale des Hébreux, qui devait être en pleine décadence au vııᵉ et au vıᵉ siècle.

Job 21,12; 30,31. (vers — 450)

Comme chez Ézéchiel et Isaïe, la musique est associée à l'idée de mal. Les méchants sont heureux parce qu'ils chantent au son des instruments à vent, à cordes et à percussion.

Néhémias 12,27-41. (— 445 à — 423)

Voici cependant, racontée par le principal témoin, la cérémonie grandiose de la dédicace des murs de Jérusalem, que Néhémias, gouverneur de Juda, a fait rebâtir. Deux chœurs immenses (les chanteurs se sont bâti des villages autour de la ville) suivis des prêtres avec leurs cors, font le tour des murs en sens inverse, puis s'arrêtent face à face près du temple pour chanter des cantiques. On peut voir, dans la description superbe de cette cérémonie, l'un des premiers témoignages sur la technique du chant alterné, qui sera une spécialité du temple de Jérusalem ... puis de l'Orient chrétien.

1 Chroniques 15, 16-28; 16,5-7; 25,1-7. (vers — 330)

Bien qu'elles soient largement postérieures aux événements qu'elles relatent, ces chroniques donnent des détails très précis sur l'organisation de la musique sous les règnes de David et de Salomon : hiérarchie et fonctions des chanteurs, des musiciens et des prêtres joueurs de *schophar*, ordonnance complexe des cérémonies avec les noms et les positions des différents responsables. Les charges de musiciens étaient familiales ou tribales et les fils devaient être dirigés par leurs pères, eux-mêmes officiant sous la direction du roi. Les maîtres étaient au nombre de deux cent quatre-vingt-huit et enseignaient près de quatre mille élèves. La parfaite organisation de cette mélocratie ne pouvait sans doute pas prévenir toujours les dangers de la cacophonie, lors des grandes cérémonies autour de l'arche : il fallait compter avec l'enthousiasme de la foule, la diversité des instruments et les trompes des prêtres dont il est écrit qu'elles devaient sonner *continuellement* devant l'arche !

2 Chroniques 5,11-13 ; 9,11 ; 29,25-27 ; 34,13. (vers — 330)

On trouve dans ce deuxième livre des précisions musicales relatives aux règnes de Salomon et de ses successeurs jusqu'à l'époque de la conquête babylonienne. Le chroniqueur décrit notamment (5,12-13) le somptueux vacarme qui célèbre la dédicace du temple de Salomon (— 959) : les Lévites et les chantres, avec leurs familles, font retentir toute sorte d'instruments à cordes, à vent et à percussion, et cent vingt prêtres (!) sonnent de leurs trompes. Il semble que la ferveur du culte se soit alors mesurée à l'intensité du son.

Daniel 3,5-15. (apocryphe du IIe siècle)

Ce récit fameux (« Les Hébreux dans la fournaise ») fournit une liste des instruments en usage à Babylone sous Nabuchodonosor, instruments que les Hébreux introduisirent en Israël au retour de captivité (— 539) : *keren* (« corne », semblable au *schophar* hébreu), *soumponiah* (peut-être une cornemuse, d'origine phrygienne ou égéenne : la *zampogna* de l'Italie méridionale), *kathros* et *sabekah* (lyres ou cithares), *pesanterin* (psalterion), *mashrôkitah* (flûte, semblable au *halil*), *sabecho* (*schalisch* ou triangle).

A cette liste succincte de sources musicales bibliques, il faudrait ajouter des références au Lévitique (23, 24), à l'Ecclésiaste (2,8 et 3,9-11), à Jérémie (9,17 ; 31,4 ; 48,36), à Judith (3,9-10), à Amos (5,23 et 6,4-5), aux Psaumes (32, 39, 65, 68, 95, 137, 150), etc. La Bible fournit encore de nombreux exemples de poèmes chantés : cantiques (Exode 5 ; Juges 5 ; Josué 10,12), chansons de métiers (Nombres 21,17 ; Isaïe 16,9 ; Psaume 65,14), chansons d'amour (Cantique des Cantiques 2,10 ; 5,2, etc.), complaintes (2 Samuel 1,19 ; 3), etc.

On trouverait sans doute fastidieux que je m'étende plus longtemps sur des traditions musicales si imprécisément connues et dont nous ignorons totalement les échelles et la théorie. Les autres civilisations pré-helléniques, celles des peuples de Syrie, d'Asie Mineure (Phrygiens et Lydiens), de Crète (dont les flûtes doubles, les lyres et les sistres retentissaient dans les palais et les théâtres, dès — 2000), celles des Hittites, des Perses, et de quelques autres peuples de cette région du monde, ont fait évoluer les traditions musicales, chacune selon ses particularités culturelles et son organisation sociale. Cependant il est probable que toutes ces cultures ont été plus ou moins tributaires de Sumer et des civilisations qui lui ont succédé en Mésopotamie.

Civilisation gréco-latine

C'est en Grèce qu'apparaîtront pour la première fois, au niveau d'une conscience musicale, l'ambition de créer et le goût d'écouter. Depuis des millénaires, la musique visait l'efficacité : religieuse, magique, thérapeutique, flatteuse, militaire, elle s'adressait aux dieux et aux rois, aux puissances invisibles et visibles. Chez les Grecs, elle devient art, manière d'être et de penser : elle révèle sa beauté au premier public socialement conscient.

La culture musicale de la Grèce primitive nous est aussi mal connue que celle des autres civilisations pré-helléniques. Que pouvait être cette musique crétoise qui participait au luxe des palais de Cnossos puis de Mycènes? Sans doute était-elle, comme la religion des peuples égéens, le fruit d'influences convergentes — de Mésopotamie, de Phénicie, d'Asie Mineure, d'Égypte surtout — favorisées par les conquêtes et par l'intense activité commerciale et maritime crétoise, mais balayées ou mélangées périodiquement par le mascaret indo-européen...

En colonisant la Grèce, récemment occupée par les Achéens, et en y fondant la civilisation mycénienne, la Crète apporte une culture déjà millénaire. L'art mycénien, diffusé du Péloponnèse à la Thessalie, est calqué sur celui de l'Égée : on a tout lieu de penser que cette assimilation s'est étendue à la musique. On peut aussi supposer qu'une influence musicale non négligeable est venue du nord de la péninsule balkanique, puisque le mythe d'Orphée, qui remonte au XIVe siècle avant notre ère, est originaire de Thrace (actuelle Bulgarie), par où viendra aussi Dionysos...

L'hégémonie que Mycènes impose à son tour au monde égéen et à l'Asie Mineure à partir de — 1400 (date traditionnelle de la victoire symbolique de Thésée sur le Minotaure) est balayée vers — 1130 par l'invasion des Doriens [1]. La Grèce s'enfonce alors dans la nuit, tandis qu'une partie de sa population émigre vers l'Asie Mineure, emportant le souvenir de Mycènes, de sa culture, de ses mythes, de ses légendes et de ses héros. Trois siècles plus tard, ces derniers entreront dans la légende de tous les temps, grâce au génie d'un de leurs descendants, Homère.

Au contact des Lydiens et des Phrygiens, dont les caravanes établissent le contact entre la Mésopotamie et le rivage méditerranéen, les émigrés achéens, successeurs d'Ulysse, d'Agamemnon et de Ménélas, développent une nouvelle culture gréco-orientale dans les riches comptoirs qu'ils créent en Ionie et en Éolie : Chios, Milet, Lesbos, Samos, Smyrne, Éphèse. Cette côte et ces îles d'Asie Mineure, au carrefour des races et des continents, deviennent un riche foyer de civilisation qui rayonne à son tour sur toute la Méditerranée orientale, notamment sur la Crète et le Péloponnèse dorien. Homère est un de ces Grecs d'Asie dont les antiques traditions ont fécondé la culture hellénique. On trouve dans l'*Iliade* et l'*Odyssée* de nombreuses allusions à la musique, associée à la distraction du peuple et à la célébration des circonstances tristes ou joyeuses. Peut-être jouait-elle un rôle important dans l'éducation des héros, puisque nous apprenons qu'Achille est instruit dans le jeu de la lyre par le centaure Chiron. La lyre accompagnait d'ailleurs la récitation des poèmes homériques eux-mêmes.

C'est à peu près tout ce que nous savons de la musique grecque antérieure au VIIᵉ s. : cultivée en terre ionienne d'après de lointaines traditions créto-mycéniennes, enrichie des apports phrygien et lydien, peut-être aussi d'influences égyptienne, phénicienne et assyro-babylonienne, elle est enfin réimportée en Grèce et diffusée peu à peu dans tous les nouveaux territoires de colonisation [2].

La poésie lyrique Les premiers artisans de la civilisation musicale hellénique, aux VIIᵉ et VIᵉ siècles, étaient ces Grecs d'Asie Mineure, attirés par l'essor des villes d'Attique et du Péloponnèse, et par le prestige des nouvelles colonies d'Italie méridionale (Syracuse, Sybaris, Crotone, Tarente, Métaponte), ou bien fuyant la domination perse. C'est ainsi qu'Archiloque de Paros s'établit à Métaponte, Pythagore de Samos à Crotone, Anacréon de Téos à Athènes, Alcman de Sardes et Callinos d'Éphèse à Sparte,

---

1. Les Hellènes, qui sont apparus en Grèce à partir de 2000, étaient une peuplade de Thessalie qui donna naissance à quatre rameaux : Achéens, Doriens, Ioniens, Éoliens. Selon la légende, ils descendaient des quatre fils d'Hellen, luimême fils de Deucalion, le seul rescapé du Déluge! De leur côté, les Doriens du XIIᵉ siècle se disaient descendants d'Hercule, d'où leur nom d'Héraclides.
2. Olympos, à qui les Grecs, selon la légende, doivent leur culture musicale, est phrygien : cela confirme l'importance de l'influence asiatique sur la musique hellène.

Chypre : flûte double archaïque.

Joueur de syrinx
(Cyclades, 3ᵉ millénaire).

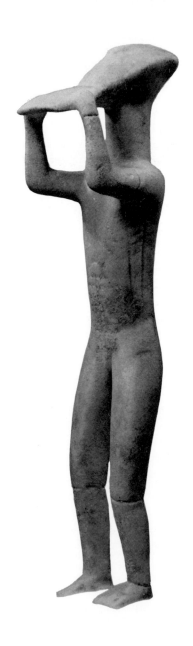

ainsi que Terpandre, Sappho et Alcée, tous trois de Lesbos...
Sous l'impulsion de ces derniers s'ouvrent à Sparte les premières
écoles de musique grecques, tandis que s'épanouit la lyrique
ionienne. Le chant lesbien conservera longtemps dans le monde
hellénique, et plus particulièrement lacédémonien, une très haute
réputation, et au temps d'Aulu-Gelle (IIᵉ siècle de notre ère)
on chantera encore des pièces d'Anacréon et de Sappho. Mais

beaucoup plus tard, on n'en retiendra que le parfum érotique répandu sur les pas de la grande poétesse...

Ces débuts de l'histoire de la musique grecque sont liés à l'institution des grands jeux artistiques à Delphes, à Sparte, puis à Athènes. Les plus illustres poètes-musiciens, de Terpandre à Sophocle, Eschyle et Euripide, viendront s'y soumettre périodiquement au jugement des philosophes et du peuple. Que l'on imagine, de nos jours, Stravinsky opposé à Schönberg, Aragon à Malraux, Anouilh à Sartre, en des tournois poético-musicaux où le public du Palais des sports jugerait provisoirement du talent polyvalent de chacun!... Les grands concours publics attireront au théâtre de Dionysos à Athènes des milliers de spectateurs qui, dès l'aube, se bousculeront sur les gradins, mangeant et buvant pendant les interminables auditions, sans que l'intérêt ni l'exubérance ne se relâchent.

Au temps où Archiloque et Callinos (les premiers musiciens grecs connus) cultivent l'élégie, où Sappho et Alcée enseignent le chant et la lyre et où Dionysos, venu de Thrace, est reçu par Apollon à Delphes, la musique *art indépendant* reçoit le nom de σοφία [1]. C'est ainsi que la nomme encore Solon. De façon générale, le σοφός est l'homme compétent dont la « sagesse » implique la connaissance et la maîtrise, ce que l'on trouvera dans l'*ars* des Latins. Dans un vers homérique, le mot désigne l'habileté du constructeur de navire (*Odyssée*, vers 412). Donc le musicien est désormais dépositaire d'une science et d'une technique, plutôt que d'un vague génie ou de l'inspiration des Muses. Son savoir et son talent lui viennent bien de « l'enseignement des Muses », mais il lui a fallu développer ses dons par l'étude et l'exercice. Ainsi, la musique requiert une instruction qui ne peut être purement esthétique : elle devient une discipline scolaire, un objet de maîtrise, elle donne la mesure de valeurs éthiques, c'est une « sagesse ».

Née dans le Péloponnèse dorien au début du VIIe siècle, la poésie lyrique fait sortir la chanson et la danse de l'anonymat des fêtes populaires; elle colonise en quelque sorte le folklore au profit d'une élite, mais elle crée des formes et des lois musicales dont sera tributaire toute la musique grecque. La poésie lyrique exige une musique invariable, comme celle de nos airs ou de nos chansons. Ces compositions fixes portent le nom de *nomes* (νόμοι), mot qui dans son acception courante désigne quelque chose de fixe et de déterminant, une loi, une tradition. Plusieurs variétés de nomes étaient pratiquées :

o nomes citharodiques : chanteur s'accompagnant à la cithare (il est son propre citharède);

o nomes aulodiques : chanteur accompagné par un joueur d'aulos ou aulète (voir la description de ces instruments, p. 82);

o nomes pythiques : aulos seul; véritables tableaux musicaux, comme seront plus tard les chansons de Janequin, ces nomes évoquent les péripéties du combat d'Apollon contre le Python;

o nomes chorodiques : chœurs.

Contrairement aux objets musicaux que nous appelons « œuvres », les nomes ne pouvaient pas être séparés des poèmes ou des circonstances qui les suscitaient. Certains, cependant, étaient choisis pour être des nomes nationaux, en raison sans doute de caractères spécifiques empruntés à un « folklore » déterminé. Car, si l'on en juge par la rythmique de la poésie lyrique des VIIe et VIe siècles, c'est certainement dans la chanson populaire dansée que Terpandre et Sappho, Alcman et Stésichore, cherchaient leur inspiration musicale.

1. F. Lasserre, *L'Éducation musicale dans la Grèce antique* (préface à sa traduction du traité du pseudo-Plutarque).

Terpandre ne fut pas, comme on l'a prétendu, l'inventeur des nomes citharodiques, qui existaient sûrement bien avant lui. Son originalité fut de créer un genre nouveau de nome épique, en associant l'épopée homérique au chant choral, un folklore littéraire à un folklore musical. Il n'est pas absurde de chercher dans la musique authentique des paysans grecs d'aujourd'hui, notamment celle qui présente le caractère oriental le plus marqué, un faible écho de cet art musical antique.

Ethique musicale classique Les périodes les plus dramatiques de l'histoire sont souvent les plus riches sur le plan des arts et de la pensée. Ainsi, c'est dans un monde terriblement violent et cruel que se forme et s'épanouit la culture exemplaire de la Grèce classique. Partout, ce monde de tyrannies et de révoltes, de conquêtes et de massacres, d'ambitions et de détresses, secrète par réaction ses philosophes et prophètes, presque au même moment : Zoroastre en Perse (début VIe s. av. J.-C.), le Bouddha en Inde (563-483), Confucius (551-478) et Lao-tseu (605-520) en Chine, les prophètes juifs Daniel, Ézéchiel et Zacharie en captivité à Babylone (586-539), Pythagore (572-493) et les orphiques en Grèce...

Les idées pythagoriciennes ont aussitôt une influence considérable sur la pensée et la musique des Grecs, devenues indissociables : elles favorisent le développement de cette éthique musicale dont Platon et Aristote feront un des fondements de leurs doctrines [1]. La musique cesse d'être un privilège; elle devient indispensable à l'éducation de tout homme libre, elle est la source de la sagesse. Il se forme une classe nombreuse d'amateurs, susceptibles de se constituer en chœurs homogènes, qu'illustrent, avant les grands tragiques, Stésichore (— 640 à — 550), Polymnestos (fin du VIe siècle), Simonide (— 556 à — 466) et surtout Lasos (— 520 à — 480), le maître de Pindare. La vogue est au *dithyrambe*, chorodie dansée en l'honneur de Dionysos, dans l'harmonie phrygienne. Polymnestos et Lasos, dont les élèves forment la secte pythagoricienne des harmoniciens, représentent une tendance progressiste (philosophiquement et musicalement), combattue par le théoricien Pratinas. Celui-ci condamne notamment l'aulodie et les petits intervalles *(diésis)* du genre enharmonique que l'on obtient en bouchant incomplètement les trous de l'aulos; il méprise les aulètes qui, dans les nomes pythiques, s'évertuent à toutes sortes de raffinements, et préconise la

---

1. Nous devons à Pythagore la première loi physique (et non métaphysique) en acoustique musicale. Il observe en effet que les longueurs de deux cordes également tendues doivent être dans le rapport de 2 à 1 pour donner l'octave, de 3 à 2 pour donner la quinte, de 4 à 3 pour donner la quarte. Ces nombres (1.2.3.4) forment la tétrade privilégiée dont la somme est 10. Ils permettent de définir tous les autres intervalles* pythagoriciens.

fidélité à la tradition citharodique spartiate. Dans cette querelle sont enrôlés Apollon (instruments à cordes) et Dionysos (instruments à vent). Cependant, l'influence de Lasos est considérable : non seulement il définit les « harmonies » et les « tons », mais il établit un système de convenances entre harmonies, genres poétiques et circonstances. C'est le point de départ de l'éthique musicale classique. Son élève Pindare de Thèbes (— 518 à — 446), lui aussi libéral et progressiste, réalise la perfection de la chorodie et donne le premier une théorie de la μίμησις, de l'imitation, un des fondements de l'éthique musicale [1].

Au Ve siècle, âge d'or de l'art lyrique, Athènes, foyer de l'œuvre d'unification de Lasos, devient le centre où convergent les tendances nouvelles. Démocratique et commerciale, elle s'oppose depuis un siècle à Sparte, aristocratique et militaire. Lorsqu'elle capitulera, en 404, perdant son hégémonie au profit de sa rivale (ô guerre du Péloponnèse, aux incompréhensibles alliances, qui désespéra tant d'écoliers!), ses arts et sa pensée continueront d'émerveiller le monde jusqu'à nos jours.

Ce siècle d'excellence, celui d'Eschyle, Sophocle et Euripide, qui pensaient leurs tragédies en musique, ce siècle est dominé, sur le plan de la philosophie musicale, par Damon d'Athènes (vers — 500 à ?), dont l'influence s'étend au moins jusqu'aux disciples d'Aristote, comme l'atteste la doctrine d'Aristoxène. On lui attribue de nombreux élèves, parmi lesquels le musicien Dracon (maître de Platon), Socrate et Périclès; il joua même près de ce dernier un rôle politique appréciable. Un discours fameux que Damon prononça devant l'Aréopage vers — 450 traitait principalement d'éducation musicale; plusieurs auteurs de l'Antiquité y ont fait référence, de Platon à Cicéron. Mais surtout, Damon est la source d'inspiration la plus importante des dialogues sur la musique de Platon (— 428 à — 347) et d'Aristote (— 384 à — 321), même s'il n'est pas textuellement cité. A la suite de Lasos, dont il fut probablement le disciple, et de Pindare, il contribua pour une part essentielle à la définition de cet éthos musical, dont il convient maintenant de résumer le principe et les conséquences.

C'est de Damon que date une véritable théorie des modes et des tons, de leur convenance aux circonstances, de leurs bienfaits ou de leurs dangers pour le développement des vertus et le gouvernement de l'État. Sous la protection de Pallas Athéna, les maîtres de toutes les écoles soutiendront désormais une éthique musicale impérieuse contre les extravagances des professionnels. Au principe athénien de remplacer l'action punitive des lois

---

1. Les idées des théoriciens antérieurs à Platon nous sont connues principalement par les références et les citations que l'on trouve dans le dialogue *De la musique* longtemps attribué à Plutarque (trad. et commentaires par F. Lasserre).

par l'éducation des mœurs, Damon souscrit en proposant l'enseignement de la musique (et l'éducation par la musique) comme
instrument du progrès moral, avant la gymnastique. Sa doctrine,
comme celle des pythagoriciens et plus tard de Platon, est fondée
sur l'*imitation*, dont Lasos a montré la voie.

Déjà, pour les premiers pythagoriciens, la *bonne* musique est
l'expression sensible des rapports mathématiques qui régissent
le monde. En elle, l'esprit peut reconnaître l'harmonie universelle
et l'âme s'y accorder : c'est dire que la musique ne saurait être
considérée légèrement comme un simple divertissement. Son
importance exige qu'une caste savante, ayant approfondi ses
secrets, définisse l'éthos des modes et des rythmes, en déterminant
la valeur arithmétique exacte des intervalles et des rapports de
durée : ainsi va se construire une véritable théorie de la *bonne* —
davantage que de la *belle* — musique.

Mais comment la musique peut-elle se faire l'intermédiaire
entre l'ordre naturel et l'âme humaine? Par la *mimèsis*, répond
Damon : l'art est imitation et l'âme imite à son tour les simu-
lacres de l'art. Or en musique les modèles ne sont pas des objets,
mais des idées, des actions et l'ordre des choses. On peut donc
imiter le bien comme le mal : c'est un danger pour l'État qui
doit veiller à la qualité de l'éducation.

Malgré l'évolution des mœurs musicales, Platon reste fidèle à
la doctrine de Damon dans *la République*. Dans *les Lois*, au
contraire, il met l'accent sur le plaisir musical, la compétence
des musiciens professionnels, le rôle de la musique dans les banquets, et renonce au principe de l'imitation [1]. Il considère cependant que la musique peut former le jugement de l'enfant en liant
des notions morales à son plaisir.

Aristote est plus audacieux, plus libre et plus cohérent. Il
conserve l'idée pythagoricienne selon laquelle l'harmonie musicale communique à l'esprit la connaissance de l'harmonie du
monde, considérant qu'elles s'expriment par les mêmes rapports
numériques. Mais il donne naissance à un sentiment esthétique
nouveau : ayant constaté la relative inutilité morale de la
musique — qui n'a plus dans l'éducation la même importance
que la gymnastique et l'écriture —, il en fait un art, au sens
moderne du terme... un art qui peut agir profondément sur l'âme,
tout en la réjouissant, et qui doit toujours avoir sa place dans
l'éducation (il y a aussi des contradictions dans la doctrine musicale d'Aristote). Dans la diversité des tons et des harmonies,
dont usent sans restriction les professionnels, Aristote distingue

---

1. Les sophistes, qui suscitaient alors dans Athènes des controverses passionnées,
avaient valorisé la compétence dans la spécialisation. Le σοφός est l'homme compétent. Bien qu'il les ait combattus, Platon ne pouvait manquer d'être influencé par
leur enseignement.

ceux qui peuvent convenir aux amateurs. En cela il est fidèle à la tradition damonienne, bien qu'il se détache de la théorie de l'imitation. En somme, des critères éthiques doivent contrôler pour lui le phénomène reconnu du plaisir auditif : l'enseignement doit donc former le *goût*.

Chez Platon comme chez Aristote (et comme chez les penseurs chinois), les raisons qui attribuent à la musique une valeur éducative, ces mêmes raisons lui accordent une influence sur le gouvernement de l'État. « On ne peut rien changer aux modes de la musique, écrit Platon, sans que changent aussi les lois fondamentales de l'État, comme le dit Damon et comme je le crois moi-même. » Et Aristote prétend que les harmonies « surtendues » (utilisées dans un ton aigu) poussent au despotisme, les harmonies « relâchées » aux excès démocratiques, tandis que les tons intermédiaires disposent au régime politique parfait. Ces conclusions se réfèrent encore à la théorie damonienne de la *mimèsis*, d'autant plus que chaque mode et chaque ton sont censés imiter les mœurs et le régime politique de leur pays d'origine. Ainsi le mode dorien national se réfère à Sparte et aux mœurs sévères des Lacédémoniens : c'est celui du courage et de la sagesse... Les différents pieds et mètres sont eux aussi chargés d'un éthos particulier, lié plus ou moins confusément à leur origine.

Joueur de lyre
(VIᵉ siècle).

Aristote ajoute à ces spécifications éthiques la doctrine originale de la *katharsis* (Politique, VIII, 7). Il s'agit d'une méthode psychothérapique par l'analogie, dans laquelle la musique excite dans l'âme malade des sentiments violents qui provoquent une sorte de crise, favorisant le retour à l'état normal. Aristote remarque que la *katharsis* n'agit pas sur la volonté : il faut donc comprendre qu'elle déclenche une sorte de défoulement, de mouvement hors de soi (é-motion). Il écrit dans la *Poétique* : « La tragédie est l'imitation d'une action élevée et complète d'une certaine étendue (...) imitation qui est faite des personnages en action et qui, suscitant pitié et crainte, opère la *katharsis* propre à de pareilles émotions. »

Il est difficile à nos contemporains de se représenter une philosophie musicale si étrangère à notre façon de vivre et de penser. Seules pourraient relever aujourd'hui d'un éthos de la musique les hymnes patriotiques et militaires, dans la mesure où elles prétendent exalter dans l'âme des citoyens les vertus guerrières, la solidarité vengeresse et l'amour de la patrie glorieuse. Par contre il y a bon temps que la musique liturgique obéit davantage à des critères esthétiques qu'à des impératifs éthiques.

Théâtre d'Épidaure.

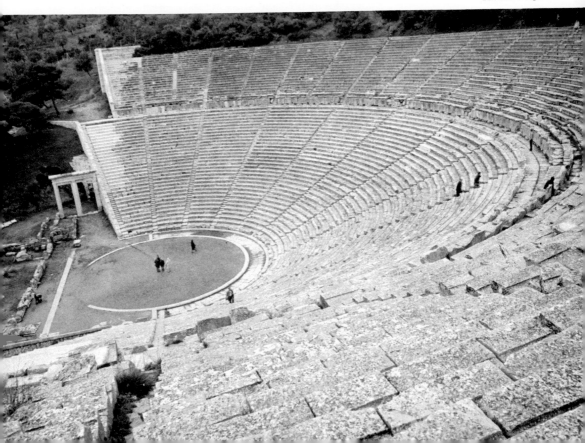

La décadence La seconde moitié du IVe siècle voit s'accuser un processus de décadence, dont Aristophane avait aperçu les premiers signes. Dans *les Grenouilles* (— 405), il critique la musique d'Euripide, jugée trop raffinée, sans ampleur ni dignité[1]. Aristoxène de Tarente (vers — 370 à — 300), très brillant disciple d'Aristote, auquel nous devons la première véritable esthétique musicale en même temps qu'une théorie complète, critique lui aussi la musique de son temps et affirme la supériorité du « classicisme » d'avant Platon. Il reproche aux modernes un jugement superficiel que l'esprit ne contrôle pas; mais surtout il leur trouve l'ouïe pervertie et grossière, au point de ne plus distinguer les petits intervalles du genre enharmonique (voir p. 89). Plus tard, on reprochera aux professionnels d'abuser de ce genre, de dépasser trop souvent l'octave, de changer inconsidérément de mode *... En tout temps la musique moderne est accusée de dégénérescence!

Au IVe siècle la musique s'est dévalorisée par rapport au verbe, poétique ou didactique. Depuis le Ve siècle, les sophistes, ces premiers « intellectuels », opposaient à la sagesse acousmatique les qualités démonstratives de la raison dialectique. Pour eux la musique est un art d'agrément, dont l'action morale est indéterminée. En dépréciant ainsi l'enseignement musical, ils ont certainement favorisé la spécialisation, dont procède la décadence de la musique grecque.

Dans leurs tragédies, les successeurs d'Eschyle, Sophocle et Euripide abandonnent souvent la musique des chœurs à la fantaisie des choreutes, dont le nombre diminue peu à peu tandis que s'accuse leur spécialisation (à Delphes, au milieu du IIIe siècle, ils ne seront plus que sept). Les pièces n'ont souvent plus de parties lyriques, mais on y exécute des intermèdes musicaux, sans rapport avec l'action, où des grands « compositeurs » (Melanippidès, Phrynis, Timothée) introduisent toutes sortes de raffinements. On songe à l'opéra italien du XVIIe siècle... Quant à la musique instrumentale — citharisis, aulesis, synaulie, duos d'aulos et cithare —, elle suscite des prodiges de virtuosité et fait l'objet de véritables concerts publics, formule que notre civilisation ne redécouvrira que vingt siècles plus tard. La musique devient un art de spécialistes où le public ne se reconnaît plus comme dans le chœur antique et que l'auditeur ne peut comprendre sans une instruction adéquate : il est consommateur de musique et l'on va s'efforcer d'en produire à son intention.

Le double processus de spécialisation et de dévalorisation de l'enseignement musical engendre un dédain pour la profession

1. De façon générale, la comédie institue un nouveau type de musique légère, dans un style plus populaire, où la « grande musique » est parfois le sujet de parodies.

de musicien, qui subsistera jusqu'à ce que la musique devienne au Moyen Age le monopole des monastères. Beaucoup de textes, d'Aristote à l'Empire romain, témoignent de ce dédain; parfois même il est reproché aux amateurs de jouer trop bien pour des personnes de qualité! Toutefois, on peut voir une réaction saine et salutaire dans l'opposition aux doctrines rigoureuses des théoriciens et des moralistes, dans la contestation du principe d'imitation damonien, dans la revendication d'une musique plaisante. Mais si, dans l'histoire de l'art, ce qu'on appelle décadence est souvent une fuite en avant qui prépare une aube nouvelle, pour la Grèce antique, la décadence aura bien été un glissement vers une longue éclipse des traditions musicales.

Documents musicaux Malheureusement, les fragments musicaux notés qui nous sont parvenus sont trop peu nombreux et les documents trop tardifs pour qu'on puisse se faire une idée juste du caractère de la musique des Grecs. Les voici dans l'ordre chronologique.

1. Fragment d'un chœur de l'*Oreste* d'Euripide (les vers 338-344), sur un papyrus du début du IIᵉ siècle avant notre ère. Plus de deux siècles après la tragédie (— 408), il ne s'agit peut-être pas de la musique originale. Mode : *doristi II* chromatique.

2. Fragment de notation sur un papyrus de Zénon, découvert au Caire et daté d'environ — 250. Il s'agit peut-être de la musique d'une tragédie. Ce document précieux par son ancienneté est dans un état qui le rend indéchiffrable.

3 et 4. Deux *péans* (hymnes à Apollon), découverts à Delphes en 1894 par l'École française d'Athènes. Ils datent d'environ — 128 et sont attribués à un Athénien nommé Liménios. Ces deux hymnes complètes, gravées sur la pierre, sont nos plus importants échantillons de notation musicale grecque. Mode : *doristi II*.

5. Épitaphe de Seikilos. Découverte à Tralles (Asie Mineure), cette inscription datée de la fin du IIᵉ siècle avant notre ère est une mélodie brève, mais intéressante et complète. Mode : *phrygisti*.

6, 7, 8. Hymnes à la Muse (deux courtes citharodies), à Némésis et au Soleil, découvertes en 1581 par Vincenzo Galilei, père du célèbre astronome. Les deux dernières sont attribuées à Mésomède de Crète, un citharède protégé par l'empereur Hadrien (vers 130). Modes : *doristi I* (nᵒˢ 6 et 8) et *phrygisti* (nᵒ 7).

9. Deux citharodies fragmentaires de Contrapollinopolis (Thébaïde) datant d'environ 160. Le même papyrus contient de courts fragments instrumentaux d'intérêt médiocre.

10. Hymne chrétienne, en notation grecque vocale, découverte en 1922 sur un papyrus d'Oxyrhynchos (Égypte) et datant de la fin du IIIᵉ siècle de notre ère. Mode : *hypophrygisti* (voir p. 188).

Voici la belle mélodie de Tralles (document nº 5) dans la transcription de Reinach.

Pour juger cette musique, il faudrait naturellement connaître les règles et les usages de l'interprétation du temps; car la notation ne rend pas compte des variations expressives et des ornements. A quelles traditions postérieures pourrait-on se référer pour imaginer comme elle sonnait? En retrouve-t-on davantage le souvenir dans la musique musulmane, hindoue, byzantine, dans le chant grégorien, ou dans le folklore de la Grèce actuelle? Trop de changements sont intervenus au cours des siècles dans les habitudes musicales, trop d'influences extérieures ont transformé l'héritage, pour qu'on sache reconnaître ce qui en reste...

Mais ce qu'on sait et ce qu'il est permis d'imaginer des pratiques musicales helléniques fait ressortir des caractères généraux :

— La musique et son interprétation sont étroitement liées à la déclamation poétique, dont les règles nous sont assez bien connues. Le choix d'un *genre* et d'un *ton*, éventuellement variables quand on exécute dans une *harmonie* déterminée (voir p. 89), est limité par des principes éthiques que l'on connaît aussi.

— La variété de l'expression supposait une grande souplesse d'intonation, dont le système rend compte après coup. Le système théorique et la notation furent élaborés a posteriori, en se fondant sur la poésie lyrique. L'ornementation improvisée n'était pratiquée que par les instrumentistes, puis peut-être par les chanteurs professionnels de la période décadente.

— Les principales catégories d'exécution musicale étaient : la chorodie (chœur d'amateurs en général), la citharodie (chant et cithare), l'aulodie (chant et aulos), la citharisis (cithare seule), l'aulesis (aulos seul) et la synaulie (deux auloi). Si la liberté des interprètes était nécessairement réduite au minimum dans la chorodie, elle était sans doute très grande dans la musique purement instrumentale.

— Du point de vue de la pratique musicale et du style, il existait deux arts différents : celui des philosophes et du public, qui représentait la tradition, et celui des professionnels qui se distinguait par son raffinement et sa rhétorique audacieusement libre.

— Enfin, pas plus que les autres peuples de l'Antiquité, les Grecs n'ont pratiqué dans la musique « savante » ce que nous appelons la polyphonie *.

L'hypothèse polyphonique Cette dernière affirmation n'a rien d'aventureux et la question ne susciterait pas tant de controverses si les définitions étaient nettement posées. La polyphonie telle que nous la concevons est l'émission simultanée, de propos délibéré, de plusieurs séries différentes de sons musicaux, dont les relations sont nettement déterminées par l'usage et par la théorie. Ce n'est pas un phénomène fortuit, mais le choix d'une pluralité qui exige une organisation stricte, car elle introduit des rapports de simultanéité (verticale) dans une dynamique de la durée (horizontale). La polyphonie apparaît comme une « hétérophonie » maîtrisée, dont l'intelligibilité sera garantie par un ensemble de règles impérieuses. Dans une hétérophonie quelconque, ou bien les différentes parties simultanées sont tout à fait indépendantes, ou au contraire elles sont très analogues par mimétisme. Dans la polyphonie, ces parties peuvent être nettement différenciées, mais elles restent étroitement interdépendantes, dans l'accomplissement d'un projet polyphonique.

Certaines vieilles civilisations musicales, qui ont utilisé des échelles très simples, ce qui n'est de toute façon pas le cas de la Grèce, auraient pratiqué de longue date une forme primitive de polyphonie. Georges Arnoux *(la Musique platonicienne)* défend une théorie selon laquelle la gamme pentaphonique (do-ré-mi-sol-la) implique « par nature » la polyphonie, comme toutes les gammes simples obtenues par le cycle des quintes. Selon lui, le sens polyphonique se serait perdu au fur et à mesure de l'enrichissement des échelles, laissant la priorité à la complexité mélodique des modes. En arpégeant sur les cinq cordes d'un instrument accordé comme ceci :

le musicien avait seulement l'impression de jouer une mélodie instantanée, dont l'évocation fugitive était d'autant plus satisfaisante que les cinq sons, formant son matériau de base, sont harmoniques entre eux. Il pouvait aussi en déduire une méthode d'embellissement, telle qu'on la trouve pratiquée dans les musiques « primitives » (voir Musique africaine p. 161) [1].

---

1. Des formes simples de polyphonie consciente ont pu se pratiquer spontanément dans la musique populaire, à toutes les époques et sous toutes les latitudes. Une recherche de différences est en effet aussi naturelle qu'un effort de ressemblance; et l'on pourrait trouver dans une même civilisation une polyphonie primitive et une monodie savante. J'utilise faute de mieux le mot « hétérophonie », pour désigner une polyphonie fortuite ou inconsciente; mais il est équivoque, comme le mot « homophonie » qui sera utilisé aussi, au chapitre sur la Renaissance, dans une acception particulière.

Certainement la polyphonie savante est une singularité de notre civilisation; mais notre culture musicale en est si fortement imprégnée, que c'est la monodie qui nous paraît exceptionnelle; nous concevons difficilement que celle-ci puisse être riche et complexe, et nous prenons pour de la polyphonie les éventuelles simultanéités qui constituent des enrichissements, des colorations d'une pensée homophonique. Les partitas pour violon seul de Bach témoignent davantage d'une pensée polyphonique que le *gamelan* javanais ou le *sitar* indien, qui introduisent un jeu hétérophonique dans une pensée homophonique... ainsi que l'ont probablement fait les musiciens grecs. L'hétérophonie, dans ces conditions, n'a pas de « sens » polyphonique. En résumé :

– Dans la musique savante (sauf dans l'Europe des dix derniers siècles) la pensée musicale est homophonique : l'hétérophonie y est fortuite, inconsciente ou aléatoire (inconsciente, elle révèle un instinct polyphonique).

– Dans la musique dite « primitive » et le folklore, de tout temps une polyphonie primitive consciente a pu être adaptée à une pensée homophonique.

– Dans la musique savante occidentale, la pensée est polyphonique, au moins depuis dix siècles.

L'hypothèse que les Anciens auraient pratiqué une polyphonie consciente dans la musique savante est bien fragile. Que les cordes de la lyre puissent vibrer ensemble n'impose pas une forte présomption. Et si l'aulos est double, ce n'est pas pour s'adapter au jeu polyphonique, mais pour faciliter les broderies et sans doute les changements de modes, de tons ou de timbres, peut-être encore pour faire entendre la tonique ou la *mèse* pendant l'improvisation. Quant aux allusions de Platon à la « polyphonie », elles se réfèrent à un accord de l'instrument permettant de passer d'une « harmonie » à une autre, de même que la « pan-harmonie » permet de passer d'un ton à un autre dans une même harmonie.

Il faut ajouter que, si les Grecs avaient connu la polyphonie, nous en trouverions le témoignage dans leur théorie et leur notation; or celles-ci sont inadaptées à la polyphonie et conviennent parfaitement à la récitation lyrique et aux raffinements de la monodie vocale ou instrumentale.

Rome La décadence de la culture musicale hellénique, qui s'accusa profondément sous la monarchie macédonienne (— 359 à — 196) ne compromit pas son rayonnement : celui-ci s'est exercé sur toute la Méditerranée romaine jusqu'aux premiers siècles de la chrétienté. Il n'y a sans doute jamais eu de musique latine, mais une façon latine de faire ¦de la musique grecque! Sous des noms nouveaux, les mêmes instruments sont dédiés aux mêmes fonctions. Ils ont peut-être été introduits à Rome, avec les traditions musicales helléniques, dès le ve siècle par les Étrusques, car dans leurs tombes, ce sont des instruments grecs que l'on retrouve.

À l'époque de Plaute (— 254 à — 184) et Térence (— 194 à — 159), il semble bien que les traditions musicales de Rome aient été celles de la Grèce. Mais dans la tragédie et la comédie, la musique tenait une place moins importante; les auteurs ne composaient plus eux-mêmes la partie musicale, qu'ils confiaient à des musiciens professionnels... et plus tard les acteurs se feront « doubler », pour les morceaux lyriques, par des chanteurs. C'est encore à ce genre de représentation qu'ira la préférence de Néron, car il pourra y faire briller son talent vocal [1]. À l'art lyrique, le peuple romain préférait d'ailleurs le genre vulgaire du mime (également importé de Grèce). Lorsque, en — 167, les meilleurs chœurs, aulètes et citharèdes de la Grèce se firent entendre pour la première fois à Rome, sur l'initiative du préteur Anicius, ils furent reçus dans une complète indifférence: le public fut déçu qu'ils ne veuillent pas jouer tous à la fois, ni se battre à coups de poing!

Tuba curva romaine
(Musée instrumental de Bruxelles).

La littérature latine fait souvent allusion à la musique, mais sans enrichir notablement la musicologie de l'Antiquité. Toutefois, Cicéron (— 106 à — 43) paraît avoir eu des connaissances musicales assez sérieuses et il ne déprécie pas, au contraire, la pratique de la musique, comme le faisaient beaucoup de ses compatriotes jusqu'à l'Empire. Mais il ne nous apporte rien de plus que ce que lui ont enseigné les Grecs, si ce n'est de menus détails sur les musiciens de son temps [2]. Chez la plupart des auteurs, la musique apparaît comme un élément du luxe et de l'agrément de la vie, mais elle n'est plus réellement intégrée à la culture, et la profession de musicien n'a plus aucun prestige (les musiciennes sont même assimilées aux courtisanes). Dans les grandes villes, comme Rome et Alexandrie, les gens riches ont des esclaves musiciens, dont le répertoire est probablement une sorte de « musique de consommation » raffinée, qui participe à l'embellissement des lieux, mais que l'on n'écoute pas. Selon certains historiens (Wiora, *les Quatre Ages de la musique*), il existe aussi une musique facile, commercialisée à l'usage du peuple. On devine une préfiguration des mœurs musicales de

1, Prétendant s'imposer comme un chanteur exceptionnel, Néron se soumettait à un régime et à des exercices pénibles pour acquérir les qualités vocales les plus rares. Mais, selon son biographe Suétone, il avait une « voix faible et voilée ». Cependant, l'exemple de l'empereur entraîna sénateurs et patriciens à étudier et à pratiquer la musique, favorisant le développement d'un art domestique raffiné, qui a peut-être contribué à l'enrichissement de la musique chrétienne.
2. Voir notamment : *Tusculanes*, I, IV, V; *De Oratore*, II, III; *De Divinatione*, I, II; *De Republica*, II, VI (« le Songe de Scipion »); et les Lettres à son ami Atticus.

Tombe étrusque de Tarquinia :
double *tibia* (aulos) et
testudo (lyre).

notre société industrielle. Pour compléter la ressemblance, Dion Chrysostome peint, au 1ᵉʳ siècle de notre ère, une sorte de culte des vedettes : spectateurs acclamant les artistes, bondissant de leurs sièges, s'agitant comme des fous... Sous l'Empire, certains grands artistes deviendront riches et puissants, comme le citharède Ménécrate, auquel Néron donne un palais avec de vastes terres. La séparation très marquée (dans la théorie comme dans la pratique) entre musique populaire et musique savante, et l'accentuation des catégories sociomusicales correspondantes ont certainement contribué à réhabiliter l'exercice de la musique chez les empereurs et les patriciens romains. Mais le caractère démocratique des spectacles d'Athènes a disparu pour longtemps et les censeurs romains, comme les Pères de l'Église, ne se priveront pas de condamner la musique populaire, dont Grégoire le Grand s'efforcera d'anéantir les traditions.

Note sur les instruments

○ *aulos* (latin : *tibia*) Instrument à anche double (comme notre hautbois), cylindrique ou légèrement conique, construit en roseau, en bois ou en ivoire. Son origine est asiatique et très lointaine. Il en existait plusieurs modèles de tessitures différentes [1] et l'on utilisait généralement les *auloi* par paire. Chaque instrument était percé de trous que l'on pouvait obturer soit avec les doigts, soit avec des anneaux métalliques. Sur la façon dont on jouait de l'*aulos* double, on est réduit aux hypothèses.

○ *syrinx* (latin : *fistula*) Sous la forme *monocalamos*, c'est une flûte rudimentaire, sans embouchure; sous la forme *polycalamos*, c'est l'instrument que nous appelons « flûte de Pan ». Les tuyaux, dont le nombre est alors de quatre à douze, sont souvent de même longueur, les colonnes d'air étant raccourcies par des tampons de cire.

○ *salpinx* (latin : *tuba*) Trompette droite, assez courte, à usage militaire. Les Étrusques et les Romains utilisaient dans la cavalerie une trompette très longue, à pavillon recourbé, appelée *lituus*.

. ○ *kéras* (latin : *cornu* ou *buccina*) Différents types de cors et cornets, principalement à usage militaire, de l'instrument primitif en corne d'animal *(cornu)*, au grand cor semi-circulaire adopté par les Romains *(buccina)*.

○ *lyra* ou *kitharis* (latin : *testudo*) La lyre classique, instrument à cordes des amateurs, dont l'importance fut considérable dans

---

1. Aristoxène en énumère cinq. De l'aigu au grave : l'*aulos parthenios* (« virginal »), le *païdikos* (tessiture des voix d'enfant), le *kitharistèrios* (tessiture de la lyre), le *teleios* (parfait : probablement tessiture du tenor), l'*hyperteleios* (très parfait : probablement tessiture de la basse).

l'Antiquité. Initialement tendue de quatre cordes, elle en eut ensuite sept (VIIIe siècle) puis onze (Ve siècle). L'accord de la lyre à onze cordes était probablement le suivant (en notes blanches l'accord de la lyre à sept cordes) :

La lyre était l'instrument d'Apollon et, sous le nom de *phorminx*, celui des poèmes homériques.

o *kithara* (ne pas confondre avec *kitharis*) cithare, variété de lyre perfectionnée utilisée par les professionnels (citharèdes). De dimension et de poids plus importants que la lyre, la cithare était retenue à l'instrumentiste par une courroie.

o *psalterion* et *trigonon* instruments à cordes pincées (ou frappées ?) se distinguant des lyres et des cithares par la forme triangulaire et la longueur inégale des cordes, tendues sur une table d'harmonie ou dans un cadre (harpe) [1].

o *magadis, barbiton, pectis* variétés de lyres, harpes ou psalterions, mis en usage par les poètes lyriques, de Terpandre à Anacréon.

o *hydraulis* orgue hydraulique, dont l'invention est attribuée à un certain Ktèsibios, Grec d'Alexandrie qui vivait au IIIe siècle avant notre ère. Il est possible que l'orgue ait existé auparavant, sous la forme d'une sorte de grande *syrinx* munie de soufflets. Mais le génie de Ktèsibios fut d'avoir conçu un système hydraulique très ingénieux, permettant d'assurer à l'air comprimé une pression constante. De nombreux éléments de nos orgues se trouvent déjà dans l'instrument alexandrin, notamment les « sommiers » et les rangées perpendiculaires de « registres » et de « gravures » [2]. A l'origine, l'*hydraulis* était un petit instrument, composé d'un, deux ou trois rangs de tuyaux, dont le son devait être assez faible. Sous l'Empire romain, on en construisit de très importantes, qui intervenaient bruyamment dans toutes les occasions festivales. Il semble que le mécanisme inventé par Ktèsibios a fait une longue carrière, notamment grâce aux Arabes.

1. Certains spécialistes considèrent *psalterion* et *trigonon* comme des harpes. D'autre part on trouve chez plusieurs auteurs grecs la mention d'un *epigoneion* à quarante cordes que Curt Sachs identifie avec un psaltérion au sens moderne *(zither)* : le nombre élevé des cordes exclurait l'identification à une harpe de l'époque et l'étymologie indiquerait que l'instrument se tient sur les genoux. (La même étymologie peut suggérer que l'instrument est posé sur un angle, à la façon de notre harpe !)

2. Le lecteur qu'intéresse le mécanisme complexe de l'*hydraulis* d'Alexandrie en trouvera une description détaillée dans l'*Encyclopédie de la musique* de Lavignac (vol. I, p. 30 et s.); cette description et les dessins qui l'illustrent s'appuient sur les textes fondamentaux d'Héron d'Alexandrie et de Vitruve. Une petite maquette d'hydraule en terre cuite est conservée au musée de Carthage.

Cratère corinthien :
scène de banquet
(vers — 600).

Joueuse de lyre.

Joueuse d'aulos (1re moitié
du ve siècle).

○ les principaux instruments de percussion grecs, utilisés ensuite à Rome, furent les cymbales *(kymbalai)*, le sistre *(seïstron)*, les crotales *(krotalai)*, le tambour de basque *(tympana)* que l'on trouve un peu partout dans l'Antiquité.

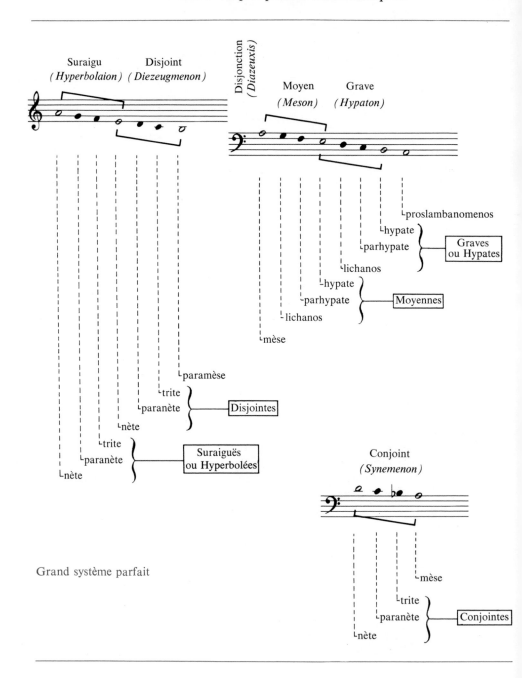

Grand système parfait

La théorie

Le système musical des Grecs nous est bien connu par les écrits des philosophes et des théoriciens, s'étendant sur environ six siècles, de Platon, jusqu'au IIe ou IIIe siècle de notre ère, sans parler des nombreuses exégèses postérieures, notamment celles des grands théoriciens arabes.

Le fondement du système, selon Aristoxène de Tarente, est une échelle continue d'une double octave, formée de quatre « tétracordes » enchaînés, avec une « disjonction » centrale (voir p. 86). C'est une sorte de grille universelle, qui permet de former toutes les gammes en usage dans la musique grecque. L'ensemble est appelé « grand système parfait ». Le son qui limite la disjonction dans le grave est appelé *mèse* ou son central : c'est l'axe de tout le système, quelle que soit l'harmonie utilisée. Voici, à la page précédente, la transcription du grand système parfait d'Aristoxène, dans le genre diatonique et dans le ton fondamental.

Remarques sur le grand système parfait

1. Les « tétracordes » sont des cellules caractéristiques de quatre notes, qui correspondent aux quatre cordes de la lyre antique; ils présentent tous la même succession d'intervalles. Ce sont les éléments de base du système.

2. Les sons qui limitent les tétracordes, représentés en notes blanches, sont fixes; les autres sont mobiles. Dans l'octave centrale (mi-mi), caractéristique de l'harmonie nationale dorienne ou *doristi*, la quarte et la quinte sont fixes. Ces deux sons *(mèse et paramèse)* sont d'autant plus importants qu'ils forment respectivement la moyenne harmonique et la moyenne arithmétique de l'octave centrale [1].

3. La dénomination des différents degrés était probablement empruntée à celle des cordes correspondantes de la lyre. On désignait chaque degré par son nom, associé à celui de son tétracorde : « trite des disjointes, hypate des moyennes », etc.

4. Les échelles de la musique grecque sont présentées de l'aigu au grave, « en descendant », à l'inverse de nos habitudes. Il y a trois raisons à cela :

   a. Dans la *doristi* et dans chacun des tétracordes du G.S.P. la note que nous appelons « sensible » est au-dessus, et

---

1. Soit a et b la fréquence des deux sons qui limitent l'octave :

moyenne arithm. : $\dfrac{a + b}{2} = \dfrac{3}{2} b =$ quinte (paramèse)

moyenne harm. : $\dfrac{2\,a\,b}{a + b} = \dfrac{4}{3} b =$ quarte (mèse)

puisque a = 2 b

non en dessous de la finale, créant une attraction vers le grave. La pente générale de la mélodie antique semble d'ailleurs descendante.

b. Les cordes de la lyre étaient comptées de l'aigu au grave. Aujourd'hui encore, on appelle « 4ᵉ corde » d'un violon ou d'un violoncelle la corde la plus grave.

c. Le système de notation suggère l'ordre descendant.

5. Le tétracorde annexe des conjointes *(synemenon)* s'insère à la place des disjointes, mais avec la disjonction à l'aigu. C'est la transposition du tétracorde des moyennes à la quarte supérieure. Articulé sur la *mèse*, il sert aux muances, c'est-à-dire aux changements d'harmonies (de modes) et de tons.

Trois concepts fondamentaux peuvent se définir par rapport au G.S.P. d'Aristoxène : genres, harmonies et tons.

– Le ton ou trope est analogue à ce que nous appelons « tonalité » et se définit par le son sur lequel on établit un G.S.P. Il détermine la hauteur absolue du système, et permet de maintenir l'octave modale des différentes harmonies dans la tessiture pratique des voix.

– L'harmonie (ἁρμονία) est analogue à ce que nous appelons « mode » : c'est le choix d'une octave caractéristique et d'une quinte modale dans l'échelle complète. Les harmonies sont définies par leur *finale* (base de l'octave) et par leur *tonique* ou *fondamentale* (base de la quinte modale). La finale et la tonique étant confondues dans notre système actuel (sous l'appellation de « tonique »), c'est par le nom de la finale que nous avons l'habitude de désigner les modes, ou plutôt leur octave caractéristique (« mode de mi, mode de ré ... »). Dans un même ton, la structure du G.S.P. reste immuable, quel que soit le choix de l'harmonie : l'octave et la quinte caractéristiques des différentes gammes se déplacent le long de l'échelle fondamentale du système, et l'harmonie se définit par rapport à ce cadre fixe.

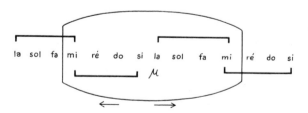

– le genre est à la fois mode et style. Il se définit par la position des notes mobiles, qui est semblable dans tous les tétracordes. Le genre diatonique, dans lequel sont présentés ici le G.S.P. et les différentes harmonies, est le seul que nous ayons hérité.

Genres Par la répartition des intervalles * dans le tétracorde —
selon la position des notes mobiles — on définit trois genres
principaux :
— le diatonique, où la succession des intervalles, de l'aigu au
grave, est dans chaque tétracorde : ton (9/8) — ton (9/8) —
limma ou demi-ton (256/243). C'est le genre naturel, recommandé
aux amateurs.

Tons   1   1   ¹/₂

— le chromatique, où les intervalles du tétracorde sont : tierce
mineure (32/27) — *apotome* (2187/2048) — *limma* (256/243)
(*apotome* et *limma* sont respectivement plus grand et plus petit
que notre demi-ton tempéré).

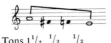

Tons 1¹/₂   ¹/₂   ¹/₂

— l'enharmonique, où les intervalles du tétracorde sont : tierce
majeure (5/4 ou 81/64) — *diésis* (quart de ton) — *diésis*. L'évaluation des deux quarts de ton, qui de toute manière ne peut pas
correspondre à la pratique, varie selon les auteurs [1].

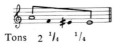

Tons   2   ¹/₄   ¹/₄

Selon certains auteurs grecs, l'enharmonique serait le genre le
plus ancien; mais d'autres le condamnent comme une pratique
décadente (Aristoxène).

Les trois genres sont présentés ici sous la forme traditionnelle,
dite « vulgaire », qui était adoptée par les amateurs et les philosophes. Les musiciens professionnels pratiquaient d'autres
formes, rendant les définitions épineuses. C'est pourquoi ils
avaient inventé une méthode très artificielle, la « catapycnose »,
qui divisait virtuellement l'octave en 24 *diésis* égales, permettant d'évaluer les intervalles en nombres entiers de *diésis* ou quarts
de ton. Aristoxène s'est fait le théoricien de cette curieuse tentative
de tempérament *. Mais les pythagoriciens se sont toujours effor-
cés de calculer logiquement les fractions caractéristiques (rapports
des longueurs de cordes correspondantes).

Cette subtile variété d'intervalles s'obtenait sur l'aulos en
bouchant incomplètement les trous. Sur la lyre et la cithare, on

1. Les fractions caractéristiques des intervalles, qui représentent des rapports de
fréquences, permettent seules de définir précisément une échelle. Encore faut-il
s'entendre sur leur détermination !

pouvait soit changer l'accord, soit exercer une pression du plectre
entre le sommier et le chevalet (ce que montre une amphore bien
connue des historiens).

Harmonies   Par ἁρμονία, les Grecs désignaient chacun des accords
fondamentaux de la lyre et, en même temps, la manière d'utiliser
cet accord en fonction de son éthos particulier. L'*armonia* est à la
fois *modus* (manière d'être et de faire) et *species* (aspect de
l'octave). L'harmonie *est* l'accord de la lyre : à l'origine, ce n'est
pas une abstraction (voir 36e Problème d'Aristote). Selon Damon
et Platon, il y aurait quatre types de gammes ou modes (εἴδη),
dont seraient formées les six (puis huit) harmonies. Ainsi, il
aurait existé un concept de mode, distinct de celui d'harmonie ?
Cette ambiguïté, que l'on retrouve chez Aristoxène, pourrait
être dissipée en supposant que le mode est défini par la « quinte
modale » et l'harmonie par la finale : *lydisti* et *hypolydisti*, par
exemple, seraient alors deux harmonies du même mode. Mais
cela n'est qu'une hypothèse.

Chaque harmonie se distingue par :

○ une octave type ou aspect de l'octave *(species)* qui détermine
une gamme caractéristique sur la lyre,

○ la « tonique » ou « fondamentale », base de la quinte modale,
le son coordinateur auquel les autres sont subordonnés,

○ la position de l'octave caractéristique par rapport aux sons
fixes du G.S.P., particulièrement la mèse (μ).

Les huit harmonies de la musique grecque peuvent être classées
en deux groupes, comme l'indique Aristote (*Politique* IV, 3) :

		octave (finale)	tonique ou fondamentale
groupe dorien national	*doristi I*	mi	mi
	mixolydisti	si	mi
	doristi II	mi	la
	eolisti	la	la
	(hypodoristi)		
groupe exotique phrygio-lydien	*phrygisti*	ré	sol
	iasti ou *ionisti*	sol	sol
	(hypophrygisti)		
	lydisti	do	fa
	hypolydisti	fa	fa

Voici, dans le genre diatonique, leurs gammes caractéristiques,
groupées deux par deux pour faire coïncider les quintes modales
communes des harmonies ayant même fondamentale :

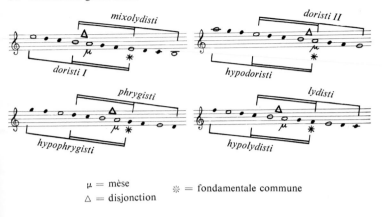

μ = mèse   ✳ = fondamentale commune
△ = disjonction

NB   Les barres ne soulignent plus ici les trétracordes, mais les gammes et leurs quintes modales communes.

Les dénominations des harmonies rappellent l'origine des nomes nationaux auxquels les gammes des Grecs ont été empruntées. Les mêmes dénominations étant employées pour désigner les « tons », on évite les confusions en adoptant la forme hellénique pour les harmonies *(doristi)* et la forme moderne pour les tons (dorien). La nomenclature qui précède inspire plusieurs remarques :

1. Les harmonies dites « barbares » (phrygiennes et lydiennes) nous sont évidemment parvenues hellénisées. Nous n'y distinguons plus aucun caractère exotique, aucune particularité mélodique fondamentale qui les sépare des harmonies proprement helléniques et puisse justifier le mépris de Platon [1]. De même, nous ne percevons plus aucune raison à la primauté de la *doristi*, ni à l'assimilation au groupe dorien de l'*eolisti* (originaire de la patrie de Sappho). Nous pouvons seulement observer que plus le caractère « mineur » d'une harmonie est accusé *(doristi)*, plus cette harmonie semble avoir été fondamentale, majeure!

2. Il existe pourtant une différence importante entre les deux groupes, peu remarquable il est vrai dans le genre diatonique. Les harmonies du groupe dorien placent chacune la finale de leur octave et leur fondamentale sur des degrés du G.S.P. correspondant à des sons fixes. La fondamentale de la *doristi II* et de l'*hypodoristi* sont placées sur la *mèse*. La gamme des *doristi* coïncide d'ailleurs aux deux tétracordes centraux du G.S.P. avec la *mèse* au milieu. Au contraire, les finales et les fondamentales

1. « Chez l'homme vertueux, les actions et les paroles s'accordent entre elles, à la manière de l'harmonie dorienne, et non selon les harmonies iastienne, phrygienne ou lydienne. Car l'harmonie dorienne seule est hellénique » *(Lachès)*.

du groupe exotique sont placées sur des degrés mobiles. Les sons caractéristiques étant ainsi variables selon les genres, on ne reconnaissait les harmonies du deuxième groupe que par la place des notes fixes et principalement de la disjonction (si-la). Voici par exemple la gamme de la *phrygisti* dans les trois genres :

Diatonique

Chromatique

Enharmonique

3. Il est curieux de remarquer que notre gamme majeure ascendante est le mouvement contraire de celle de la *doristi* :

Tons : 1 1 ½ 1 1 1 ½

On peut voir, dans cette particularité, une sorte d'antagonisme, qui oppose de la même façon *hypodoristi* et *hypophrygisti*, *mixolydisti* et *hypolydisti* (le mouvement contraire de la *phrygisti* est une *phrygisti* ascendante).

Tons ou tropes Par τόνοι ou τρόποι, les Grecs désignaient les différents tons de transposition qui déterminaient la hauteur absolue du G.S.P. Il s'agit d'un concept analogue à ce que nous appelons « tonalité », mais avec une idée de valeur absolue qui exclut l'équivalence des octaves. Ce système avait pour fonction de centrer les différentes harmonies dans la tessiture moyenne des voix. Il existait quinze *tonoi* :

lydien	mèse : ré	1 bémol
éolien	mèse : do ♯	4 dièses
phrygien	mèse : do	3 bémols
iastien	mèse : si	2 dièses
dorien	mèse : si ♭	5 bémols

+ cinq tons en « hyper », une quarte au-dessus des premiers (un bémol de plus ou un dièse de moins)

+ cinq tons en « hypo », une quarte en dessous des premiers (un dièse de plus ou un bémol de moins).

Voici un G.S.P. schématique, dans trois tons différents :

Ton lydien

Ton hyperlydien

Ton hypolydien

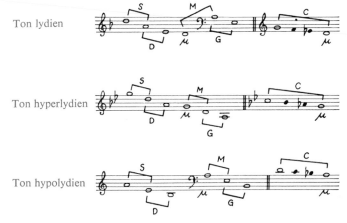

L'octave centrale sera toujours l'octave de la *doristi* (dans ces trois tons : respectivement, la-la, ré-ré, mi-mi). Le ton hypolydien, dans lequel ont été donnés les précédents exemples musicaux, est le ton fondamental [1].

Les dénominations des *tonoi* étaient probablement, comme celles des *armoniai*, porteuses d'un certain éthos, lié à la nation d'origine des nomes qui leur ont donné naissance, éthos comparable à celui des *rāgas* de l'Inde.

Pour compléter cet examen des échelles musicales de la Grèce, il faut préciser que la détermination pythagoricienne des intervalles * est celle que l'on obtient par le « cycle des quintes » (superposition de quintes et réduction d'octaves), tout au moins dans les genres diatonique et chromatique. Les deux termes de chaque fraction caractéristique seront donc une puissance de 3 et une puissance de 2 (puisque l'intervalle de quinte correspond au rapport de fréquence 3/2) : 256/243 (*limma* ou petit demi-ton), 2187/2048 (*apotome* ou grand demi-ton), 9/8 (ton), 32/27 (tierce mineure), 81/64 (tierce majeure), etc. [2]. Ce sont les intervalles qu'obtiennent naturellement les instruments accordés par quintes; ce sont aussi ceux qui forment l'échelle de base de la musique chinoise. Pour les Grecs, un intervalle est « consonant » (σύμφωνος) si ses deux sons, entendus simultanément, éveillent une impression unique. Tels seraient, selon eux, l'octave (2/1), la quinte (3/2), la quarte (4/3) et, par extension, le ton (9/8) : ce sont les intervalles que forment entre eux les sons fixes du grand système parfait.

---

1. L'octave de l'*hypolydisti* s'y trouve dans la tessiture moyenne des voix. On peut voir que les tons dorien, lydien, phrygien, amènent l'octave de la *doristi*, de la *lydisti*, de la *phrygisti* dans cette même tessiture.
2. On trouvera une brève théorie des intervalles p. 104 s. et dans *la Musique*, le Seuil 1969, « Intervalle », p. 338 s.

Rythme Très souple et variée, la rythmique grecque ne recherche pas l'isochronisme, cette carrure caractéristique de la plus grande partie de notre musique, classique ou populaire. La dynamique régulière des temps forts était exceptionnelle, en dehors des rythmes de marche. Dans l'art lyrique de la période classique, la métrique poétique déterminait le rythme musical. Mais il semble que, dans les « strophes lyriques » des chœurs, le rythme prépondérant ait été celui de la musique : c'est alors seulement que pouvait apparaître une certaine isorythmie.

Comme chacun sait, le vers (ou la strophe lyrique, ou la phrase musicale) se compose de mètres, eux-mêmes divisés en pieds. Voici les principaux pieds de la métrique grecque classique, qui constituaient les unités rythmiques fondamentales. Les longues (—) valent généralement deux brèves (∪); mais ce n'est pas une règle absolue, notamment dans la chorodie et dans la musique instrumentale.

∪ —	iambe Exprime la gaieté ou l'agressivité.
— ∪	trochée Utilisé dans les danses populaires ou les marches militaires vives.
— ∪ ∪	dactyle Fondement de la métrique d'Homère (héroïque, parfois pathétique, plutôt lent).
∪ ∪ —	anapeste Énergique, dynamique, mais calme.
— —	spondée Dignité, grandeur, sentiment religieux (souvent alterné avec le dactyle).
— ∪ —	péon crétique.
— — ∪ ∪ ⎱ ∪ ∪ — — ⎰	ioniques (majeur et mineur) Le ionique mineur présente parfois la variante : ∪ ∪ — ∪ — ∪ — — (2 pieds) (au lieu de ∪ ∪ — — ∪ ∪ — —). C'est le rythme de la chanson d'*Orfeo*, au second acte de l'œuvre de Monteverdi.

Par association de plusieurs pieds, on obtient des mètres, qui peuvent être homogènes (pieds semblables) ou hétérogènes (pieds différents). Ainsi, par exemple :

— ∪ ∪ —	choriambe (trochée + iambe)
— — ∪ ∪ — ∪ ∪ —	prosodiaque (spondée + 2 anapestes)
∪ ∪ — ∪ ∪ — ∪ ∪ —	tripodie anapestique

Notation Le système de notation des Grecs était l'expression graphique de la « catapycnose », division théorique (et non pratique) du tétracorde en dix *diésis* égales, soit deux *diésis* par demi-ton ou vingt-quatre par octave. Cette catapycnose ayant été imaginée par les professionnels pour définir, sur la base de l'enharmonique, les variantes qu'ils introduisaient dans les deux autres genres, on imagine que le système, bien qu'assez précis, ne devait pas être d'un emploi facile.

Les signes de la notation étaient les lettres d'un alphabet archaïque, droites (K Γ Ϲ F <) ou diversement inclinées (Ͷ ⱶ ⅂ ⌐). L'interprétation en est rendue difficile par le fait que les mêmes sons ne sont pas nécessairement désignés par les mêmes signes, sauf si ce sont des sons fixes : le signe change lorsque change la fonction dans la gamme ou le degré dans le G.S.P., d'un ton à l'autre ou d'un genre à l'autre[1]. Les choses se sont compliquées encore à l'apparition d'une autre notation, tout aussi artificielle, réservée à la musique vocale, et faisant appel à l'alphabet grec classique !

NB Cette présentation commode ne doit pas suggérer une échelle. Elle n'est qu'un catalogue de symboles.

L'examen du système musical hellénique ressemble à une visite de l'Acropole ou de Pompéi : il faut une certaine imagination pour concevoir la vie dans ces vestiges, qui constituent pourtant le passé immédiat de notre civilisation. Mais en musique la réalité est encore plus fugitive qu'en architecture. Ses empreintes s'effacent vite et lorsqu'elles subsistent, exceptionnellement, leur interprétation est si difficile que le rêve la devance. Parfois même cette interprétation devient impossible, parce que les empreintes ont été déformées. La pérennité des traditions musicales helléniques fut compromise, non par le fait même de l'hégémonie romaine, mais par les contradictions qui se multiplièrent entre la théorie, due aux savants grecs, et la pratique, héritée en partie de l'Égypte et du Proche-Orient. De plus, en résumant les anciens traités et en interprétant un système de notation artificiel et compliqué, les théoriciens latins ont ajouté des sources de confusion et d'ambiguïté.

Plus attentifs et plus subtils, les théoriciens arabes, persans et turcs seront, du VIIe au XIVe siècle, les plus authentiques héritiers de la pensée musicale des Grecs. C'est en partie grâce à eux que la culture occidentale découvrira ses origines.

---

1. Ce système avait certainement été d'abord une sorte de tablature où les signes ne représentaient pas des sons mais des positions de doigts.

Ce tableau sommaire ne mentionne pas les différents types d'instruments d'un même genre. Il ne tient pas compte non plus de l'immense variété des instruments populaires. Les chiffres en tête de paragraphes représentent les familles suivantes :

1 Famille des luths. A cordes pincées, avec manche. Caisse hémisphérique ou en demi-poire sans éclisses. Souvent le manche prolonge le dessin de la caisse.

2 Famille des guitares. Analogues aux luths, mais la caisse est plate avec éclisses et le manche, assez long, nettement détaché.

3 Famille des vièles ou violons. A cordes frottées (archet). Caisse, manche et chevalet de formes diverses.

4a Famille des « cithares » (terme impropre d'usage courant pour psaltérion). A cordes pincées, sans manche. Les cordes sont tendues sur le corps de l'instrument, généralement dans un plan horizontal. Sur certains instruments, les cordes peuvent être raccourcies en déplaçant des chevalets mobiles [1].

4b Famille des lyres. A cordes pincées sans manche. Les cordes, de même longueur, sont tendues parallèlement à la caisse de résonance, dans un plan vertical, entre un chevalet fixé sur la caisse (assez petite) et un joug ou « console » transversal, maintenu entre deux branches solidaires de la caisse. Ainsi les cordes se trouvent en dehors de la caisse sur une grande partie de leur longueur.

5 Famille des harpes. A cordes pincées, sans manche et sans chevalet. Les cordes, de longueurs inégales, sont tendues dans un plan vertical entre la caisse et une console fixée directement à celle-ci, donnant aux instruments l'allure d'un triangle. Ils peuvent être munis d'une « colonne de soutien » (troisième côté du triangle) permettant à la console de supporter une plus grande tension des cordes. Les cordes sont jouées « à vide », mise à part l'action des pédales sur la harpe occidentale moderne.

6 Famille des tympanons. Instruments à cordes frappées. Seul le mode d'attaque des cordes les distingue des familles des « cithares » et harpes (percussion au lieu de pincement).

7 Famille des flûtes droites. Tuyau cylindrique ouvert aux deux extrémités. Les lèvres dirigent leur filet d'air à l'une des extrémités, qui est parfois munie d'une embouchure rudimentaire (« bec »). Ces instruments, comme ceux des familles 8, 9, 10, sont

---

1. Exceptionnellement, dans le *zither* moderne d'Europe centrale, cinq cordes « mélodiques » sont tendues sur une touche.

percés de trous latéraux permettant de modifier la longueur de la colonne d'air vibrant.

8 Famille des flûtes traversières. Tuyau cylindrique fermé à une extrémité, près de laquelle se trouve une ouverture latérale. Les lèvres dirigent leur filet d'air contre les bords de celle-ci, de sorte que l'instrument est tenu transversalement (en « travers »).

9 Famille des hautbois. Tuyau conique, rarement cylindrique *(hichiriki)* muni à une extrémité d'une anche double, généralement en roseau, que l'instrumentiste tient entre ses lèvres.

10 Famille des clarinettes. Tuyau cylindrique, plus rarement conique (saxophones), muni à une de ses extrémités d'une anche simple « battante ».

11 Famille des orgues à bouche. Ensemble de tuyaux à anches de différentes longueurs, fixés sur un réservoir d'air qu'alimente le souffle de l'instrumentiste.

12 Famille des flûtes de Pan. Ensemble de tuyaux de flûte, de différentes longueurs et liés côte à côte, qu'anime à tour de rôle le souffle de l'instrumentiste. Quoique beaucoup plus complexe, et doté d'une soufflerie, l'orgue peut se rattacher à ces deux dernières familles.

13a Famille des trompes et cornets. Tuyaux coniques, droits ou courbes, munis à leur petite extrémité d'une embouchure évasée dans laquelle les lèvres vibrent à la façon d'une anche double. Les plus primitifs de ces instruments sont faits de défenses d'animaux.

13b Famille des trompettes. Tuyaux cylindriques droits ou courbes, de perce étroite, munis d'une embouchure analogue à celle des instruments de la famille précédente. Les deux familles sont souvent confondues. Seule la perce, conique ou cylindrique, les distingue : même droit, un instrument de perce conique ne doit pas être appelé « trompette », mais cor ou cornet.

14a Bois percuté, frotté ou raclé. Famille des xylophones (jeu de lames percutées); des tambours de bois, des tambours à friction, etc.

14b Membranes percutées. Famille des tambours et timbales.

14c Métal percuté, entrechoqué, raclé. Famille des métallophones (jeu de lames percutées), des gongs (isolés ou en jeux), des cloches (isolées ou en jeux), des sistres, crotales, cymbales, etc.

14d Matériaux divers percutés ou frottés : verre, pierre (lithophones), ivoire, etc.

15 Lames vibrantes sans tuyaux : anches libres, lames pincées (en métal ou en matière végétale).

NB. Un chiffre entre parenthèses, après une dénomination d'instrument, indique le nombre habituel de cordes ou de tuyaux.

Famille	Occident moderne	Égypte antique	Hébreux	Grèce antique	Chine	Japon
1	luths, mandore mandoline	luth (3-4)	*nebel?*	*pandura* (3)	*p'i p'â* (4)	*biwâ* (4)
2	guitares, banjo citole, cistre				*yu-k'in* (4) *sanhsien* (3)	*shamisen* (3)
3	vièles, violes, violon (famille)				*hu-k'in* (2)	*kokyû* (4)
4a	"cithare", *zither*, clavecin, psaltérion médiéval		*asor*		*k'in* (7) *tcheng* (13-16) *sê* ou *shê* (25)	*wagon* (6) *koto* (13-17)
4b		cithare, lyre	*kinnor, sabekah*	*lyra, kithara*		
5	harpes	harpes *(baïnit)*	*nebel?*	*psaltérion, trigonon*	*kong hu*	
6	tympanon, doucemère, *cimbalom*, piano		*kinnor* frappé?	*psaltérion* frappé	*yang k'in*	
7	flûtes à bec	*maït* (sans bec) ou *saïbit*	*halil?*	*syrinx monocalamos*	types nombreux (bambou et jade)	*shakuhachi* (5 trous)
8	flûte traversière				types nombreux *(ti-tsu)*	*kagura-bué* (6 trous) *ryûteki* (7 trous)
9	hautbois, cor anglais, basson	*maït* à anche double	*halil?*	*aulos*	*kuan, sona*	*hichiriki*
10	clarinettes, saxophones	clarinette double				
11	cornemuses orgue...		*soumponiah?*		*shêng* (7-36)	*shô* (17)
12	flûte de Pan orgue...			*syrinx polycalamos, hydraulis*	*p'aï-siao* (16)	*rikkwan* (12)
13a	cor, cornet, tuba	cornets	*schophar* ou *keren*	*keras*	*la-pa*	*rapa*
13b	trompette, trombone	?	*haçoceroth*	*salpinx*		
14a	xylophone	tambour en bois			*pa-ta-la;* *yu* (racleur)	*hyôshigi; kugyo* (racleur)
14b	timbales, tambours div.	types variés	*toph* et div.	*tympana*	types variés	types variés *(-taïko)*
14c	vibraphone, triangle, cymbales, etc.	*maïnit*, crotales, sistre	*mahol, mananaïm metsilthaïm*	*seïstron, krota-laï, kymbalaï*	jeux de cloches, de gongs, métallophones	gongs plats *(shô-ko)*, cloches, cymbales
14d	glassharmonica				tambour en jade lithophones *(thê-k'ing* et *pyen-k'ing)*	
15	harmonium, harmonica, accordéon				guimbardes	

Vietnam	Inde	Thaï-Khmères	Indonésie	Islam	Afrique	Fa-mille
dàn ty bà	*vinā du sud* (7) *sītar* (6-7) *tampurā* (4)			*'ud* et *tanbur* (4) *seṭār* (4), *tar* (6)	*khalam* (1-5)	1
dàn nguyêt (2) *dàn dày* (3)		*tchâ peï* (2) *takkhê* (3)	*katchapi* (6)		guitares	2
dàn nhi (2)	*rāvanāstra* (2) *sarangī* (3-4)	*tro* (2-3) *sô* (2-3)	*rebab*	*rabāb* (2) *kamantché* (4)	*vièles* (1-3)	3
dàn tranh (16) *dàn dôc huyên* (1)	*vīnā* du nord (7) *gopiyantra* (1) cithare *kinnari*	cithare en bambou *sadev* (1)	*tjelempung* (13)	*qānun* (24 triples)	*mvet* (4), *valiha* (15-20) *inanga* (6-10), etc.	4a
					lyres, pluriarcs	4b
	cithare *kinnari*				*kora* (21), harpes div., *mvet* (4)	5
				santour (18 × 4) (11-15 × 3)	arc en bouche et arc en terre (1) pluriarcs	6
ông tiêu	*vamsha*	*khloy* ou *khouy*		*naï* (oblique, sans embouchure)	types divers	7
ông sào, *ông dich*	*muralī*	*pei-pok*	*suling* (oblique)		types divers	8
kén	*shahnāī* (nord) *nāgasvāram* (sud)	*pi naï*	*sarunaï*	*sournaï, zourna, mizmar, zuqra, ghaïta, zamr*	*alghaïta*	9
				zummāra (double)	clarinette traversière	10
sênh	*mashak* (cornemuse)	*khène* (6-16)	*keluri dayak*	*mezoued* (cornemuse)		11
bàitiêu (12 à 24)						12
	ranashringa				trompes droites ou traversières	13a
	tūrya					13b
tambours en bois		*roneat-ek* (21), *rang nat*	*tchalung, gambang*	tambour de bois crécelle	*balafon,* divers tambours en bois, etc.	14a
types variés	*tablā, mridanga,* et types variés	*skor thom, sampho, ta phon*	*kendang*	*zarb, darbouka, tabla*	types variés	14b
types variés	crotales	*roneat-dek* (lames), *kong-thom* (jeu de gongs)	*gender* (lames) *bonang* (jeu de gongs)		sistre, crotales, sonnailles	14c
lithophone		lithophone	lithophone		sans limite...	14d
guimbarde					*sanza*	15

La musique
dans le monde

↑ L'opéra de Pékin.

← Tambourinaire du théâtre *nô*.

Il se tire
une merveilleuse clarté
pour le jugement humain
de la fréquentation
du monde.

Montaigne

En nous faisant connaître les musiques d'Asie et d'Afrique, l'enregistrement sonore nous permet d'acquérir une vision planétaire des civilisations musicales. Nous ne sommes plus au temps où Debussy découvrait stupéfait, à l'Exposition de 1889, la richesse de la musique javanaise. Nous ne pouvons plus considérer la musique savante occidentale comme la seule « grande musique ». Mais cette dernière nous imprègne à tel point que nous éprouvons une certaine difficulté à nous familiariser avec celle des autres civilisations. Il serait dommage pourtant que cette difficulté surmontable s'opposât à notre plaisir.

Échelles et modes Parmi les éléments qui distinguent ces traditions exotiques de la nôtre, les plus importants sont la nature des échelles fondamentales et leurs « modes » d'utilisation, car ils engagent non l'individu mais la civilisation. Dans l'infinité des sons possibles, chaque civilisation découvre des rapports, des « intervalles », privilégiés. Tantôt ils paraissent adoptés spontanément, comme s'ils étaient inscrits dans le code génétique d'une race : transmises par la pratique, leur exacte intonation et leurs conditions d'emploi seront définies a posteriori. Tantôt ils sont, au contraire, choisis a priori par les théoriciens, qui font construire les instruments selon leurs prescriptions et veillent à la conformité de la pratique à la théorie.

Les échelles fondamentales, qui forment le répertoire des intervalles caractéristiques d'un système musical, sont à la musique, en quelque sorte, ce qu'un inventaire alphabétique des phonèmes serait au langage. En sélectionnant certains de ces intervalles, on forme les différentes échelles modales ou gammes usuelles du système : succession de sons disposés, à l'intérieur d'une octave, dans l'ordre des fréquences croissantes (« gamme montante ») ou décroissantes (« gamme descendante »). Ces gammes sont des aspects de l'octave; les modes sont des manières d'être et d'opérer du système. Ces deux concepts sont souvent confondus et l'on attribue ainsi une théorie modale à des traditions qui ne considèrent que différents aspects d'octave (Chine, Japon, Thaïlande, Cambodge, Laos). Les principaux éléments de définition et d'identification d'un mode sont les suivants :

- la référence à une échelle modale, dans laquelle sont établies des relations hiérarchiques entre différents degrés;
- les intervalles ou les formules mélodiques caractéristiques;
- un certain éthos lié au mode, qui en règle plus ou moins strictement l'emploi;
- parfois un style particulier d'exécution, notamment sur le plan des ornements.

Il est donc insuffisant de définir un *rāga* indien ou un *māqam* arabe par une gamme; deux modes peuvent d'ailleurs utiliser la même échelle modale, en étant profondément différents.

Miniature persane :
setār, 'ud, kamantché, naï.

Dans le monde occidental récent, l'échelle fondamentale théorique est le dodécaphone tempéré, échelle de douze demi-tons mathématiquement égaux, qui englobe les deux gammes traditionnelles de sept sons : l'une est dans le mode majeur, l'autre dans le mode mineur, selon la position de deux notes mobiles placées sur les troisième et sixième degrés de l'heptaphone. Non seulement ce système n'est pas universel, mais nous verrons qu'il ne rend pas compte de toutes les structures mélodiques de la pratique musicale occidentale. Il est évident surtout que l'égalité mathématique des demi-tons est une vue de l'esprit.

Les intervalles et la formation des échelles Pour définir les échelles les théoriciens ne disposent que d'un seul moyen pratique : l'évaluation arithmétique des intervalles. Lorsque nous parlons de *quinte* ou de *tierce*, nous nous référons à l'intervalle que forme, avec notre « tonique », le cinquième ou le troisième degré de notre gamme de sept sons. Ces dénominations ne sont donc valables que dans le système tonal de l'Occident, si l'on en connaît les échelles de références [1].

Si le théoricien veut être universellement compris, sans ambiguïté, il désignera les intervalles par des fractions représentant le rapport des fréquences des deux sons qui délimitent l'intervalle, ou le rapport des longueurs de deux cordes qui produisent cet intervalle (rapport inverse du précédent), ainsi que le faisaient déjà les Anciens. Il est impossible de trouver meilleure détermination, de même qu'on ne peut rendre compte des proportions harmonieuses d'une fenêtre qu'en indiquant le rapport de sa hauteur à sa largeur. Si l'on remplace la notion scientifique de fréquence par le concept plus familier d'acuité des sons, on pourra dire que l'octave d'un son est deux fois plus aiguë ou qu'un son est avec sa quinte dans un rapport d'acuité de 3/2 [2].

Il existe deux méthodes simples pour la formation des échelles naturelles et l'évaluation des intervalles : l'une peut être qualifiée d'*harmonique*, l'autre de *cyclique*. La première se fonde sur la théorie, maintes fois vérifiée, selon laquelle tout son musical peut être décomposé en un certain nombre de sons partiels « harmoniques », dont les fréquences sont entre elles comme la série des nombres entiers. Ainsi, les fréquences de l'harmonique 5

1. Dans une gamme pentaphonique *, le son que nous nous obstinons à désigner comme « quinte » du fondamental est sur le quatrième degré; dans l'échelle dodécaphonique *, il est sur le huitième.
2. Les comparaisons d'intervalles représentés par leurs fractions impliquent des calculs un peu fastidieux. Ainsi, pour savoir de combien la quinte 3/2 excède la tierce majeure 5/4, il faut poser : 3/2 : 5/4 = 6/5 (rapport de la tierce mineure). Ou encore, trois tierces majeures successives forment un intervalle de $(5/4)^3$ = 125/64, inférieur à l'octave de la valeur d'un petit intervalle appelé *diésis*, dont la valeur est : 2/1 : 125/64 = 128/125... L'emploi d'une unité logarithmique, le *savart*, permet heureusement les comparaisons immédiates.

Miniature chinoise : joueuse de *k'in*.

et de l'harmonique 4 sont respectivement cinq et quatre fois plus élevées que celle du fondamental (h.1) : le rapport de ces fréquences, l'intervalle de tierce majeure, est donc 5/4. Voici la série des harmoniques du son ut :

NB Les sons n'appartenant pas à notre échelle sont représentés par une note munie d'une flèche, indiquant qu'ils sont plus hauts ou plus bas que la notation. L'h. 1 est à l'unisson du son fondamental (F).

Il est évident que, par comparaison de ces harmoniques, on peut obtenir tous les intervalles exprimables par une fraction, puisque leurs fréquences, leurs « degrés d'acuité », sont proportionnelles à leurs numéros d'ordre. Ces intervalles sont réputés « naturels » puisqu'ils correspondent à la nature même des sons. Dans l'échelle harmonique, les intervalles de la gamme majeure prennent les valeurs suivantes :

La deuxième méthode, préconisée par les pythagoriciens, ne retient dans la série des nombres entiers que les quatre premiers, qui définissent les intervalles consonants (σύμφωνος) d'octave 2/1, de quinte 3/2 et de quarte 4/3 (octave de la quinte inférieure 2/3). Tous les autres intervalles s'obtiennent par superposition de quintes et réduction d'octaves [1]. Le cycle des quintes (fa-do-sol-ré-la-mi-si-fa ♯...) revient à opérer une sélection judicieuse parmi les harmoniques; il engendre les gammes diatoniques suivantes :

1. La réduction d'octave suppose admis le postulat de l'équivalence des octaves, pourtant bien contestable...

Dans notre système tempéré théorique, les quintes sont faussées pour permettre la division de l'octave en douze demi-tons égaux. Le cycle des quintes (ascendantes et descendantes) se referme et peut être alors représenté par un cercle, ou, pour plus de clarté, par une double spirale, où les sons très voisins, confondus par le tempérament *, se trouvent placés en regard dans un même secteur :

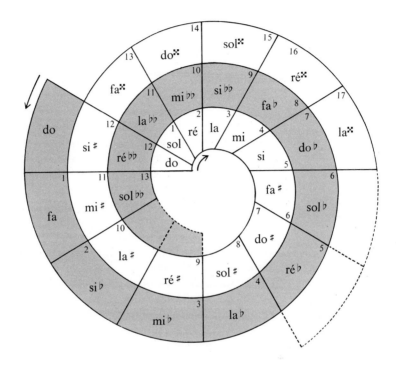

Une brève théorie du tempérament sera donnée page 521, à l'occasion de son introduction dans notre civilisation musicale. Limitons-nous maintenant à le considérer comme une méthode extrêmement artificielle de formation des échelles, par division de l'octave en intervalles égaux.

Une importante question se pose à la musicologie lorsqu'elle compare les systèmes des différentes traditions musicales : quels critères ont présidé à la constitution des échelles et des gammes, au choix de leurs intervalles constitutifs? Sans doute l'instinct des peuples primitifs a-t-il contribué à sélectionner des sons et des intervalles privilégiés dont l'usage, transmis oralement d'une génération à l'autre, devenait traditionnel. Mais dès que de véritables civilisations musicales sont apparues, une organisation est devenue nécessaire pour assurer la pérennité des traditions et le besoin s'est imposé d'adopter des échelles types, sur lesquelles pouvait se fonder une théorie musicale. Ces échelles ont nécessairement tenu compte des pratiques musicales antérieures, qui n'ont jamais été tout à fait ingénues d'ailleurs, sauf chez les primitifs. Une croyance héritée ou une réflexion philosophique s'est presque toujours trouvée à l'origine des systèmes musicaux. Le théoricien superpose ensuite ses propres schémas mentaux à l'évaluation intuitive des intervalles usuels, rectifiant la pratique d'après les principes, cosmogoniques ou acoustiques, qu'il croit fondamentaux et les « lois » numériques qui en résultent. Il définit ainsi les rapports « justes » dont il prétend fixer l'usage. Mais sur quels absolus se fonde son autorité jusqu'à nos jours? Quels sont les sources de la sagesse musicale, les critères de sélection des intervalles, qui permettent à une collectivité, à une civilisation, de se reconnaître dans sa musique?

L'expérience prouve que les critères esthétiques a priori sont indéterminés : l'essence du beau a toujours échappé aux esprits les plus brillants et les mieux appliqués. Faute d'entrevoir cet absolu et d'en tirer des règles universelles, la recherche d'une vérité esthétique s'est fondée sur des critères plus accessibles, qui sont exclusivement de deux sortes :

- les critères métaphysiques ou éthiques;
- les critères scientifiques ou techniques.

Ne parvenant pas à définir la « belle » musique, on s'attache à fixer les règles d'une « bonne » musique, par la réflexion scientifique ou métaphysique.

En vertu des postulats : que l'univers naturel est un modèle absolu et que la musique, représentation sensible de l' « âme du monde », exerce une influence déterminante sur les hommes et leurs institutions; en vertu de ces postulats, les règles de la « bonne » musique, révélées par les sages, se sont toujours imposées de façon irrésistible. Cependant, les systèmes musicaux qui en découlent ne sont généralement pas des schémas contraignants, comme ils le sont devenus en Occident, après le Moyen Age : ils semblent, plus positivement, l'unique chance de la bonne musique...

L'hégémonie occidentale Si nous voulons découvrir la richesse des musiques extra-européennes, nous devrons lutter contre une attitude propre à notre culture : celle de plaquer nos systèmes de référence sur tout ce que nous observons ... le plus grave n'étant pas de parler une langue étrangère en pensant dans la sienne, mais d'étudier les gestes d'un homme sans connaître sa pensée. Toutes les tentatives de notation, d'adaptation, d'intégration à notre système des musiques d'Asie ou d'Afrique relèvent d'un exotisme superficiel. Ces musiques sont irréductibles aux catégories de notre culture musicale, étant profondément enracinées dans une pensée étrangère à la nôtre.

Jusqu'au XVIe siècle, les comparaisons que l'on pouvait éventuellement faire entre les traditions musicales étaient symétriques : chacune apparaissait exotique du point de vue de l'autre. Mais l'expansion coloniale des nations occidentales a faussé cette symétrie, en imposant notre culture aux quatre coins du monde. L'hégémonie culturelle voulue par Charlemagne s'était limitée au monde chrétien; quant au colonialisme arabe, il n'avait pas imposé une civilisation universelle, mais effectué une fructueuse pollinisation qui favorisait la diffusion des plus riches cultures. Après la Renaissance, la civilisation occidentale a institué le racisme le plus pernicieux, celui qui a bonne conscience.

La civilisation industrielle, avec sa technologie barbare, saura contraindre tous les peuples à reconnaître sa primauté. Ceux qui luttent contre la famine, la maladie, l'esclavage, l'érosion, ne pourront aspirer au développement économique, ou seulement à la paix, que s'ils adoptent la langue, la religion, les coutumes, la culture de l'Occident dominateur. Pour les peuples industrialisés (qui d'ailleurs perdent peu à peu leurs caractères autochtones), les traditions des autres peuples apparaissent comme des survivances archaïques, au mieux comme de savoureux folklores exotiques, ornements de nos expositions coloniales.

Sur le plan musical, l'hégémonie occidentale paraît peu affectée par l'effondrement des empires : dans beaucoup de pays d'Asie et d'Afrique, des conservatoires forment régulièrement de jeunes

La musique occidentale en Chine.

musiciens selon notre système et nos méthodes. Cette orientation, qu'aucune primauté ni supériorité ne justifie, s'explique par le fait que notre musique, fortement évolutive, est associée au progrès industriel qui en favorise la diffusion et l'étude, tandis que les traditions autochtones, riches mais profondément conservatives, paraissent les symboles d'une société statique, condamnée au sous-développement.

L'étude des différentes traditions musicales, la « musicologie comparée », peut être souvent faussée par l'universalité que l'on prête abusivement au système occidental. Pour les peuples hypersonorisés, imprégnés d'harmonie tonale, conditionnés au tempérament, les musiques extra-européennes apparaissent comme des bizarreries coutumières, relevant de l'ethnologie. Depuis les années 50 cependant, se manifeste une certaine curiosité pour la musique de l'Inde (sans bien distinguer toujours le grand style classique du folklore ou même de la plus médiocre musique commerciale !). Cette curiosité commence à s'étendre à d'autres traditions. Grâce à d'admirables collections de disques consacrées aux musiques traditionnelles, savantes ou populaires, du monde entier, on commence à découvrir leur raffinement mélodique (les intervalles différents des nôtres ne sont plus jugés « faux »), leur puissance d'envoûtement, leur sensualité, leur richesse expressive [1].

La musique chinoise

« La musique chinoise est d'une couleur éclatante et dure », écrit P.-J. Toulet. « On dirait qu'elle scie des pierres précieuses... » Rares sont les Européens qui jugent aussi finement une musique habituellement méprisée de notre côté du globe. La musique chinoise nous surprend parce que nous ne la reconnaissons pas : son fondement théorique est l'échelle pythagoricienne qu'emploient d'instinct nos violonistes, mais la langue chinoise, qui est une langue « à tons », lui impose un caractère expressif tout à fait original.

Le système musical très cohérent des Chinois se présente généralement sous une forme assez compliquée, du fait de nombreuses relations à des idées morales ou cosmogoniques. Comme dans la plupart des traditions orientales, une grande importance est

---

1. Les techniques d'émission vocale de certains peuples d'Asie surprennent et irritent beaucoup d'amateurs de musique orientale. Il faut observer que les Occidentaux utilisent eux aussi des techniques contraignantes qui s'éloignent autant de l'émission « naturelle » que de la technique du chant classique : cante flamenco, jodler, voix de fausset, voix gutturale des femmes dans beaucoup de pays méditerranéens, etc. Chacune est l'expression d'une culture déterminée, avec laquelle il faut se familiariser pour que ces chants paraissent humains, vrais, fraternels.

donnée à certaines correspondances ou « mises en relation », assez mystérieuses pour des esprits occidentaux. Les saisons, les éléments, les couleurs, les structures de l'État, etc., correspondent à des sons, à des intervalles, à des timbres; et ces relations sont absolues, inchangeables; chacun doit les respecter dans l'intérêt de la communauté.

notes :	*kong*	*chang*	*kyo*	*tchi*	*yu*
	—	—	—	—	—
COULEURS	jaune	blanc	bleu/vert	rouge	noir
ÉLÉMENTS	terre	métal	bois	feu	eau, pierre
NOMBRES	5	9	8	7	6
POLITIQUE	prince	ministres	peuple	travaux, services	produits, ressources
PLANÈTES	Saturne	Vénus	Jupiter	Mars	Mercure
SAISONS		automne	printemps	été	hiver
ANIMAUX	nus	poilus	écailles	plumes	carapaces
ESPACE	centre	ouest	est	sud	nord
EXPRESSION	noblesse ou volonté	courage ou tristesse	prudence ou colère	force ou joie	subtilité ou crainte

Et ainsi de suite... De façon générale, c'est l'éthos de la musique qui importe dans beaucoup de traditions orientales, plus encore que chez les Grecs, et non l'œuvre contingente, l'« objet » musical.

La base du système classique chinois est une série étalon de tuyaux sonores appelés *lyu*, qui fixent en même temps la hauteur absolue des sons (comme notre diapason) et la valeur des intervalles. La théorie des *lyu* se confond avec la théorie musicale, au point que le même caractère désigne le tuyau et la règle. Selon une tradition incontrôlable, un nommé Ling-luen, à l'époque de Huâng-ti (XXVIIe siècle avant notre ère), aurait imaginé le principe des *lyu* en taillant des flûtes en roseau dont les rapports de longueur correspondaient à l'harmonie du ciel et de la terre (symbolisés respectivement par les nombres 3 et 2). Il donna donc à chaque flûte une longueur égale aux 2/3 de la précédente (intervalle de quinte), mais en doublant éventuellement les longueurs autant de fois qu'il fallait pour rester dans des dimensions voisines [1]. En prenant comme unité la longueur du premier roseau, il obtenait les valeurs suivantes :

1. Selon la légende, le son du premier roseau correspondait au murmure du fleuve Jaune, le Huâng-ho, d'où son nom de huâng-tchong (« cloche jaune »). Les autres *lyu* correspondaient aux notes que chantaient alors deux phénix!

premier roseau : 1

deuxième roseau : 2/3

troisième roseau : (2/3)² = 4/9 ou en doublant : 8/9

quatrième roseau : 8/9 × 2/3 = 16/27

cinquième roseau : 16/27 × 2/3 = 32/81 ou en doublant : 64/81

Il s'arrêta au douzième roseau, car le treizième aurait eu une longueur très voisine de celle du premier. La série des sons obtenus par ces *lyu* est l'échelle qu'engendre le « cycle des quintes ». Chaque tuyau donne en effet la quinte du précédent, ramenée dans les limites d'une octave par réduction d'octave (longueurs doublées). Si l'on attribue au premier *lyu* le son do, par commodité (en fait c'était un fa ou un fa♯), les douze produiront les sons : do . sol . ré . la . mi . si . fa♯ . do♯ . sol♯ . ré♯ . la♯ . mi♯ (quintes ascendantes, génération féminine). Mais si l'on commençait par tailler le plus petit roseau, puis que l'on procédait à l'inverse de ce qu'on vient de voir, en multipliant les longueurs successives par 3/2 au lieu de 2/3, chaque *lyu* donnerait cette fois la quinte inférieure du précédent, soit : do . fa . si♭ . mi♭ . la♭ . ré♭ . sol♭ . do♭ . fa♭ . si ♭♭. mi♭♭ . la♭♭ (quintes descendantes, génération masculine). Dans l'antique tradition chinoise, les douze *lyu* correspondaient aux douze lunes, aux douze mois de l'année, aux douze heures de la journée chinoise, la gamme pentaphonique usuelle correspondant aux cinq éléments.

En — 45, le théoricien King Fâng exposa la progression des *lyu* par quintes jusqu'au soixantième : les douze *lyu* primitifs, multipliés par le nombre des éléments (on retrouve ces nombres symboliques dans nos mesures de temps usuelles). On fit même plus tard, à titre de pure spéculation, des tables où le cycle était poussé beaucoup plus loin, pour retrouver des coïncidences à d'autres cycles numériques connus, comme la précession des équinoxes (25 824e quinte, formant avec le *huâng-tchong* ou premier *lyu* l'intervalle infinitésimal d'un 2 500e de comma!).

Dans la pratique, l'échelle des douze *lyu* suffit, puisqu'elle donne tous les intervalles du système et qu'à partir du treizième *lyu* on obtient des sons très voisins des précédents, formant un nouveau cycle, un comma plus aigu que le premier : si♯ — fa[×] — do[×] , etc. En abaissant très légèrement chaque quinte (théoriquement de 1/12 de comma), on fait coïncider la douzième quinte et la septième octave (si♯ et do) : le cycle se referme sur lui-même et l'on réalise un tempérament * très satisfaisant [1].

---

1. Depuis l'Antiquité, les Chinois se sont intéressés au tempérament. Au XVIe siècle, le prince Tsaï-yu en détermina la formule pratique. Mais les instruments continuèrent d'être accordés par quintes justes et, à la chute des Ming (1644), la nouvelle dynastie mandchoue continua d'imposer le respect de la tradition, que les influences occidentales commençaient à menacer.

Dans le tableau suivant, les douze *lyu* sont énumérés dans l'ordre des longueurs décroissantes (= hauteurs croissantes). On trouvera, en regard, les noms des degrés de la gamme, obtenue par le cycle des quintes, ascendantes et descendantes (gamme dite « cyclique »), les numéros d'ordre des quintes correspondantes et les rapports de fréquence des différents sons avec celui du premier *lyu* (considéré arbitrairement comme un do) :

lyu	degrés			quintes		rapports avec fondam.	
	cycle asc.		cycle desc.	asc.	desc.	asc.	desc.
1 *huâng-tchong*	do	(kong)	do			$1/1$	$1/1$
8 *ta-lyu*	do ♯		ré ♭	7°	5°	$3^7/2^{11}$	$2^8/3^5$
3 *t'aï-tsheou*	ré	(chang)	mi ♭♭	2°	10°	$3^2/2^3$	$2^{16}/3^{10}$
10 *kya-tchong*	ré ♯		mi ♭	9°	3°	$3^9/2^{14}$	$2^5/3^3$
5 *kou-sien*	mi	(kyo)	fa ♭	4°	8°	$3^4/2^6$	$2^{13}/3^8$
12 *tchong-lyu*	mi ♯		fa	11°	1°	$3^{11}/2^{17}$	$2^2/3$
7 *jueï-pin*	fa ♯	(pyen-tchi)	sol ♭	6°	6°	$3^6/2^9$	$2^{10}/3^6$
2 *lin-tchong*	sol	(tchi)	la ♭♭	1°	11°	$3/2$	$2^{18}/3^{11}$
9 *yi-tse*	sol ♯		la ♭	8°	4°	$3^8/2^{12}$	$2^7/3^4$
4 *nan-lyu*	la	(yu)	si ♭♭	3°	9°	$3^3/2^4$	$2^{15}/3^9$
11 *wou-yi*	la ♯		si ♭	10°	2°	$3^{10}2^{15}$	$2^4/3^2$
6 *yin-tchong*	si	(pyen-kong)	do ♭	5°	7°	$3^5/2^7$	$2^{12}/3^7$
pan-huâng-tchong	do	(kong)	do	—	—	$2/1$	$2/1$

N.B. La série des *lyu* représente une échelle de transposition, et non une échelle mélodique : la musique chinoise n'est pas chromatique. De toute manière, pour former pratiquement une échelle chromatique, il faudrait utiliser des sons des deux cycles afin d'assurer la justesse des intervalles fondamentaux : do. fa (et non do. mi ♯), do. sol (et non la ♭♭), do. mi (et non do. fa ♭), mi ♭. sol (et non ré ♯. sol : tierce insuffisante), etc.

Si toutes les quintes génératrices sont justes, les intervalles entre les degrés voisins ne sont pas égaux : on distingue des grands demi-tons, ou *apotomes* (2187/2048), et des petits demi-tons ou *limmas* (256/243), dont j'emprunte les dénominations à la théorie pythagoricienne. La succession des apotomes et des limmas dans l'échelle chromatique ascendante est théoriquement :

– en génération féminine (cycle des quintes ascendantes) :
   A L A L A L L A L A L L

– en génération masculine (quintes descendantes) :
   L L A L A L L A L A L A

La gamme usuelle de la musique chinoise est fondée plus simplement sur les quatre premières quintes :

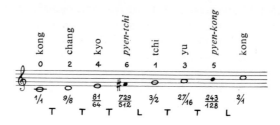

Aux sons de la gamme pentaphonique (en notes blanches) sont ajoutés deux sons (en notes noires) correspondant aux 5e et 6e quintes. Ce sont des sortes de « sensibles* » dont l'emploi souligne l'importance des degrés que nous appelons tonique et dominante (ici do et sol). Chacun des degrés de cette échelle usuelle porte un nom, distinct de la nomenclature des *lyu* : il est indiqué au-dessus de la portée. Entre deux sons consécutifs, les intervalles sont toujours des tons majeurs (T) ou des *limmas* (L).

Cette gamme pentaphonique, caractéristique de la musique chinoise jusqu'à nos jours, est très ancienne : elle était déjà utilisée depuis longtemps à l'époque de la destruction des livres. Enrichie des deux sons *pyen*, elle ressemble à l'harmonie *hypolydisti* des Grecs (« mode de fa »), mais elle s'en distingue d'une manière fondamentale : les sons *pyen*, essentiellement transitoires dans la gamme chinoise, correspondent dans l'*hypolydisti* à des sons fixes du G.S.P.

Le *huâng-tchong* (premier *lyu*) est absolument fixe : sa détermination exacte, dont dépend la justesse des autres *lyu*, est d'une importance capitale. Mais le *kong* (premier degré de la gamme type) ne coïncide pas nécessairement avec le *huâng-tchong* : il peut se déplacer dans l'échelle des *lyu*, donnant naissance à une série de transpositions de la gamme type, qui doivent.respecter, naturellement, la succession des intervalles caractéristiques. Enfin, la finale ou tonique n'est pas toujours le *kong* : en la déplaçant d'un degré à l'autre de la gamme, on détermine différents aspects de la gamme, appelés *tyao* (« système »). Le *tyao* n'a pas les caractères d'un mode, comme le *rāga* : il est comparable au *murchhanā* de la musique de l'Inde. Il y a cinq *tyao* (fondés sur les notes principales) dans chacune des douze « tonalités » définies par les *lyu*, soit un total de soixante, correspondant aux différents mois, jours et heures.

Il est intéressant de remarquer que l'on trouve des gammes semblables à la gamme chinoise dans plusieurs autres régions du globe, notamment dans les pays celtes de Grande-Bretagne et en Europe centrale; parfois les notes *pyen* sont différentes.

La polyphonie, très embryonnaire, apparaît dans la musique chinoise comme un phénomène secondaire. La diversité, dans la musique classique, s'obtient par le changement de *tyao*, par l'ornementation et par la richesse des timbres. Les différentes parties procèdent habituellement à l'unisson ou à l'octave les unes des autres, parfois en quintes et quartes parallèles. Les exceptions à cette homophonie* ne participent pas d'une réelle conscience polyphonique, mais résultent du jeu de l'ornementation ou du décalage des formules rythmiques.

En revanche, le raffinement et la variété de l'instrumentation jouent dans cette musique un rôle fondamental et ont exercé une influence profonde dans tout l'Extrême-Orient. Dans l'*Encyclopédie de la musique* de Lavignac, Maurice Courant décrit cent cinquante instruments chinois, dont certains remontent à la plus haute antiquité. L'importance des orchestres était généralement fonction de la majesté du lieu ou de l'occasion et de la dignité des auditeurs. A l'époque ming, les fêtes impériales rassemblaient déjà plus de cent musiciens, dont un cérémonial compliqué fixait exactement les places et les attitudes; de nombreuses règles ont subsisté jusqu'à la chute de l'Empire (1911). Les Chinois classent leurs instruments en huit grandes catégories selon la principale substance utilisée :

Tambour de jade.
Sheng (orgue à bouche).
Collection Kwok On

Jeu de gongs.
Cymbales.

métal Cloches et jeux de cloches; gongs et jeux de gongs; métallophones à lame; guimbardes...

pierre *Thê-k'ing* (lame de jade suspendue). *Pyen-k'ing*, jeu de seize lames de jade suspendues (lithophone). Flûte en jade...

soie *K'in*, cithare à 7 cordes, au corps allongé, à fond plat : instrument traditionnel de la musique chinoise, il est resté sensiblement le même des origines (3e millénaire peut-être) à nos jours. *Sê*, grand *k'in* sacré à 25 cordes (originellement 50). *Tcheng*, instrument intermédiaire entre les deux précédents, à 13 ou 16 cordes. *P'i-p'â*, petit luth à quatre cordes, en forme de demipoire : cet instrument, très populaire, se trouve également chez tous les voisins de la Chine. *Yu-k'in*, sorte de guitare populaire à 4 cordes. *Hu-k'in*, ou *Nan-hu*, petit violon à 2 cordes... Quarante-quatre instruments à cordes sont décrits par Courant.

bambou *P'ai-siao*, sorte de flûte de Pan à 16 tuyaux, plus ancienne que la syrinx des Grecs. Grande variété de flûtes droites et traversières *(siao)*. *Sheng* (voir ci-dessous « calebasse »).

calebasse *Sheng*, orgue à bouche : 7 à 36 tuyaux à anche, en bambou, postés dans une calebasse formant réservoir d'air.

terre *Hyuen*, ocarina en forme d'œuf pointu, de section elliptique, utilisé dans la musique rituelle. Tambours en terre...

peau Grande variété de tambours, tambourins et timbales.

bois *Pa-ta-la*, xylophone de 22 lames. *Yu*, curieux instrument de percussion, figurant un tigre allongé, dont le dos, sculpté en dents de scie, est gratté avec un bambou fendu. Cornets, chalumeaux et hautbois (la plupart d'origine étrangère). Claquettes, blocs et autres instruments de percussion...

Dans une civilisation musicale aussi soucieuse d'exactitude et de perfection, un système de notation a probablement existé depuis fort longtemps, au moins depuis l'époque des T'âng (VIIe-VIIIe siècle), mais on ne connaît pas d'œuvre chinoise notée antérieure au XVIe siècle. Curieusement incomplet et imprécis, le système adopté utilise seulement neuf caractères principaux, auxquels on ajoute une ponctuation qui indique la durée relative des sons.

Depuis plus de quatre millénaires, les traditions musicales de la Chine ne semblent pas avoir connu les mêmes ruptures que dans les autres civilisations. Lorsqu'un empereur mégalomane, Shi Huang-ti, ordonna de brûler tous les livres (— 212), des chants et des instruments, qui étaient alors très anciens, ont pu être transmis à la postérité. La longue domination mongole ne parvint pas davantage à corrompre le système des *lyu*, ni à modifier la gamme pentaphonique. Cette pérennité suggère des sentiments contraires : tandis que l'on admire la vitalité d'une culture indestructible, on déplore qu'une tradition artistique soit assez conservatrice pour rester insensible aux transformations profondes de la société dont elle est issue.

Malheureusement, l'incapacité d'évoluer a peut-être condamné la musique traditionnelle chinoise à disparaître. La musique occidentale avait commencé de s'introduire en Chine au début du XVIIe siècle : édification d'églises catholiques, publication de traités théoriques par les missionnaires européens, importation et construction de clavecins, sous l'influence de musiciens italiens établis à la cour (Ricci, Pereira, Pedrini). En contrepartie, le père Amiot publiera son fameux *Mémoire sur la musique des Chinois, tant anciens que modernes*, Paris, 1780. Mais la musique chinoise ne parviendra pas à s'introduire en Europe, tandis que la musique européenne fera souche en Chine à partir de la fin du XIXe siècle. Non seulement de nombreux musiciens chinois de la génération de Stravinsky se forment à l'étranger selon les traditions de nos conservatoires, mais ils fondent des écoles de musique où les jeunes musiciens sont instruits dans le système occidental et tentent ensuite d'adapter notre gamme, nos

P'i-p'â (petit luth à quatre cordes).
Yu-k'in (luth en forme de lune).
Yang-k'in (tympanon).
Collection Kwok On

méthodes d'écriture et notre instrumentation à ce qu'ils croient pouvoir conserver de la culture autochtone.

Dans sa volonté de rompre avec toutes les traditions d'un empire déchu, la Chine socialiste abandonne aujourd'hui ses musiciens à la facilité d'un système éprouvé par d'autres peuples révolutionnaires : l'harmonie tonale du monde occidental, plus ou moins adaptée au génie populaire chinois. Ce système occidental (utilisé dans une esthétique et une technique d'hier ou d'avanthier) n'est-il pas pourtant l'instrument d'une culture de classe, tout aussi compromettante pour une révolution culturelle que la culture autochtone ? S'il faut changer de système musical lorsqu'on change de société (opinion très traditionnelle en Chine!), du moins faudrait-il que la musique restât nationale dans ses principes, pour être intégrée à cette révolution permanente, spécifiquement chinoise. D'autre part, la poésie chantée a toujours eu une influence déterminante sur le style de la musique traditionnelle : le chinois est une langue « à tons », dont on ne peut imaginer que ses mélismes expressifs soient associés à une musique étrangère, sans trahir le sens des poèmes [1]. Faute de pouvoir inventer une musique nouvelle qui leur soit spécifique, les peuples en révolution sont-ils donc condamnés à réutiliser les « clichés » musicaux périmés des révolutions d'hier... et d'ailleurs [2]?

Civilisations musicales de tradition chinoise

Plusieurs pays voisins de la Chine, particulièrement la Corée, le Japon et le Vietnam, ont été fortement imprégnés de culture musicale chinoise. Leurs échelles, leurs instruments, leurs traditions musicales en découlent directement, de même que leurs conceptions de l'esthétique, de l'éthique et de la pédagogie musicales. Toutefois, les langues différentes de ces pays (langue « à tons » au Vietnam) déterminèrent des inflexions mélodiques particulières à chacun d'eux, dont l'influence s'est même fait sentir sur les techniques instrumentales. Plus généralement, chaque peuple, avec ses croyances, ses coutumes, sa sensibilité propre, interprète naturellement les traditions millénaires selon le génie spécifique de sa race.

En haut, l'Opéra de Pékin.
En bas, orchestre coréen : *k'in* (cithare) et *hsiao* (flûte).

1. On remarque même que les couplets d'une chanson chinoise (ou vietnamienne) comportent de petites différences mélodiques, pour tenir compte des « tons » du poème.
2. Les quelques enregistrements dont on dispose pour juger la musique chinoise actuelle sont certes insuffisants. Il n'est pas exclu que la pensée révolutionnaire chinoise ait suscité ici ou là, dans cet immense pays, la musique originale où elle puisse se reconnaître.

Japon La Corée a été pendant des siècles un véritable conservatoire des traditions musicales de la Chine, dont elle a favorisé la diffusion au Japon à partir de la fin du IIIe siècle. Les musiciens coréens et chinois sont fréquemment appelés au Japon, où ils enseignent la théorie, ainsi que le jeu et la facture de leurs instruments; et les jeunes musiciens japonais sont envoyés sur le continent pour s'y perfectionner. C'est donc de Chine que vient la musique classique du Japon, dont la grande période d'épanouissement s'étend du VIIe au XIIe siècle. Ainsi le *gagaku*, musique impériale du Japon jusqu'à nos jours, est venu de la cour des T'ang, vers 703, avec ses exécutants. Ceux-ci ont formé des disciples japonais, dont les successeurs assureront la pérennité d'un art minutieusement codifié. Très tôt également, les luthiers japonais copient avec un art raffiné les instruments chinois. Parmi les premiers, le *Sheng*, le *p'i-p'â* et le *siao* donnent naissance au *shô*, à la *biwa* et au *shakuhachi* japonais. Plus tard, le *koto*, dérivé du *k'in* chinois, deviendra l'instrument national du Japon.

A cette influence prépondérante de la musique chinoise s'est ajoutée, après 552, celle de la psalmodie bouddhique : toute la musique du Japon est imprégnée de *shômyô*, au point qu'on en retrouve les accents dans les chansons de geishas. Cette influence peut être comparée, mais à un degré supérieur, à celle du plainchant sur une partie de notre folklore musical et sur la musique savante occidentale jusqu'au dernier quart du XVIe siècle.

Cependant, trois grands genres musico-dramatiques spécifiquement japonais se développent à partir du XVIIe siècle : le *nô*, le *bunraku* (théâtre de marionnettes d'Osaka) et le *kabuki*, dont les traditions se sont perpétuées jusqu'à nos jours.

On est frappé par deux aspects contradictoires du génie japonais : d'une part son attachement à un art non évolutif, son application à conserver les règles séculaires qui régissent les grands genres classiques, la musique populaire et la facture instrumentale traditionnelles; et d'autre part sa capacité d'assimiler les cultures étrangères en y ajoutant une forme particulière de sensibilité, faite de raffinement, d'humanisme, de sensualité discrète.

Dans le dernier quart du XIXe siècle, la musique occidentale s'est implantée au Japon, avec un succès sans équivalent en Orient [1]. Dès 1878, l'enseignement musical scolaire est organisé à l'européenne, selon notre théorie et notre pratique (solfège, harmonie, chant choral, piano, violon) et le premier conservatoire

---

1. Au XVIe siècle, la musique occidentale avait une première fois conquis le Japon. La liturgie musicale de l'Église catholique y était répandue par les jésuites portugais et les franciscains espagnols, qui importaient aussi des clavecins et des luths. Mais il ne subsista aucune trace de cette européanisation après le massacre des chrétiens en 1638.

national de type occidental est fondé à Tokyo en 1879. Aujourd'hui chaque grande ville possède son conservatoire (Tokyo en a trois) et son orchestre symphonique (Tokyo en a cinq), tandis que les virtuoses japonais se font entendre dans le monde entier.

L'attachement aux traditions se manifeste cependant, avec une respectueuse application, dans le Japon surdéveloppé d'aujourd'hui. C'est ainsi que la musique classique autochtone est largement diffusée à la radio, à la télévision, au cinéma, dans les autocars!... Précieux témoignage du passé, au même titre que les temples ou les estampes, elle est toujours cultivée par de savants et habiles musiciens qui, depuis des générations, transmettent leur art à leurs enfants ou à des élèves qu'ils adoptent : ce très vieil usage explique les fréquentes homonymies dans une même catégorie d'instrumentistes. Pour beaucoup de jeunes Japonais, imprégnés de culture occidentale, cet art traditionnel fait figure de curiosité folklorique; mais, depuis plusieurs années, il semble qu'il participe à un important renouveau musical, où les méthodes de la « musique nouvelle » européenne sont adaptées aux instruments et à la sensibilité japonaise.

La musique classique du Japon est, comme la chinoise, homophone et à prédominance vocale. Elle est essentiellement poétique et souvent naturaliste; réciproquement, la poésie est généralement destinée à être chantée, comme dans la Grèce de Terpandre ou de Pindare. Cette musique est extraordinairement subtile : variété des timbres, des accentuations, des ornements, des modes d'émission vocale, qui déconcerte la plupart des Européens. Les bruits infimes résultant de l'exécution (souffle, bruit des doigts ou des ongles sur l'instrument) sont parfois intégrés, comme certains bruits naturels : les Japonais aiment écouter la musique sur un fond sonore d'insectes, d'oiseaux ou de cascades.

Les gammes, comme celles des Chinois, empruntent leurs degrés à une échelle de base de douze sons, obtenue par le « cycle des quintes ». Les gammes pentaphoniques sont prépondérantes. Les unes sont de type chinois, sans demi-tons (*gagaku*, chants bouddhiques) :

D'autres comportent des demi-tons (musique de théâtre et de divertissement). Les gammes à demi-tons correspondent aux principaux accords du koto. Les différents aspects de la gamme, appelés *cho* ou *sempo*, ne sont pas des modes, mais des aspects d'octave, comme les *tiao* chinois.

| kyu | shō | kaku | chi | u | kyu | shō | kaku | chi | ei-u | kyu | shō | kaku | chi | u |

(partition musicale)

Voici les principaux instruments japonais, presque tous originaires de Chine du Nord (ou de Corée). Ceux dont le nom est suivi du signe *, considérés comme « purs », figurent dans l'orchestre impérial du *gagaku*.

o Le *koto* ou *sô**, devenu l'instrument national japonais, est l'équivalent du *tcheng* chinois, importé au VIIe siècle. C'est une cithare à caisse longue tendue de 13 cordes (aujourd'hui 17), dont l'accord se modifie en déplaçant des chevalets mobiles. Il se joue à genoux, avec des faux ongles à trois doigts de la main droite; la main gauche appuie sur les cordes pour en modifier la tension (variations d'un ton ou d'un demi-ton). Une très ancienne variété de *koto* à 6 cordes, le *yamato-goto* ou *wagon*, sert à l'accompagnement du rituel *shinto*.

o La *biwa**, équivalent du *p'i-p'â* chinois (dont elle porte le nom, prononcé à la japonaise), est un luth à manche court tendu de 4 cordes, d'origine très ancienne, peut-être gréco-bouddhique. Instrument d'accompagnement de la poésie lyrique depuis le Xe siècle, son rôle a été analogue à celui de notre luth. Mais, depuis le XVIIe siècle, son succès est éclipsé par celui du *shamisen*.

o Le *shamisen*, dérivé du *sanhsien* chinois au XVIe siècle, est une sorte de guitare à 3 cordes, au manche fin et long, dont la petite caisse carrée est tendue de peau de chat (au lieu des peaux de serpent de l'instrument chinois). Cet instrument, très populaire, qui joue un rôle primordial dans les théâtres *kabuki* et *bunraku*, est aussi l'instrument de prédilection des geishas. On le trouve partout et des modèles bon marché sont fabriqués aujourd'hui en série. De nombreuses écoles enseignent le jeu du *shamisen* que la guitare occidentale n'est pas parvenue à supplanter.

o Le *kokyû* est une petite vièle, tendue de 4 cordes, dont la forme rappelle celle du *shamisen*. Comme beaucoup d'instruments à archet d'Orient, on le tient vertical, posé sur une pique autour de laquelle l'artiste le fait pivoter pour présenter les cordes à l'archet sous le meilleur angle.

o Le *shô** (*sheng* chinois) est un orgue à bouche de 17 tuyaux, utilisé principalement dans la musique impériale. Sa facture est très soignée, sa sonorité douce et riche.

o Le *shakuhachi* est une flûte droite, sans bec, inspirée du *tung siao* chinois et mise en vogue au XIVe siècle par les moines errants. Ses cinq trous correspondent à peu près aux sons ré-fa-sol-la-do,

Le *nô*.

mais on obtient douze sons dans l'octave en variant les positions des lèvres et des doigts. Malgré sa simplicité, cet instrument est d'une richesse prodigieuse. Il joue un rôle important dans le folklore et dans la musique du *kabuki*.

o Différents types de flûtes traversières sont affectés chacun à un usage déterminé : *kagura-bué* des cérémonies shinto, *ryûteki*˙ du gagaku, *také-bué* du théâtre kabuki, *nohkan* du théâtre nô, etc.

o Le *hichiriki*˙ est une sorte de petit hautbois à anche double, mais à corps cylindrique, au son particulièrement criard.

o On emploie, comme en Chine, une grande variété de tambours (*taïko*˙, *tsuzumi* ou *kakko*˙), de gongs *(shôko*˙, *kei*, *dora)*, cloches, cymbales.

Il existe au Japon plusieurs genres de musique traditionnelle, dont le style et l'instrumentation n'ont pas changé pendant des siècles. Les principaux sont les suivants.

o Le *gagaku* (forme dansée : *bugaku*). Musique de cour, mystérieuse et insolite, héritée des T'ang, elle était réservée exclusivement au palais impérial jusqu'en 1924. L'orchestre traditionnel du *gagaku* comportait autrefois : 24 shô, 2 hichikiri, 22 ryûteki, 5 biwa, 8 koto (gaku-sô), un kakko, un shoko, un taïko. Il avait le privilège rare d'une sorte de polyphonie simple. Cette formation a été considérablement réduite de nos jours, où le *gagaku* n'est plus cultivé que comme curiosité archaïque et prestigieuse.

o La *kagura*. Musique du culte *shinto*, elle s'inspirait d'un folklore très ancien et faisait appel à deux chœurs, à plusieurs groupes de danseurs en costumes variés et à cinq ou six instruments. Aujourd'hui des influences diverses ont fait dégénérer cette musique.

o Le *shômyô*. C'est la musique bouddhique, dont les éléments sont venus de Chine au VIᵉ siècle et de l'Inde au VIIIᵉ siècle. Depuis le XIIᵉ siècle, le *shômyô* comporte des mélodies japonaises, mais d'autres mélodies sont encore chantées aujourd'hui en sanscrit et en chinois. Le style de cette musique, principalement vocale, est d'origine hindoue, mais elle a tristement dégénéré aujourd'hui en s'occidentalisant (emploi de l'harmonium, notation et « harmonisation » à l'occidentale, etc.).

o Le *nô*. Grand genre musical dramatique apparu au XIVᵉ siècle, le *nô* a joué autrefois un rôle comparable à celui de l'opéra et de l'oratorio dans la musique occidentale. Il reste un spectacle traditionnel, typiquement japonais, dont le style et l'expression, liés à l'action dramatique, sont difficilement accessibles au spectateur étranger. La représentation alterne les solos, les chœurs, les danses et les pièces instrumentales (par un flûtiste et trois tambourinaires).

Bunraku (théâtre de marionnettes).

Orchestre du *nô* : deux tambours et *nohkan* (petite flûte traversière).

Musiciens dans l'orchestre du *gagaku*.

○ Les deux autres grands genres dramatiques japonais, le *bunraku* (théâtre de marionnettes) et le *kabuki* (analogue au *bunraku*, mais avec des acteurs vivants), utilisent eux aussi depuis le XVIIe siècle un style musical spécifique dont les influences occidentales n'ont pas corrompu l'originalité. La plus grande partie des spectacles est récitée et chantée avec accompagnement d'un *shamisen*. Le *kabuki* utilise en plus un *shakuhachi* et un riche ensemble de percussions qui souligne l'action par une véritable musique de scène.

Théâtre *kabuki* avec l'orchestre sur la scène (deux *shamisen* et des instruments à percussion). →

o Musiques de divertissement. La *biwa*, le *koto*, le *shamisen* et le *shakuhachi* disposent chacun d'un riche répertoire datant du XVIᵉ au XXᵉ siècle. D'intéressantes tentatives ont été faites récemment d'assembler ces instruments traditionnels en de petits orchestres de chambre, dont le répertoire nouveau allie les anciennes techniques instrumentales du Japon et certaines acquisitions des « musiques nouvelles » d'Occident.

Vietnam Tandis que la musique du Japon est venue de Chine du Nord ou de Corée, celle du Vietnam a été profondément influencée par la Chine du Sud et, dans une moindre mesure, par l'Inde (musique traditionnelle de Hué). Le système musical vietnamien, ses gammes et la plupart de ses instruments, sont, comme sa langue, d'origine chinoise. On se trouve en présence d'une civilisation musicale fondamentalement différente de celle des voisins thaï-khmers : Laos, Cambodge, Thaïlande, Birmanie.

Cependant, la musique vietnamienne se distingue de la musique chinoise par plusieurs traits caractéristiques, dont les principaux sont l'indifférence à la hauteur absolue (et de façon générale aux principes arithmétiquement rigoureux du système chinois), la libre élégance de l'expression mélodique, où une large part est laissée à l'improvisation, et surtout l'existence d'une théorie des modes. Le *diêu* vietnamien est en effet un véritable mode, comparable au *rāga* indien : il se définit non seulement par une échelle modale, mais par la hiérarchie des degrés, les ornements spécifiques, le sentiment modal... Dans la musique classique il y a deux *diêu* principaux, *Bǎc* et *Nam*, dont il existe plusieurs variantes.

Les gammes pentaphoniques les plus souvent utilisées dans la musique vietnamienne classique et populaire sont les suivantes :

Gamme du diêu Bǎc

Gamme du diêu Nam
Nord

Sud

Ce sont des aspects de la gamme traditionnelle chinoise.

Comme la musique des autres pays de tradition chinoise, celle du Vietnam est essentiellement mélodique. L'hétérophonie rudimentaire que l'on peut y distinguer est plus fortuite que volontaire : elle résulte des différentes techniques instrumentales et non d'une conscience polyphonique. La mélodie, riche et subtilement expressive, orne et amplifie l'arabesque musicale des mots. Car le vietnamien est une langue « à tons », comme le chinois : aussi doit-on modifier légèrement la mélodie, d'un couplet à l'autre d'une chanson, comme nous pouvons le remarquer facilement, afin de préserver le sens du poème. D'ailleurs cette mélodie n'est jamais absolument fixe : elle peut être variée selon le lieu, les circonstances ou les interprètes. La notation, qui utilise des idéogrammes ou (depuis le début du XXe siècle) des caractères latins, n'a d'ailleurs qu'une fonction d'aide-mémoire, qui ne restreint nullement cette liberté de jeu spécifiquement vietnamienne.

Les instruments les plus représentatifs de la tradition musicale du Vietnam sont des instruments à cordes :

o *Đàn ty-bà* est un luth à 4 cordes, dérivé, comme la *biwa* japonaise, du *p'î-p'â* chinois.

o *Đàn đai* est une petite guitare à 3 cordes, au long manche fin, appelée « luth des chanteuses » (*sanhsien* chinois).

o *Đàn nguyêt* ou *đan kîm* désigne une guitare à 2 cordes, à la caisse ronde et plate, qui lui vaut d'être appelée « luth en forme de lune ». C'est un instrument purement vietnamien.

o *Đàn nhi* ou *đàn có* est une vièle à 2 cordes, apparentée au *nan hu* (ou *hu k'in*) chinois, et au *kokyû* japonais, avec la même technique d'exécution. On trouvera ce type d'instrument, et sa technique particulière, dans les pays thaï-khmers (*sô* en Thaïlande et au Laos, *tro* en Birmanie et au Cambodge), dans les pays arabes *(rebab)*, en Iran *(kamantché)*...

o *Đàn tranh* est une admirable cithare à 16 cordes, au timbre délicat et subtil. Il est dérivé du *tcheng* de la Chine du Sud (16 cordes), tandis que le *koto* japonais est dérivé du *tcheng* de la Chine du Nord (13 cordes). Cet instrument a joué au Vietnam un rôle presque aussi important que le piano dans le monde occidental.

o *Đàn đôc huyên* est une cithare monocorde très populaire : instrument raffiné, il permet d'obtenir des sons de hauteurs et de timbres extrêmement variés, par un jeu subtil qui combine les sons harmoniques et les modifications de tension de la corde. Sa technique le distingue des monocordes des autres pays et en fait une pure création vietnamienne.

o Les flûtes droites *(tiêu)*, les flûtes traversières *(đich)* et les hautbois *(kèn)*, instruments d'origine chinoise, sont tombés plus ou moins en désuétude, à l'exception des flûtes traversières rustiques très répandues chez les paysans du Nord *(sào tre)*.

o La grande variété des tambours et des instruments de percussion métalliques est réservée au théâtre et aux cérémonies.

A ces instruments classiques, il faudrait ajouter un grand nombre d'instruments populaires correspondant à la diversité des groupes ethniques établis au Vietnam (le musicologue Trân Văn Khê en évalue le nombre à soixante).

La musique de l'Inde

Contrastant avec la rigueur du système cyclique des Chinois, les systèmes indiens reposent sur une théorie subtile des modes, où les sons se définissent par leurs rapports variables avec la tonique. Au lieu d'être engendrés par un cycle de quintes, qui tend à se refermer sur lui-même, les intervalles seront formés par les divisions harmoniques de la corde.

La musique de l'Inde est la plus expressive et la plus variée qui soit. Sa théorie est suffisamment exhaustive et parfaite pour pouvoir englober tous les systèmes qui n'impliquent pas le tempérament et restent attachés à certains axes sémantiques (notes tonales, répartition caractéristique des intervalles, etc.). Ses règles sont fondées sur des principes éthiques et métaphysiques, dont l'observance est à la fois la condition d'une bonne musique et, pour le musicien, le signe de sa qualité humaine. Mais le système reste ouvert : il n'est ni étroit ni statique.

Selon de très anciennes légendes, les dieux auraient révélé la musique aux sages qui l'auraient à leur tour transmise aux hommes. Krishna, incarnation de Vishnu, jouait de la flûte (tout ce qui vivait alentour, animaux et végétaux, était alors subjugué) et plus tard Bouddha jouera de la *vīnā*. On se souvient aussi que, selon les historiens d'Alexandre, Shiva (alias Dionysos) aurait appris aux hommes la danse et le jeu des instruments. Une certaine communion se manifestait d'ailleurs, au IVe et au IIIe siècle, entre hellénisme et bouddhisme, dont témoigne la musique.

On dispose de peu d'informations sur les antiques traditions musicales de l'Inde. Bien avant les invasions aryennes, origine de la civilisation védique, il existait une riche tradition musicale shivaïte, comme en témoignent à maintes reprises les Veda (composés entre — 1300 et — 1000). L'un d'eux, le *Sāma Veda*, fruit d'une fécondation des cultures musicales autochtones par celle des Aryens védiques, indique des mélodies pouvant s'adapter aux strophes du *Rig Veda*, en utilisant des signes de notation sommaires. Il paraît surprenant que l'écriture ait existé si tôt dans une civilisation vouée à l'improvisation musicale. Mais l'intérêt philosophique ou pédagogique de la notation a sans doute été plus grand que sa qualité d'écriture symbolique. Le système actuel (qui existait déjà à l'époque de Bouddha) n'a guère été utilisé dans la musique classique que pour aider la mémoire des musiciens à retrouver les formes mélodiques caractéristiques dont ils doivent nourrir leurs improvisations. En Inde, il n'existe pas de musique écrite, « composée », préconçue, mais une tradition extrêmement précise que rien n'altère.

Les conquêtes musulmanes, du VIIIe au XVIe siècle, ont bouleversé la culture indienne et contrarié la pratique musicale. Pourtant, les fondements philosophiques de la musique de l'Inde et ses principes théoriques essentiels se sont transmis, sans discontinuité, de l'époque védique à nos jours. On suit la lente évolution de cette tradition à travers de nombreux traités théoriques. Le *Gāndarva Veda* (« Veda de la musique céleste »), vaste encyclopédie musicale, dont on ne connaît aujourd'hui que des exégèses et des résumés, tente d'unifier déjà les quatre systèmes musicaux antiques *(mata)* encore cités au XIIIe siècle; leurs traits spécifiques se retrouvent dans les systèmes « hindoustani » (au nord) et « karnatique » (au sud), et dans certaines singularités du folklore. Le *Gītālamkara* du sage Bharata (IIIe ou IVe siècle avant notre ère), qui donne une théorie assez complète des genres, des gammes et des modes, unit l'ancienne tradition aux principes fondamentaux de ce qui sera la théorie classique [1]. Celle-ci est déjà ancienne et parfaitement maîtrisée à l'époque du *Sangīta Ratnākara* de Shārngadeva (vers 1240), l'un des plus importants traités sanskrits qui nous soient parvenus [2].

Il faut distinguer en Inde deux catégories de musique auxquelles correspondent deux méthodes, deux attitudes musicales. La première, appelée *mārga* (« la route »), est fondée sur les lois invariables de la musique céleste *(gāndharva)* et peut conduire au *moksha* ou *nirvāna* : la théorie classique, fruit d'une évolution millénaire où furent assimilées les traditions shivaïtes (autochtones) et surtout védiques (aryennes), en relève naturellement. La seconde, appelée *deshi* (« régionale »), sans implication métaphysique, varie selon les contrées : c'est d'elle que procèdent les folklores et les musiques tribales, qui adoptent des systèmes nettement différenciés, liés toutefois aux grandes traditions. Les musiques de film et de divertissement, dont le succès commercial est énorme, sont généralement des caricatures de musiques *deshi*, empruntant les pires travers de la musique commerciale d'Occident.

La théorie classique, telle qu'on l'enseigne encore aujourd'hui comme une connaissance révélée, distingue dans l'étendue d'une octave 22 intervalles inégaux appelés *shruti*, formant l'échelle théorique sur laquelle se construisent les gammes. Chaque *shruti* est défini en sanskrit par sa valeur expressive, qu'il est indispensable de connaître pour bien composer la gamme caractéristique d'un mode. Leur détermination physique exacte varie légèrement selon les auteurs. Voici l'une des plus courantes :

---

1. Édition critique du texte sanskrit et traduction française par Alain Daniélou, le meilleur spécialiste de la musique de l'Inde (Pondichéry, 1959).
2. Il existe aussi, à partir du XIVe siècle, une riche littérature en persan sur la musique hindoue.

gamme		équivalence	intervalle avec tonique SA	intervalle entre sons voisins	équivalence	
sa	**4**	**do**	1/1		**do**	**4**
				256/243		
ri	5	ré ♭	256/243		ré ♭	5
				81/80		
	6	ré ♭	16/15		ré ♭	6
				25/24		
	7	**ré**	10/9		**ré**	**7**
				81/80		
	8	ré	9/8		ré	8
				256/243		
ga	**9**	**mi ♭**	32/27		**mi ♭**	**9**
				81/80		
	10	mi ♭	6/5		mi ♭	10
				25/24		
	11	mi	5/4		mi	11
				81/80		
	12	mi	81/64		mi	12
				256/243		
ma	**13**	**fa**	4/3		**fa**	**13**
				81/80		
	14	fa	27/20		fa	14
				25/24		
	15	fa ♯	45/32		fa ♯	15
				81/80		
	16	fa ♯	729/512		fa ♯	16
				256/243		
pa	**17**	**sol**	3/2		**sol**	**17**
				256/243		
dha	18	la ♭	128/81		la ♭	18
				81/80		
	19	là ♭	8/5		la ♭	19
				25/24		
	20	**la**	5/3		**la**	**20**
				81/80		
	21	la	27/16		la	21
				256/243		
ni	**22**	**si ♭**	16/9		**si ♭**	**22**
				81/80		
	1	si ♭	9/5		si ♭	1
				25/24		
	2	si	15/8		si	2
				81/80		
	3	si	243/128		si	3
				256/243		
sa	4	do	2/1		do	4

N. B. Les intervalles entre les *shruti* sont tantôt des commas (81/80), tantôt des limmas (256/243), tantôt des demi-tons mineurs (25/24). – L'échelle des *shruti* ne commence pas sur le son initial (sa) de la gamme : les théoriciens indiens déterminent un son par le nombre des *shruti* qui le précèdent. – Les notes de la gamme peuvent prendre chacune quatre positions (sauf SA et PA).

Il est important de comprendre que cette échelle n'est pas une gamme, mais une sorte de grille, permettant de définir chaque son de la gamme par le *shruti* qui lui correspond. La gamme fondamentale se compose de sept notes *(svara)* désignées par les syllabes : sa, ri, ga, ma, pa, dha, ni, et correspondant à peu près aux notes de notre gamme diatonique; mais leur hauteur absolue n'est pas fixe. Ces notes peuvent être altérées, c'est-à-dire qu'elles peuvent être disposées de différentes manières dans l'échelle des *shruti*. On obtient ainsi une grande diversité de gammes, qui se répartissaient autrefois en trois genres ou *grāma*, correspondant aux trois accords de base de l'ancienne harpe :

– *Shadja* ou *sa-grāma*, gamme principale de Bharata (aspect de notre gamme mineure ou de la *phrygisti* grecque) : c'est le genre de gamme le plus employé aujourd'hui [1].

– *Madhyama* ou *ma-grāma*, gamme complémentaire (aspect de l'*hypophrygisti* grecque) : c'est le genre des gammes de la spiritualité, de la méditation, dont on utilise des formes chromatiques dans l'Inde du Sud.

– *Gāndhara* ou *gā-grāma* : gammes célestes, inutilisées depuis des siècles. On a supposé que le *gā-grāma* avait été à l'origine une échelle de sept tons égaux : cette hypothèse est incompatible avec la théorie des *shruti*, mais elle rejoint la tradition thaï-khmère, influencée, dit-on, par le système shivaïte.

Par le déplacement de la tonique, on obtient sept aspects de l'octave, ou *mūrchhanā*, pour chacun des deux *grāma* usuels. Ces *mūrchhanā* servent à leur tour de base aux innombrables modes ou *rāga* (littéralement « coloration, ambiance, état d'âme »), en se combinant aux différents types d'expression mélodique.

Le *rāga* représente à la fois le bagage mélodique et sa valeur expressive, le mode et la façon de s'en servir. Il est en même temps le moyen et la fin de l'improvisation : il se réalise dans le jeu musical qui en révèle les richesses et doit tendre à l'accomplissement parfait du *rāga*. Les *rāga* sont associés souvent par couples (*rāga* et *rāginī*, mâle et femelle) par un jeu de relations subtiles, souvent mystérieuses. On peut définir un *rāga* par quatre éléments essentiels :

– la succession des degrés de la gamme modale, ou *thāta*, déterminée dans l'échelle des *shruti* [2]; il y a cinq sons au minimum, neuf au maximum (certains pouvant omettre un ou deux sons de la gamme, ou en ajouter un ou deux). Sur un même *thāta* on peut composer une grande variété de *rāga*.

---

1. La forme pure correspond aux degrés n° 4. 7. 9. 13. 17. 20. 22. du tableau des *shruti*.
2. Le *thāta* est un concept d'origine musulmane, qui désigne une échelle mère permettant de former les gammes modales. Il correspond aux arrangements des frettes mobiles du *sitār*.

– la tonique, note initiale et finale, qui doit être constamment présente; c'est par rapport à elle que les autres sons prennent leur valeur.

– deux notes prédominantes *(vādi* et *samvādi)*, séparées par un intervalle de quarte ou de quinte. La tonique est souvent *vādi*, mais pas obligatoirement.

– des formules mélodiques *(pakad)*, mélismes et ornements, caractéristiques du mode. Deux *rāga* peuvent avoir la même échelle mais des *pakad* différents.

Les *thāta*, correspondant à ce que nous appelons improprement « mode », sont des abstractions. Les *rāga* sont concrets : on les invente, on les joue, on en développe les richesses. Théoriquement, il pourrait y en avoir un nombre énorme (plus de dix millions, selon certains traités sanskrits); au cours des siècles les musiciens en ont toujours inventé; mais seul un nombre limité a été jugé digne de passer à la postérité. Les Anciens en décrivaient trente-six; la classification de Shārngadeva (XIIIe siècle) en dénombre deux cent soixante-quatre; Soma, au XVIIe siècle, n'en retient que soixante-quinze. De nos jours, bien que la théorie classique soit demeurée vivante, on cherche à limiter la prolifération des *rāga* et à en simplifier la théorie. Dans le Nord, la plupart peuvent aujourd'hui se rattacher à dix échelles types, ou *thāta*, du genre diatonique. En voici la notation approximative, d'après Pandit Bhatkhande, l'un des plus éminents théoriciens modernes :

Le système karnatique du Sud conserve l'usage de soixante-douze échelles types, appelées *melakarta*. Certaines de ces échelles, diatoniques, sont semblables aux *thāta* de Bhatkhande; d'autres pourraient se rapprocher du genre chromatique des Grecs. Dans le système assez artificiel des *melakarta*, chacun des deux tétracordes peut prendre six formes différentes selon la position de ses deux notes mobiles, permettant ainsi d'obtenir 6 × 6 = 36 échelles.

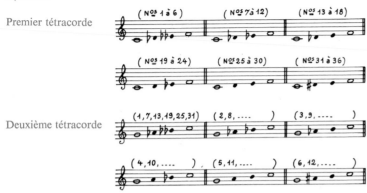

Premier tétracorde

Deuxième tétracorde

NB   Les *melakarta* nᵒˢ 1, 7, 13, 19, 25, 31 seront composés de deux tétracordes semblables. D'autres, en revanche, seront particulièrement asymétriques (nᵒˢ 6 et 31 surtout). Le *melakarta* nᵒ 21 sera semblable à notre gamme mineure, le nᵒ 29 à notre gamme majeure.

En élevant le quatrième degré de deux *shruti* (fa ♯), on obtient trente-six nouvelles échelles semblables aux premières, soit un total de soixante-douze. Dans l'un et l'autre systèmes *pa* et *sa* sont fixes.

La variété des modes rythmiques ou *tāla* est presque aussi grande que celle des *rāga*. Leur théorie découle de la métrique du vers sanskrit. Il pourrait y avoir théoriquement une infinité de *tāla*; mais, comme pour les *rāga*, un petit nombre seulement est consacré par l'usage, dans la musique classique. Un système de notation rythmique d'une remarquable précision, probablement unique, permet de solfier les rythmes avec des syllabes représentant les différents types de percussion.

Dans la musique classique, le *tāla*, comme le *rāga*, est conservé rigoureusement tout au long d'une improvisation. Il ne saurait en être autrement, puisque l'un et l'autre ont été choisis en fonction d'un caractère expressif particulier, correspondant à la saison, au moment de la journée, aux circonstances, aux sentiments liés à l'éthos du mode. Des éléments de variété sont apportés par la division des unités de temps, les syncopes, les modifications du tempo. Il faut bien se représenter le *tāla* comme un mode rythmique (avec une manière de s'en servir ou de le servir), infiniment plus riche que les rythmes occidentaux. Facteur d'unité, sa fixité n'engendre aucune monotonie.

En dehors du chant, qui joue un rôle fondamental dans la musique de l'Inde, les principaux instruments, de facture généralement très raffinée, sont les suivants.

A droite, Ravi Shankar *(sitār)*.

Joueuse de *sitār*.

Kishan Kante Maharaj *(tablā)*
Gopal Misva *(sarangī)*

La *vinā* du Sud
(Narayana Swami)

o La *vinā*, grand luth (Sud) ou cithare (Nord) à sept cordes, est le plus ancien des instruments à cordes encore en usage dans l'Inde. La *vinā* du Sud comporte une caisse ronde (presque semi-sphérique) et un résonateur en calebasse fixé au manche, vers l'extrémité supérieure; la *vinā* du Nord n'a pas de caisse, mais deux résonateurs en calebasse, fixés sous le corps en bambou de l'instrument [1].

o Le *sitār* est un grand luth à caisse hémisphérique et à très long manche garni de frettes mobiles (permettant l'adaptation aux différents *thāta*). Son origine remonte probablement au xve siècle (le *setar* persan), mais il n'a pris sa forme actuelle qu'au xviie siècle. Le *sitār* est tendu de six ou sept cordes principales (dont deux de bourdon) et d'une vingtaine de cordes « sympathiques » vibrant par résonance, qui passent généralement sous les frettes ou touches. *Vinā* et *sitār* utilisent, pour l'exécution des glissandi et des ornements, une technique très particulière, consistant à tirer les cordes de côté. Instrument très répandu dans l'Inde du Nord, le *sitār* a été introduit en Europe par Ravi Shankar, pour le meilleur et pour le pire!

o Le *sarode*, à la sonorité superbe, est une sorte de *sitār* à manche plus court, dont la caisse est tendue d'une peau portant le chevalet. Ali Akbar Khān, le maître de Ravi Shankar, est le plus illustre sarodiste de notre temps.

o Le *tāmpurā* est un luth à quatre cordes, de forme analogue au *sitār*, mais de facture plus rudimentaire. Il est, du nord au sud, l'élément fondamental de l'accompagnement du chant, sans avoir jamais de rôle mélodique.

o La *sarangī*, de la famille des vièles, est le principal instrument à archet de l'Inde. Sa forme varie du nord au sud, mais ses caractères essentiels sont à peu près constants : manche court et très large, sur lequel sont tendues trois ou quatre cordes principales, jouées avec un archet courbe, et treize cordes sympathiques placées sous les cordes principales. La caisse est rectangulaire dans le Sud, arrondie en forme de luth dans le Nord.

o Le *shahnāï* est un instrument de la famille des hautbois, d'une qualité de son admirable. Son corps conique, percé de trous, est muni à une extrémité d'une anche double en roseau, à l'autre d'un pavillon évasé en métal. Bismillah Khān est le plus célèbre virtuose du *shahnāï*, dont le jeu est extrêmement difficile et raffiné. Un instrument analogue, utilisé dans le Sud, est appelé *nāgasvāram*.

---

1. Un instrument populaire, la *kinnari-vinā*, identique à la harpe-cithare *mvet* d'Afrique équatoriale, porte trois résonateurs en calebasse et ses deux cordes sont tendues dans un plan vertical au-dessus de la tige de bambou. L'étymologie suggère une parenté avec le *kinnor* de David.

○ Un grand nombre de flûtes de tous genres sont utilisées en Inde, dont la plus importante est la *muralī*, flûte traversière en bambou, qui aurait été, selon la légende, l'instrument du dieu Krishna.

○ La musique de l'Inde utilise une très grande variété d'instruments de percussion, en métal, en bois, en terre cuite ou en peau. Les plus importants sont le *mridanga*, tambour cylindrique à deux peaux, et surtout le *tablā*. Ce dernier est un couple d'instruments : 1. Un petit tambour vertical à une peau, donnant un son sec. C'est le *tablā* proprement dit, généralement accordé sur *sa*. Il est joué de la main droite. 2. Une petite timbale à son sourd, appelée *bāyā*, dont l'accord est moins bien défini. Elle est jouée de la main gauche.

La virtuosité de certains joueurs de *tablā* et la variété de timbres qu'ils obtiennent de leurs instruments dépassent l'imagination des Occidentaux.

L'improvisation, qui constitue le principe essentiel de la musique classique de l'Inde, se réfère à différents styles traditionnels. Mais un certain éthos des modes et des rythmes demeure immuable. Nécessairement, on débute par un long prélude non rythmé *(ālāp)*, chargé d'introduire l'auditeur dans l'univers du *rāga* choisi, de lui en faire découvrir l'essence. C'est une partie difficile et capitale de l'improvisation, car, à chaque *rāga*, à chaque intervalle, au rapport de chaque son avec la tonique omniprésente, est liée une charge émotionnelle (exprimée dans les dénominations), que le musicien doit préalablement révéler à l'auditeur s'il veut être compris ensuite [1].

Lorsqu'on s'est un peu familiarisé avec la musique de l'Inde, lorsqu'on en a trouvé le « sens », on est émerveillé par la richesse et la variété de cette musique modale homophone; richesse plus facile à découvrir que celle de notre musique polyphonique tempérée. En Inde, la musique classique n'est d'ailleurs pas réservée à une élite sociale ou culturelle : l'éducation musicale est assez répandue et les auditeurs modestes savent apprécier le talent des grands musiciens. Mais l'audition doit être active : il ne faut pas attendre qu'un certain « charme » opère... Il faut se pénétrer de la tonique, « l'assimiler comme un climat sonore qui va servir de référence constante [2] », concentrer toute son attention sur le « devenir » sonore, sa mémoire sur le passé, son imagination sur le futur possible, de sorte que le sens de l'improvisation et son unité apparaissent évidents.

1. En Occident, le cérémonial rigide du concert a provoqué l'abandon, à partir du XVIIIe siècle, d'une pratique analogue, qui s'était établie chez les anciens luthistes et clavecinistes, mais ne subsiste plus que dans certaines traditions populaires.
2. Alain Daniélou, *Les Traditions musicales de l'Inde du Nord*, Buchet-Chastel, 1966.

Le grand pouvoir de communication de cette musique réside dans la perfection et la souplesse de sa théorie, liées aux mythes fondamentaux, aux sources élémentaires du comportement humain. La connaissance des principes esthétiques et éthiques est la condition d'un jeu expressif et juste, tout autant que l'habileté technique : elle est le signe d'une harmonie de l'âme et du corps. Aussi le parfait musicien avait-il la réputation d'être un homme parfait. Mais cette musique exemplaire est-elle de quelque façon l'expression d'un peuple immensément misérable, de son fatalisme atroce, de son *karma*, de ce recommencement sans fin?

Les tentatives récentes d'adapter à la musique de l'Inde certaines méthodes de la musique occidentale ne peuvent conduire qu'à des résultats hybrides, dont aucune des deux traditions ne doit attendre un enrichissement... si ce n'est dans l'ordre commercial.

La musique de l'Asie du Sud-Est

Les peuples de tradition thaï-khmère et indonésienne, en dépit des différences de culture et de caractère, appartiennent à une même civilisation musicale, dont la singularité est liée à deux traits fondamentaux communs :

– la primauté d'ensembles instrumentaux très originaux, où dominent les percussions mélodiques (xylophones, jeux de gongs, etc.),

– l'emploi d'échelles pantonales qui divisent l'octave en cinq ou sept intervalles à peu près égaux.

Plusieurs sources alimentent la culture musicale de ce Sud-Est asiatique. Les plus anciennes et les plus importantes sont les anciennes traditions autochtones mōn-khmère et malayo-indonésienne, que l'on croit apparentées à la musique de l'Inde prévédique. Les musiques de Thaïlande (Siam), du Laos, du Cambodge, de Malaisie, de Java, de Bali leur doivent leurs caractères spécifiques. On raconte que l'empereur Thuan, en — 2225, charmait les animaux en jouant du *khanh-do* : cet antique lithophone, constitué d'une série de pierres suspendues taillées en équerre, est probablement l'ancêtre de la riche famille des percussions mélodiques. Selon la précieuse documentation iconographique que constituent les bas-reliefs d'Angkor (ıxe au xıııe siècle), les traditions de la musique khmère sont restées jusqu'à nos jours ce qu'elles étaient alors.

Aux liens culturels qui, dès la haute antiquité, semblent avoir uni l'Insulinde au continent, s'ajoute à partir du ıer siècle de notre ère l'influence profonde de la culture de l'Inde. Celle-ci

Angkor.

a contribué à féconder le génie musical original des pays du Sud-Est asiatique, en l'enrichissant d'une saine et subtile philosophie de la musique. L'influence chinoise, prépondérante au Vietnam, ne s'exerce ici que par la pénétration au Laos et en Thaïlande de la musique populaire de la Chine du Sud et par la primauté, dans toute cette région, des gammes de cinq sons.

Échelles musicales La tendance à diviser l'octave en intervalles égaux est une singularité remarquable que l'on a beaucoup de peine à expliquer. Certains musicologues, parmi lesquels Alain Daniélou, pensent que les échelles musicales du Sud-Est asiatique ont pour origine lointaine l'antique *gāndhāra-grāma*, la « gamme céleste » de l'Inde dont les vieux auteurs sanskrits avaient déjà perdu la tradition et qui aurait divisé l'octave en sept intervalles égaux.

Ce principe d'égalisation des intervalles, inconnu dans le reste de l'Asie, ne se retrouve que dans la musique occidentale. Il existe en effet dans notre système musical quatre modèles de division de l'octave en intervalles égaux :

- l'échelle fondamentale de douze demi-tons, dite « chromatique »,
- la « gamme par tons », chère à Debussy, qui divise l'octave en six tons (do . ré . mi . fa ♯ . sol ♯ . la ♯ . do),
- l'accord de septième diminuée, qui divise l'octave en quatre tierces mineures (do . mi♭ . fa ♯ . la . do),
- l'accord de quinte augmentée, qui divise l'octave en trois tierces majeures (do . mi . sol ♯ . do).

Il serait toutefois très inexact d'assimiler les échelles pantonales cambodgiennes ou javanaises à de véritables échelles « tempérées », pour trois raisons primordiales :

1. Contrairement à ce qui s'est produit en Occident, les musiciens asiatiques ne se sont jamais appliqués à « tempérer » méthodiquement après coup les inégalités d'intervalles semblables, en faussant les intervalles naturels. Une certaine ubiquité tonale, ou pantonalité, semble être ici la qualité recherchée.

2. Dans l'Asie du Sud-Est, il n'existe pas de système musical impliquant une définition théorique des échelles, comme en Chine (cycle des quintes : théorie des *lyu*) ou en Inde (échelle des *shruti*). Il ne peut donc être question d'un tempérament égal où la valeur des intervalles doit être évaluée mathématiquement a priori. Tout ce que l'on peut savoir des échelles équiheptatoniques et équipentatoniques en usage dans l'Asie du Sud-Est a été déduit a posteriori de l'examen et de l'audition des instruments. Des différences de l'ordre du quart de ton peuvent apparaître dans les évaluations des intervalles, selon les régions, les orchestres... et les erreurs dans la mesure des fréquences.

3. La justesse des intervalles, la rigueur de leur égalité est relative au souci général de symétrie, d'homogénéité, dans l'accord des nombreux instruments à sons fixes (jeux de gongs, xylophones...). L'avantage de pouvoir changer de tonique, sans changer d'échelle ou d'accord, n'implique pas une stricte identité des transpositions, surtout dans une tradition fondée sur la variation [1].

Malheureusement, des échelles de cinq ou sept intervalles égaux ne peuvent être ni transcrites ni définies avec précision par référence à notre système de notation ou à notre nomenclature, adaptés à une échelle de douze demi-tons (12, 7 et 5 sont premiers entre eux!).

1. Échelles du groupe thaï-khmer. De manière générale l'octave se trouve divisée en sept intervalles à peu près égaux, inférieurs d'un septième de ton à notre ton tempéré. Si l'on adopte arbitrairement la note do comme premier degré, les différents sons de l'échelle type seront les suivants (le quatorzième de ton choisi comme terme de comparaison est un très petit comma*) :

do	(arbitrairement)
ré bas	(— 2 quatorzièmes de ton)
mi très bas	(— 4 —)
fa haut	(+ 1 —)
sol bas	(— 1 —)
la très bas	(— 3 —)
si très bas	(— 5 —)

L'influence chinoise tend à faire des 4e et 7e degrés des notes non mélodiques, utilisées seulement dans les broderies et les changements de tonique. La gamme usuelle est donc généralement pentaphonique, mais fondée sur une division de l'échelle en sept intervalles égaux.

D'autres gammes pentaphoniques, de type chinois ou vietnamien cette fois, sont parfois utilisées, notamment dans la musique de *khène* (l'orgue à bouche laotien).

2. Échelle indonésienne *slendro*. Le nom de cette échelle, selon A. Daniélou, pourrait être dérivé de *Shilendra* (« Seigneur des vertus »), l'une des épithètes de Shiva. C'est une échelle pentaphonique. Mais, à la différence des échelles du groupe thaï-khmer, qui soulignent cinq degrés dans une échelle de sept

1. La prépondérance des instruments à sons fixes est liée à l'emploi d'intervalles égaux, sans que l'on puisse affirmer si l'instrument crée l'échelle ou si c'est l'inverse. Le *gāndhāra-grāma* est ainsi lié à l'ancienne harpe indienne. Depuis les années vingt cependant, les orchestres de cour au Cambodge et au Laos ont tendance à s'accorder selon notre gamme tempérée, ce qui dénature leur caractère original, limite les libres transpositions... et procède de la plus dangereuse confusion.

intervalles égaux, l'échelle *slendro* divise l'octave, approximativement, en cinq intervalles égaux, supérieurs de 1/5 de ton à notre ton tempéré. L'échelle type (dont il existe des variantes) peut donc être définie de la façon suivante (le 1/10 de ton, choisi comme terme de comparaison, est légèrement inférieur au comma) :

barang	do	(arbitrairement)
gulu	ré très haut	(+ 2 dixièmes de ton)
dada	fa bas	(— 1 —)
lima	sol haut	(+ 1 —)
nem	si♮ très bas	(— 2 —)

soit schématiquement :

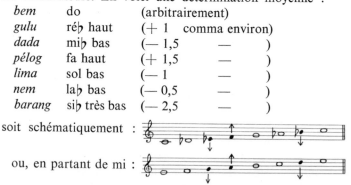

Comparaison schématique de ces deux échelles :   thaï-khmer

slendro

Cette gamme, dont le caractère est réputé masculin et grave, sonne admirablement à nos oreilles, si l'on en juge par le succès rencontré en Occident par les musiques de Java et Bali... succès en contradiction avec l'idée largement répandue que les intervalles musicaux étrangers à la culture d'une race ou d'un peuple ne peuvent lui être perceptibles comme « justes »!

3. Échelle indonésienne *pélog*. Ce type d'échelle, auquel on attribue un caractère féminin et doux, est très mystérieux, tant par sa structure que par son origine indiscernable. C'est une échelle de sept degrés, aux intervalles inégaux et probablement assez variables, car ses notations diffèrent sensiblement selon les observateurs. En voici une détermination moyenne :

bem	do	(arbitrairement)
gulu	ré♮ haut	(+ 1 comma environ)
dada	mi♮ bas	(— 1,5 —)
pélog	fa haut	(+ 1,5 —)
lima	sol bas	(— 1 —)
nem	la♮ bas	(— 0,5 —)
barang	si♮ très bas	(— 2,5 —)

soit schématiquement :

ou, en partant de mi :

L'échelle *pélog* s'apparente ainsi à une *doristi* (« mode de mi »). Mais il paraît en exister des formes différentes, pouvant avoir chacune plusieurs aspects selon le choix du son fondamental de la gamme. Ainsi, la principale gamme malaise est une gamme *pélog* défective, qui néglige les 4e et 7e degrés de l'échelle type (voir plus haut) et prend le 5e degré pour fondamentale :

Hors-texte en couleurs : musique de l'Islam (Diwan i Djami, *le Sultan Hussein Baïqara écoutant des musiciens*, détail, Afghanistan, XVe siècle).

مطرب جوش لهجه را برلب نوای ارغنول

Cela ressemble à une *mixolydisti* (« mode de si ») défective, avec une tierce majeure au sommet de chaque tétracorde. On trouve aussi, dans la musique balinaise, des gammes pentaphoniques de ce type, issues de l'échelle *pélog*.

Un lithophone néolithique d'origine indonésienne a été découvert en 1949 par G. Condominas, dans le massif de Bàc-Sôn, près de Dalat, très ancien foyer continental de civilisation indonésienne. Il se compose de onze grandes lames de pierre taillée, pouvant donner approximativement l'échelle suivante :

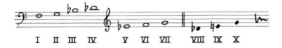

I   II   III   IV   V   VI   VII   VIII   IX   X

NB Les sept premières lames paraissent former une série. Les trois suivantes (VIII, IX, X) appartiendraient à un second lithophone. La XIe paraît étrangère à l'ensemble.

Selon le musicologue néerlandais Jaap Kunst, il s'agirait déjà d'une échelle *pélog*. Mais on se trouve sans doute en présence de deux instruments, dont un au moins est incomplet...

Tout ce qui précède est fatalement imprécis, puisqu'il n'existe dans l'Asie du Sud-Est aucun système musical explicite, aucune théorie des échelles et des modes. La notion même de mode n'est représentée que par les *patet* de Java, qui définissent plusieurs « manières d'être » des échelles *slendro* et *pélog*. Le *patet* javanais s'apparente ainsi au *rāga* indien ou au *diêu* vietnamien.

Instruments Mais bien plus que la singularité des gammes, c'est la beauté des instruments et la sonorité caractéristique de leurs assemblages qui frappe l'auditeur occidental dans la musique de tradition indonésienne ou thaï-khmère. Les différents types de xylophones, métallophones et jeux de gongs y sont prépondérants; mais l'inventaire sommaire qui va suivre montrera que les autres familles instrumentales sont largement représentées. ○ *Roneat-ek* et *roneat-thom* (Cambodge), *Rangnat* (Laos et Thaïlande), *tchalung* et *gambang* (Indonésie)... sont des xylophones formés d'une série de lames de bois dur (généralement bambou ou tek). Dans le groupe thaï-khmer, la caisse de résonance est gracieusement incurvée; le *roneat-ek* est muni d'un pied central. Dans le *gambang*, un résonateur tubulaire est fixé sous chaque lame, selon le même principe que les xylophones européens.

Hors-texte en couleurs : musique de l'Inde.

○ *Roneat-dek* et *roneat-thong* (Cambodge), *ranad lek* (Laos et Thaïlande), *gender* (Java), *kantil* et *pengender* (Bali) : métallophones au timbre cristallin, particulièrement caractéristiques des ensembles indonésiens. Des lames de métal (munies de résonateurs tubulaires dans le *gender*) y jouent le même rôle que les lames de bois dans les instruments du type précédent.

○ *Kong-thom* (Cambodge), *kong-vong* (Laos et Thaïlande), *bonang* (Java), *trompong* (Bali), *chanang* (Malaisie)... : jeux de petits gongs (de 2 à 17), suspendus horizontalement, soit sur un cadre circulaire qui entoure l'exécutant (pays thaï-khmer), soit sur un ou deux rangs sur un cadre rectangulaire. Ces jeux de gongs, dans la disposition circulaire, sont déjà représentés dans les sculptures d'Angkor.

○ Les gongs isolés, de tailles différentes, suspendus verticalement ou horizontalement, jouent un rôle de ponctuation des phrases musicales, principalement en Indonésie.

○ *Takkhé* ou *tchaké* (groupe thaï-khmer) est une très grande guitare à 3 cordes, posée horizontalement sur de petits pieds fixés au fond et au manche. Le *magyaun* de Birmanie est un instrument analogue, mais sans manche : ce n'est pourtant pas une vraie cithare, puisque les cordes peuvent être raccourcies de la main gauche, par pression entre des frettes fixées sur la table.

Orchestre *pin-peat* du Cambodge.

Ballet royal du Cambodge.

○ *Tchapey* (Cambodge) et *katchapi* (Java) : guitares à 2 cordes (simples ou doubles). L'instrument cambodgien, très populaire dans le pays, est particulièrement beau, avec son long manche recourbé et sa caisse plate aux formes légèrement arrondies.

○ La famille de la cithare, si on en exclut le *takkhé*, n'est représentée dans le Sud-Est asiatique que par le *sadev* (ou *sadiou*), petit monocorde cambodgien d'une merveilleuse simplicité, et le *tjélempung* javanais à 13 cordes.

○ *Tro* (Cambodge et Birmanie), *sô* (Laos et Thaïlande), *rèbab* (Java) sont des petites vièles à 2 cordes, au long manche cylindrique que l'on tient verticalement en les faisant pivoter sur leur pique, comme le *kokyû* japonais ou le *kamantché* persan. Une variante à 3 cordes, le *tro khmer* du Cambodge, est d'une qualité particulièrement remarquable.

○ *Khloy* (Cambodge) et *khouy* (Laos) sont des flûtes droites en bambou. *Suling* (Indonésie) est une flûte oblique. *Pi naï* ou *sralaï* (pays thaï-khmer) et *sarunaï* (Indonésie) sont des hautbois. Un de ces instruments (parfois une paire) figure dans presque tous les orchestres, avec parfois un rôle épisodique de soliste virtuose. Dans les orchestres cambodgiens et laotiens, il a une sorte de responsabilité de la ligne mélodique.

○ *Khène* ou *phloy* (groupe thaï-khmer) sont des orgues à bouche, analogues au *sheng* chinois. Instruments marginaux, ils ont leur propre répertoire.

Orchestres Les grands ensembles instrumentaux diffèrent selon les pays et selon la fonction qu'on leur attribue. A chaque type de formation correspond un style musical et un répertoire particuliers. Les musiciens sont placés sur un ou plusieurs rangs, assis par terre, les jambes croisées ou repliées de côté (attitude de respect). Ils sont extraordinairement solidaires les uns des autres, atteignant parfois la perfection dans le synchronisme (accélérés et ralentis impressionnants).

1. Orchestres des pays thaï-khmers.

○ *Pin-peat* (Cambodge), *pi-phat* (Thaïlande), *seb naï* (Laos). Orchestres classiques par excellence, ils accompagnent les cérémonies, le Ballet royal, les représentations du théâtre d'ombres. Ils se composent habituellement de : deux xylophones, deux jeux de gongs, un ou deux hautbois (cœur de l'orchestre), deux grands tambours obliques, un petit tambour cylindrique, une paire de cymbales. Leur répertoire est sensiblement le même dans leurs différentes fonctions. L'une des meilleures formations de ce type était l'orchestre *pin peat* du théâtre d'ombres de Siem Reap, dont tous les membres étaient des paysans.

○ *Phleng khmer* (Cambodge), *khruang saï* (Thaïlande), etc. Ce sont des orchestres à cordes spécialisés dans la musique rituelle : rites magiques, fêtes de mariage, etc. Leur composition, assez variable, peut être la suivante, par exemple : une grande guitare *(tchapey)*, un monocorde *(sadev)*, deux vièles (*tro khmer* et *tro u*), un hautbois et (ou) une flûte, deux tambours. Au Cambodge, il existait un orchestre à cordes dans la plupart des villages [1].

○ *Mohori*. Ce type d'orchestre est spécialisé dans la musique de divertissement. Sa fonction est ce que nous appelons le concert. Il comprend habituellement : deux ou trois xylophones (parfois un métallophone), une grande guitare sur pieds *(takkhé)*, une guitare de type *tchapey*, deux vièles (*tro-khmer* et *tro-u*), une ou deux flûtes, des instruments de percussion.

2. Orchestres indonésiens.

Il en existe une grande variété qui peut se classer en deux familles : le *gamelan* de Java et de Malaisie, le *gong* de Bali. Chaque ensemble porte un nom expressif, qui définit son caractère et justifie sa composition particulière.

Un *gamelan* peut se composer par exemple de : un xylophone *(gambang)*, deux métallophones (*gender* et *saron*), trois jeux de gongs *(bonang)*, une vièle *(rebab)*, une cithare *(tjelempung)*, une flûte, tambours et percussions diverses.

Le *gong* balinais est souvent plus important et peut comprendre : vingt métallophones de types différents, un jeu de gongs,

1. Les informations dont on dispose sur la musique du groupe thaï-khmer sont naturellement antérieures à la prise du pouvoir par les " Khmers rouges ".

Kantil, métallophone de Bali.

plusieurs gongs de ponctuation, de une à six flûtes, deux tambours, des petites cymbales.

Malheureusement, dans ces différents pays, la diffusion de la musique occidentale menace l'art traditionnel, qui ne connaissait pas jusqu'alors de barrière sociale, mais qui tend aujourd'hui à se réfugier dans des cercles culturels plus ou moins étroits. Certains spectacles musicaux conservent néanmoins une grande popularité. C'est le cas des théâtres d'ombres, appelés *nang* au Cambodge, *wayang* en Indonésie et en Malaisie. Entre un grand écran et une source lumineuse (feu ou lampe) des figures de cuir ou des panneaux de cuir ajourés sont animés de telle sorte que leurs ombres sur l'écran illustrent la grande légende du Rāmāyana, ou parfois des légendes populaires; le récit (dit ou chanté) est accompagné par un ensemble instrumental traditionnel. Tout dans ces spectacles est d'une grande beauté.

Le riche foisonnement sonore des orchestres, qui est un des caractères originaux de cette musique, est souvent qualifié de polyphonie*. Si ce mot est compris dans le sens que lui donne la musique occidentale, il est tout à fait inadapté à la réalité musicale du Sud-Est asiatique. La complexité sonore de cette musique d'ensemble, que j'appelle hétérophonie pour éviter les malentendus, est le fruit de l'ornementation et du jeu des variations. En fait, tout le monde joue la même chose... mais chacun à sa façon. Comme je l'ai souligné à propos des civilisations musicales de l'Antiquité, la notion de polyphonie implique essentiellement le choix méthodique de séquences musicales distinctes, assujetties à des lois de combinaison simultanée. De ce point de vue, les ensembles instrumentaux de l'Asie du Sud-Est procèdent d'une pensée musicale homophone : il n'y a pas de sens polyphonique à la diversité des variations et des ornements, de part et d'autre d'une idée mélodique unique, toujours perceptible dans la transparence des broderies instrumentales. La musique de Bali cependant réalise parfois des sortes de canons mélodiques ou rythmiques, sur des phrases courtes.

Mais si cette musique n'est pas polyphonique, elle n'est pas vouée pour autant au lyrisme individuel, qui caractérise la monodie occidentale. La plupart des instruments du Sud-Est asiatique ne sont pas adaptés au jeu expressif : ils illustrent un art fondamentalement hédoniste. Et c'est peut-être ce caractère qui nous le rend si séduisant, malgré la distance qui sépare nos civilisations.

Charme et grandeur, sourire et gravité, perfection et liberté, sont les vertus complémentaires d'une culture assez riche pour fasciner l'Orient et l'Occident et pour s'imposer dans les rizières comme dans les palais.

La musique des peuples de l'Islam et l'héritage hellénique

Civilisation dont le rayonnement et la fécondité ont été exemplaires, l'Islam fut un puissant révélateur et unificateur de cultures. Il existe une tradition musicale commune à tous les peuples qui se reconnaissent dans l'Islam, tradition nourrie des différentes cultures autochtones. Elle est la synthèse de trois éléments, cimentés par la philosophie musulmane, par la langue arabe et par l'héritage hellénique : la musique arabe pré-islamique, la musique des peuples islamisés, la théorie musicale des Grecs.

1. A l'origine d'un « classicisme » arabe se trouvait, avant l'Islam, un art autochtone : chez les tribus bédouines du Yémen et du Hedjaz par exemple, où une poésie lyrique très raffinée était cultivée. On n'en connaît malheureusement pas la musique et l'on ignore toute celle qui pouvait se pratiquer dans les royaumes lakhmides et sassanides d'Arabie qui entretenaient des chanteuses professionnelles, souvent d'origine byzantine ou perse. Mais on est tenté d'en chercher la survivance dans certains

folklores originaux, au Yémen notamment [1]. Faisant commerce de son or, de ses bois précieux, de ses parfums, de ses perles, l'ancienne Arabie était parcourue de caravanes qui la mettaient en relation avec l'Égypte, la Syrie, l'Asie Mineure, la Mésopotamie, la Perse... Elle en recevait probablement une influence culturelle.

L'Arabie paraissait exotique aux négociants et aux colons, car elle était restée en marge des empires et des civilisations, n'ayant été dominée ni par la Perse de Cyrus et Darius, ni par la Grèce d'Alexandre, ni par la Rome des César.

2. Les pays ralliés à l'Islam, de 632 à 750, conservaient presque tous de très anciennes traditions musicales, plus ou moins marquées par l'influence hellénique. L'Islam assimila ces traditions, dont s'enrichit l'art bédouin, tout particulièrement celle des Perses. Très ancienne civilisation de souche indo-européenne, enrichie jadis par ses conquêtes, la Perse cultivait déjà sous les Achéménides (— 549 à — 330) un art musical raffiné, si l'on en croit le témoignage d'Hérodote qui visita sans doute les cités grecques d'Asie Mineure à la faveur des conquêtes de Cyrus... et un peu plus tard la musique des Grecs sera introduite à son tour en Perse à la faveur des conquêtes d'Alexandre! Après des siècles de maturation, la musique perse sera devenue sous les Sassanides un art exceptionnellement riche qui imprégnera la musique arabe, au point que l'on tend aujourd'hui à les confondre et à faire de l'Iran le principal conservatoire de la musique de l'Islam. Bien plus qu'aux influences byzantine ou syrienne, c'est à l'influence perse que la musique classique arabe doit son existence. Mais surtout, la riche musique persane a été jusqu'à nos jours une des mieux préservées des différentes réformes et des influences occidentales qui ont affecté la musique arabe, particulièrement en Égypte et au Maghreb.

3. En un temps où la culture occidentale, et singulièrement celle des musiciens, s'était coupée de sa source hellénique, à force de contresens et d'interprétations hasardeuses, des savants arabes et persans ont entrepris de traduire et de commenter les auteurs grecs, sachant qu'ils appartenaient au patrimoine culturel de la plupart des peuples musulmans, jadis hellénisés [2]. La théorie musicale des Grecs fut ainsi reconstituée et des exégèses remarquables

---

1. Le *hidā* (chant du chamelier) et le *khabab* (chant du cavalier), appartenant à la poésie lyrique des Bédouins, ont donné à la musique arabe deux rythmes fondamentaux.
2. L'Europe redécouvrit la Grèce grâce à eux et les hellénistes occidentaux purent retrouver les véritables sources de notre musique. Mais il était trop tard : la théorie musicale occidentale s'était établie sur des bases incertaines. Si les théoriciens des premiers siècles de la chrétienté avaient mieux compris Aristoxène, notre musique classique aurait sans doute été plus proche de celle des Arabes. Les Grecs seraient bien surpris de voir opposer deux théories, l'occidentale et l'orientale, qui se réclament l'une et l'autre de leur sagesse...

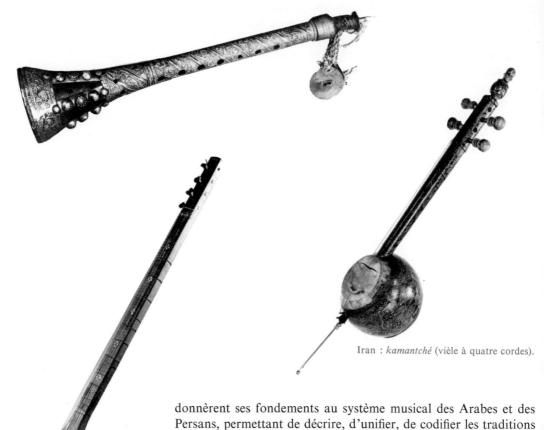

Algérie : *ghaïta* (hautbois).

Iran : *kamantché* (vièle à quatre cordes).

Iran : grand *setār*.
Maroc : double timbale en poterie.

donnèrent ses fondements au système musical des Arabes et des Persans, permettant de décrire, d'unifier, de codifier les traditions orales des pays islamisés. Quelques noms méritent d'être retenus, car ces musiciens, savants, poètes et philosophes ont été des bâtisseurs de civilisation et les créateurs d'une science musicale dont les méthodes conservent encore leur valeur.

⊃ al-Maoussilī, 767-850 Musicien, chanteur, écrivain et juriste arabe, dont la réputation fut immense. Fondateur de l'École musicale classique arabe (dont le foyer de rayonnement était Bagdad), il fut l'auteur d'une quarantaine d'ouvrages sur la musique et les arts. Son influence s'est exercée longtemps après sa mort dans tout l'Islam.

○ al-Kīndī, vers 790 - vers 874. Philosophe rationaliste arabe et premier grand théoricien de la musique de l'Islam. Il collabora aux traductions syriennes des auteurs grecs et composa plusieurs traités de musique, selon les principes helléniques.

○ Ali Ibn Nafi, dit Ziriāb, VIIIe-IXe siècle. Poète et musicien arabe, élève d'al-Maoussili. Exilé de Bagdad par la jalousie de son maître, il s'établit à Cordoue, y créa le premier conservatoire de l'Islam et fut le fondateur de l'École andalouse. Des mélodies de sa composition sont chantées jusqu'à nos jours en Afrique du Nord (à Kairouan il avait étudié la musique tunisienne). Il s'occupa aussi de coiffure, de mode et de cuisine !

o al-Fārābī, 871-951. Théoricien de la musique et philosophe arabe (d'origine persane ou turque), le plus illustre avec Avicenne. Son érudition s'est exercée dans des domaines variés : philosophie, éthique, mathématiques, politique, musique... Les étudiants accouraient de partout suivre son enseignement, qui avait pour cadre les merveilleux jardins des environs d'Alep. Son influence, dans les domaines de la philosophie et de la théorie musicale, s'est même étendue au monde occidental : son *Livre de la classification des sciences* fut traduit deux fois en latin au XIIe siècle. Parmi ses nombreux ouvrages, figure un monumental traité, inspiré par la théorie grecque, *Kitab al-musiqi al-kabīr*, le plus important ouvrage qui ait été écrit sur la musique jusqu'alors.

o al-Isfahāni, 897-967. Historien de la musique, célèbre surtout pour son monumental *Grand Livre de chansons* (l'édition moderne en arabe comprend vingt et un volumes). Cet ouvrage, dont Quatremère de Quincy a publié une traduction partielle en français dans le *Journal asiatique* (1835) est un modèle en son genre par la précision des références et la quantité d'informations sur la musique, de l'époque pré-islamique au Xe siècle, et sur ses implications sociales.

o Ibn Sīnā, 980-1037. Célèbre philosophe, médecin et musicien persan, connu dans l'Occident sous le nom d'Avicenne. Il fut le disciple d'al-Fārābi, qui l'initia à la théorie musicale des Grecs. Ses ouvrages de médecine (où l'on trouve notamment une application thérapeutique du principe grec de l'éthos des modes) ont été largement diffusés en Europe. Son plus important écrit sur la musique est le douzième chapitre d'un ouvrage intitulé *al-Chifā* (« le Remède » ou « la Guérison ») trad. fr. par R. d'Erlanger, in *Musique arabe*, Paris, 1930-1959.

o Safi ud-Din, vers 1230 - 1294. Théoricien arabe, d'origine persane. On lui doit trois ouvrages principaux, qui ont été tra-

Iran : *santour* (tympanon).

duits en français : *Risālat al-sharafiya* (« Lettre à Sharaf al-Din »,
traité des rapports musicaux sous forme de lettre à son élève),
Kitab al-advār (« Livre des modes ») et un traité de rythmique
et de prosodie. Il fut le promoteur de la division de l'octave
en 17 intervalles (limmas et commas), qui est restée traditionnelle.

Sous l'impulsion de ces remarquables penseurs de la musique,
l'Islam s'est doté, de 830 environ (apogée de la dynastie abbasside)
à 1258 (chute de Bagdad), d'une prestigieuse tradition musicale,
qui était parvenue au XIII⁰ siècle à son classicisme et n'évoluera
plus jusqu'au XIX⁰ siècle. Après la chute de Grenade (1492),
cette musique classique appartient au passé, mais elle reste cultivée
comme telle. Depuis le milieu du XIX⁰ siècle, des efforts d'unification et de simplification ont abouti à des théories modernes,
dont la plus répandue divise l'octave en vingt-quatre quarts de
ton... formule arbitraire, qui facilite sans doute l'usage d'une
notation à l'occidentale (des théoriciens modernes, persans et
arabes, s'en découvrent tardivement le besoin), mais ne correspond pas du tout à la réalité de la musique de l'Islam.

Ces systèmes nouveaux sont le fruit de l'influence occidentale,
apparue avec les chefs de musique militaire que les souverains
musulmans faisaient venir d'Europe. On cherchait des compromis
entre les méthodes occidentales et les traditions orientales; on
voulait établir des échelles et des modes, permettant d'adapter
la musique arabe aux instruments et à l'écriture des Européens.
De nombreux congrès ont été réunis depuis 1932 (Congrès du
Caire) pour sauvegarder la musique classique des pays musulmans, contrôler l'évolution normale de cet art et tempérer les
ardeurs rénovatrices. Une tradition que l'on pourrait appeler
orientale continue de briller en Iran principalement, mais aussi
en Turquie, en Iraq (ancienne Mésopotamie) et en Syrie; tandis
que la tradition andalouse est toujours cultivée par les musiciens
d'Afrique du Nord.

Par contre, depuis l'époque où l'*Aïda* de Verdi inaugurait
l'Opéra du Caire (1871), la musique égyptienne s'est très fortement occidentalisée. Après l'apparition du disque et de la radio,
Le Caire est devenu malheureusement le principal centre de
création et de diffusion d'une musique commerciale, répandue
dans toute l'Afrique du Nord, qui menace gravement la pérennité
de la musique classique de tradition andalouse et ses prolonge-
ments populaires. Il est intéressant de constater que plus on
s'éloigne de l'Iran et de la région irako-syrienne, plus les folklores
sont particularistes et plus ils sont sensibles, en même temps, à
l'influence occidentale.

Il est impossible à un non-musulman de définir l'influence
éventuelle de la religion sur la musique de l'Islam. La mosquée
ne dispose pas d'une liturgie musicale comparable à celle des

Églises chrétiennes. On en a parfois déduit hâtivement, en extrapolant sans rigueur deux versets du Coran (sourates 31,5 et 5,92), que le Prophète avait exclu la musique du culte divin. S'il avait jugé cet art impur, Mahomet aurait-il épousé une chanteuse (Myriam), et son gendre et successeur Ali aurait-il encouragé en Perse ces sortes d'opéras religieux, comparables à nos mystères du Moyen Age, les *ta'ziyé*? L'hérésie chiite, religion officielle de l'Iran, est restée attachée à la tradition des *ta'ziyé*, séries de scènes chantées, d'une grande beauté, qui relatent les histoires sacrées musulmanes. L'appel à la prière du muezzin et la lecture rituelle du Coran dans les mosquées, sans constituer à proprement parler des formes musicales autonomes, sont des récitations lyriques où le chant intensifie le langage, mettant en valeur l'une des sources de la musique de l'Islam : la langue arabe du Coran. Certaines autorités religieuses, dans leur intransigeance antimusicale, désapprouvent même l'appel à la prière et la cantillation coranique; mais de nos jours la musique (de tradition populaire en général) est fréquemment associée aux différentes manifestations religieuses ou para-religieuses.

Théorie musicale La musique de l'Islam est homophone et modale, comme celle des Grecs, auxquels elle emprunte sa théorie, et celle de l'Inde, qui fut touchée par les influences hellénique et musulmane.

Le « système parfait », fondement de la théorie, est une échelle de deux octaves, formée de quatre tétracordes et deux tons, pouvant se répartir en plusieurs arrangements, selon la place des deux tons disjonctifs (voir théorie grecque, p. 86). Toujours à l'imitation des Grecs, la composition du tétracorde, c'est-à-dire la répartition des trois intervalles entre ses quatre notes, permet de définir trois « genres » principaux. Leurs définitions et l'évaluation numérique des intervalles varie selon les auteurs. Une forme simple de ces genres, empruntée à Avicenne (qui en donne différentes évaluations), peut être notée de la façon suivante :

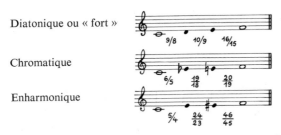

De très nombreux types de gammes peuvent se rattacher à ces trois genres principaux et les théoriciens arabes ou persans retenaient neuf arrangements des tétracordes et des tons de disjonction dans le système parfait (ou dans l'octave). Par leurs combinaisons ils obtenaient quatre-vingt-quatre échelles modales, ou *daouaïr*.

Pratiquement, la musique classique utilise un nombre beaucoup plus restreint de systèmes :

– Dans la tradition iranienne : douze *āvazat*, dont sept principaux appelés *dastgāh*. La théorie n'en fut précisée qu'au XIXe siècle, mais elle sanctionne un usage sans doute très ancien.

– Dans la tradition irako-syrienne : dix-huit *āvazat*, engendrant les *maqāmat* (douze principaux). La théorie en fut précisée par Safi ud-Din (XIIIe siècle). C'est la simplification d'une théorie beaucoup plus compliquée et subtile, dont le vocabulaire riche et suggestif était une source continuelle d'équivoques.

Dans la théorie moderne, on peut se représenter de la façon suivante les échelles modales des *dastgāh* et des *maqāmat*. Mais ces formes ne sont pas absolues; comme toujours dans la musique de l'Islam, où rien n'est rigide, elles varient légèrement selon les experts. Les signes récents ⊵ et ⊼ utilisés pour noter à l'européenne la musique iranienne et la musique arabe, indiquent qu'une note est abaissée d'environ un quart de ton.

Échelles des *dastgāh* persans

Shur

Navā

Sagāh

Tchahārgāh

Homāyun

Māhur

Rast-Pandjgāh

⊵ : abaissement d'un 1/4 de ton.

Échelles des *maqāmat* arabes

Ouchaq

Abousalik

Iraq

Zirafkēnd

Navā

Rast

Isfahān

Buzurg

Zangouleh

Rahāwi

Hidjaz

Houssaïni

NB Les musiciens modernes utilisent de nombreux *avāzat* dérivés des *maqāmat* classiques parmi lesquels :

Dhil
(sorte
de Rast)

Sikah

♭ : abaissement de 1/4 de ton

D'autres échelles ont été utilisées, et le sont encore, chez les nombreux peuples de l'Islam. Déjà al-Fārābi, étudiant le *tanbur* de Bagdad (sorte de luth), a mesuré les rapports de longueurs de cordes correspondant à la position normale des ligatures : ces rapports sont voisins de ceux qui définissent la gamme pythagoricienne (do . ré . mi . fa ♯ . sol . la . si . do).

Si un théoricien moderne veut noter à l'européenne l'échelle d'un mode, il n'utilisera pas, comme nous le faisons, une gamme ascendante ou descendante, mais un motif mélodique indiquant en même temps les formules types du mode. Dans la théorie persane, le mode est d'ailleurs déterminé par une série de *gushè*, séquences mélodiques dont les notes fondamentales successives forment l'échelle modale : les sentiments qui animent les différents *gushè* composent l'*éthos* du mode. On peut ainsi considérer l'*avāz* comme un système modal complexe comprenant l'ensemble des mélodies qui caractérisent le mode.

Dans le système ancien, tel que l'a exposé Safi ud-Din, l'échelle fondamentale (ensemble des sons nécessaires à la composition des différentes échelles modales de sept sons) comporte dix-sept degrés, séparés par des limmas et des commas : elle est analogue à une échelle de *shruti* (voir p.132) où manqueraient les *shruti* portant les numéros 6, 10, 14, 20, 2. Mais cette échelle était légèrement variable selon les « genres »... et les auteurs. Ainsi l'intervalle do - ré♭ pouvait prendre par exemple les valeurs suivantes, selon Safi ud-Din : 11/10 (genre *Nourouz*), 59/54 *(Iraq)*, 13/12 *(Isfahan)*, 14/13 *(Bousrouk)*. La théorie moderne a simplifié le répertoire des intervalles en adoptant la division de l'octave en 24 quarts de ton. Il ne s'agit pas d'une échelle tempérée, qui serait d'ailleurs complètement inadaptée à la pratique musicale, mais d'une « grille » théorique permettant, d'une part, de codifier et de comparer les échelles modales, d'autre part d'utiliser la notation occidentale. Les petits intervalles d'un quart de ton (entre ré et ré♭ par exemple) ne sont pas utilisés mélodiquement, sauf dans l'ornementation.

Il existait un système compliqué de modes rythmiques (comme dans la Grèce antique et dans l'Inde), réglant non seulement les durées, mais aussi les types de percussion (sourd, sec, effleuré, etc.), en relation à la métrique de la poésie arabe. Certaines « mesures » pouvaient être extrêmement longues et complexes, comme le *fath* syrien à 176 temps!

Voici les principaux instruments traditionnels du monde islamique. Les dénominations, qui varient légèrement d'un pays à l'autre, sont souvent d'origine persane.

o *'Ūd* : dérivé de l'ancien *barbat* persan, aujourd'hui disparu, c'est l'instrument à cordes pincées le plus répandu dans les pays arabes. Il fut introduit en Europe au XIIIe siècle, où il fut appelé *laud* (de *al'ud*) puis « luth ». Le luth arabe a conservé la forme que lui emprunta naguère la version européenne (caisse en demi-poire, manche court au chevillier rabattu en arrière). Il est tendu de 4 à 6 cordes, simples ou doubles.

o *Tanbur* : luth à long manche, utilisé surtout en Turquie.

o *Setār* et *tār* sont deux luths spécifiquement iraniens. Le premier (3 ou 4 cordes) est un petit instrument élégant, à la caisse hémisphérique en mûrier et au long manche droit. Le second, plus grand et plus sonore (5 ou 6 cordes), se distingue par une curieuse caisse à double renflement, dont la table en peau affecte la forme d'un huit.

o *Rabāb* : vièle à deux cordes, dont la forme et la technique varient selon les pays. En Égypte, il a une petite caisse ronde munie d'une pique, autour de laquelle on fait tourner l'instrument, tenu verticalement, pour présenter les cordes à l'archet sous un bon angle. Cette technique, que l'on trouve en Extrême-Orient (voir le *kokyû* japonais), est aussi celle du *kamantché* iranien à 4 cordes.

o *Qānūn* : cithare à 24 triples cordes, en forme de trapèze rectangle. Il se joue avec les deux index munis de faux ongles et sert principalement à l'accompagnement du chant classique.

o *Santūr* : cithare trapézoïdale à cordes frappées (18 quadruples cordes en Iran, 11 à 23 triples cordes en Iraq). Instrument d'origine très ancienne, dont le nom serait peut-être araméen, c'est le *pesanterîn* du livre de Daniel, le tympanon ou la doucemère du Moyen Age, le *cimbalom* d'Europe centrale... Les cordes sont frappées à l'aide de fines baguettes de noyer ou de buis, qui permettent aux bons musiciens une remarquable virtuosité.

o *Naï* ou *ney* : flûte oblique ou droite à sept trous, sans embouchure, au son doux et voilé, que l'on retrouve, avec des fonctions et des techniques différentes, dans tout le monde islamique. En Turquie, c'est l'instrument sacré des derviches mawlawîs, dits « tourneurs ». En Iran, c'est un instrument primordial des orchestres classiques et on y utilise, depuis le XIXe siècle, une technique particulière consistant à placer l'extrémité de l'instrument, tenu obliquement, entre la lèvre supérieure et les dents. La musique populaire du Maghreb utilise une variété de *ney* appelée *gasba*.

o *Sournaï* (Proche-Orient) *zourna* (Turquie), *ghaîta* ou *zougra* (Maghreb), *zamr* (Égypte) : hautbois très sonore, utilisé principalement dans les fêtes et les cérémonies de plein air.

o Le *zarb* iranien et la *darbouka* arabe sont des tambours à une peau, en forme de calice. Leur technique, très raffinée, permet une variété de timbres et une virtuosité extraordinaires. L'instrument arabe est généralement en terre cuite.

La musique de l'Islam est à prédominance vocale, moins cependant en Iran. Les formes traditionnelles laissent une place importante à l'improvisation dans les musiques orientales. La composition, en revanche, est une institution andalouse qui a donné naissance à la *nouba*, sorte de grande cantate ou action musicale en cinq mouvements, encore exécutée en Afrique du Nord. Il existait vingt-quatre *noubet* traditionnelles, correspondant à vingt-quatre types mélodiques ou familles modales. On en connaît encore aujourd'hui onze au Maroc, treize en Tunisie et en Libye, quinze en Algérie. Au Proche-Orient, des suites vocales et instrumentales de même type furent connues sous le nom de *vasla*. Quant au *radif*, expression la plus parfaite de la tradition musicale iranienne, il se présente aussi comme une longue suite de formes vocales et instrumentales contrastées, mais il est d'une essence un peu différente. Le *radif* est la composition d'une série de *gushè*, dont l'ensemble définit un *avāz*. Sa diffusion dans le public, grâce au développement du concert, ne date que de la libération musicale apportée par la Constitution iranienne de 1906. Auparavant, les autorités religieuses restreignaient la musique aux cérémonies, aux fêtes familiales, à la cantillation coranique et à l'*azān* (appel à la prière) : les représentations de *ta' zié* et la musique privée des souverains n'étaient tolérées qu'avec réticence et l'enseignement musical prenait un caractère clandestin.

Ces grandes suites de concert sont des formes fixes, régies par une théorie précise. Elles peuvent être « composées », parfois de façon relativement stricte. Pourtant les musiciens arabes et persans n'ont pas utilisé de système de notation, avant l'adoption récente et assez marginale de la notation occidentale. Cela est d'autant plus surprenant qu'ils ont pu étudier les systèmes de notation des Grecs, des Indiens, des Chinois, ainsi que les neumes en usage dans les églises wisigothes et mozarabes au xe et au xie siècle, et les notations liturgiques byzantine et arménienne. Une tentative de notation persane, comparable aux tablatures de luth, ne fut appliquée qu'à l'étude des intervalles. La tradition orale est fondamentale, dans l'enseignement comme dans la transmission de la musique : elle détermine une philosophie et un comportement et elle favorise l'exercice constant de la mémoire musicale.

Le langage musical
de l'Afrique noire

L'Afrique dite « noire » est un riche confluent de races et de cultures, que l'imprécision des frontières ethniques et l'importance des caractères communs nous incitent souvent à considérer globalement. On entend généralement par « musique africaine » l'ensemble des musiques traditionnelles des peuples situés au sud du fleuve Sénégal, du lac Tchad et du lac Tana, soit très approximativement en dessous d'une ligne joignant Saint-Louis du Sénégal à Djibouti. Des traits communs caractéristiques peuvent en effet rattacher à un même ensemble culturel une quantité de groupes ethniques d'origines très différentes :

– Les tribus nomades ou semi-nomades, qui furent sans doute les premiers occupants du continent et dont on retrouve des cousins éloignés à l'autre bout du monde, en Nouvelle-Guinée : Pygmées de la forêt équatoriale (Gabon, Congo, Zaïre, Cameroun, Empire centrafricain); « Koy-San » (Bochimans et Hottentots) du désert de Kalahari; bergers peuls d'Afrique occidentale, etc.

– Les peuples de race noire, ou mélano-africains, représentant la vraie culture « nègre ». De loin les plus nombreux, ils se divisent en trois groupes :
  a. le groupe soudanais au nord de l'équateur (Sénégal, Guinée, Côte d'Ivoire, Nord-Cameroun, Nigeria, sud du Mali et du Tchad, etc.). Sa musique a subi l'influence de l'Islam.
  b. les peuples bantous, au sud d'une ligne joignant l'embouchure du Niger à celle de la Tana au Kenya (Sud-Cameroun, Gabon, Congo, Zaïre, Tanganyika, Rwanda, Rhodésie, Mozambique, Angola, etc.). Leur musique a été le mieux préservée des influences extérieures.
  c. le groupe nilotique, dans la région du haut Nil et du lac Victoria (province équatoriale du Soudan, Kenya, Ouganda).

– Des ethnies diverses d'origine très ancienne : Berbères et Touaregs des oasis (Hoggar, Niger, Tchad, Mali), Abyssins, Mélano-Polynésiens (Madagascar). Malgré les influences mutuelles, leurs traditions musicales sont distinctes de celles de l'Afrique noire.

Ces groupes ethniques sont représentés par un très grand nombre de peuples et de tribus, aux civilisations inégales, aux langues différentes et qui ont été diversement soumis à des influences variées : arabes, européennes et sans doute même indonésiennes. Pourtant, la musique de tous ces peuples répartis sur d'immenses territoires présente d'importants caractères communs.

1. La musique africaine est « primitive », dans la mesure où cette épithète suggère, non une simplicité élémentaire, mais une pureté originelle. Cette musique est l'expression immédiate, *primitive*, d'une culture collective. Profondément intégrée à la vie sociale, elle est une manière d'être et d'agir, en harmonie avec la nature.

2. Les musiciens africains ne connaissent pas de système théorique, mais leurs traditions sont suffisamment fortes pour avoir survécu à l'islamisation et à la christianisation. La musique est d'ailleurs conçue comme un phénomène global, dont on ne songe pas à faire l'analyse : notre façon d'isoler un rythme, une échelle, une tournure mélodique, est inconcevable. Chez tous les peuples d'Afrique, l'évolution de la musique depuis les origines semble s'être faite régulièrement, sans rupture, sans réforme, sans théorie contraignante, en intégrant tout l'environnement sonore.

3. Intimement liée au langage parlé, la musique africaine est appelée non seulement à l'amplifier, mais à s'y substituer. « Comprendre la musique » a vraiment un sens en Afrique, car ici les instruments parlent. En effet, dans la plupart des langues africaines, particulièrement les langues *bantou*, la hauteur relative des sons est signifiante comme dans les langues chinoises. On ne peut changer le rythme et le contour « mélodique » d'une phrase parlée sans en dénaturer le sens. Donc, si deux syllabes successives forment un intervalle ascendant, elles ne peuvent être chantées sur un mouvement mélodique descendant et inversement. Mais la musique peut accentuer l'allure musicale du langage, pour rendre les significations plus claires. Mieux, elle est capable d'imiter les rythmes et les « tons » du discours, permettant aux instruments de parler... Le « langage » d'un tambour d'aisselle, d'une cithare *mvet*, d'un arc en bouche ou d'un violon *haoussa*, n'est pas un code semblable à notre morse; c'est la langue usuelle, immédiatement compréhensible lorsque l'informateur-musicien est habile et le récepteur attentif. Mais si l'accord et le jeu d'un instrument ne tiennent pas compte des caractères linguistiques (si un étranger en joue, par exemple), la musique ne sera pas comprise par la communauté. Ce langage instrumental s'est étendu, avec naturellement moins d'efficacité, aux peuples qui n'ont pas une langue à tons. Des codes sont utilisés aussi, notamment pour la transmission de messages à distance à l'aide de tambours.

4. Si les instruments parlent, ils doivent parler la langue de la communauté qui les utilise. C'est pourquoi la facture et la pratique instrumentales n'obéissent nulle part en Afrique à des règles fixes. Chaque instrument reflète la culture et la personnalité du musicien qui en joue — il en est généralement le luthier —

Tchad : *alghaïta* (hautbois).

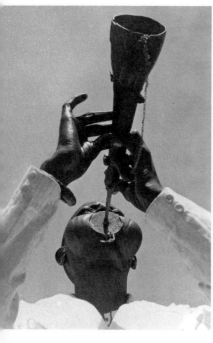

Tanzanie : trompe traversière
et tambour en poterie.

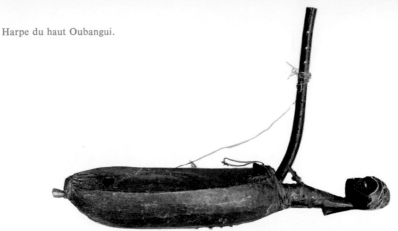

Harpe du haut Oubangui.

Griot jouant de la harpe.

comme le ferait un timbre de voix ou des intonations particulières. Il reflète aussi la langue qu'il est destiné à parler et l'accord d'un même type d'instrument varie d'un groupe linguistique à un autre. La variété des timbres et leurs singularités importent plus que les raffinements de facture : on utilisera les matériaux les plus simples, dont les sonorités sont naturelles et familières, l'habileté des musiciens pouvant tirer un parti extraordinaire de n'importe quel corps sonore. Le plus surprenant pour nous est la tendance de toutes les musiques africaines à éviter les timbres purs et clairs que nous cherchons avec tant de soin. Partout l'on s'ingénie à brouiller le son lorsqu'il est trop désincarné, à l'enrichir de bruits comme on relève un aliment fade : pièces métalliques vibrant avec les cordes des luths ou les lames des *sanzas*[1], sonnailles fixées aux poignets des musiciens, mirlitons adaptés aux caisses et aux résonateurs en calebasses, ou graines séchées introduites à l'intérieur, anneaux et pendeloques au pourtour des tambours, etc. La même pratique se retrouve chez les Noirs des États-Unis, notamment chez les chanteurs de *blues*, qui déformaient le son de leurs guitares en munissant les cordes de petits anneaux métalliques, mobiles entre le cordier et le chevalet. Les voix africaines elles-mêmes sont rarement claires et pures, surtout chez les professionnels. Dans les groupes ethniques les plus différents, on trouve le même souci de transformer la voix par des artifices : oreilles bouchées, nez bouché, vibration de la langue, yodel (Pygmées, Bochimans), résonateurs placés devant la bouche, mirlitons, etc.

5. La musique africaine fait souvent appel à une polyphonie simple ; celle-ci est consciente, mais sans règle définie a priori. Les parties procèdent tantôt par mouvement parallèle (tierces dans les régions occidentales et la forêt équatoriale, quartes et

1. « Le même besoin leur fait mettre des perles aux griffes de métal de leurs petits "pianos" ; horreur du son net, besoin de le troubler et de noyer son contour » (André Gide, *Retour du Tchad*). Les petits "pianos" sont les *sanzas*.

Harpe tsogo.

quintes dans les régions orientales), tantôt par imitation canonique ou par le procédé de l'*ostinato* (Malgaches, Bochimans).
Voici trois exemples cités par Roberto Leydi *(La musica dei
primitivi)* d'après Bruno Nettl :

Afrique équatoriale : imitation canonique
(les deux dernières mesures sont répétées de nombreuses fois)

Rhodésie : chant Tonga (quartes et quintes parallèles)

Afrique équatoriale : ostinato

Polyphonie Il est intéressant de noter que la polyphonie vocale apparaît surtout dans les régions de forêt. Au contraire, la tendance est modale et homophone dans les pays les plus fortement islamisés. Un voyageur français, Degrandpré, entend en Angola en 1786 des chants à trois voix qu'il décrit comme une tradition locale. D'autres après lui, parmi lesquels André Gide, ont fait des observations analogues. Il est peu probable que cette polyphonie ait pu être introduite par les missionnaires et les colons européens, dans des régions souvent très éloignées du littoral.

Cette particularité polyphonique de la musique africaine ou plus généralement de la musique « primitive », au sens où je l'entendais plus haut, est pour nous d'un immense intérêt. Elle suggère l'hypothèse de pratiques polyphoniques « sauvages » ayant précédé, dans différentes civilisations, le développement d'une musique savante monodique. Cette dernière, dans les civilisations avancées, recherche la pureté, le raffinement et la rigoureuse justesse des intervalles. De ce point de vue, la poly-

phonie paraît une impureté, une manière primitive d'enrichir — ou de corrompre — l'idée mélodique, une pratique populaire plus ou moins instinctive et plus ou moins bien acceptée par les civilisations avancées [1].

Ce que nous appelons « l'avènement de la polyphonie » n'a peut-être été que la notation et l'adaptation systématique à la musique savante occidentale de pratiques populaires assez courantes. L'originalité de notre civilisation musicale ne résiderait donc pas dans le fait polyphonique, mais dans l'adoption générale par la musique savante d'une « pensée » polyphonique et d'une technique à plusieurs parties qu'on appelle le contrepoint.

La conviction que la polyphonie africaine est purement autochtone et l'hypothèse qu'une polyphonie sauvage a précédé en Occident la polyphonie savante se trouvent l'une et l'autre fortifiées par trois observations :

1. Statistiquement, la *différence* (principe de la polyphonie) est plus probable que la *ressemblance*. L'accroissement de l'entropie se traduit par un glissement de la ressemblance vers la différence, d'un ordre vers un « désordre ». Inversement, il faut un apport d'information et d'énergie, souvent considérable, pour transformer une différence en ressemblance.

2. L'amplification expressive du langage par la musique (le chant) encourage le lyrisme individuel, donc la variation, la différence, dans la communauté.

3. Les différences de tessitures, vocales et instrumentales, rendent souvent la ressemblance (unisson ou octave) impossible.

La polyrythmie, qui s'observe souvent dans la musique africaine, peut s'expliquer de la même manière. Tous les tambours sont différents; chacun parle une langue déterminée avec son « accent » particulier; l'ensemble indissociable qu'il forme, dans la conception africaine, avec les muscles du tambourinaire reflète la personnalité de celui-ci. L'association de rythmes différents est donc plus « naturelle » que l'imitation collective d'un rythme imposé. Cependant la musique africaine n'est pas entièrement improvisée comme on le croit. Le plus souvent, elle est codifiée et apprise, à défaut d'être notée; l'improvisation constitue seulement l'apport individuel ou la nécessaire adaptation aux circonstances.

Il est probable que l'étude approfondie de la musique africaine nous réserve de très intéressantes découvertes qui permettront de nouvelles approches de la musique universelle. L'ethno-

---

1. La polyphonie rude que pratiquent les paysans de Corse, de Sardaigne, de Calabre, d'Albanie ou du Portugal semble être de ce type sauvage. Mais le témoignage le plus convaincant d'une polyphonie primitive est celle que pratiquent les Bochimans du désert de Kalahari, dont le développement culturel est au niveau préhistorique.

musicologie est une science relativement récente, à laquelle les chercheurs africains se consacrent depuis peu. L'examen des autres musiques dites « primitives » et l'étude des antiques migrations à l'intérieur de l'Afrique et à travers l'océan Indien pourraient enrichir de données fondamentales notre connaissance des civilisations musicales.

Instruments Dans la variété sans limite des instruments africains, il n'est possible de citer que les plus intéressants et les plus répandus. Tous sont de fabrication artisanale; très peu utilisent des corps sonores en métal; la plupart sont de facture très simple, mais remarquablement ingénieuse, parfois en une seule pièce.

o *Kora,* harpe-luth d'Afrique occidentale (21 cordes) originaire de Guinée. C'est un instrument magnifique, tant par son aspect que par son timbre. La *kora* s'apparente au luth par sa caisse de résonance (très grosse demi-calebasse) et son manche; mais ses cordes, tendues sur deux plans verticaux, forment avec les côtés du grand chevalet (15 à 20 cm de haut) et le manche deux triangles qui suggèrent plutôt une harpe double. Les cordes sont pincées avec les deux pouces, en tenant l'instrument la caisse contre le ventre et le manche devant soi.

o *Mvet,* harpe-cithare d'Afrique équatoriale, presque identique à la *kinnari-vinā* du nord de l'Inde. Ses 4 cordes, tendues dans un plan vertical, ne sont pas rapportées, mais simplement soulevées de la tige de palmier qui forme le corps de l'instrument. C'est un instrument « parlant », dont le rôle est primordial dans l'accompagnement des récits légendaires.

o Il existe beaucoup d'autres types de cithares, spécifiques de certaines régions. Le *valiha* malgache est sans doute le plus intéressant, par la simplicité de sa facture et sa qualité musicale. C'est un gros tube de bambou, de 50 cm à 1,50 m de long, dont on a incisé et soulevé l'écorce sur toute la circonférence pour former les cordes (15 à 20). Aujourd'hui les cordes sont souvent en métal et le succès de l'instrument a suscité une fabrication commerciale.

o *Khalam,* luth (1 à 5 cordes) dont il existe une grande variété dans les différentes régions. La caisse est constituée d'une demi-calebasse tendue d'une peau.

o *Riti* ou *godié,* vièle monocorde très répandue en Afrique occidentale et centrale. Certains musiciens lui consacrent une extraordinaire virtuosité, particulièrement au Niger (emploi des sons harmoniques et du jeu sur le chevalet). C'est un excellent instrument « parlant » qu'il faut entendre chanter en duo avec la voix.

o Les arcs musicaux forment une famille d'instruments primitifs, dont le plus intéressant est l'*arc en bouche.* C'est un arc en bois tendu d'une corde que l'on frappe avec une baguette. L'une des extrémités de cette corde passe dans la bouche, qui constitue un résonateur variable, permettant de modifier le timbre et l'intensité des sons et d'imiter assez fidèlement les sons du langage parlé. La hauteur du son est variée en déplaçant une touche le long de la corde ou en agissant sur la tension de celle-ci. Les pluriarcs sont des lyres ou des tympanons, formés de plusieurs arcs fichés dans la même caisse de résonance *(nsaambi)*.

o La *sanza*, ou *mbira*, spécifiquement africaine, ne se rattache à aucune famille d'instruments connue ailleurs [1]. Elle est constituée d'une petite caisse de résonance rectangulaire, sur laquelle sont fixées 10 à 30 lames en bambou, pétiole de palmier ou métal, dont on pince les extrémités avec les pouces, en tenant la *sanza* dans les deux mains. Cet instrument au son très agréable est répandu dans presque toutes les régions d'Afrique.

o La famille des instruments à vent est représentée principalement par une grande variété de flûtes droites, traversières ou obliques, par des trompes droites ou traversières, par des hautbois *(alghaïta)* à tuyau conique, dont les musiciens professionnels parviennent à tirer des sons continus en respirant par le nez et en se servant de leurs joues comme réserve d'air, enfin par des sortes de clarinettes traversières (tuyau cylindrique) à anche libre, dans lesquelles on souffle et on aspire alternativement.

o Les tambours africains pourraient faire l'objet d'un volume. Leur infinie variété, la virtuosité légendaire des tambourinaires ainsi que le rôle des tambours dans la musique et dans la communication sont traditionnellement associés à toutes les représentations de l'Afrique noire. Le tambour d'aisselle est une variété particulièrement remarquable, car c'est l'instrument parlant par excellence. Utilisé principalement chez les Yoruba du Nigeria et du Dahomey, c'est un petit tambour à deux peaux en forme de sablier que l'on tient sous l'aisselle, de sorte que le bras puisse agir sur un réseau de tendeurs longitudinaux pour faire varier l'acuité des sons. Cette technique, jointe aux différents modes de percussion, permet d'imiter assez fidèlement les « tons » et l'articulation du langage. Les tambours de bois utilisent des codes pour la transmission des messages, tel le tambour à languettes, formé d'un tronc d'arbre évidé où l'on a pratiqué une fente longitudinale présentant deux languettes : une mâle et une femelle, d'épaisseurs différentes, permettant d'émettre des sons différents.

o *Balafons,* xylophones dont les lames (3 à 17) sont munies de résonateurs en calebasses avec mirlitons (voir plus haut). Avec les tambours et la *sanza*, ce sont les instruments les plus répandus

---

1. Le ou la *sanza* s'apparente, dans une certaine mesure, à la « guimbarde », instrument populaire que l'on trouve dans le monde entier... sauf en Afrique et dans les tribus primitives d'Océanie et d'Amérique du Sud.

Côte d'ivoire : trompe traversière.
Rwanda : tambourinaires.

Zaïre : balafons.

en Afrique. Le grand xylophone des Bapendé du Congo s'appelle *madimba* : c'est sans doute l'origine de la *marimba* sud-américaine.

Une grande partie de ces instruments pouvant parler un langage déterminé, il arrive qu'un dialogue s'établisse avec eux... ce qui incite les Africains à les considérer comme des personnes. Ils sont respectés comme est respectée la pratique de la musique. Tout le monde ou presque est musicien, mais il existe une caste importante de musiciens professionnels : les Griots. Philosophes, conteurs, sorciers, historiens, ménestrels, chroniqueurs, gardiens des traditions, ils sont de toutes les fêtes. Leur mémoire, leur vivacité d'esprit et leur talent musical sont souvent extraordinaires. Ils jouent de la *kora*, du *khalam*, du *balafon*, de la vièle monocorde, de la flûte oblique, de l'*alghaïta*, du tambour d'aisselle; ils rendent d'innombrables services, flattent et conseillent les riches et les puissants; leur vénalité est à la mesure de leur talent, leur rancune à celle de leur mémoire...

L'analyse des musiques africaines fait apparaître une grande diversité d'échelles. Dans certaines régions, chaque famille d'instruments a la sienne et les instruments d'une même famille sont accordés les uns sur les autres ... ce qui ne permet pas toujours de constituer des ensembles mixtes. En observant les reprises d'un même motif, on constate souvent que les échelles ne sont pas constantes. Parmi les plus fréquemment employées, on trouve : la série des harmoniques naturels (y compris 7, 11, 13 etc.), l'échelle « pythagoricienne » (gammes de sept sons, de caractère mineur surtout), des gammes pentaphoniques, sans demi-ton (principalement chez les Pygmées et dans la forêt). Les xylophones malinké (Mali, Sénégal, Guinée) donnent souvent cinq ou sept intervalles à peu près égaux dans l'octave [1]. Mais, comme les échelles ne ressortissent à aucune théorie, il est pratiquement impossible d'en donner une formulation exacte et définitive. L'accord habituel de la *kora* est le suivant (du grave à l'aigu) :

Niger : cliquettes « tengere ».

main gauche   fa . do . ré . mi . sol . si♭ . ré . fa . la . do . mi

main droite   fa . la . do . mi . sol . si♭ . ré . fa . sol . la .

Le racisme et les réactions qu'il suscite tendent à enfermer la musique des Noirs dans un ghetto, misérable ou sacré. Notre découverte de cette musique est exposée d'emblée à deux sortes d'embûches. D'une part l'exploitation commerciale d'un primitivisme folklorique, qui met l'accent sur les étrangetés coutumières. D'autre part le sentimentalisme des intellectuels africains et de certains ethnologues européens qui sacralisent l'art nègre traditionnel, au point de condamner toute évolution normale. Il faudrait pourtant une vision plus réaliste pour permettre à la musique africaine d'échapper aux dangers qui la menacent.

1. La transformation de la société africaine et la régression des langues autochtones rendent beaucoup de jeunes Africains des villes indifférents à la musique traditionnelle, qu'ils ont peine à comprendre.

2. La diffusion de la musique légère occidentale, pour laquelle les Africains se montrent très doués, leur fait découvrir que cette production est rentable. Des musiques commerciales africaines ont déjà fait des ravages : « musique congolaise » d'inspiration latino-américaine, en Afrique occidentale et équatoriale; variétés soudanaises dans les pays islamisés; *high-life* du Ghana, etc. Si un Africain de la ville veut entendre de la musique traditionnelle enregistrée, il doit acheter des disques provenant d'Europe ou d'Amérique.

1. L'analogie des échelles à cinq tons égaux avec la gamme *slendro* plaide en faveur d'une influence indonésienne (datant du VIe ou VIIe siècle) que suggère déjà la diffusion des xylophones.

Certains auteurs africains, comme le Nigérien Akin Euba, pensent que leur musique peut survivre hors de son cadre social. Cela suppose une importante évolution culturelle; le théâtre africain contemporain pourrait en être le moteur, car il faut un rituel de premier ordre pour arracher cette musique à sa fonction coutumière. Lorsque Léopold Senghor fait accompagner ses poèmes en langue française par de la musique africaine, chacun trouve l'idée bonne, mais l'assimilation ne se fait pas, la greffe ne prend pas, car la démarche procède d'une représentation intellectuelle, non d'un rite collectif.

Il ne faudrait pas que les Africains des villes soient totalement coupés des coutumes ancestrales, car les traditions musicales leur apparaîtraient alors comme un folklore archaïque, dont ils n'assumeraient pas l'évolution nécessaire. Cette évolution, liée à la transformation de la société africaine, implique certaines conditions particulières :

— Il faut défendre et enrichir les principales langues africaines, particulièrement les langues « à tons », qui protègent la musique autochtone de l'hybridation.

— Il faut éliminer les tabous qui limitent l'emploi de certains instruments et brident l'imagination créatrice.

— Il faut encourager une réflexion méthodique sur les principes essentiels, puis l'élaboration d'une théorie générale qui favoriserait une relative unification des musiques africaines, ou du moins le regroupement par grandes familles linguistiques de ressources excessivement dispersées.

Si les traditions musicales ne suivent pas l'évolution sociale, des richesses considérables risquent de disparaître avec les anciens modes de vie. Il serait absurde de laisser aux Européens le monopole de leur protection, dans le cadre d'un *apartheid* culturel!

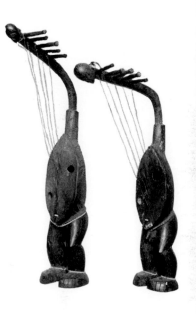

Empire centrafricain : harpes.

Singularité de la musique occidentale
Sa tendance à l'hégémonie

Un mouvement dévastateur, que les Asiatiques baptisent « Rénovation », menace toute la musique du monde, particulièrement depuis le milieu de notre siècle. Il s'agit d'une acclimatation du système musical occidental, dans des conditions qui varient de la simple acquisition d'une technique particulière, considérée comme un facteur de progrès, à l'assimilation globale de tout le système, avec sa notation, son échelle tempérée, son écriture polyphonique, ses méthodes pédagogiques, ses instruments...

Pourquoi cette adhésion à la culture occidentale est-elle toujours considérée comme un progrès? Par manque de réflexion

sérieuse, les progressistes ont toujours encouragé la musique
« rénovée » que combattent par vocation les conservateurs. On
commet trop facilement l'erreur d'assimiler les traditions musicales autochtones à un quelconque artisanat exotique, symbole
de sous-développement, que l'essor industriel et le progrès économique condamnent à disparaître. Or ce sont les fondements
mêmes des civilisations qui sont ainsi menacés.

Lorsqu'un pays d'ancienne et riche culture, où se sont utilement
acclimatées des techniques de pointe et des structures économiques
modernes, adopte le système musical occidental qu'il croit
symbole de progrès, il condamne sa propre culture à l'asphyxie.
Pourra-t-il jamais la remplacer par une culture étrangère? Et
peut-on appeler rénovation la transplantation d'un arbre privé
de ses racines, d'une tradition musicale sans relation avec la
langue, les coutumes, la sensibilité populaire, la civilisation de la
terre adoptive? La musique rénovée n'a pas d'histoire; elle se
réfère au passé d'une civilisation lointaine; ses grands hommes et
ses chefs-d'œuvre appartiennent à d'autres peuples. Elle est le
typique produit d'un impérialisme culturel. Or, les peuples en
lutte pour l'indépendance et le progrès sont généralement les
plus pressés d'adopter la musique des colonisateurs, dont ils
forgent les hymnes révolutionnaires!

Pourtant la culture occidentale est en crise et c'est devenu un
lieu commun de lui opposer la stabilité des cultures orientales.
Mais la confusion dans laquelle prolifère notre musique, la
luxueuse diversité de ses tendances et l'aura scandaleuse dont
s'entourent ses orientations nouvelles, sont des traits originaux,
probablement fascinants à distance, qui favorisent sa diffusion et
entretiennent la vitalité d'industries musicales tentaculaires.
Comment résister à ces atouts, lorsqu'ils se trouvent dans les
mêmes mains que l'aide économique et technique [1]?

Pour un musicologue d'Asie ou d'Afrique, il est évident que
notre musique n'est pas comme les autres. Cela mérite d'être
précisé, en se plaçant du point de vue général d'où viennent
d'être examinées d'autres civilisations.

En premier lieu, la plupart des systèmes musicaux de haute
tradition sont non évolutifs, parce qu'ils sont fondés sur des
critères extra-musicaux peu ou pas variables. La singularité
du système occidental est d'être au contraire fortement évolutif
et d'avoir suscité continuellement des règles nouvelles, consacrant
les mutations successives : musique modale et monodique (jusqu'au Xe siècle), tonale et polyphonique (X[e] au XXe siècle) avec un
retour à la prépondérance mélodique à partir de 1600, pantonale

1. L'adaptation des techniques de la « musique nouvelle » occidentale aux instruments et aux traditions autochtones, notamment au Japon, ouvre peut-être la
voie à un renouveau véritable...

et polyphonique (xxᵉ siècle), métatonale et probabiliste (« musiques nouvelles » d'après 1960 environ).

Loin de s'épurer au contact de la réalité sociale, le système occidental progresse par acquisitions ou raffinements, dont l'assimilation est souvent plus lente que le progrès : une nouveauté apparaît avant que la précédente se soit intégrée à la tradition. Malgré la réticence des théoriciens, qui annoncent périodiquement son déclin, la musique savante occidentale évolue généralement dans le sens d'une complexité croissante de structure, d'une dissolution progressive de la fonction sociale, d'une diversification des styles et des techniques.

L'accroissement de complexité peut être représenté par une courbe en dents de scie, dont les « bosses » se situeraient par exemple vers 900 (apogée des *tropes*), vers 1500 (épanouissement de la polyphonie vocale) et vers 1950 (sérialisme généralisé); les « creux » correspondraient à la réforme grégorienne (vers 600), au classicisme du « déchant » (vers 1150) et aux mouvements humanistes (vers 1580). Il est possible que la courbe descende actuellement vers un creux qui correspondra au déclin de la polyphonie (le principe polyphonique invitait à multiplier les parties simultanées et à varier le réseau subtil de leurs relations; la musique nouvelle propose les permutations simples de grandes nébuleuses de sons probables).

La dissolution progressive de la fonction sociale est elle-même la conséquence de la complexité croissante. Celle-ci entraîne la spécialisation, d'abord à l'échelon de la collectivité, où se distinguent musiciens professionnels, amateurs et simples auditeurs; puis à l'intérieur même de ces catégories. On a déjà vu de quoi il s'agissait (*Fonction sociale et perception*, p. 15 s.). En accédant à l'autonomie, la musique non fonctionnelle, la musique « pure », cesse d'être une expression collective : beaucoup la prennent pour un langage ésotérique, que le profane doit renoncer à comprendre... Et des mythes apparaissent, d'où sont exclus le bonheur de chanter et le plaisir d'écouter.

La diversité croissante des styles et des techniques (qu'accompagne celle des goûts) aboutit à une hétérogénéité de la collectivité musicale sans précédent dans l'histoire. Notre monde musical devient une Babylone où les gens ne se comprennent pas, où les définitions varient d'un groupe à l'autre, où l'enseignement ne sait plus comment répondre à sa fonction... mais où l'éclectisme que révèlent les discothèques paraît annonciateur d'une culture collective nouvelle.

Plus singulière encore que le caractère évolutif, l'importance fondamentale du concept d'œuvre distingue la musique occidentale des autres grandes traditions musicales. Ici la musique est *composée*, *notée* dans ses moindres détails (ce qu'exige naturellement une structure polyphonique complexe), *éditée*, *vendue*. L'œuvre-objet peut être alors répertoriée, analysée, reproduite, exécutée, sacralisée. Rien ne peut être ajouté, retranché, modifié. Le musicien-interprète est jugé non à son imagination et à ses dons d'improvisateur, mais à sa fidélité aux consignes que la partition est censée lui donner. Cette tendance à considérer l'œuvre comme transcendante à sa manifestation sonore a considérablement favorisé la diffusion de la musique occidentale. Elle a d'autre part joué un rôle majeur dans l'évolution de cette musique. J'aurai l'occasion d'y revenir.

Les échelles musicales occidentales   En théorie, l'échelle fondamentale de la musique occidentale est aujourd'hui le dodécaphone tempéré, qui divise l'octave en douze intervalles égaux [1]. Cette échelle « chromatique » engendre les gammes usuelles de sept sons, dites « majeures » ou « mineures » selon la place de deux degrés mobiles (troisième et sixième de l'heptaphone).

Dans la pratique, l'échelle tempérée n'est strictement utilisée que par les instruments à sons fixes, comme le piano. Les instruments à cordes, que l'on accorde par quintes, favorisent l'emploi de l'échelle *cyclique* ou gamme de Pythagore; tandis que certains instruments à vent, par leur principe même, donnent naturellement l'échelle *harmonique* (ou gamme de Zarlino). Les problèmes posés par ces échelles « naturelles » seront évoqués au chapitre sur la Renaissance; la théorie du tempérament sera résumée à la fin du chapitre sur le XVIIe siècle.

La musique occidentale fait donc usage pratiquement de trois échelles fondamentales. La gamme des violonistes, avec sa tierce majeure, sa sixte majeure et sa sensible un peu hautes, procède bien de l'échelle cyclique, quoiqu'on puisse lire dans certains manuels que « la gamme de Pythagore n'est plus utilisée de nos jours ». Mais si l'on examine les partitions, depuis le XVIIIe siècle, on peut constater que la notation distingue, non plus douze, mais trente et un sons : 7 notes de la gamme diatonique sans altération (♮), 7 dièses (♯), 7 bémols (♭), 5 doubles dièses (✖), 5 doubles bémols (♭♭).

Il existe ainsi une contradiction apparente entre notre échelle fondamentale de douze sons et la notation. Cette situation est pleinement justifiée par la logique du système harmonique tonal : pour un musicien occidental, un son n'a pas la même fonction selon qu'il s'appelle mi ♯ (sensible du ton fa ♯, ou tierce de do ♯)

---

1. Je rappelle que l'échelle fondamentale théorique est formée de tous les sons ou intervalles appartenant à un système déterminé (12 en Chine et en Occident, 22 en Inde, 17 ou 24 dans l'Islam). Les gammes ou échelles usuelles sont formées d'intervalles choisis dans l'échelle fondamentale en fonction des types de projets musicaux.

ou fa. Mais un musicien chinois ignorant de notre théorie serait très surpris par ces subtilités de notation qu'il prendrait pour un raffinement décadent. Il n'aurait d'ailleurs pas entièrement tort : un violoniste et un chanteur ne donneront pas même valeur à un mi ♯ et à un fa et ils différencieront instinctivement tous les sons que confond le tempérament.

Voici un tableau des principaux sons dans les trois échelles, qui fait ressortir leur position les uns par rapport aux autres. Les intervalles entre les sons ont été évalués approximativement en commas.

Tableau — partie gauche :

Commas	Harmon.	Cyclique	Tempéré
	do	= do =	do
3			
1	do♯		
1/2		ré♭	
1/2			do♯ ré♭
	ré♭ #	do♯	
4			
3	ré	= ré #	ré
1	ré♯		
1/2		mi♭	
1/2			ré♯ mi♭
3	mi♭ #	ré♯	
2/3	mi		
1/3			mi
4		mi	
4	fa	= fa #	fa
1/2	fa♯ #	sol♭	
			fa♯ sol♭

Tableau — partie droite :

Harmon.	Cyclique	Tempéré	Commas
		fa♯ sol♭	
			1/2
	fa♯		1
sol♭			
			3
sol	= sol #	sol	
			3
sol♯			1
	la♭		1/2
		sol♯ la♭	1/2
la♭ #	sol♯		3
la			2/3
		la	1/3
	la		3
la♯			1
	sib #	la♯ sib	1
sib #	la♯		3
si			1/2
		si	1/2
	si		4
do	= do =	do	

NB   Le signe = indique deux sons identiques
Le signe ≠ indique deux sons très voisins (différents de 1/10 de comma)

Cette triple échelle inspire plusieurs remarques :

1. On obtiendrait un tempérament approximatif très satisfaisant en adoptant les sons suivants de l'échelle *cyclique* :

do . ré♭ . ré . mi♭ . mi . fa . fa ♯ . sol . la♭ . la . si♭ . si .

2. L'octave, la quinte et la quarte sont identiques dans les deux échelles naturelles. Ce sont les intervalles fixes de la plupart des systèmes musicaux. Quelques autres sont presque identiques, ce qui a été indiqué par le symbole # : ils sont séparés par un intervalle inappréciable appelé *schisma* (1/12 de comma).

3. On retrouve ici les intervalles des autres grands systèmes musicaux, ce qui est normal, puisqu'ils sont presque tous déterminés, soit par la comparaison des premiers harmoniques naturels, soit par le cycle des quintes, soit par une combinaison des deux méthodes : c'est un des caractères les plus universels des systèmes musicaux.

4. Les musiciens prennent une plus ou moins grande liberté par rapport à la valeur théorique des intervalles. Deux facteurs les y incitent : les recherches expressives et les relations harmoniques (dans un système cyclique par exemple, la 9e quinte ascendante ré ♯ doit être remplacée par la 3e quinte descendante mi♭ pour que l'intervalle avec sol soit une tierce pythagoricienne).

Lorsque l'on compare les intervalles constitutifs d'une échelle musicale, ou les différents systèmes entre eux, on fait apparaître de nouveaux intervalles qui existent seulement en tant que « reste » de la comparaison, mais n'ont pas nécessairement de fonction dans le système. Ainsi, dans le système cyclique, trois tierces

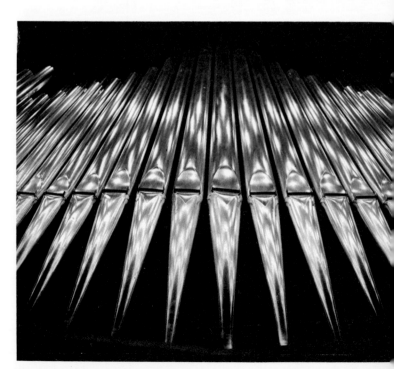

majeures successives surpassent l'octave d'un « comma pythagoricien »; dans le système harmonique, elles lui sont inférieures
d'un *diesis* (petit quart de ton). Cependant, nous n'utilisons pas
ces petits intervalles dans notre musique, mélodiquement ni
harmoniquement.

Or on répète obstinément que les musiques orientales sont
plus raffinées que la nôtre, que les Asiatiques ont une ouïe plus
délicate, une sensibilité musicale plus fine, parce qu'ils utilise-
raient des petits intervalles que la plupart d'entre nous ne perce-
vraient pas! C'est un absurde malentendu. Le raffinement mélodique de la musique orientale, qui constitue sa supériorité, réside
dans la richesse et la justesse d'intonation des intervalles, dans la
variété des types mélodiques et des ornements, non dans l'emploi
de micro-intervalles (sauf exceptionnellement dans l'ornementation). Il est également inexact de prétendre que nous n'appré-
cions pas une variation d'un comma : notre ouïe est capable de
beaucoup mieux encore... quelle que soit notre capacité à
chanter juste!

En somme, si nous voulons juger le système musical occidental
d'un point de vue planétaire — malgré le manque de recul —,
certains caractères fondamentaux apparaissent.

1. Ce système, contrairement aux autres, est fortement évolutif. Le sens général de cette évolution tend vers la complexité,
la spécialisation, l'hétérogénéité des tendances.

2. La musique est composée et notée. Sa communication aux
auditeurs est rarement immédiate : elle nécessite la collaboration
d'un créateur et de ses interprètes. L '« œuvre » écrite, la composition, acquiert une individualité permanente; c'est un objet
à faire, un projet, dont les implications commerciales se sont
substituées aux anciennes fonctions sociales de la musique.

3. La composition musicale est essentiellement polyphonique.
Le projet de la pensée créatrice est d'organiser un ensemble
complexe d'idées mélodiques simultanées (contrepoint) ou de
développer une idée mélodique dans un climat harmonique
particulier. Cette structure verticale, cette épaisseur de la musique
occidentale, est un facteur d'accroissement de la complexité.

4. La théorie est impérieuse. Les règles imposées par la subtilité du jeu polyphonique sont nombreuses et sévères; elles
font l'objet de deux disciplines complémentaires, dont les fondements esthétiques sont purement arbitraires, le contrepoint et
l'harmonie... toujours en retard d'une ou deux révolutions. En
revanche, l'éthos musical est généralement indéterminé; une
chanson populaire peut devenir cantique, marche militaire ou
sujet de fugue, à condition d'en changer les paroles et le rythme.

5. L'échelle tempérée de douze sons, fondement théorique
du système occidental, est constamment en désaccord avec la

pratique, avec la notation et avec la conception traditionnelle de l'harmonie. Mais son application à l'accord des instruments à son fixe, particulièrement du piano, crée une certaine indifférence à la valeur expressive des intervalles. La qualité d'un « thème » mélodique tend à se mesurer à la richesse du développement qu'il suscite, plutôt qu'à l'intensité du sentiment esthétique dont il est chargé.

6. La musique occidentale et son système théorique étendent peu à peu leur prépondérance dans le monde. Les causes principales de ce phénomène sont probablement les suivantes :

– la permanence de l' « œuvre » musicale favorise son exploitation commerciale, mettant en jeu des intérêts financiers importants; dans cette perspective, tous les moyens modernes de diffusion contribuent à étendre le marché de la musique occidentale; sa rentabilité est à la fois la conséquence et la garantie de son universalité.

– le prosélytisme culturel et le manque de faculté d'adaptation des Occidentaux les incitent davantage à exporter leur culture

Les systèmes
des principales civilisations musicales

	système modal	échelle fondamentale (degrés)	gammes usuelles (degrés)
Chine	0	cyclique : 12	5 + 2
Japon	0	cyclique : 12	5
Vietnam	*diêu*	cyclique : 12	5
Pays thaï-khmers	0	tempérée : 7	5 + 2
Indonésie	*patet*	tempérée : 5	5
		pélog : 7	7
Inde	*rāga*	harmonique : 22	de 5 à 9 (surtout 7)
Islam	*āvaz*	harmonique : 17 et 24	7
Afrique	0	indéterminée	4, 5, 7
Occident	0	tempérée : 12	7 et 12
		harmonique : 12	
		cyclique : 12	

qu'à importer celle des autres; l'expérience prouve qu'il est plus facile à un Chinois ou à un Indien d'apprendre les langues ou la musique occidentales que la réciproque.

– la fabrication d'instruments en petite série (pianos, instruments à vent, guitares modestes), ainsi que la publication de méthodes et d'exercices, permettent de répandre partout ces instruments et leur technique. L'enseignement général de la musique occidentale est lui-même facile à exporter, puisqu'il fait l'objet de traités et de manuels, et qu'il n'est pas lié comme ailleurs à l'imitation constante de maîtres exemplaires.

L'histoire de la musique occidentale fait l'objet des chapitres qui suivent. On en aura une idée d'autant plus claire qu'on aura pris le recul que donne la connaissance des autres traditions musicales. La révélation profonde de cultures étrangères à nos habitudes demande un peu de persévérance; mais il est rare qu'on le regrette. Puis lorsqu'on retourne à la musique occidentale, on en reçoit une impression plus pure, plus subtile, comme après une cure de désintoxication.

notation	polyphonie	racines	
idéogrammes	0	autochtones	**Chine**
idéogrammes et alphabet	0	Chine	**Japon**
idéogrammes et syllabes	0	Chine (et Inde)	**Vietnam**
0	fortuite	autochtone (et Inde)	**Pays thaï-khmers**
0	fortuite	autochtone (et Inde)	**Indonésie**
syllabes (rare)	0	Grecs, Aryens, Arabes	**Inde**
0	0	Arabes, Grecs, et Andalous	**Islam**
0	primitive	autochtone et div.	**Afrique**
système de signes	prépondérante	Grèce, Proche-Orient	**Occident**

L'héritage antique
et le chant chrétien
La première renaissance

↑ Scène pastorale,
fresque paléo-chrétienne.

← Orphée charmant les animaux,
mosaïque gallo-romaine de
Blanzy (IVe siècle).

L'histoire de l'art
est celle des formes inventées
contre les formes
héritées.
Malraux

La civilisation où nous puisons notre culture s'est si longtemps identifiée au christianisme, dont elle reste pénétrée, qu'on l'a appelée civilisation chrétienne. La naissance de Jésus marque, pour notre calendrier, la fin d'une ère et le commencement d'une autre, la nôtre. Mais les civilisations n'obéissent pas exactement à nos schémas chronologiques; si l'on cherche à se représenter le monde moderne succédant à l'antique, on ne découvre d'abord que l'image d'un interminable fondu-enchaîné. Légendes païennes et mythes chrétiens nous cachent les déchirures, les cruautés, les angoisses de ces longs siècles indécis de barbarie et d'espoir.

Un canoniste du VIᵉ siècle, Denys le Petit, s'étant trompé dans ses calculs, Jésus a quatre ou cinq ans le jour présumé de sa naissance : le même âge que Sénèque, futur précepteur de Néron. En ce temps-là, Ovide, âgé de quarante-quatre ans, termine son *Art d'aimer* et ses *Métamorphoses*, Tite-Live a soixante ans, Virgile et Horace viennent de mourir. Auguste finit de régner sur un empire puissant et prospère, qui continuera de s'agrandir et maintiendra son hégémonie pendant quatre siècles encore.

Musique chrétienne primitive La révolution spirituelle dont les premiers apôtres du christianisme se sont faits les propagateurs ne s'est imposée que lentement, dans un très vieux monde déchiré par les persécutions, les invasions, les cataclysmes. La culture qui en est résultée est le fruit d'une lente synthèse de trois éléments.

1. La civilisation gréco-romaine. Sa culture est dominante, du moins en apparence : elle est fondée sur l'écriture et assez peu de gens savent lire, ou peuvent lire, malgré l'école obligatoire. En musique, c'est le règne des spécialistes, qui se réfèrent à une théorie compliquée, trop éloignée de la pratique populaire. Sous le règne délirant de Néron (54-68), les patriciens romains s'adonnaient à la musique pour se conformer à l'exemple impérial : peut-être ont-ils instauré une tradition latine de musique domestique, une forme de chant intermédiaire entre le savant et le populaire, dont les premiers auteurs d'hymnes chrétiennes auraient pu s'inspirer?... Aucun témoignage ne permet de déterminer précisément ce que la chrétienté a retenu du goût musical des anciens Latins.

En revanche, la théorie et l'éthique musicales héritées de la Grèce ont servi longtemps de références, très librement adaptées à la culture chrétienne et aux exigences de la musique d'église. L'autorité des papes et des conciles a maintes fois imposé ses critères moraux de discrimination entre la « bonne » musique et la « mauvaise », celle qui élève l'âme et celle qui la pervertit. Quant à la théorie, nous en verrons plus loin l'avatar médiéval.

2. Les traditions celtiques. Il ne faut pas imaginer l'art et la mission des bardes en se référant au chanteur mal aimé d'une

bande dessinée célèbre! Caste influente et honorée, gardienne du patrimoine culturel, les bardes ont transmis aux générations successives des traditions musicales et littéraires qui donneront naissance aux chansons de geste. Historiens, poètes et musiciens, accessoirement moralistes, ils s'exprimaient par la cantillation de longs poèmes épiques, avec accompagnement de lyres, de *crwth* ou de harpes; peut-être mimaient-ils parfois une scène importante, avec le secours de quelques accessoires suggestifs. Des vestiges de leur art se retrouvent chez les conteurs ou les chanteurs de *gwerziou* bretons, au pays de Galles (où les *eisteddfodau* font revivre annuellement les traditions celtiques), en Scandinavie, chez les *cantastorie* de Corse et d'Italie méridionale.

3. Les traditions orientales judéo-chrétiennes. La récitation mélodique, la cantillation, que les premiers chrétiens introduisirent chez les peuples évangélisés, était certainement aussi différente de celle des Celtes que de la musique savante gréco-latine. Ce devait être une forme d'expression populaire, imprégnée des habitudes musicales hébraïque, syrienne, égyptienne.

Les allusions de saint Paul aux psaumes et aux hymnes (Éph 5,19; Col 3,16, etc.) sont beaucoup trop vagues pour que l'on puisse en extrapoler une description de ces chants. Le Dr Leo Levi pense pouvoir en retrouver des échos dans les chants traditionnels des petites communautés *sepharadi* de Grèce et d'Italie, dont il a comparé les enregistrements avec les chants des différentes communautés chrétiennes. D'autre part, les juifs du Yémen, communauté très isolée qui a résisté aux influences arabes, pratiquent une forme de psalmodie où l'on a noté d'importantes similitudes avec la psalmodie chrétienne... Les premiers chrétiens ayant été surtout des juifs, le nouveau culte ne devait pas se distinguer beaucoup dans sa forme de celui des synagogues. C'est d'ailleurs dans les nombreuses synagogues rurales que ces chrétiens de Palestine, de Syrie et d'Asie Mineure se réunissaient pour chanter les psaumes. La danse et les instruments (aulos) ont été quelque temps associés au culte; mais bientôt les persécutions allaient contraindre les communautés chrétiennes à plus de discrétion, en attendant que l'Église condamne tout emprunt aux traditions « païennes ».

Dans quelle mesure les peuples qui envahirent périodiquement la Gaule et l'Italie dès le IIe siècle et passèrent le reste de leur temps à écraser leurs voisins, ont-ils teinté de culture « barbare » la civilisation naissante? Lorsqu'au IVe et au Ve siècle, ces mêmes peuples et quelques autres, fuyant les Huns, s'établirent en terres chrétiennes, bouleversant les pays conquis et provoquant la chute du dernier empereur romain d'Occident (Romulus Augustule, en 476), il ne semble pas que de ce grand brassage de races notre musique ait tiré profit. De même que le latin est resté la langue

Flûte de Pan en bois trouvée à Alise-Sainte-Reine (époque gallo-romaine).

Flûte de Pan, vièle, tambour.

principale en Gaule jusqu'à la fin du VIIe siècle, de même le chant liturgique chrétien est demeuré le grand modèle, résistant au raz de marée des Grandes Invasions et se retrouvant fortifié de cette résistance. En survivant à la seule grande rupture de notre histoire musicale, le chant liturgique a entretenu le souvenir estompé de ses origines hellénique et orientale. C'est la preuve de la perfection et de la vitalité d'un art que nous ne connaissons plus, mais dont toute la musique occidentale est issue, à l'aube de cette nuit sanglante. Sa primauté et son intégrité seront longtemps garanties par les interventions autoritaires de l'Église, qui empêche toute évolution et protège de toute influence, même salutaire comme aurait pu être celle de l'Islam.

Entre temps les persécutions avaient cessé, le christianisme était devenu religion officielle par l'édit de Constantin (313) et l'on avait construit de nombreuses basiliques où le culte s'épanouissait librement dans la joie sans doute exubérante d'une paix momentanée. Saint Athanase d'Alexandrie, au IVe siècle, rapporte qu'à Milet on entendait à l'église des chants joyeux avec battements de mains rythmés. Mais dans son propre diocèse, il faisait exécuter les psaumes d'une manière belle et simple qui faisait l'admiration de saint Augustin. Depuis longtemps déjà, l'Église enseignait la simplicité comme l'une des principales vertus musicales : Clément d'Alexandrie, vers 200, s'élevait contre le genre chromatique, dont la musique profane faisait grand usage (le système musical grec, faut-il le rappeler, restait le fondement de la théorie musicale [1]).

Statuette gallo-romaine représentant un danseur (Musée de Bretagne, coll. Rault).

1. Cette condamnation du genre chromatique sera plusieurs fois renouvelée par les Pères de l'Église. Plus tard les pontifes et les conciles s'élèveront contre l'abus des vocalises, contre la complexité polyphonique, contre le style baroque, etc.

Scène bacchique avec joueur de
tibia et danseuse avec tambourin
(Musée luxembourgeois d'Arlon).

D'après des écrits du IVe siècle, le chant des hymnes et des psaumes est alors exécuté par deux chœurs se répondant en alternance. Cette forme de psalmodie, propre aux chrétiens d'Orient, est introduite à Constantinople par saint Jean Chrysostome et à Milan par saint Ambroise. Elle est appelée *antiphona* (ce qui désignait primitivement des voix aiguës et graves chantant à l'octave). Haut fonctionnaire romain, récemment converti au christianisme, Ambroise est acclamé évêque de Milan en 374. Pendant le siège de cette ville, provoqué par l'impératrice Justine au nom de l'hérésie arienne, il s'enferme dans l'église avec ses fidèles et « leur fait chanter des hymnes et des psaumes à la manière orientale » (saint Augustin, *Confessions*, IX, 7). Il compose lui-même des mélodies simples, dont le succès dure toujours : conservées par la tradition monastique, elles seront notées plus tard et introduites au XIIe siècle dans la liturgie romaine. Le dimètre iambique qui caractérise leur rythme sera celui d'innombrables hymnes et cantiques chrétiens (notre mesure à 6/8). Les chantres exécutent des versets en soliste et, pour les grandes fêtes, ils ornent certains mots (*alleluia* par exemple) de longues vocalises appelées *jubili*, où saint Augustin reconnaît « le chant d'une âme remplie d'allégresse ».

Jean Chrysostome, Ambroise de Milan et Augustin d'Hippone ont été les grands défenseurs de la musique liturgique chrétienne (sans laquelle notre histoire de la musique n'aurait jamais été ce que l'on sait), face aux ascètes qui ne la toléraient nulle part. Une tradition s'était implantée avec assez de force pour résister à toutes les épreuves. Ni les Grandes Invasions qui ravagèrent l'Empire romain d'un bout à l'autre, ni le partage de cet empire entre les fils de Théodose en 395 (début officiel du « Moyen Age » !), l'année où les Huns prennent Antioche, ni la chute de l'Empire d'Occident (476) n'eurent le malheur d'anéantir le patrimoine culturel des chrétiens, constitué en partie dans la stimulante fraternité des luttes clandestines.

Chant byzantin Byzance, devenue Constantinoupolis depuis que Constantin en a fait la capitale de l'Empire (330), est un véritable conservatoire de la culture hellénique et des nouvelles coutumes chrétiennes, d'où renaîtra l'Occident chrétien culturellement écrasé par les Barbares. Capitale de l'Empire d'Orient (ou Empire byzantin) jusqu'à sa conquête par les Turcs en 1453, principal centre religieux et politique de la chrétienté jusqu'à l'avènement des Carolingiens (l'Église romaine se sépare alors de l'Empire et se place sous la protection des Francs), Constantinople restera longtemps le foyer rayonnant de l'hellénisme chrétien, la clé de voûte entre l'Orient et l'Occident, le creuset où se fondent les cultures.

L'hymne alexandrine notée sur un des papyrus d'Oxyrhynchos (voir page 77) est un témoignage unique, qui se rattache aux origines du chant byzantin. A titre de curiosité, en voici la dernière partie, dans la transcription de Besseler. La lecture en est forcément hypothétique, car nous ne connaissons pas les règles d'interprétation du temps :

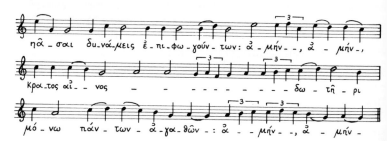

Cette hymne est à peu près contemporaine de « Φῶς ἱλαρόν » (*phos hilaron* : « lumière joyeuse »), hymne des vêpres de nombreux rites orientaux, transmise par tradition orale et maintes fois réinterprétée.

Mais la véritable éclosion de la musique byzantine doit être située après 398, lorsque saint Jean Chrysostome, devenu patriarche de Constantinople, charge le maître de la musique impériale de composer des hymnes nouvelles, adaptées à la liturgie dont il est le promoteur avec Basile le Grand. Plusieurs recueils sont composés dans le courant du Ve siècle (Timoclès, Proclus, Anatolius). Au VIe siècle, un diacre syrien de Berytos (Beyrouth), Romanos le Mélode, crée à l'usage de la liturgie grecque de Constantinople un important répertoire de *kontakia*, analogues aux hymnes syriaques composées jadis par saint Ephrem. Hymnes de dix-huit à vingt-quatre strophes, à la mélodie chargée de mélismes, les *kontakia* de saint Romanos constituent l'une des sources importantes de l'actuelle liturgie grecque. Elles nous sont connues par des transcriptions des XIIe, XIIIe et XIVe siècles en notation « médiobyzantine », jugée claire par les spécialistes. Ces transcriptions sont probablement assez fidèles aux modèles originaux, car ceux-ci ont été notés, au moins dès le VIIIe siècle, dans un système de neumes dit « kontakarien », malheureusement très difficile à déchiffrer aujourd'hui.

Contemporain de Romanos, l'empereur Justinien (529-565) enrichit lui aussi le répertoire et règle les modalités de la liturgie dans sa nouvelle basilique de la « Divine Sagesse » (*Hagia Sophia*, d'où Sainte-Sophie). Au siècle suivant, André de Crète crée un genre nouveau, le *kanon*, formé de neuf hymnes brèves de quatre à six strophes chacune. Au VIIIe siècle, trois moines de Saint-Sabbas (près de Jérusalem) réalisent une synthèse des éléments précédents, qui les fait considérer souvent comme les créateurs du rite byzantin : Jean Damascène, Cosmas de Maïouma et Théophane *o Graptos* constituent des recueils de chant liturgique, mais c'est à tort que l'on attribue à saint Jean Damascène la rédaction de l'*Octoèchos*, recueil de chants dans les huit modes *(êchoi)*, pour les huit semaines à partir du premier dimanche de Pâques. Ce livre fondamental date peut-être du VIe siècle : il aurait été composé par Sévère, patriarche d'Antioche de 512 à 519.

On a coutume de qualifier d'âge d'or les quelques siècles de renaissance qui ont suivi les Grandes Invasions, tant en Occident qu'en Orient. Mais, tandis qu'en Italie et dans les Gaules la musique était réfugiée dans les monastères, elle resplendissait partout dans l'Empire byzantin. L'orgue accompagnait les cérémonies civiles, les occasions solennelles et jusqu'au bain de l'impératrice. De plus en plus souvent, un système de soufflets actionnés à la main remplaçait le pesant dispositif hydraulique hérité de l'Antiquité. L'*organon pneumatikon* était transportable sur un chariot et l'on en fabriquait de petits modèles que le musicien pouvait porter lui-même et que les ambassadeurs introduisaient en Occident. On voit une représentation d'un orgue à soufflets sur un obélisque élevé à Constantinople à la fin du IVe siècle, par Théodose.

L'Église byzantine a utilisé cinq types de notation neumatique (je dirai plus loin ce qu'il faut entendre par « neumes »), depuis le VIIIe siècle. Le système le plus récent, imaginé par le théoricien Chrysante de Madyte, au début du XIXe siècle, est encore utilisé de nos jours. Ces systèmes sont plus ou moins explicites, mais les paléographes sont parvenus à déchiffrer la plus grande partie des vieux manuscrits. La théorie musicale s'inspire de l'enseignement des anciens Grecs, entretenu, non sans altération, par les néo-pythagoriciens. Cette théorie est fondée sur les huit échelles (quatre « authentes » et quatre « plagales ») qui seront adoptées à partir du IXe siècle par la théorie occidentale. Mais dans la musique byzantine chaque *échos* (ἦχος) peut prendre l'aspect des trois « genres » grecs, du moins dans le style profane *(asma)*, le chant d'église s'étant longtemps limité au diatonique. Les *échoi* ne prennent pas les noms des « harmonies » ou des « tons » grecs, mais sont désignés : *protos, deuteros, tritos, tetartos* (1e, 2e, 3e, 4e), *kyrios* (authente) ou *plagios* (plagal). Leur nomenclature a varié et ne coïncide pas toujours avec celle du plain-chant romain.

Essentiellement monodique dans son principe et son inspiration, le chant byzantin pratique toutefois une hétérophonie très simple, dont les formes les plus caractéristiques sont les broderies vocalisées sur un thème en valeurs longues et les grandes tenues du son fondamental, qualifiées d'*ison* (« égal »), dont on trouve l'équivalent dans la musique de l'Inde et probablement aussi de la Grèce.

La liturgie musicale byzantine survécut à l'Empire : c'est aujourd'hui celle de l'Église grecque (Grecs, Serbes, Albanais, Bulgares, Roumains) et de l'Église russe (qui adopta à la fin du Xe siècle la liturgie musicale bulgare, se distinguant plus tard par un style spécifiquement russe qui évolua différemment). D'autres rites d'Orient ont conservé dans leur musique liturgique le témoignage de leurs attaches byzantines, mais ont évolué sous l'influence de la musique arabe et des traditions autochtones : ce sont les rites maronite, syrien, arménien et copte.

A la fin du VIIe siècle, le pape saint Serge, d'origine syrohellénique, introduisit dans la liturgie romaine des usages empruntés à l'Église d'Orient (procession du 2 février). La musique byzantine fut de nouveau enseignée en Occident au IXe siècle par les *fratres hellenici* du monastère de Saint-Gall, puis à partir du XIe siècle par les moines de Grottaferrata.

Réforme grégorienne Cependant, depuis les temps héroïques d'Ambroise et d'Augustin, une floraison de chants nouveaux avait enrichi le répertoire des chrétiens d'Occident, malgré la barbarie ambiante : tandis que les autres arts étaient plongés dans les ténèbres, un nouveau classicisme musical s'édifiait anonymement au sein des communautés monacales [1]. Il n'est pas possible que ces mélodies des Ve et VIe siècles nous aient été transmises dans leur forme originale par les notations qui nous

---

1. Cet anonymat comporte des exceptions dont la plus célèbre est Venantius Fortunatus (v. 535 - v. 600), auteur des hymnes *Vexilla regis prodeunt* et *Pange lingua*. Trait d'union entre l'Antiquité, dont il fut le dernier poète, et les temps nouveaux, c'est le plus ancien chanteur connu et ses vers précieux pour Radegonde en font une sorte de troubadour avant l'heure. Il termina sa vie aventureuse comme évêque de Poitiers.

sont parvenues (dont les plus anciennes datent du IXe siècle). On peut toutefois se les représenter, offrant une grande diversité d'une communauté à l'autre et surtout d'un centre religieux à l'autre, et révélant ici et là des réminiscences païennes ou des influences étrangères à la culture latine. Au Ve siècle déjà, le pape saint Léon avait tenté de fixer le répertoire; ses successeurs Gélase et Symmaque y contribuèrent aussi. Mais c'est principalement à l'initiative de saint Grégoire le Grand que l'unité de la liturgie romaine doit d'avoir été réalisée.

La « réforme grégorienne » est à la fois une affirmation de la spécificité du chant romain vis-à-vis des liturgies orientales et une réaction contre les particularismes, favorisés par l'isolement des différentes communautés pendant les grands bouleversements.

Pour éviter tout malentendu, il faut bien se représenter :

– que Grégoire le Grand est le promoteur d'une réforme de la liturgie fondée sur le chant romain, mais qu'il n'a composé aucune des mélodies qui lui ont été souvent attribuées depuis l'époque carolingienne;

– que Charlemagne, deux siècles plus tard, croyant « retourner aux sources de saint Grégoire », impose à ses États un répertoire qu'il prend pour le chant « grégorien » authentique, sans référence précise : en fait ce répertoire s'est constitué dans les églises franques sur le modèle d'un chant romain qui n'est connu que par une tradition orale irrégulière et incertaine. Les anciennes notations alphabétiques sont alors désuètes depuis longtemps et les premiers neumes n'apparaîtront que cinquante ans après la mort de Charlemagne... Or c'est de ce répertoire carolingien qu'est issu notre grégorien.

Initialement, la réforme est un compromis entre une théorie héritée de l'Antiquité classique et un ensemble d'habitudes en perpétuelle contradiction avec la théorie. Le pape Grégoire est autoritaire mais prudent : ses missionnaires sont incités à la tolérance avec les nouveaux convertis et même à certaines concessions aux habitudes ancestrales, lorsqu'elles ne portent pas sur l'essentiel. Il ne fallait pas compromettre une action dont l'enjeu était considérable. Le transfert à Constantinople de la capitale de l'Empire faisait en effet de la papauté la plus haute autorité d'Occident. Les pouvoirs politique et religieux tendant à se confondre dans une Rome abandonnée par l'administration impériale, l'unité de la liturgie sur des bases romaines devient un facteur important de l'autorité pontificale. La musique n'est plus l'âme de la civilisation comme dans l'Antiquité; elle a même cessé d'être un divertissement. Elle est devenue le monopole de Rome et des monastères, qui en possèdent seuls la science et qui la portent à un nouveau classicisme. Elle peut devenir un moyen de gouvernement : d'où l'ambitieuse décision d'imposer

Grégoire Ier le Grand
vers 540-604

Patricien romain, il fut préfet de Rome (573), mais il adhéra en 575 à la règle de saint Benoît, vendit ses biens et fit de sa demeure du mont Cælius un monastère. Après avoir été nonce à Constantinople, puis secrétaire du pape Pélage II, il fut élu pape malgré lui en 590. Esprit supérieur et grand organisateur, il était autoritaire mais noble et généreux. L'admiration qu'on n'avait cessé de lui porter a incité son biographe Jean Diacre (IXe siècle) à lui attribuer la paternité des chants de la liturgie romaine. On sait aujourd'hui qu'il n'a composé, ni même utilisé, aucune des mélodies du répertoire « grégorien ». Mais l'esprit de la réforme liturgique qu'il avait entreprise a sans doute exercé une influence durable en imposant au chant d'église un caractère d'universalité.

à toute la chrétienté occidentale, *sans le secours de la notation*, le chant qui se pratique à Rome.

Il semble que l'Italie ait été la plus réfractaire à cette unité romaine. Milan, Ravenne, Bénévent, le Mont-Cassin, conservent longtemps leur propre liturgie. Partout la réforme est lente à s'accomplir. La liturgie des Gaules (dite « gallicane ») s'est implantée solidement dans les provinces méridionales de la France. Deux siècles après Grégoire le Grand, les Carolingiens reprennent le flambeau de l'unité. Pépin le Bref, s'étant fait le défenseur de la papauté par nécessité politique, s'efforce d'imposer le chant romain au royaume qu'il vient de reconstituer. Son fils Charlemagne, devenu empereur d'Occident, en fait une affaire d'État avec le poids de son énorme autorité. Une phrase célèbre, d'authenticité douteuse, lui est attribuée par un chroniqueur du XIe siècle : « *Revertimini vos ad fontem sancti Gregorii, quia manifeste corrupistis cantum* » (« Retournez à la source de saint Grégoire, car manifestement vous avez corrompu le chant ») [1].

L'importance que Charlemagne accordait à la réforme grégorienne n'était pas désintéressée. Son œuvre de pacification et de réunification était liée à la puissance de l'Église, que garantissait l'unité de la liturgie. Imposer le chant romain était une habileté politique, d'autant plus que l'influence de Rome surpassait maintenant celle de Constantinople... Ainsi le style du plain-chant, et par suite l'orientation de la musique occidentale, ont été déterminés à l'origine par un calcul politique, tout à fait étranger aux critères musicaux. C'est l'exemple d'un totalitarisme musical impliquant l'obligation de faire de la « bonne » musique.

Mais les textes de Rome ne portaient pas de notation musicale : on ne pouvait donc espérer que les mélodies fussent transmises fidèlement. Lorsque, dans la seconde moitié du IXe siècle, on appliqua le système des neumes à la notation du répertoire, celui-ci avait évolué déjà de façon très sensible au contact du monde carolingien. La diffusion des manuscrits à neumes réalisa cependant l'ambition de Grégoire et de Charlemagne : recopiés (et enrichis) dans toute la chrétienté d'Occident, y compris Rome, ils formèrent le répertoire que nous appelons « grégorien » ou « romain », bien qu'il soit « romano-gallican » et carolingien. On est en droit de supposer que ce répertoire a été conservé fidèlement. La *Paléographie musicale* de Solesmes (vol. II et III) publie le répons-graduel *Justus ut palma*, d'après plus de deux cents manuscrits du IXe au XVIIe siècle, pour en étudier les différentes notations : l'identité de la mélodie est remarquablement préservée.

---

1. C'est vraisemblablement à l'époque de Charlemagne que l'on prit l'habitude de tout attribuer à saint Grégoire. Un pseudo Ordo du milieu du VIIIe siècle, rédigé par un moine franc, énumère huit papes et trois abbés ayant participé à l'élaboration du répertoire liturgique depuis le IVe siècle.

Euterpe joue de la cithare,
plaque d'ivoire (vers 400)
ornant la reliure du tropaire
d'Autun (996-1024).

La grande beauté du chant d'église que nous a imposé Charlemagne (en croyant nous en imposer un autre) ne nous interdit pas de regretter celui dont nous avons été privés. Dans sa défense opiniâtre du chant « romain », l'empereur a ignoré les conditions psychologiques et sociales de la pratique musicale et a manifesté un mépris total du génie spécifique des différents peuples qui constituaient son empire. Dans la renaissance culturelle qui a illustré son règne, la musique est handicapée par sa fonction; en dehors de l'église, elle est réduite, semble-t-il, à quelques chants de circonstance et à des adaptations d'Horace ou de Virgile, calquées sur les chants liturgiques [1]. En refusant à l'inspiration ses droits et en faisant de l'imitation des modèles une règle musicale imprescriptible, on a figé dans sa perfection un art qui avait des velléités de s'enrichir et de se développer. Deux issues s'offriront bientôt à la liberté de créer : les « tropes » et la polyphonie, dont il sera question au prochain chapitre.

Différentes liturgies Il semble cependant que l'autorité pesante de Charlemagne n'empêche pas les particularismes. Un moine de Saint-Gall, Notker, remarque en 883 « l'incroyable dissemblance entre le chant des Gaules et celui de Rome ». Le chant gallican prend-il une courte revanche... ou le chant « romain » des Gaules est-il à ce point différent de celui de Rome?... Nous

1. La politique musicale de Charlemagne contredit curieusement ses tendances culturelles éclectiques et son ardeur à protéger la culture et la langue franques. Son palais d'Aix-la-Chapelle était le siège d'une véritable académie scientifique, littéraire et artistique. Il ne savait pas écrire, mais il connaissait le grec et le latin; il fit progresser l'écriture, l'architecture et les arts plastiques, il fit traduire les livres saints en langue franque, encouragea l'activité savante des monastères...

bic psal proprio
scribitur ooct
extranumerum
Pusilluseram
interfratrismeos
etadolescentiorin
domopatrismeipas
cibamouespatrismei
omanusmeaffecerunt
organum etdigitimei
aptaueruntpsalteriu
et quisadnuntiauit

Page ci-contre,
en haut : lyre, tambour, harpe.
en bas : psaltérion, trompes,
orgue hydraulique, cithare.

Psautier d'Utrecht,
époque carolingienne.

avons la preuve (une série de manuscrits concordants du XIe siècle) qu'il se pratiquait à Rome, depuis le milieu du VIIIe siècle au moins, un type de chant nettement différent de notre grégorien. C'est d'ailleurs le seul répertoire antérieur à Charlemagne qui nous soit parvenu (en exceptant les hymnes ambrosiennes, dont la transmission fidèle est douteuse) : on l'appelle aujourd'hui « vieux-romain », et l'on a parfois soutenu que c'était à ce chant vieux-romain que prétendait se référer l'action unificatrice de l'empereur, à supposer qu'il n'ait pas eu plusieurs modèles [1].

Aux premiers siècles déjà, les difficultés d'assimilation de la musique chrétienne venue d'Orient ont inévitablement créé une différenciation des liturgies occidentales. Plus les communautés sont excentriques, plus s'estompe le caractère oriental primitif. Les intervalles inhabituels sont annulés par l'assimilation... surtout là où l'on utilise l'échelle de cinq sons. Il est également certain que des particularismes accusés ont dû se former dans les communautés closes, souvent secrètes, antérieurement à l'édit de Constantin. Ensuite, pour n'être plus secrètes, certaines communautés monacales sont restées relativement fermées, jalouses de leurs prérogatives, défiantes à l'égard de l'autorité centrale.

En dehors du rite celtique, qui disparaît à partir du VIIe siècle, la plupart des liturgies non romaines d'Occident ont survécu plus ou moins longtemps à la campagne d'unification romano-gallicane.

○ rite ambrosien. Sa liturgie est en principe antérieure à la liturgie romaine, mais elle a été fortement influencée par celle-ci. Elle est caractérisée par l'exubérance des vocalises, par l'importance des formes antiphoniques ou responsoriales et par la coutume primitive des acclamations (peu à peu stylisées). Cette liturgie appartient au diocèse de Milan qui conserve aujourd'hui les textes originaux; mais on qualifie souvent d'ambrosienne toute particularité liturgique qui semble se rattacher à la période prégrégorienne. La pure simplicité des hymnes ïambiques, considérées comme ambrosiennes dans la liturgie actuelle, n'est pas une garantie d'authenticité : il n'y a malheureusement pas d'espoir de retrouver dans leur forme originelle les mélodies enseignées par saint Ambroise.

○ rite mozarabe ou wisigothique. Concentré en Espagne et plus particulièrement à Cordoue, Séville et Tolède, ce rite a été aboli au XIe siècle par les papes Grégoire VII et Urbain II. Le terme « mozarabe » signifie « parmi les Arabes » : il désigne les commu-

---

1. Selon une hypothèse due au R.P. van Waesberghe, le « vieux-romain » aurait été, depuis le VIIe siècle, le chant de la schola pontificale et le « grégorien » celui des monastères des grandes basiliques romaines. Cette hypothèse très séduisante ayant été réfutée dans de récents travaux musicologiques, les sources de la réforme carolingienne demeurent incertaines.

XLVIII ALLELUIA   ALLELUIA

NTATE DNO
ANTICUM NOUUM LAUS
NS IN ECCLESIAS CORUM;
ETEIVRIS RAHELIN EO QUI
CITE UM ET FILII SION EX
ILTENT IN REGE SUO;
UDENT IN NOMEN EIUS IN
HORO INTYMPANO
PSALTERIO PSALLANTEL;
LABENEPLACITUM EST

DNO IN POPULO SUO ET EX
ALTABIT MANSUETOS IN
SALUTE,
EXSULTABUNT SCI IN GLORI
A LAETABUNTUR INCUBI
LIBUS SUIS,
EXSULTATIONES DI IN GUT
TURE EORUM ET GLADII
ANCIPITES IN MANIB: EOR
AD FACIENDAM UINDICIA

IN NATIONIBUS INCRE
PATIONES IN POPULIS
AD ALLIGANDOS REGES EOR
IN COMPEDIBUS ET NO
BILES EORUM IN MANICIS
FERREIS;
UT FACIANT IN EIS IUDICIU
CONSCRIPTUM GLORIA
HAEC EST OMNIBUS SCIS
EIUS

nautés chrétiennes demeurées en pays musulmans. La liturgie ne comportait pas de mélodies imposées, mais une tradition de chants vocalisés se rattachant au fonds commun prégrégorien. Les mélodies mozarabes, dont il existe des notations neumatiques très ambiguës antérieures au XIᵉ siècle, ont été de nouveau transcrites au XVIᵉ siècle à l'usage de la cathédrale de Tolède, où fut créé à la même époque un chapitre mozarabe. La conformité de cette transcription tardive est probable, mais difficile à certifier : c'est principalement sur elle que se fondent les interprétations modernes de chant mozarabe.

o rite gallican. Lorsque la liturgie de l'Église des Gaules a été supprimée au VIIIᵉ siècle sur l'ordre de Pépin le Bref, l'absence de notation ne permit pas de conserver les anciennes mélodies, que l'on croit fortement influencées par les hymnes ambrosiennes et surtout par le chant mozarabe. Le rite gallican resta le symbole de la réaction gauloise contre la suprématie romaine, notamment à l'époque de Bossuet et du « néo-gallicanisme ». La liturgie particulière dont sont alors dotés un certain nombre de diocèses n'a sans doute rien conservé de l'ancien chant gallican.

Le système musical et l'héritage antique

Il n'y a pas de solution de continuité, en matière de théorie musicale, entre l'Antiquité et le Moyen Age. Par un flot de textes souvent ambigus ou laconiques, manquant de méthode et d'esprit scientifique, les théoriciens des dix premiers siècles de la chrétienté ont assuré par compilations successives la pérennité de la science hellénique. Si le respect de la chose écrite devient une obsession, au préjudice de l'imagination, nous n'en devons pas moins aux esprits remarquables qui ont recueilli l'héritage antique et en ont alimenté leur réflexion l'essentiel de notre système musical.

Certes, chaque génération ajoute à la tradition son interprétation, ses erreurs, l'esprit de son temps. La théorie grecque s'est évidemment corrompue au cours des siècles, dans un monde transformé par la culture latine et par le christianisme. Déjà le traité d'Aristoxène de Tarente (IVᵉ siècle avant notre ère) ne consacrait-il pas une certaine forme de corruption ou de déviation de la théorie classique? Mais les racines n'ont pas été coupées, les exégèses et les compilations s'étant succédé continuellement.

o Claude Ptolémée, Grec d'Alexandrie (v. 90 - v. 168), dont les théories astronomiques ont servi de référence pendant des siècles, est souvent considéré comme le dernier savant de l'Antiquité.

Plus de quatre siècles après les *Éléments harmoniques* d'Aristoxène, son *Armonikon* en trois livres (traduit en arabe au IXe siècle)
est un ouvrage fondamental pour la connaissance de la théorie
grecque classique.

o Aristides Quintilianus, qui vécut sans doute à la fin du IIe siècle,
publia un *De Musica* où l'on trouve une description des *armoniai*
selon Platon (description assez controversée). Un peu plus tard,
le *De Musica* du pseudo-Plutarque, très inspiré d'Aristoxène,
nous renseigne abondamment sur les principes de l'éducation
musicale selon Lasos et Damon, Platon et Aristote. Les néo-
platoniciens des IIIe, IVe et Ve siècles, de Porphyre à Proclus,
nous ont laissé des commentaires de Platon, Aristote et Ptolémée,
où la théorie de la musique est maintes fois étudiée [1]. Et *l'Introduction à la musique* d'Alypius, théoricien grec du IVe siècle,
est la source la plus importante sur les *tonoi* et sur la notation.
Quant au *De Musica* de saint Augustin, c'est un traité de métrique,
imprégné des idées pythagoriciennes et néo-platoniciennes, mais
qui n'aborde pas le système musical proprement dit. L'auteur
nous informe dans sa correspondance que le temps lui manque
pour écrire un ouvrage similaire sur la mélodie, comme il en avait
l'intention.

o Boèce (vers 480-526), ministre romain du roi des Ostrogoths
Théodoric le Grand, et son compatriote Cassiodore (vers 480-
575), consul et préfet du même Théodoric, sont les principaux
intermédiaires entre la culture gréco-latine et la musique médiévale. Le premier est l'auteur d'un important traité en cinq volumes,
De institutione musica, somme des connaissances théoriques
héritées des Grecs. Cet ouvrage servira de référence constante
aux théoriciens du Moyen Age. Il se fonde principalement sur
Ptolémée, sans qu'on puisse être certain que Boèce ait étudié
cet auteur dans le texte. Jusqu'à Guido d'Arezzo (v. 990 - v. 1050),
les théoriciens se sont contentés de développer les mêmes principes, sans apporter d'enrichissement notable à la science musicale. Quelques-uns ont pourtant joué un rôle historique et didactique important en précisant la théorie et en codifiant les usages
musicaux de leur temps. Tels ont été Alcuin (735-804), ministre
de Charlemagne, dont le traité (qu'on nous dit très important)
est perdu; Aurélien de Réomé, auteur d'une *Musica disciplina*
(vers 850), où sont définis les huit « tons » ecclésiastiques, après
les « harmonies » grecques; Hucbald (vers 840-930), moine de
Saint-Amand, l'un des rares qui remarqua dans Boèce le système
de notation des Grecs et proposa d'ajouter aux neumes des

---

1. Ils nous disent notamment que la musique est l'aboutissement de l'arithmétique, comme l'astronomie est celui de la géométrie (opinion pythagoricienne), ou
que le beau est un reflet de l'idéal, par quoi la musique peut élever l'âme (notion de
mimèsis).

lettres de l'alphabet pour préciser la hauteur des sons; l'auteur anonyme d'un *Enchirias de Musica* (vers 900, connu sous le titre erroné de *Musica Enchiriadis*) où l'on trouve la première pièce polyphonique notée; Odon, abbé de Cluny (879-942), auteur présumé d'un *Dialogus de musica* (grand ouvrage didactique où se trouvent employées pour la première fois des lettres pour désigner les notes de la gamme) et d'un important *Tonarium* [1].

A défaut de notation, les générations successives se sont transmis une science, un savoir-faire *(ars)*, un humanisme, ligne d'or qui unit notre culture à la Grèce classique. Il s'est formé dans le monde méditerranéen un système musical relativement cohérent, dont l'universalité peut être comparée à celle des mathématiques. Jusqu'au XIIe ou XIIIe siècle, il n'y a pas d'incompatibilité entre les systèmes musicaux, qui peuvent se référer aux mêmes sources. Les musiciens d'Orient et d'Occident rencontrent au loin de vifs succès et l'enseignement des théoriciens persans recoupe en plus d'un point celui de Boèce et de ses successeurs : lorsque Alfonso X « El Sabio » introduira l'enseignement de la musique à l'université de Salamanque, les étudiants pourront encore se former à ces différentes cultures.

Les modes et la notation du plain-chant

On appelle « plain-chant » l'ensemble des mélodies en langue latine de la liturgie chrétienne d'Occident. Cette dénomination est sujette à plusieurs interprétations. C'est ainsi qu'au Xe siècle, *planus* qualifiait un chant dans le registre grave; mais au XIIIe siècle, la *musica plana* de rythme libre s'oppose à la *musica mensurata* dont la durée relative des notes est fixée. A partir du XVIIIe siècle, on appellera improprement plain-chant toute musique d'église monodique inspirée du chant grégorien et notée de façon similaire.

Les modes Les huit *êchoi* byzantins semblent avoir été adoptés très tôt par l'Église d'Occident, mais leur théorie n'est établie qu'au IXe siècle par Aurélien de Réomé. Ces « modes » sont caractérisés par :

1. Dans tout exposé théorique sur la musique, la notation nous a donné l'habitude des correspondances visuelles : notes plus ou moins « hautes », voix « superposées », gammes « ascendantes » et « descendantes ». Il faut bien se représenter que les théoriciens du Moyen Age, en Occident et en Orient, comme ceux de l'Antiquité, ne se référaient dans leurs réflexions et leurs raisonnements qu'à l'expérience auditive.

- o leur ambitus, octave caractéristique du mode, dans laquelle se développe la mélodie.
- o la teneur, ou « ton de récitation » (appelée « dominante » à partir du XVIIᵉ siècle), son central autour duquel s'organise la mélodie et sur lequel sont récités les passages *recto tono*, le cas échéant.
- o la finale ou tonique, note conclusive des différentes parties de la mélodie, qui prend de l'importance lorsqu'il n'est pas fait usage d'un ton de récitation.

Depuis le XIᵉ siècle, la théorie des octaves modales devient prépondérante dans la définition des modes. Mais on comprend de moins en moins leur structure, car ils perdent peu à peu les autres éléments essentiels de leur différenciation. Ce ne sont bientôt plus que des aspects de l'octave, obtenus par permutation de la note de base. On identifie si commodément un mode par son octave modale (mode de ré = celui que l'on obtient de ré à ré sur les touches blanches du piano) que l'on a tendance à confondre cette octave caractéristique avec le concept même de mode (voir p. 102).

Les exemples suivants montreront l'importance de la finale et de la teneur, différentes ici des notes extrêmes des octaves caractéristiques :

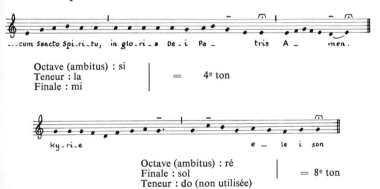

...cum Sancto Spi-ri-tu, in glo-ri-a De-i Pa- tris A- men.

Octave (ambitus) : si
Teneur : la   =   4ᵉ ton
Finale : mi

ky-ri-e   e- le i son

Octave (ambitus) : ré
Finale : sol   =   8ᵉ ton
Teneur : do (non utilisée)

NB Les exemples de chant grégorien seront notés en points sur des portées de cinq lignes et avec des clés modernes pour en faciliter l'interprétation au lecteur non familiarisé avec la notation carrée.

Dans la théorie grégorienne, jusqu'au XVIᵉ siècle, on distingue quatre finales, ré, mi, fa, sol, qui déterminent chacune une quinte modale caractéristique, à laquelle on ajoute un tétracorde, à l'aigu ou au grave, pour former l'octave modale. Si le tétracorde complémentaire est à l'aigu, le mode est dit « authente »; s'il est au grave, il est dit « plagal » [1]. Il s'agit en principe de deux formes du même mode, aiguë et grave, que l'on a considérées ensuite

---

1. Définition proposée par Odon de Cluny au Xᵉ siècle.

comme des modes différents, en numérotant de 1 à 8 la série complète (voir ci-dessous). On s'avisa aussi de donner aux modes du plain-chant les noms des *armoniai*, croyant ainsi montrer leur similitude avec les octaves diatoniques* grecques correspondantes...

Mais, par suite d'une confusion dans les nomenclatures, les nouveaux modes ont été affublés de fausses dénominations. Ainsi, le « premier ton » ecclésiastique (octave ré-ré) a été baptisé dorien, héritant de la *doristi* grecque une primauté que plus rien ne justifie! Cette curieuse erreur, qui n'a jamais été réparée, a été injustement attribuée à Boèce, beaucoup trop savant pour en être responsable. Le vrai coupable serait plutôt l'auteur anonyme d'une compilation de la fin du Xe siècle, *Alia musica*. Il aurait probablement confondu des nomenclatures d'*armoniai* et de *tonoi*, par suite d'un contresens dans l'interprétation du texte de Boèce. Voici comment. Les musiciens grecs avaient fait du mot *tropos* (τρόπος : « manière ») un synonyme de *tonos* (τόνος : « ton » du système de transposition). Et Boèce a bien fait de traduire ce mot par *modus* (« manière ») qui, en son temps, n'avait pas le sens de mode musical. Plus tard, on s'est référé à Boèce sans approfondir son texte et sans comprendre ce qu'il entendait par *modus*. Pour comble de confusion, on a ensuite traduit *modus* par « ton » (les « tons » ecclésiastiques), alors que le mot latin ne désignait plus des tons de transposition, mais des gammes modales affublées de noms grecs usurpés!

Contrairement aux Grecs, les théoriciens du Moyen Age ne se sont pas souciés de la hauteur absolue; aussi la notation des mélodies du plain-chant n'eut-elle pas à s'encombrer d'altérations. Seul le si bémol est utilisé, permettant de passer de la forme authente d'un ton à la forme plagale, sans changer de tessiture (d'ambitus).

Voici les gammes modales des huit modes du plain-chant, ou tons ecclésiastiques, avec leurs différentes dénominations et quelques interprétations médiévales (très arbitraires) de leur éthos. On trouvera, entre parenthèses, les vrais noms grecs correspondant à chaque octave, dans la nomenclature des *armoniai*. Deux séries d'adjectifs ordinaux ont ainsi été utilisés, ajoutant aux sources de confusion : la grecque latinisée et la latine.

authentus protus   *primus*
plagius protus   *secundus*
authentus deuterus   *tertius*
plagius deuterus   *quartus*   etc.

On voit aussi que, dans le plain-chant, il y a une certaine ambiguïté à désigner, comme nous le faisons, les modes par leur octave modale. Il y a deux « modes de ré », le 1er ton (finale ré)

I Protus

1er ton : « dorien » (fausse *phrygisti*
= F différente)

Ethos : noble, tranquille,
convenant à l'expression de tous les sentiments.

2e ton : « hypodorien » (fausse *hypodoristi*
= F différente)

Ethos : sévère convient à l'expression de la tristesse.

II Deuterus

3e ton : « phrygien » *(doristi I)*

Ethos : enthousiaste, animé *(incitatus et saltatus)*...
ou bien expression de grave colère.

4e ton : « hypophrygien » *(mixolydisti)*

Ethos : apaisement ou louange.

III Tritus

5e ton : « lydien » *(hypolydisti)*

Ethos : aimable et gai, insouciant... ou action consolatrice.

6e ton : « hypolydien » *(lydisti)*

Ethos : voluptueux... ou nostalgique, exprimant le regret.

IV Tetrardus

7e ton : « myxolydien » *(hypophrygisti)*

Ethos : lascif et frivole,
convenant aux expressions de la jeunesse.

8e ton : « hypomyxolydien » *(phrygisti)*

Ethos : sérénité.

(F : finale   T : teneure)

NB **Les notes entre parenthèses jouent dans le mode considéré un rôle secondaire d'ornement ou de note de passage.**

et le 8ᵉ ton (finale sol). Bientôt, toutes les octaves modales présenteront cette même ambiguïté. Au XVIᵉ siècle, en effet, on complétera artificiellement le système, en fabriquant deux tons authentes et deux plagaux sur les finales la et do, baptisés des noms grecs disponibles (voir p. 333). Il y aura ainsi douze « tons ». Les 11ᵉ et 12ᵉ tons, de finale *do*, sont notre mode majeur : sous une forme authente (octave do . do)... comme dans *le Bon Tabac* :

ou plagale (octave sol . sol)... comme dans *Cadet Rousselle* :

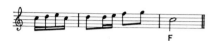

Bien entendu, la légende selon laquelle saint Ambroise aurait inventé les modes authentes et saint Grégoire les modes plagaux est sans aucun fondement.

Dans les pièces anciennes, cependant, on trouve fréquemment des échelles de quatre ou cinq sons : échelles pentaphoniques et tétraphoniques, dont il est bien difficile de dire si elles sont d'origine syriaque ou celtique, ou bien modes défectifs. Elles justifieraient une intéressante étude de théorie et de psycho-sociologie musicales. L'une des plus fréquemment utilisées est la suivante, où le son *la*, peut être à la fois la finale et la teneur.

Puisant à la même source hellénique que les théoriciens latins, les Persans et les Arabes ont montré davantage de sagesse. Plutôt que d'imposer une reconstitution aventureuse du système des *armoniai*, ils ont établi, sur une étude approfondie des textes grecs, une savante théorie des intervalles, pouvant s'adapter à leurs propres traditions [1]. L'influence des idées pythagoriciennes et platoniciennes (unité des sciences mathématiques, théories éthiques et pédagogiques) n'empêcha pas al-Fārābi et Avicenne de conserver une perception claire des caractères spécifiques de la musique.

---

1. Voir notamment chez Avicenne le chapitre sur la musique dans « Le Livre de Science » *(Dānesh nāmè)* (II), trad. Achena et Massé, Éd. Les Belles Lettres, 1958.

Principaux théoriciens du Moyen Age

Boèce ou Boetius, v. 480-526. Philosophe, mathématicien et homme d'État. D'une famille patricienne de Rome, il est consul puis ministre de Théodoric, qui le fait décapiter sous l'inculpation de trahison. Son traité en cinq livres *De institutione musica* est le principal trait d'union entre la tradition musicale pythagoricienne et le Moyen Age. Mal interprété par ses successeurs, cet ouvrage a été la source de confusions que l'on a injustement imputées à Boèce.

Aurélien de Réomé, ixe siècle. Moine de Réomé (diocèse de Langres), il est l'auteur d'une *Musica disciplina* qui contient les premières indications importantes sur la structure modale des mélodies et sur les correspondances entre rythmes littéraires et musicaux.

Hucbald (v. 840-930). Après avoir étudié à l'abbaye de Saint-Germain d'Auxerre, il devient moine de Saint-Amand, d'où il doit s'enfuir en 883 devant les Normands. Il enseigne alors à Saint-Omer et à Reims avant de retourner à Saint-Amand. Le célèbre traité *Musica Enchiriadis* lui a été faussement attribué. Le seul ouvrage théorique de lui qui nous soit parvenu, *De Harmonica Institutione*, fait allusion à l'organum comme à une technique bien connue.

Guido d'Arezzo (v. 990 - v. 1050) Moine bénédictin dont le *Micrologus*, qui traite notamment de polyphonie et de rythme, a été jusqu'au xive siècle le traité de musique le plus fameux. Nous lui devons les noms usuels des six premières notes de la gamme, empruntés à des syllabes d'une hymne à saint Jean. Mais dans la méthode de Guido ces syllabes sont seulement ajoutées aux lettres pour préciser l'octave et son aspect. Les demi-tons de la gamme doivent toujours s'appeler mi.fa. Ainsi la gamme d'ut est solfiée :

ut	ré	mi	fa	sol	ré	mi	fa
C	D	E	F	G	a	b	c

Si le b est *molle* (si bémol), on solfiera cette même gamme de C à c :

ut	ré	mi	fa	ré	mi	fa	sol
C	D	E	F	G	a	b (molle)	c

Le mode de sol deviendra :

ut	ré	mi	fa	ré	mi	fa	sol
G	a	b	c	d	e	f	g

La méthode évite de donner un nom au septième degré mobile, mais la dénomination des notes devient très compliquée : elle comprend une lettre traditionnelle, suivie des syllabes correspondant aux différents aspects de la gamme. Par exemple : G.sol.ré.ut.

Johannes de Garlandia (v.1190 - ?). Anglais de naissance et Français d'adoption, il fut étudiant à Oxford, fonda vers 1212 une école au Clos de Garlande à Paris (aujourd'hui rue Galande dans le 5e arr.) prit part à la croisade des albigeois (1218), et enseigna à l'université de Toulouse (1229-1232). Plusieurs traités lui sont attribués, qui jouent un rôle important dans le développement de la musique mesurée, notamment : *De cantu plano* et *De musica mensurabili positio*.

Francon de Cologne (xiiie siècle). Il est perpétuellement confondu avec un certain Francon de Paris : l'un et l'autre vivaient au xiiie siècle, étaient connus comme théoriciens et exerçaient des responsabilités musicales à Notre-Dame de Paris. L'un ou l'autre est l'auteur d'un *Ars cantus mensurabilis* (v. 1260), ouvrage capital dans l'histoire de la musique mesurée, qui a valu à Francon de donner son nom au système de notation de la seconde moitié du xiiie siècle.

Jacques de Liège (v. 1270 - ?). Auteur présumé du plus volumineux traité de musique du Moyen Age, *Speculum musicae* (v. 1335), dont le manuscrit est à la Bibliothèque nationale. Cet ouvrage comprend plus de cinq cents chapitres répartis en sept volumes et constitue une somme des connaissances musicales de l'époque : théorie des intervalles, théorie proportionnelle, consonance et dissonance, système de l'Antiquité d'après Boèce, modes ecclésiastiques, polyphonie...

Johannes de Muris (v. 1290-v. 1355). Mathématicien et astronome, peut-être d'origine anglaise, auquel certains historiens attribuent la paternité du *Speculum musicae* plutôt qu'à Jacques de Liège. Il est l'auteur de plusieurs autres traités dont la *Musica speculativa*, présentée à la Sorbonne en 1323 sous une forme abrégée, un *Summa musices* et un *Libellus practice cantus mensurabilis*. Ses théories, qui sont celles de l'Ars nova, précèdent vraisemblablement le fameux traité de Philippe de Vitry. Elles ont eu un rayonnement considérable jusqu'à la fin du siècle. Ses travaux d'astronomie, sur les éclipses de la lune et sur la conjonction de Saturne et Jupiter en 1345, faisaient également autorité.

Philippe de Vitry (1291-1361). Poète, compositeur, diplomate, secrétaire des rois de France Charles IV et Philippe IV, il cumule les prébendes de chanoine et devient évêque de Meaux en 1351. Son célèbre traité, *Ars nova musicae* (v. 1325), est le fondement de la révolution musicale qui s'opère en France. La partie la plus importante de l'ouvrage traite du rythme : les vieux modes rythmiques sont abandonnés, les valeurs rythmiques sont susceptibles de divisions binaires ou ternaires, la subdivision de la semibrève en minimes (losange surmonté d'une hampe) est introduite pour la première fois... Comme poète et compositeur, Philippe était hautement estimé, notamment par Pétrarque, qui lui reprocha plus tard d'avoir aliéné sa liberté pour un évêché ! De ses compositions musicales, dix motets seulement ont été identifiés, trois avec certitude (ms. d'Ivrea), sept de façon hypothétique (ms. d'Ivrea et *Roman de Fauvel*).

... Les traités d'Aurélien de Réomé, Guido d'Arezzo, Francon, Jacques de Liège, Philippe de Vitry ont été publiés par l'American Institute of Musicology, ainsi que plusieurs traités du xve siècle (ceux d'Ugolino d'Orvieto, John Hothby, Tinctoris...).

David et ses musiciens : Psautier de Charles le Chauve (ixe siècle).

La notation Le système de notation s'est développé avec le concept d'œuvre : double singularité, comme on l'a vu au début de ce livre. Au temps de Grégoire le Grand, il n'était pas nécessaire d'employer des symboles graphiques pour conserver et transmettre les mélodies liturgiques. N'ayant pas été atrophiée comme la nôtre par le recours constant à l'écriture, la mémoire était probablement vaste et fidèle, facilitant le développement d'une tradition orale. Les mélodies nouvelles étaient vite apprises [1] et les anciennes étaient aussi indissociables des textes que les mélodies des chansons populaires. L'enseignement autoritaire de missionnaires liturgiques permettait de conformer les interprétations aux modèles romains dans les provinces les plus excentriques. On avait bien essayé, avant et après Boèce, de représenter les sons par des lettres, comme l'avaient tenté les Grecs. Ces systèmes facilitaient les développements théoriques, mais ils étaient trop abstraits et trop compliqués pour engendrer une écriture musicale d'usage courant. Isidore de Séville affirmait d'ailleurs, au début du VIIᵉ siècle, qu'on ne pouvait pas écrire la musique... (*Étymologies*, III, 15, 2).

Cependant, lorsque l'usage des tropes suscita une riche floraison de mélodies nouvelles, au moment où Charlemagne faisait de l'unité du culte un souci particulièrement impérial, on s'avisa d'aider la mémoire des chanteurs, en plaçant au-dessus des

---

1. Beaucoup devaient être obtenues par juxtaposition de cellules mélodiques simples et usuelles; d'autres étaient des formules de récitation liées au texte latin selon des règles connues.

Cor, crotales, harpe, cithare, trompette recourbée (*lituus* des Romains) : Bible de Charles le Chauve (IXe siècle).

syllabes du texte des signes suggérant l'allure de la mélodie. Ils seront appelés *neumes*. L'étymologie de ce mot est incertaine. La plus souvent retenue se réfère au grec νεῦμα (*neuma* : signe de tête). Mais un autre mot grec, πνεῦμα (*pneuma* : souffle) désignait au IXe siècle les longues vocalises sur la voyelle finale d'une phrase ou de certains mots, comme *alleluia* (aussi appelées *jubili*). Certains érudits pensent que la *neuma* latine dérivait d'une assimilation de ces deux mots grecs, confondus en une seule graphie. Mais on pourrait encore mieux se référer au syriaque *neimo* (son, voix, chant), utilisé par saint Ephrem au IVe siècle. Le mot *nota* (ou *notula*) n'apparaîtra qu'au XIe siècle comme synonyme de *neuma*.

Dans les manuscrits qui nous sont parvenus, les premiers neumes identifiables apparaissent dans la seconde moitié du IXe siècle [1], mais ils ont probablement été utilisés depuis la fin du VIIIe siècle. Ils étaient dérivés des signes d'accentuation du langage, dont l'invention est attribuée à Aristophane de Byzance (mort vers — 180) : accent aigu (élévation de la voix), accent grave (abaissement de la voix), accents circonflexe et anticirconflexe (double inflexion). Les deux signes fondamentaux de la notation neumatique sont la *virga*, indiquant un son plus aigu que le précédent, et le *punctum*, indiquant un son plus grave. Groupés par deux ou par trois, ces signes servent à former tous les autres (voir tableau page 209).

Primitivement, le système n'est qu'un aide-mémoire, qui suppose la connaissance préalable de la mélodie suggérée. Indéchiffrables directement, les neumes alignés ne peuvent aujourd'hui que nous aider à recouper des hypothèses. Mais, au début du Xe siècle, en raison d'un curieux sentiment d'analogie entre sensations visuelles et auditives, on imagine de placer les signes à des hauteurs différentes selon qu'ils correspondent à des sons plus ou moins aigus : on obtient ainsi une guirlande de neumes, dont l'allure générale peut évoquer la « courbe » de la ligne mélodique. Encore très imprécise, cette notation, improprement qualifiée de « diastématique » (de *diastema* : intervalle), est enrichie un peu plus tard de deux sortes d'indications complémentaires :

1. On ajoute aux neumes des lettres significatives, qui sont d'abord tout aussi imprécises (a pour *altius*, i pour *inferius*, e pour *equaliter*, t pour *tenere*, etc.), jusqu'à ce qu'on ait l'idée d'utiliser les lettres pour désigner certains sons, selon le prin-

---

1. Ms. 12 du monastère de Saint-Gall, par exemple. La notation n'est alors appliquée qu'aux pièces peu courantes et difficiles... à des « compositions » modernes en quelque sorte.

PRUDENTIA

IUSTITIA

Asaph AEMAN

DAUID REX ET PROPH

Cererhi

Etphe Lethi

AETHAN IOITHUN

FORTITUDO

TEMPERANTIA

cipe hérité des Grecs et de Boèce, mais considérablement simplifié (tel qu'il est resté en usage en Angleterre et en Allemagne) :

A	B	C	D	E	F	G
la	si	do	ré	mi	fà	sol

Selon l'échelle adoptée, deux sortes de B pourront être utilisés, correspondant à notre si naturel et à notre si bémol : le premier est représenté par un B anguleux (*quadratum* ou carré), le second par un B arrondi (*rotondum* ou mol), qui sont à l'origine du bécarre et du bémol. L'emploi de l'H en Allemagne pour si naturel (B devenant si bémol) résulte d'une confusion entre le B carré et le H gothique.

2. Un progrès décisif est obtenu par la répartition des signes autour de lignes repères : une seule d'abord, colorée en rouge, qui situe la note F (fa), puis une seconde, colorée en jaune et correspondant à C (do). On en trace ensuite plusieurs autres, sous l'impulsion de Guido d'Arezzo, de sorte que chaque ligne et chaque interligne correspondent à un seul son, dont l'intonation sera désormais parfaitement définie. Vers la fin du XIe siècle, la portée de quatre lignes sera adoptée. La cinquième ligne s'est généralisée à partir du XIVe siècle, mais le système de quatre lignes est resté traditionnel pour la notation du plain-chant. Une seule lettre clé suffit à fixer l'intonation correspondant à une des lignes, les autres s'en déduisant facilement de proche en proche. Ces lettres, placées au début d'une ligne, ont donné naissance en se déformant à nos clés.

Des systèmes de neumes distincts se sont développés dans plusieurs régions à différentes époques. Mais, à partir de la fin du XIIe siècle, l'emploi de la plume d'oie à bec large a unifié le graphisme en le simplifiant et en faisant prendre aux neumes l'aspect caractéristique de la « notation carrée » : les points deviennent des carrés ou des losanges, les « ligatures » (groupes de notes tracées sans lever la plume) des gros traits pleins. Ce graphisme se retrouvera dans la plupart des manuscrits aux XIIIe et XIVe siècles. Il sera conservé jusqu'à nos jours pour la notation du plain-chant. Ce n'est pas à proprement parler un système distinct, mais une écriture neumatique avec une graphie nouvelle.

Principaux Neumes

	IXᵉ siècle	XIIIᵉ siècle	Équivalence
VIRGA	╱ ╱	▮ et ▰	♪ ou ♩ ou ♩.
PUNCTUM	•	▪ et ◆	♪ ou ♩ ou ♩. (selon l'époque et le mode rythmique)
CLIVIS	∧ou ⌒ (=╱•)	▀▄ ou ▀▖	♫ ou ♩ ♪
PES OU PODATUS	⌣ (=•╱)	▖▀ ou ▄▀	♫ ou ♪ ♩
TORCULUS	∿ (=•╱•)	▄▀▄	♫♪ ou ♪♪♪
PORRECTUS	⋀ (=╱•╱)	◣	♫♪ ou ♩♪♩
CLIMACUS	╱•.	▰◆◆ ou ▛◆◆	♫♪ ou ♩ ♫
SCANDICUS	╱	▄▀	♫♪ ou ♫♪
QUILISMA	‒〰╱	▄▄▀	♫♪
CLEF D'UT	C	▐	𝄡
CLEF DE FA	F	▰▐	𝄢

que l'on peut traduire par :

Principaux centres monastiques jusqu'au Xᵉ siècle

Subiaco *, près de Rome. Fondé au VIᵉ siècle par saint Benoît, qui avait vécu là en ermite. Sa sœur sainte Scholastique y fonde un peu plus tard une communauté de femmes.

Monte Cassino *, Italie, prov. de Frosinone. Fondé en 529 par saint Benoît. Réfractaire aux réformes de la liturgie, il a tenu tête à Rome sur ce chapitre jusqu'au XIᵉ siècle. Avant les bombardements de 1944 qui ont détruit le monastère, la précieuse bibliothèque aurait été mise à l'abri (sans doute au Vatican).

Saint-Denis *, près de Paris. Fondé vers la fin du VIᵉ siècle. Centre d'études grecques et de chant gallican, bénéficiant d'importants privilèges du roi Dagobert, ce monastère est resté un centre musical important jusqu'à la Révolution.

Luxeuil, Haute-Saône. Fondé vers 600 par saint Colomban, moine irlandais.

Saint-Gall *, Suisse. En 612, le moine irlandais Cellach ou Gallus, disciple de saint Colomban, fonde là un ermitage, qui devient monastère bénédictin vers 720. Son rayonnement littéraire et musical aux IXᵉ et Xᵉ siècles, et son importance dans la formation du répertoire de chant liturgique et dans le développement de la notation étaient immenses. Une cathédrale du XVIIIᵉ siècle s'élève aujourd'hui sur l'emplacement de l'ancienne abbaye; mais on a conservé la très riche bibliothèque, contenant notamment des traités et des manuscrits à neumes des IXᵉ et Xᵉ siècles. Plusieurs de ses moines, dont Notker le Bègue (mort en 912) et Tutilo (IXᵉ-Xᵉ siècle) se sont illustrés comme compositeurs de tropes et de séquences.

Bobbio, en Italie, prov. de Piacenza. Fondé en 612 par saint Colomban.

Fleury *, Saint-Benoît-sur-Loire, Loiret. Fondé vers 650, ce monastère reçut vers 675 les cendres de saint Benoît, transférées du Monte Cassino. Lieu de pèlerinage important et grand centre intellectuel pendant tout le Moyen Age. Sous l'impulsion de Charlemagne, des écoles réputées étaient rattachées à l'abbaye.

Stavelot, en Belgique, près de Liège. Fondé en 651.

Jumièges, Seine-Maritime. Fondé en 654, ce monastère est à l'origine des tropes. Lors des invasions normandes, certains de ses moines se seraient réfugiés à Saint-Gall.

Fontenelle, Saint-Wandrille, Seine-Maritime. Fondé au VIIᵉ siècle par saint Wandrille, dont il prit le nom au Xᵉ siècle.

Saint-Amand, Nord. Fondé au VIIᵉ siècle. Un de ses moines, Hucbald, s'illustra comme théoricien et compositeur de séquences et d'hymnes. Plusieurs théoriciens des IXᵉ et Xᵉ siècles vinrent y étudier : Otger, Remi d'Auxerre, Scotus Erigena, etc.

* règle de saint Benoît

Consécration de l'abbatiale de Cluny (ms. provenant de Saint-Martin des Champs, vers 1190).

Saint-Germain d'Auxerre, Yonne. Fondé au VIIIe siècle. Un de ses moines, Remi (mort en 908), fut un théoricien célèbre et, à la fin de sa vie, un des créateurs de l'école de Reims.

Reichenau, Alsace. Fondé en 724.

Fulda *, Allemagne, Hesse. Fondé en 744 par un disciple de saint Boniface, évêque de Mayence. Grand centre intellectuel et la plus importante abbaye bénédictine d'Allemagne.

Saint-Martial de Limoges *, Haute-Vienne. Fondé en 848 sur le tombeau de saint Martial (premier évêque de Limoges au IIIe siècle). Du Xe au XIIIe siècle, ce fut un centre musical de première importance, qui s'est illustré de façon aussi remarquable

dans les formes monodiques (tropes, séquences, versus), dans le drame liturgique, dans les compositions polyphoniques. Des précieux manuscrits de sa bibliothèque, l'une des plus riches du Moyen Age, deux cent quinze sont conservés à la Bibliothèque nationale, dont une vingtaine intéressent l'histoire musicale. L'abbaye fut démolie en 1792.

Cluny *, Saône-et-Loire. Fondé en 910 par Guillaume d'Aquitaine. Adhère à la règle de Benoît d'Aniane (bénédictin que Louis le Pieux avait chargé de réformer la règle de saint Benoît). Ce monastère jouissait de privilèges importants (il dépendait directement du pape). L'église abbatiale, commencée en 1088, était la plus grande église de la chrétienté avant la construction de Saint-

Pierre de Rome. Le théoricien Odon (878-942) fut le deuxième abbé de Cluny.

Grottaferrata, près de Rome. Abbaye grecque, fondée au Xe siècle par saint Nil. Son *scriptorium* contient des manuscrits byzantins, copiés depuis la fondation.

Montserrat *, près de Barcelone. Fondé au début du Xe siècle.

Einsiedeln *, Suisse, canton de Schwyz. Fondé en 934. La bibliothèque, qui existe toujours, contient des traités du Xe au XIIe siècle.

... Il faudrait ajouter la cinquantaine de monastères fondés à Rome par les bénédictins, du VIe au Xe siècle, autour des grandes basiliques; leur rôle fut capital dans la fixation de la liturgie musicale.

Solesmes et l'interprétation L'interprétation rythmique des neumes a été maintes fois le sujet de controverses; elle reste hypothétique dans beaucoup de cas, notamment pour le répertoire liturgique.

Les bénédictins de Solesmes ont adopté le principe de l'égalité du *punctum* et de la *virga*, ce qui implique l'égalité des groupes de deux ou trois sons dans les neumes composés. Seuls l'accent verbal et la forme mélodique imposent l'allongement ou l'accentuation de certaines notes. Plusieurs écrits du XIIIe siècle justifient ce principe : ils distinguent la nouvelle *musica mensurabilis*, qui alterne des temps longs et brefs, de la *musica plana* (plain-chant) où les temps sont égaux [1]. Par contre, au Xe siècle (Odon de Cluny), l'épithète *plana* qualifie une tessiture grave, par opposition à *acuta* : « si le chant est *planus* il sera nommé plagal... ».

De toute manière, il est impossible de reconstituer le style des interprétations, à l'époque où s'est formé notre répertoire de chant grégorien, entre le VIIIe et le XIIIe siècle. Plusieurs styles devaient certainement s'opposer. Il est probable qu'on pouvait au moins distinguer :

1. L'interprétation orthodoxe : intelligibilité du texte, sentiment de dévotion et de sérénité, rythme inspiré de la prosodie, diatonisme immuable, unisson scrupuleux (même le chant à l'octave pouvait être évité par la séparation des hommes et des femmes en deux chœurs alternés). C'était la seule interprétation approuvée par l'Église.

2. Les interprétations populaires : placage de rythmes et de formules mélodiques populaires, polyphonie spontanée (quartes et quintes parallèles, ou tierces et sixtes, selon les régions), percussions discrètes. Hors du contrôle des autorités ecclésiastiques, il est évident que les cultures autochtones réapparaissaient, avec la même obstination que l'accent du terroir. Beaucoup de cantiques populaires sont nés de cette sorte d'interprétation.

3. Les interprétations savantes : longues vocalises improvisées (ou « composées » par l'assemblage de fragments mélodiques appris), ornementation compliquée, héritée du genre enharmonique et des « nuances » des Grecs, subtilité ou préciosité rythmique. Ces raffinements étaient naturellement le privilège des chantres, qui profitaient des solos pour faire briller leur talent.

Les interprétations non orthodoxes ont provoqué l'indignation de Grégoire le Grand, de Charlemagne, des Pères de l'Église,

---

1. Le principe soutenu par Solesmes de l'égalité des neumes se fonde aussi sur l'observation de l'*organum* primitif : on y trouve souvent une *virga* à la partie supérieure, correspondant note à note à un *punctum* au grave. Le principe est combattu par les « mensuralistes, » pour qui les neumes sont affectés de valeurs rythmiques relatives (longues et brèves) groupées en « mesures » irrégulières.

ainsi que des conciles et des papes tout au long de l'histoire.
C'est dire qu'elles ne se distinguaient pas par de subtiles variantes
stylistiques, sensibles aux seuls professionnels, mais par d'évi-
dentes « corruptions » d'une tradition, elle-même en constante
mais insensible évolution.

De nos jours, l'interprétation bénédictine du chant romain a
été la référence officielle de l'Église. Elle reste, pour les musiciens
comme pour les fidèles et les amateurs, un art exemplaire auquel
on se sent obligé de comparer toute conception différente. Peut-
être cette interprétation a-t-elle retrouvé l'orthodoxie originelle.
Il faut une haute spécialisation pour juger de sa conformité
aux textes, aux traditions ou à un quelconque modèle idéal.
Mais sans préjuger du jugement esthétique que chacun peut
exprimer, on peut faire quelques remarques générales.

1. Les transcriptions et les interprétations de l'école de Solesmes sont le fruit d'un immense travail scientifique et artistique,
dont le sérieux n'a jamais pu être contesté.

2. Le souci qu'ont certains de retourner aux sources répond
à un vœu platonique. Le répertoire n'a pas été noté pendant plus
de cinq siècles : aucun document, aucune autorité scientifique
ne permettent de définir le caractère originel de cette musique.
Ensuite la notation carrée a égalisé le rythme.

3. En supposant qu'on ait trouvé le moyen de reconstituer
avec certitude l'interprétation du plain-chant entre le IVe et le
IXe siècle, serait-il logique d'en appliquer les principes à un répertoire beaucoup plus tardif, constitué en majeure partie après
le XIe siècle? Et même pour les pièces les plus anciennes, dont la
tradition peut remonter très loin, cette interprétation s'accor-
derait-elle à la culture musicale d'aujourd'hui? Inévitablement,
un retour aux sources imposerait l'assimilation de comportements
et de traditions musicales qui nous seraient tout à fait étrangers.
En toute hypothèse, la pratique comme la théorie se sont considérablement modifiées au cours des siècles. C'est pourquoi le
« véritable rythme grégorien » est un sujet de controverses sans
issue : ou les valeurs rythmiques sont indéterminées, se pliant
seulement aux nécessités de la prosodie, ou il faut admettre que
leur interprétation ne pouvait pas être au IXe siècle la même
qu'au IVe ou au XIIIe... Le « rythme libre » de Solesmes est un
compromis très satisfaisant, du double point de vue expressif
et musical.

4. Cependant, on peut reprocher au chant de Solesmes d'être
une musique de professionnels. Sa perfection et son raffinement
conviennent mieux aux pièces ornées qu'au répertoire destiné
aux fidèles : l'accent populaire, le caractère de chanson de certaines « séquences » se trouvent effacés au profit d'une sorte de
nivellement par le haut.

5. Comme chacun sait, le style d'interprétation répandu par les bénédictins ne s'applique qu'à la liturgie romaine. Les autres liturgies (grecque, maronite, syrienne, copte, etc.) ont leur répertoire et leur style propres, dont l'esprit général n'est d'ailleurs pas opposé à ce qu'enseignent les bénédictins.

6. L'abandon actuel du plain-chant par le culte catholique est regrettable. Mais cet admirable répertoire, monument de l'histoire de la musique, continue d'être pratiqué dans les monastères, et d'être répandu dans le public par le disque. Il y gagne de n'être plus le monopole du clergé (belles interprétations du Deller-Consort). Il y gagne surtout de n'être plus exposé aux pires trahisons : l'accompagnement du plain-chant par l'orgue (si consciencieusement « modale » qu'en soit l'harmonie) est musicalement inacceptable [1], l'adaptation aux mélodies de textes en langue vernaculaire l'est également. Cette musique essentiellement monodique et modelée sur la phrase latine est dénaturée si l'on ne respecte pas ses caractères fondamentaux.

Saint-Philibert de Grandlieu,
Loire-Atlantique (IXe siècle).

Le répertoire et ses formes

La musique la plus ancienne dont nous puissions avoir l'expérience directe est déjà, on l'a vu, l'aboutissement d'une longue évolution. « L'âge d'or du plain-chant » au VIIe siècle est une extrapolation d'érudits que nous devons accepter sans preuves, puisque le répertoire qui nous est proposé est issu de rédactions postérieures à 850.

Les premiers textes déchiffrables et complets datent du milieu du Xe siècle et une grande partie des mélodies que nous connaissons ont été transcrites d'après des manuscrits encore postérieurs (des XIIe et XIIIe siècles notamment). Il faut se représenter toutefois que beaucoup de pièces devaient être en usage depuis longtemps lorsqu'elles ont été notées. C'est vraisemblablement une tradition établie au VIIIe et au IXe siècle, forte de l'autorité impériale et pontificale, que la notation nous a transmise : les rédacteurs des manuscrits à neumes ne pouvaient se référer qu'au style imposé par l'Église, le goût que l'empereur jugeait « corrompu » ayant dû être extirpé par tous les moyens. Ce répertoire carolingien ou romano-gallican représente déjà sans doute une certaine décadence par rapport aux mélodies de « l'âge d'or ». Il est cependant d'une richesse extraordinaire et il s'enrichira encore. Mais à partir du XIIe siècle, il sera lui-même corrompu : par la précision de la notation (qui restreint la diversité, efface

1. Seules les « séquences » ont été parfois accompagnées d'instruments aux IXe et Xe siècles... sans rien de comparable, bien sûr, à nos harmonisations.

les ornements subtils, contraint la démarche), par l'adoption de rythmes mesurés, par les altérations de certains sons, par la polyphonie. Quelques pièces précieuses naîtront encore au XIIIe siècle; mais les compositions tardives, telles que la *Messe des anges* (XVe-XVIe siècle) ou les messes de Du Mont (XVIIe siècle), sont des pastiches ou des adaptations sans intérêt.

A de très rares exceptions près, les manuscrits antérieurs au XIIe siècle ne nous conservent que la musique d'église. Celle-ci est au centre de la culture musicale et pendant des siècles elle sera la source de toute inspiration mélodique. La fonction liturgique de cet inestimable répertoire ne devrait pas en limiter le rayonnement : il appartient au patrimoine artistique de notre civilisation, sans distinction de famille spirituelle. Seuls les moines, cependant, qui en ont une pratique constante, apprécient pleinement sa diversité et consacrent à sa description des ouvrages imposants! Si le chant grégorien nous paraît uniforme c'est qu'il nous est trop peu familier. Nous pouvons toutefois y distinguer des styles et des formes correspondant à des genres différents. Le classement suivant en est une présentation commode qui n'indique ni un ordre chronologique ni une progression qualitative. Leur histoire est bien incertaine : à l'origine, se pratiquait le chant des psaumes, de la « grande doxologie » ou « hymne angélique » *(Gloria in excelsis Deo)* et de l'« hymne triomphale » *(Sanctus)*, puis seraient apparus successivement un vaste répertoire d'hymnes (à partir du IVe siècle), les pièces dérivées des psaumes (antiennes et répons), les pièces ornées (traits, graduels, alléluias), les pièces issues des tropes [1]...

La crypte de la cathédrale d'Auxerre (IXe siècle).

Les chants de la messe

○ Récitatifs, réservés aux prêtres. Souvent très beaux dans leur simplicité, ils sont d'origine très ancienne et ont probablement conservé l'essentiel de leur aspect primitif :

Préface, *Pater noster* et lectures didactiques ou « leçons » (Épître, Évangile)... La forme régulière de ces lectures, subtile et difficile, est presque abandonnée, ne pouvant être assurée convenablement que par des musiciens.

○ Chants de l'ordinaire, par le chœur des fidèles, ou par la schola :

Kyrie, Gloria, Credo, Sanctus, Agnus Dei, Ite missa est. Dans le rite romain, la réforme ordonnée par le pape Paul VI a remplacé ces chants par une récitation collective en langue vulgaire.

---

1. En plus de leurs travaux scientifiques, les pères de Solesmes ont mis au point des éditions pratiques, où des signes spéciaux permettent de préciser la ponctuation, l'articulation, les allongements aux cadences ou l'interprétation de certaines ligatures.

o Acclamations, par le chœur des fidèles. Probablement spontanées à l'origine, et très simples, elles se sont raffinées en devenant rituelles (comme c'est souvent le cas pour les « Oh! yes », qui ponctuent les homélies dans les églises de Harlem et sont l'équivalent des *Amen* de la liturgie romaine).

Amen; Deo gratias; Domine miserere; Miserere mei Deus; Gloria tibi Domine; Kyrie eleison; alleluia; etc.

Pièces d'origine psalmodique

o Répons (ou *responsoria*). Refrains par lesquels le chœur répond aux versets du psaume, chantés par le soliste. Primitivement brefs, syllabiques et indissociables du psaume, les répons sont devenus de grandes pièces à vocalises, généralement en trois parties (refrain, un ou plusieurs versets de psaume, refrain). Les graduels ou répons-graduels et les alléluias aux longues vocalises ornementales et jubilatoires (appelées *jubili*) se rattachent à cette catégorie. Mais ce sont en principe des pièces de soliste.

Tenebrae factae sunt; O vos omnes; Ecce quomodo; Libera me et *Requiem aeternam* de l'office des morts; *Gaude Maria Virgo; Haec dies* (répons-graduel de Pâques); *Ex Sion;* etc.

Répons-graduel de Pâques

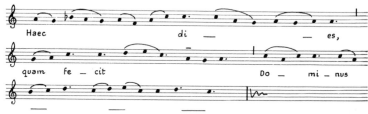

(2ᵉ mode = I plagal)

o Antiennes (*antiphonae*). Refrains syllabiques introduits dans le chant alterné des psaumes, comme prélude, postlude et interlude. Deux demi-chœurs chantent les versets en alternance (antiphonie) et se réunissent pour chanter l'antienne. Celles de l'office sont simples et brèves; celles de la messe sont plus développées, avec de courts mélismes. Il existe aussi de grandes antiennes chantées sans psaumes (souvent en antiphonie) comme des pièces indépendantes. Telles sont les quatre antiennes ornées à la Vierge.

Introït et communion de la messe (dont *Lux aeterna* de la messe des morts); *Hodie Christus natus est; Asperges me;* antiennes à la Vierge *(Regina coeli; Alma redemptoris Mater; Ave Regina coelorum; Salve Regina);* antienne de Pâques *(Surrexit Dominus de sepulchro)* ...

Antienne des vêpres de Noël

Ho_di _ _ e Chri _ _ stus na_tus est. Ho_di _ e sal_va_tor ap _ pa_ru _ it. Ho_di _ e in terra canunt An_ge _ li. E U O U a e

(1er mode = I authente)

○ Traits. Psaumes ou fragments de psaume, chantés d'un trait *(tractim)*, sans répétition ni refrain, par le seul soliste. Ce sont des pièces ornementales aux riches vocalises, qui se placent entre les lectures de la messe, principalement pendant le temps pascal. Ils sont normalement dans le 7e ou le 8e ton.

Sicut cervus; Commovisti Domine terram; Absolve Domine (messe des morts)...

Ces trois formes, remarquablement fécondes, se sont donc développées à partir du chant des psaumes. On voit qu'elles sont issues de trois types de psalmodie :

– la psalmodie ordinaire « directe » *(psalmodia in directum)* : récitation *recto tono* (sur la « teneur ») avec des cadences mélodiques strictement déterminées pour chacun des huit « tons », au milieu et à la fin de chaque verset. Sans doute a-t-elle donné naissance, paradoxalement, à l'une des formes mélodiques les plus ornées, le « trait ».

– la psalmodie antiphonique ou « en antienne » : les versets sont chantés alternativement par deux demi-chœurs, qui se réunissent pour chanter un court refrain appelé « antienne ».

– la psalmodie responsoriale ou « en répons » : les versets du psaume sont chantés par le soliste, auquel le chœur répond par un refrain *(responsorium)*, d'abord très court (simple alléluia, par exemple), puis de plus en plus développé, jusqu'à devenir une pièce ornée indépendante, le « répons », souvent réservée au soliste du fait de la difficulté des vocalises.

Pièces versifiées (véritables compositions musicales)
○ Hymnes. Primitivement en prose, dans une forme analogue à celle des psaumes, puis en vers à partir de saint Ambroise, ces pièces strophiques constituent un répertoire artistique hétérogène, dont le succès a été considérable dans la chrétienté. Mais, en dehors des monastères, la liturgie romaine les ignore jusqu'au XIIIe siècle. Les hymnes, dont beaucoup ont probablement une origine musicale populaire, n'ont ni forme ni mètre défini (le dimètre ïambique a cependant longtemps prévalu, à l'imitation des hymnes ambrosiennes).

Creator alme siderum; Jesu redemptor omnium; Salutis humanae sator; Ad regias agni dapes (toutes quatre attribuées à saint Ambroise); *Pange lingua; Te Deum; Ave maris stella; Crudelis Herodes; Vexilla regis prodeunt ...*

Hymnes (Saint Ambroise)

1er mode

(4e mode = II plagal)

○ Plus tard, on a qualifié d'hymnes des chants religieux (et même profanes) consacrés à la louange, sans aucun rapport avec les hymnes « ambrosiennes » ou « grégoriennes ».

Pièces dérivées des *tropes*. Une curieuse initiative, apparemment sans conséquence, est à l'origine d'un merveilleux enrichissement du répertoire et a même contribué de façon importante à l'orientation de la musique occidentale. Vers le milieu du IXe siècle, des moines de Jumièges inaugurèrent de placer des poèmes mnémotechniques sur les longues vocalises des alléluias, à raison d'une syllabe par note, pour aider les chanteurs à se rappeler leurs cellules mélodiques successives. Bien sûr, ces poèmes devaient rester sous-entendus, mais il fallait bien chanter d'abord plusieurs fois les vocalises « avec les paroles » pour les apprendre. Et il paraît qu'on y a pris goût!

Principe du trope

Connu sous le nom de *trope* [1], le procédé est introduit vers 860 au monastère de Saint-Gall, où le moine Notker va en élargir l'emploi et en lancer la mode. Il prend la liberté de développer les cellules mélodiques des vocalises pour y associer plus commodément des textes syllabiques au rythme régulier : chantées sans les mots liturgiques qui en étaient les prétextes *(Kyrie..., Alleluia...)*, les mélodies tropées forment des pièces lyriques indépendantes en vers, appelées séquences* ou proses*. Elles seront même répétées lorsqu'il sera nécessaire de former plusieurs strophes. Mais le nouveau goût de créer conduira plus loin : on s'avisera d'interpoler non seulement des mots mais une mélodie originale, habilement raccordée à la mélodie primitive.

Ces véritables « compositions » musicales, dont l'abbaye Saint-Martial de Limoges réunira aux Xe et XIe siècles un précieux florilège, ont un succès immédiat. Tantôt elles se détachent, comme les séquences, pour former des pièces indépendantes, tantôt elles absorbent tout l'intérêt en ne conservant du texte liturgique initial que de fugitives allusions. Ces pièces, faciles à chanter, souvent très belles, s'insèrent dans la liturgie entre les chants réguliers : l'enrichissement qu'elles apportent à l'office dans les « temps morts » est tellement apprécié que l'on voit apparaître un répertoire de pièces strophiques du même genre, indépendantes de la liturgie et des tropes, que l'on appelle *versus*. Mais le concile de Trente (1545-1563) ne retient de cette riche floraison que quatre séquences célèbres :

Victimae paschali laudes (XIe siècle; dont s'inspire le choral *Christ ist erstanden*), *Lauda Sion*, *Veni Sancte Spiritus* et le magnifique *Dies irae* (les trois dernières datent sans doute du XIIIe siècle). Le *Stabat Mater* ne sera admis qu'en 1727, avec cinq autres séquences.

Séquence de Pâques

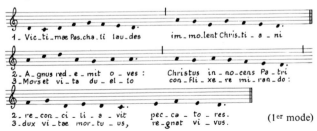

(1er mode)

(suite : voir p. 242)

---

1. *Tropus* (du grec *tropos*) signifie « manière » et désigne par extension une figure qui modifie le sens des mots ou qui procède d'un transfert de signification. Mais en latin médiéval *tropare* signifie « composer » (un poème ou une mélodie) et semble être l'origine de l'occitan *trobar* (« trouver », inventer, des mélodies) qui a donné *trobador* ou troubadour...

Mais bien d'autres pièces, heureusement, ont survécu à la Contre-Réforme, notamment les séquences *Inviolata* (trope du graduel *Gaude Maria Virgo*), *Ave Verum* (trope du *Sanctus*), *O filii* (trope de *Benedicamus* : xve siècle) ; des tropes de *Kyrie*, d'*Introït*, d'*Alleluia*, etc. Comparées au répertoire des hymnes, des répons et des antiennes, ces mélodies postgrégoriennes aux allures de chansons ou de chorals semblent appartenir au futur ; les pièces tardives y sont d'ailleurs souvent d'excellente qualité, contrairement à ce qu'on observe pour le chant grégorien classique.

Musique profane On peut s'étonner de ce que les longs siècles d'histoire musicale, au cours desquels les mélodies liturgiques ont acquis une telle perfection, ne nous aient guère transmis de témoignages d'une musique profane (publique ou domestique). Certes, les temps n'étaient guère propices, en dehors des murs des monastères, au développement d'un art raffiné : invasions, pillages, guerres, épidémies ont formé longtemps la toile de fond de la vie quotidienne. Mais surtout, la fonction essentielle de la musique était la louange divine. La suprématie culturelle de l'Église, notamment des abbayes, était garantie par le niveau dérisoire de l'alphabétisation, et, sous les Carolingiens, par le soutien du pouvoir politique. Soucieuse de préserver la pureté d'un art d'essence religieuse, l'Église ne cessait de condamner toutes les formes de musique profanes.

On s'éleva d'abord contre les coutumes païennes et les habitudes bruyantes du temple de Jérusalem, puis on a proscrit les petits intervalles, grâce auxquels se distinguaient les chanteurs professionnels, et la participation des instruments au culte. Périodiquement les Pères de l'Église condamnaient toute déviation, toute recherche, toute initiative musicale émanant d'un laïc : la simplicité, le respect de la fonction liturgique, l'imitation des modèles, ne cessent d'être recommandés. Les chrétiens sont mis en garde contre les dangers de certaines musiques de divertissement, surtout les chansons des mimes, qui ont eu longtemps un grand succès. Quant aux pratiques chorégraphiques, elles conduisent tout droit à l'enfer. Les références bibliques aux instruments, aux frappements de mains et aux pratiques saltatoires reçoivent de subtiles interprétations *ad hoc*.

De son point de vue, l'Église n'avait pas tort et c'était rendre hommage à la musique que de la croire si dangereuse pour la morale publique. Surtout, les principes imposés par cette tyrannie ecclésiastique ont favorisé l'éclosion d'une musique envoûtante, qui s'est transmise de siècle en siècle sans perdre sa fraîcheur. Mais on a certainement étouffé dans l'œuf d'autres musiques possibles, qui ne correspondaient pas aux normes établies. Le procès de la « mauvaise » musique, repris par tous les totalitarismes jusqu'à nos jours, se fonde sur des arguments extra-musicaux toujours discutables. L'Église n'échappe pas à la règle, même lorsque ses intuitions sont heureuses ou qu'elle s'entoure des avis de moines hautement spécialisés. Qui peut décider a priori qu'une musique est sainte, qu'elle est universelle ou qu'elle ressortit à un art véritable?

Seule la musique chrétienne avait survécu aux invasions, lorsque Clovis et Childéric essayèrent de ressusciter l'art musical gréco-romain, en restaurant les théâtres et en important des citharèdes d'Italie. Ces virtuoses faisaient épisodiquement parler d'eux comme musiciens des princes, mais le climat culturel était trop médiocre pour permettre l'épanouissement d'un art musical autonome. L'époque carolingienne y est plus favorable : on voit se développer aux IXe et Xe siècles les tropes, la notation, l'écriture polyphonique. Mais on ne connaît pas les chansons qui seraient issues des premiers tropes, ni les ancêtres carolingiens de l'estampie... Nous possédons la notation de musiques adaptées à Horace et Virgile (Bibl. de Cambridge) et quelques chants de circonstances, notamment sur la mort de Charlemagne (814) et sur la bataille de Fontenoy (841), dans un manuscrit de Saint-Martial. Mais ce sont des documents isolés sans grand intérêt musical. Les sources iconographiques et littéraires nous peignent des instruments ou font allusion aux danses des *ministri* et des saltimbanques et même aux danses d'église, bien que celles-ci soient proscrites depuis le VIIIe siècle. Les joueurs d'instruments sont évoqués sous le nom de « jongleurs » *(joculatores)*, mais on ne sait rien de leur répertoire. Et il est bien probable qu'on chantait hors de l'église, jusqu'au XIIe siècle, les hymnes et les séquences entendues à l'office.

Grand tournant du Moyen Age, la chute des Carolingiens (987) coïncide avec l'aube d'une culture nouvelle. C'est le temps où la musique « savante » occidentale succède aux traditions musicales antiques. Ne serait-ce donc pas la charnière entre l'Antiquité et le monde moderne? Où serait alors le Moyen Age, cette longue « nuit gothique » qui aurait séparé la culture antique de sa « renaissance » aux XVe et XVIe siècles? Ce vocabulaire, inadapté à la réalité historique, est une source permanente de confusion. En mettant dix siècles entre parenthèses, les humanistes de la Renaissance n'ont pas vu que leur art était hérité davantage du « Moyen Age » que de l'Antiquité gréco-romaine. Jusqu'au XIXe siècle, on a refusé de regarder, d'écouter et de comprendre ce qu'avaient pu être ces siècles méconnus : Rousseau ne voit dans les cathédrales que des « restes de barbarie et de mauvais goût » et Hugo veut persuader ses contemporains que la musique date de Palestrina... On ne découvrira la musique du Moyen Age que dans le dernier quart du XIXe siècle.

Les instruments
au Moyen Age

Les principaux instruments connus sous les Carolingiens (et sans doute, pour certains d'entre eux, sous les Mérovingiens) seront encore en usage sous les Capétiens; quelques autres apparaissent après le Xe siècle. C'est pourquoi les brèves notices qui leur sont consacrées se trouvent placées ici, entre les deux chapitres qui se partagent l'étude de la musique au Moyen Age. L'iconographie constitue la seule source d'information sérieuse sur ces instruments, dont il ne nous est parvenu que de très rares spécimens; les sources littéraires ne sont pas nombreuses et sont généralement imprécises (tableau des instruments p. 96-99).

David et ses musiciens, psautier du XIe siècle.

Ci-contre, psaltérion à cordes pincées (XIe siècle).

Orgues Byzance fut le premier centre de facture d'orgue au Moyen Age et c'est là sans doute que furent construites les premières orgues pneumatiques qui supplantèrent les hydraules. Du moins un instrument de ce type est-il représenté pour la première fois sur un obélisque byzantin. De Constantinople, des orgues sont exportées dans tout l'Empire, et même en Orient. Toutes celles qu'abritent les villas romaines sont détruites par les Grandes Invasions, mais au VIᵉ siècle un orgue pneumatique est de nouveau décrit par Cassiodore. On en fabrique désormais en Occident : en Espagne dès le Vᵉ siècle et en Angleterre à partir de 700. Constantinople reste cependant le centre le plus fameux. En 757, l'empereur Constantin Copronyme fait porter un orgue à Pépin le Bref et en 812 des ambassadeurs byzantins en offrent un à Charlemagne : il sera mis en place à Aix-la-Chapelle par son fils Louis.

Le jeu de ces instruments était assez rudimentaire. Une série de planchettes coulissantes, faisant office de clavier, permettait d'introduire l'air d'une machine pneumatique dans des tuyaux en cuivre ou en bronze (un ou plusieurs rangs) perpendiculaires aux touches coulissantes : chaque touche pouvait faire parler un ou plusieurs tuyaux simultanément... En 980, le monastère de Winchester possède un orgue de quatre cents tuyaux, alimentés par vingt-six gros soufflets et nécessitant le concours de deux organistes (un de chaque côté de l'instrument, sans doute, comme le montre le Psautier d'Utrecht). Il existait aussi, dès le Xᵉ siècle au moins, des orgues de petites dimensions « positives » (à poser sur un meuble); au XIIᵉ siècle on en fera de « portatives ». A partir du XIIIᵉ siècle, les tuyaux se répartissent en « jeux », de un à dix rangs; les touches coulissantes sont remplacées par des leviers, dont le nombre augmente peu à peu et qu'il est de plus en plus difficile, sur les grands instruments, d'actionner autrement qu'avec les poings, à mesure que le mécanisme devient plus complexe. L'instrument est introduit dans les églises; mais, selon le témoignage d'Ailred, abbé de Rievaulx (*De abusu musices*, vers 1150), les soufflets font tant de bruit que le son de l'orgue « évoque davantage le grondement du tonnerre que la douceur des voix ». Le clavier de pédale et les jeux d'anches apparaissent au XIVᵉ siècle, et les premières œuvres écrites spécifiquement pour l'instrument sont composées en Angleterre à la même époque.

Harpes, lyres, psaltérions Les dénominations médiévales sont souvent très confuses. Les mots *cythara*, *rote*, *rotta* ou *chrotta* (*crot* irlandais, *crwth* gallois) peuvent désigner une harpe, une lyre à archet, un psaltérion; il arrive que la lyre soit baptisée *harpe* ou *psalterium*... ou que le « monocorde » ait dix-neuf cordes!

Cathédrales de Burgos et de Léon : orgues positives.

Toutefois l'iconographie permet de distinguer trois types d'instruments à cordes sans manche :

o Les harpes se reconnaissent à leur forme approximativement triangulaire et par les cordes d'inégales longueurs tendues dans un plan perpendiculaire au corps sonore, entre celui-ci et une « console » qui porte les chevilles. Une colonne de soutien, formant le troisième côté du triangle, permet de compenser une assez forte tension des cordes; pourtant l'instrument ne semble pas très sonore, si l'on en juge par un poème d'Eustache Deschamps où « la harpe tout bassement va ». On trouve de nombreuses représentations non équivoques de la harpe, notamment dans le Psautier d'Utrecht (vers 832). Seules les dimensions varient considérablement, ainsi que le nombre de cordes, compris entre sept (rapprochement avec les sept planètes) et vingt-cinq (*Dit de la harpe* de Machaut au XIVe siècle). La petite harpe portable est sans doute venue d'Irlande *(crot)* avec les moines irlandais (c'est encore l'emblème héraldique de ce pays). Dès le IXe siècle, les jongleurs en accompagnent leurs récits et la nouvelle noblesse féodale apprend à en jouer. Mais, en dépit d'une vogue continue, il ne semble pas que la harpe ait suscité un répertoire spécifique avant le XVIe siècle.

o Les lyres s'apparentent à la cithare antique jusqu'au XIe siècle. Les cordes, de longueurs égales, sont tendues entre un chevalet et une console transversale, parallèlement au corps sonore. Elles sont pincées avec les doigts. A partir du XIe siècle (*crwth* du pays de Galles, *rote* sur le continent), l'instrument est joué avec l'archet: il est alors en une seule pièce, de forme allongée, les extrémités sont arrondies et l'on ne distingue plus guère ce qui avait été la console et les branches. Lyre et harpe sont clairement différenciées dans un manuscrit du XIIe siècle où la harpe est appelée *cythara anglica* et la lyre *cythara teutonica*.

o Le psaltérion, qui apparaît au XIIe siècle sur une sculpture de la cathédrale de Saint-Jacques de Compostelle, se compose d'une caisse de résonance plate de forme généralement trapézoïdale au-dessus de laquelle sont tendues un nombre de cordes très variable, de longueurs inégales. Le dessus de la caisse, ou table d'harmonie, est percé d'une « rose ». Ici les cordes sont tendues, sur toute leur longueur, au-dessus de la caisse de résonance, contrairement au principe de la harpe (plan des cordes perpendiculaire, donc entièrement extérieur à la caisse) et de la lyre (cordes extérieures à la caisse sur une partie de leur longueur). Deux types d'instrument peuvent être distingués selon le mode de production du son :

– le psaltérion proprement dit, à cordes pincées, qui subsiste encore aujourd'hui en Europe centrale sous le nom de *zither* (la cithare du *Troisième Homme*) et dans les pays arabes sous le nom de *Qānun*. De ce mot arabe, l'Europe du Moyen Age a fait « canon ».

– le psaltérion à cordes frappées, appelé au Moyen Age « tympanon » ou « dulcimer », plus particulièrement employé dans l'Europe orientale et septentrionale. Il subsiste aujourd'hui sous la forme du *cimbalom* hongrois et du *santur* iranien.

Munis au XIVe siècle d'un mécanisme à clavier, les psaltérions donnent naissance à l'*échiquier*, mentionné par Machaut et E. Deschamps. Ce petit instrument, apparu vers 1350, sans doute en Angleterre (Machaut parle de « l'eschaquier d'Engleterre »), est l'ancêtre du clavecin et du piano : il semble en effet qu'il ait existé deux types d'échiquier, l'un à cordes pincées (psaltérion à clavier... épinette et clavecin), l'autre à cordes frappées (tympanon à clavier... clavicorde et piano). Les psaltérions se présentaient parfois sous la forme d'un demi-trapèze, ou trapèze rectangle, avec le côté légèrement concave *(micanon)*, préfigurant ainsi la forme d'aile du clavecin et du piano à queue.

○ Le monocorde (ou manicordion) est souvent mentionné au Moyen Age. A l'origine, c'est un instrument scientifique destiné à l'évaluation des intervalles : un chevalet mobile, se déplaçant le long d'une échelle graduée, permet de mesurer la longueur de corde correspondant à différents sons pour une même tension. A partir du XIe ou XIIe siècle, cependant, le monocorde apparaît dans l'iconographie comme instrument de musique. Au XIVe siècle, il est tendu de plusieurs cordes sans changer de dénomination [1]. Ces instruments sont joués avec un plectre. Mais une variante à archet (et à une seule corde) le *Trumscheit* était joué dès le XIIe siècle en sons harmoniques comme le sera la « trompette marine » à partir du siècle suivant. Le mot manicordion sera utilisé, au temps de la Renaissance, pour désigner un petit instrument à clavier de type clavicorde.

Joueur de monocorde : lettrine du XIIe siècle.

Luths, guitares, vièles Les instruments à cordes avec manche existent en Europe depuis le haut Moyen Age. Leurs dénominations se confondent souvent avec celles des instruments sans manche, dans le même désordre et la même imprécision. L'iconographie est encore la meilleure source d'informations.

○ Le luth, sous la forme que la Renaissance a rendue fameuse, ne fut introduit en Europe qu'au XIIe siècle par les Maures, avec son nom arabe (*al'ūd*, qui est devenu *laud* en Espagne, puis *lut* en France). A la fin du XIVe siècle, il a pris son aspect caractéristique avec sa caisse piriforme composée de « côtes » en sycomore et son chevillier recourbé en arrière. Mais, dès le

1. En 1323 Jean de Muris *(Musica speculativa)* se flatte de posséder un « monocorde » de dix-neuf cordes diatoniques.

Harpe (église des Jacobins, Toulouse).
Ange sonnant de la trompette,
vitrail de Drumleyek (Irlande).
Harpe et petit tambour sur cadre
(chapiteau de la Daurade, Toulouse).

Ane joueur de vièle :
chapiteau de Cluny.

Vièle et castagnettes.
(cloître d'Estany)

IXᵉ siècle (Psautiers d'Utrecht et de Saint-Gall), on trouve représenté une sorte de luth à long manche fin, analogue au *setār* persan, au *tanbur* d'Asie Mineure, au *colascione* d'Italie méridionale, ou à la *dombrà* kirghize. Il est tendu de deux ou trois cordes et son manche est muni de six frettes. Deux autres instruments de la famille du luth apparaissent respectivement aux XIᵉ et XIIIᵉ siècles : la mandore ou mandole (petit luth à quatre cordes qui est un instrument de jongleurs aux XIIᵉ et XIIIᵉ siècles) et la citole (table analogue à celle du luth, mais avec un dos plat et des éclisses : c'est un intermédiaire entre le luth et la guitare).

○ La guitare a curieusement emprunté son nom à des instruments sans manche de l'Antiquité (*kettarah* assyrien, *kithara* grecque). Dès le XIᵉ ou XIIᵉ siècle, elle se présente sous deux formes : la *guitarra morisca*, que Machaut appelle « morache » et qui n'est autre qu'un luth ou une mandore, et la *guitarra latina*, appelée aussi *guiterne*, qui est approximativement la guitare que nous connaissons. Dans le Psautier de Stuttgart (Xᵉ siècle) figure un curieux instrument qui s'apparente nettement à la guitare : caisse étroite aux côtés (éclisses) parallèles et à fond plat, manche court au chevillier piriforme qui semble ne former qu'une pièce avec la caisse, quatre cordes. C'est probablement cet instrument qui était appelé *cythara*. Une variété de grande guitare, la *vihuela de mano*, apparaît en Espagne au XIIIᵉ siècle : elle connaîtra un énorme succès dans son pays de 1520 à 1580 environ.

○ Les instruments à archet du Moyen Age, appelés « vielle » (puis vièle), « fidula », « gigue », « lira », commencent à être utilisés au Xᵉ siècle, lorsque l'archet fait son apparition en Europe (introduit très probablement par les Arabes). Ces instruments, de formes très diverses, étaient tendus de une à cinq cordes. Ils étaient tenus de plusieurs manières (la caisse posée sur l'épaule ou sur le genou) et la main gauche ne pouvait utiliser que la première position (les doigts s'abaissent sur la touche pour produire quatre sons sur chaque corde, en plus de la corde à vide, sans déplacement de la main). A partir du XIIᵉ siècle, les caisses sont échancrées (comme celles des violes et des violons) pour faciliter le passage de l'archet. L'origine orientale est évidente dans un petit instrument analogue au *rebāb* arabe, le rebec (ou rubeba, ou lira), qui est resté en usage jusqu'au XVIIᵉ siècle : il est tendu de deux ou trois cordes et sa caisse piriforme s'amincissant pour former le manche le fait ressembler à un petit luth allongé [1].

---

1. Jusqu'au début du XIᵉ siècle, nos instruments à cordes avec manche présentent une particularité qu'on ne trouve qu'en Europe et en Asie Mineure : les chevilles se trouvent à l'arrière du manche, et non à l'avant ou sur les côtés.

o L'organistrum (ou symphonia, ou chifonie) est une sorte de vièle où l'archet est remplacé par une roue, qui frotte les cordes sous l'action d'une manivelle; les cordes sont raccourcies non par les doigts directement, mais par un clavier. C'est l'instrument que nous appelons aujourd'hui vielle à roue et qui appartient au folklore depuis le XVIIe siècle. Au Xe siècle, Odon de Cluny consacre une étude à sa facture : *Quomodo organistrum construatur*. Mais il n'apparaît dans l'iconographie qu'à partir du XIIe siècle, d'abord sous forme d'un très grand instrument posé sur les genoux de deux exécutants (dont un tourne la manivelle), puis comme instrument portable. Il est impossible d'en préciser le nombre de cordes ni d'affirmer s'il existait ou non des cordes de « bourdon* » comme dans l'instrument populaire que nous connaissons.

Instruments à vent

o Guillaume de Machaut distingue au XIVe siècle deux types de flûtes : les « flaustes traversaines » et celles « dont droit joues quand tu flaustes ». Mais il semble que les flûtes aient été droites en Europe jusqu'au XIIe siècle. La flûte « traversière » serait alors venue d'Orient. Une petite flûte droite appelée *flajol* ou *flaihutel* est jouée en association avec un tambourin ou *tabor*, par un seul exécutant, comme cela se pratique encore aujourd'hui en Provence (galoubet et tambourin) ou au Pays basque (*txistu* et *tabor*).

o Les instruments à anche (généralement double comme sur le hautbois) sont représentés par les chalumeaux (*chalemele, piffera,* ou *caramela*), les bombardes (d'une quinte plus graves) et les doulçaines, au tuyau plus étroit et au timbre voilé. Il faut y ajouter la muse ou musette, composée d'un ensemble de deux, trois ou quatre chalumeaux alimentés par un réservoir d'air en peau de chèvre : comme dans la cornemuse actuelle, l'un des tuyaux, percé de trous, est destiné à jouer la mélodie, les autres (parfois de type clarinette, cylindriques, à anche simple) exécutent des bourdons.

o Les instruments de la famille des cors et des trompettes sont généralement des instruments guerriers. L'olifant, dont la vogue a duré un peu plus de deux siècles, est un cor exécuté dans une défense d'éléphant (d'où son nom, obtenu par approximation phonétique). Importé au Xe siècle de Byzance — qui, n'ayant pas d'éléphants, se procurait sans doute les défenses en Afrique —, cet instrument était suffisamment prestigieux pour que l'auteur de *la Chanson de Roland* en ait pourvu son héros. La buisine (ou araine) est une longue trompe en métal, sans doute d'origine sarrasine, adoptée au XIIe siècle. L'instrument que Dante appelle *trombetta* est une petite *tromba*, une petite buisine, une « trom-

« Olifant » de Roland.
(Musée Paul Dupuy, Toulouse).

pette ». Les quatre *tubae* et la *tubecta* d'argent que se fit faire l'empereur Frédéric II en Italie (1240) sont probablement des instruments du même type, l'un et l'autre s'inspirant aussi librement de la *tuba* et de la *buccina* latines. On voit aussi une sorte de *lituus*, avec pavillon recourbé, dans la Bible de Charles le Chauve (IXe siècle); mais c'est exceptionnel. Dès le Xe siècle, on utilisait également des instruments coniques en corne d'animal ou en bois, munis d'une embouchure de cor et percés de trous comme les chalumeaux : ce sont les cornets, appelés aussi « cornets à bouquin » du nom que l'on donnait à leur embouchure. A partir du XIIe siècle, l'extérieur de cet instrument a souvent une section octogonale qu'il conservera jusqu'à l'époque classique. Trompes, trompettes et olifants étaient l'exclusivité de la noblesse guerrière. Ce privilège social, hérité de l'Orient, a été conservé

Carillon, psaltérion, orgue : traité du XIVe siècle.

jusqu'à nos jours dans l'armée : la trompette y est réservée à la cavalerie (qui se recrutait jadis dans la noblesse), le clairon restant comme les anciens cornets l'apanage de l'homme à pied !

Instruments de percussion Jusqu'à la Renaissance, les instruments de percussion n'ont joué qu'un rôle marginal en musique. Avant le XIIe siècle, ils n'existaient pratiquement pas, en dehors des jeux de cloches *(cymbala)* employés dans les monastères. Cependant, le décor quotidien était rehaussé de bruits divers, dont la littérature médiévale évoque souvent les aspects familiers : crécelles des lépreux, amulettes tintinnabulantes dont se couvrent les héros et les pèlerins, sonnailles, grelots, cloches, heurtoirs de portes, etc. Ce n'est qu'au XIIe et au XIIIe siècle qu'apparaissent en Europe les tambours à deux peaux, dont s'accompagnent surtout les joueurs d'instruments à vent, et le petit tambour sur cadre à crotales (timbre) que nous appelons improprement « tambour de basque » bien qu'il vienne d'Orient. Au retour des dernières croisades (fin XIIIe siècle), un instrument arabe, nommé *naqqārya*, est introduit en Europe sous le nom de « nacaires » (en Italie *naccheroni*) : c'est une paire de timbales, que l'on placera sur le dos d'un cheval à l'imitation des Arabes qui en chargeaient leurs chameaux. Associées aux trompettes, ces timbales seront longtemps le privilège de la noblesse.

N.B. La façon dont les instruments sont assemblés dans l'iconographie et la littérature médiévales ne doit pas faire préjuger de leur participation à des types définis de « musique d'ensemble », au sens où nous l'entendons aujourd'hui. Il faut imaginer la pratique musicale collective de ce temps-là comme un effet de l'occasion ou du désir. En peignant des groupes d'instruments, les artistes ont suivi leur imagination ou se sont amusés à faire l'inventaire de la mode instrumentale de leur temps.

La liberté de créer
La seconde renaissance
L'Ars nova

Concert, mandore et luth,
ivoire du XIVe siècle,
Musée de Cluny.

Joueur de mandore
par Juan Oliver, 1330,
Pampelune.

Ms. du Xᵉ siècle : BN 7900 A.

Graduel noté, du XIᵉ siècle : lettre ornée.

Le IXᵉ siècle, que Charlemagne inaugurait en se faisant sacrer empereur d'Occident (800), a révélé à elle-même une culture naissante. Le chant grégorien est son honneur, mais ses mélodies se figent dans l'*ordo*, puisque l'Église est opposée à la libre expression artistique. Les chants nouveaux ne pouvant être qu'imitation des modèles, l'auditoire des fidèles se lasse et devient passif, tandis que les communautés monastiques, impatientes d'enrichir un patrimoine musical quotidiennement vécu, doivent contenir leur ambition créatrice.

Or les fondements théoriques et idéologiques de la tradition ne sont pas assez fermes, leur assimilation n'est pas assez complète, pour que cette tradition puisse s'enrichir et s'approfondir sans évoluer, comme en Inde par exemple. On sait comment les moines de Saint-Gall ont imaginé de créer des chants nouveaux en greffant des tropes sur le vieux répertoire. Non seulement le procédé répondait au besoin de renouveau qu'étouffait l'autorité de l'Église, mais il allait provoquer l'éclosion de notre littérature et de notre musique occidentales.

Après la chute des Carolingiens (987) un monde ancien est en voie de disparition, tandis que naît un autre monde sous les premiers Capétiens. C'est ici le grand tournant de notre culture, la rupture des liens qui nous unissent à l'Antiquité, l'aube des

temps modernes (davantage que le partage de l'Empire de Théodose, en 395 : date traditionnelle du début du Moyen Age).
Au lieu des signes de l'Apocalypse, on a pu lire dans le ciel de
l'an Mil un message d'espoir. L'Europe s'éveille, les futures
nations se différencient, les idées abondent, au seuil de la longue
période féconde où Gustave Cohen voyait briller « la grande
clarté du Moyen Age ». C'est alors qu'apparaissent de nombreux
traits caractéristiques de notre civilisation musicale, qui subsis-
teront pendant dix siècles : principe évolutif, spécialisation et
complexité croissantes, contestation permanente du système
par une avant-garde « moderne », concept d'*œuvre* (d'où l'idée
de « grande musique »).

Les tropes et la polyphonie, comme exutoires au besoin de
créer, participent du même souci moderniste de greffer des
éléments nouveaux sur une vieille tradition menacée de stérilité
ou de dégénérescence. La nouveauté est bien plus importante
que ne l'ont soupçonné ses promoteurs. Pièce lyrique insérée
dans la liturgie, le trope est à l'origine du « drame liturgique »
et de la lyrique des troubadours. La polyphonie elle-même est
une manière de trope, où l'interpolation est simultanée, verticale.
Lorsque le trope est devenu complètement indépendant des
pièces liturgiques, il a engendré (particulièrement autour de
Saint-Martial de Limoges, au Xᵉ siècle) les compositions originales
que sont les *versus* : la chanson, que les premiers troubadours
appelaient un *vers*, en découle directement. On composera des
versus pour tous les moments « creux » de la liturgie, notamment
pour accompagner les différents déplacements pendant l'office :
ils s'appelleront alors *conductus* (« chant de conduite ») et donneront naissance au XIIIᵉ siècle à l'un des principaux genres
polyphoniques où s'illustrera l'école de Notre-Dame.

Les pratiques musicales nouvelles favorisent le progrès de la
notation... et ce progrès stimule l'esprit inventif des nouveaux
« compositeurs », assurés désormais d'une transmission satisfaisante de leurs idées musicales. En devenant plus précise, l'écriture empiète chaque jour davantage sur la tradition orale. Et
c'est au préjudice de la mémoire, dont le rôle n'est plus essentiel.
En revanche la spécialisation s'accentuera : longtemps le « trouveur » de mélodies et le « déchanteur », qui invente un contrepoint sur un chant donné, appartiendront à deux familles musicales
distinctes. L'un et l'autre cependant sont des créateurs d'une
espèce nouvelle. Désormais, la libre démarche de l'acte musical
inspiré, la subtile diversité d'une manière de faire traditionnelle
(mélismes, ornements, variété expressive des intervalles, souplesse naturelle du rythme) s'effacera devant une autre forme de
liberté : la COMPOSITION. Jadis les grandes vocalises des pièces
ornées étaient faites de dessins mélodiques appris, correspondant

à des modes déterminés; le chantre instruit connaissait ces formules et les assemblait en fonction de la liturgie et de son inspiration, sans que son apparente liberté le dispensât d'imiter les modèles. L'ère nouvelle sera celle des compositions autonomes, fixes, individuelles, transmissibles. Un processus évolutif est en route, selon lequel la musique cessera peu à peu d'être anonyme et vécue : elle va devenir objet, « chose », comme diront Machaut et ses contemporains au XIVe siècle.

Drames liturgiques et jeux

Vers la fin du IXe siècle, le souci de faire participer les fidèles aux mystères chrétiens, culminant dans la Résurrection, a donné naissance à de courtes scènes dialoguées, intercalées dans la liturgie. Apparues à la même époque à Saint-Gall, Saint-Martial de Limoges et peut-être Fleury (Saint-Benoît-sur-Loire), ces dialogues forment le noyau des drames liturgiques, d'où procède une grande partie du théâtre européen, notamment l'opéra. Rarement dans l'histoire musicale et littéraire une cause aussi modeste a été suivie d'effets aussi importants!

Cycle de Pâques Vers le début du Xe siècle, probablement à Saint-Martial de Limoges, l'Introït de Pâques *(Resurrexi et adhuc...)* suscite un trope d'introduction dialogué, admirable de simplicité naïve :

« *Quem quaeritis in sepulchro, o christicolae?*
– Jhesum nazarenum crucifixum, o coelicolae.
– Non est hic, surrexit sicut predixerat; ite, nuntiate quia surrexit de sepulchro. »

Deux interprétations possibles
du trope *Quem quaeritis*

(ms. 484 de Saint-Gall)

BN lat. 1240 et autres d'après Chailley

(« Qui cherchez-vous dans le tombeau, ô suivantes du Christ ? demande l'ange aux Maries. — Jésus de Nazareth le crucifié, ô enfants du ciel. — Il n'est pas ici, il s'est relevé comme il l'avait annoncé ; allez dire qu'il s'est relevé du tombeau. ») La Résurrection est ensuite le thème de l'Introït.

Primitivement, ce trope était simplement dialogué par les officiants. Mais le succès du dialogue s'étend, on y ajoute des personnages et des épisodes et, vers 970, on le transporte judicieusement à la fin de l'office de matines, avant le *Te Deum* ; c'est l'heure où les évangiles situent la scène du tombeau et c'est surtout le moment le plus propice à quelques développements. Dans les monastères (surtout à Fleury), le trope dialogué est aussitôt prétexte à de petites mises en scène où l'autel figure le tombeau : ainsi naissent, au lever du soleil, les premiers drames liturgiques. De nombreux manuscrits [1] nous en montrent l'évolution. Dans les différentes versions, les parties essentielles sont généralement reprises de versions précédentes ; les mélodies elles-mêmes sont ainsi transmises de siècle en siècle. A partir du XIIᵉ siècle, les principaux épisodes de ce Drame de Pâques (ou *Ludus pasqualis* ou *Visitatio sepulchri*) sont d'habitude les suivants.

– Une scène introductive nous montre les centurions que Pilate a envoyés garder le tombeau : ils sont terrassés par l'ange (Mt 27, 62-66 et 28, 4). Dans la version du codex Buranus, Pilate apparaît entouré des grands prêtres en conclave ; on voit aussi Madame Pilate et un groupe d'*assessores*. Les légionnaires marchent autour du tombeau en chantant à tour de rôle, avec un refrain en allemand... Dans le manuscrit de Tours, ils se relèvent après la scène *Quem quaeritis* et vont rendre compte à Pilate.

– Puisque les saintes femmes apportent des aromates au tombeau, il fallait qu'elles les eussent achetés (comme le suggère saint Marc) ! On imagina donc une scène avec le marchand d'aromates. Dans le codex Buranus, il y a même là la femme du marchand, qui intervient pour indiquer le prix ; puis l'homme montre aux Maries leur route.

– Chemin faisant, les femmes se demandent qui leur roulera la pierre (Mc 16, 3). Et Marie de Magdala chante une déploration (un *planctus*), prétexte à un beau moment de lyrisme... N'est-ce pas la préfiguration du grand air d'opéra ? Parfois cet épisode sert d'introduction et chacune des Maries chante un *planctus*, à tour de rôle.

---

1. Surtout ceux d'Oxford (Bodl. Libr. ms. 775 : *Winchester troper*, XIᵉ s.), Tours (Bibl. mun. ms. 927, XIIᵉ s.), Munich (Bayr. Staatsbibl. ms. lat. 4660 a, : le codex Buranus contenant les célèbres *Carmina Burana*, XIIIᵉ s.), Klosterneuburg (Stiftsbibl. ms. 574, XIIIᵉ s.), Orléans (Bibl. mun. ms. 201 provenant de Fleury, XIIIᵉ s.), La Haye (Bibl. royale mss. 76 F. 3 et 71 J. 70, XIIIᵉ et XVᵉ s.), Saint-Quentin (ms. 86, provenant d'Origny-Sainte-Benoîte, XIVᵉ s.), Vich (Museo, ms. 111, XIIᵉ s.)...

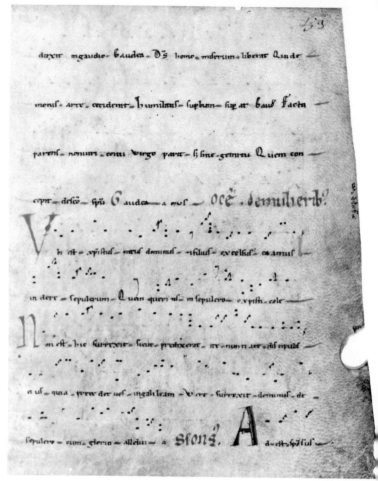

Début du trope *Quem quaeritis*
ms. de Saint-Martial (début du XIe).

– C'est alors qu'intervient le dialogue central (« *Quem quae-ritis...?* ») devant le tombeau. Il est souvent amplifié ou enrichi de figures de rhétorique naïves. Dans le codex Buranus, Marie la Magdaléenne court annoncer la nouvelle aux disciples, qui la traitent de folle (Lc, 24, 11). Dans d'autres versions, elle chante une belle déploration après avoir trouvé le tombeau vide; c'est alors que les anges l'interpellent.

– A cet endroit du drame se trouve quelquefois une scène très touchante (Jn 20, 14-17). Marie voit un personnage à l'allure de jardinier *(quidam preparatus in similitudine hortulari)*. Elle ne le reconnaît pas tout de suite lorsqu'il lui demande la cause de ses larmes. Mais Jésus l'appelle par son nom, elle se jette à ses pieds en disant « mon Maître! » Dans les versions les plus

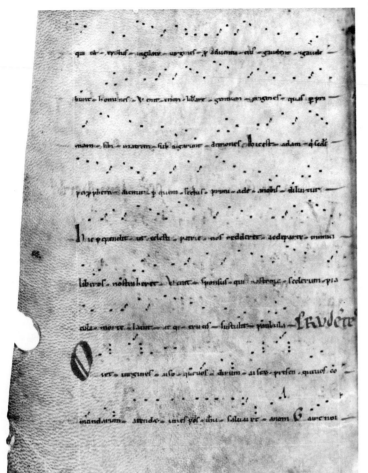

Fragments du Drame du Sépulcre et du *Sponsus* dans un manuscrit de Saint-Martial (BN lat. 1139). Neumes aquitains avec une ligne (vers 1100).

sobres (XIIᵉ siècle), la qualité expressive de la musique donne à ces deux répliques un caractère d'ineffable tendresse :

Ma _ ri _ a   Rab _ bou _ ni

(ms. de Fleury)

Plus tard ces phrases admirables perdront leur simplicité :

Ma _ _ _ ri _ a   Rab _ bou _ ni

(ms. de Cividale)

— A partir du XIIe siècle, il est d'usage de chanter après la scène du tombeau la belle séquence de Wipo, *Victimae paschali laudes*, dont la seconde moitié dialoguée donne à Marie l'occasion d'annoncer la résurrection :

« Qu'as-tu vu sur ton chemin?

— Le tombeau du Christ vivant... »

4 - Dic no - bis, Ma - ri - a, quid vi - dis - ti in vi - a?

5 - Sepulchrum Christi viven - tis et glo - ri - am vi - di re - sur - gen - tis.

(voir exemple p. 219)

— Dans une scène qui s'enchaîne logiquement au *Victimae paschali*, mais que saint Jean place avant l'apparition de l'ange et celle de Jésus (20, 3-10), les disciples Pierre et Jean, alertés par Marie la Magdaléenne, courent alors au sépulcre où ils trouvent le suaire et les bandelettes : deux clercs couraient ainsi vers l'autel, du fond de l'église, et sortaient du tabernacle les linges mortuaires, symboles de la Résurrection.

Au cours des XIIIe et XIVe siècles, d'autres scènes furent encore ajoutées aux précédentes et les langues profanes firent leur apparition. Une belle version du XIVe siècle (ms. d'Origny-Sainte-Benoîte) comporte des dialogues en français. L'ordre des scènes était dicté par l'inspiration, imposant une logique dramatique souvent indifférente à la chronologie évangélique.

Peregrinus L'épisode des pèlerins d'Emmaüs, raconté par saint Luc (24, 13 et s.), a été parfois incorporé au Drame du sépulcre (ms. de La Haye). Mais le texte de l'Évangile était suffisamment riche en dialogues pour susciter un drame indépendant, que l'on trouve dans plusieurs manuscrits sous le titre de *Peregrinus*, à partir du XIIe siècle. Certaines versions y ajoutent l'apparition à Thomas l'incrédule à Jérusalem, (Jn, 20, 24-29). D'autres suivent le « scénario » de saint Luc jusqu'à la fin; mais Jésus réapparaît aux apôtres à Emmaüs et non à Jérusalem comme le dit l'Évangéliste. Dans un manuscrit de la Bibliothèque nationale (ms. lat. 16309) du XIIe siècle, l'unité de lieu est explicitement indiquée.

Cycle de Noël Parallèlement à la *Visitatio sepulchri*, un autre cycle dramatique s'est développé autour de la Nativité. Le noyau est un trope dialogué, imité de celui de Pâques et transporté lui aussi à la fin de l'office de matines.

« *Quem quaeritis in praesepe, pastores, dicite?* » : « Qui cherchez-vous dans la crèche, dites, bergers? » demandent les sages-femmes *(obstetrices)*. — « Christ, le Sauveur, l'enfant enveloppé de langes, selon le récit des anges », répondent les bergers. — « Le petit est ici, avec Marie sa mère », etc. Et l'on enchaînait initialement l'Introït de Noël, *Puer natus est*, après avoir rappelé les prophéties se rapportant à la Nativité. Mais très vite d'autres épisodes se greffent sur la cellule centrale, comme autour du dialogue de Pâques : les Mages, guidés par l'étoile, l'inquiétude d'Hérode, la fuite en Égypte, le massacre des Innocents... Quels sujets pour un théâtre naissant!

Un cycle complet du *Jeu de Noël*, datant vraisemblablement de la fin du XIIe siècle, a été copié dans le fameux codex Buranus. De façon générale, on doit pourtant considérer les différents épisodes comme des drames liturgiques indépendants, destinés souvent à des cérémonies différentes. On en distinguera quatre principaux.

1. *Ordo prophetarum.* Ce « Drame des prophètes » a une origine indépendante : un trope lyrique des Prophéties de la Sibylle, qui étaient psalmodiées dans la nuit de Noël depuis le VIe siècle. Selon le processus habituel, d'autres « prophètes » se joindront à la Sibylle (évoquée par saint Augustin dans *la Cité de Dieu*) : Moïse, David, Isaïe, Jérémie, Daniel, sainte Élisabeth, Nabuchodonosor, Virgile... A tour de rôle, ils annoncent la venue du Messie par la bouche de chantres différents, ayant chacun le costume et les accessoires de son personnage. Leur rassemblement donne lieu à une procession solennelle, dont on peut voir une figuration[1] à la façade de Notre-Dame la Grande à Poitiers (XIIe siècle). Dans une version conservée à la Bibliothèque municipale de Laon (ms. 263), on trouve d'importantes indications de costumes et de mise en scène.

Au défilé des prophètes est associé, dans le plus célèbre manuscrit de Saint-Martial (Bibl. nat., lat. 1139), un très curieux drame de l'Époux, le *Sponsus*, qui en constituerait le prologue. Inspiré de la parabole des vierges sages et des vierges folles, le texte (95 vers) est un amusant mélange de latin et de langue vulgaire : « Dolentas, chaitivas, trop i avet dormi », ironisent les sages, et l'ange Gabriel lui-même s'exprime en limousin.

2. *Officium pastorum* ou « Drame des bergers ». C'est l'épisode traditionnel de la crèche, construit autour du trope *Quem quaeritis in praesepe?* Dans le codex Buranus, il est précédé de la scène de l'Annonciation. La source d'inspiration est saint Luc

---

1. Jacques Chailley, *Du drame liturgique aux prophètes de Notre-Dame la Grande*, Poitiers, Société d'études médiévales, 1966.

Les prophètes de Notre-Dame
la Grande à Poitiers

Fragment du *Peregrinus* (extrait du
manuscrit BN lat. 16309, XIIᵉ siècle).

(2, 7-20). La meilleure version se trouve dans le ms. lat. 904 de la Bibl. nat.

3. *Officium stellae* (d'après saint Matthieu, 2, 1-16). Guidés par l'étoile, les Mages vont porter leurs offrandes à Bethléem. La vieille tradition qui en fait des rois a sans doute été inspirée par le psaume 72, 10 (rois de Tarsis et des îles, de Cheba et de Seba). Terriblement inquiet, Hérode leur demande de venir lui rendre compte de ce qu'ils auront vu... ce qu'un songe les dissuade de faire. Apprenant la défection des Mages, Hérode (figure souvent caricaturale) entre dans une grande colère, prélude au « Massacre des Innocents », tandis que la Sainte Famille, qu'un ange avertit du danger, s'enfuit en Égypte. Ce « Drame des Mages », qui se représentait à la fin de l'office de matines de l'Épiphanie, nous est conservé par de nombreux manuscrits

Fragment de l'*Officium pastorum*
(BN lat. 904, XIIIᵉ siècle).

des XIe, XIIe et XIIIe siècles [1]. Son succès fut particulièrement grand. grâce à l'intérêt dramatique de ses péripéties (véritable « suspense »), aux amples mises en scène qu'il suggérait (la cour d'Hérode) et au caractère coloré des personnages (Hérode surtout, dont le portrait outré exorcise les peurs). Le ms. de Fleury-sur-Loire donne des indications précises sur le jeu et le dispositif scénique.

4. *Interfectionem puerorum*. A l'exception d'une seule (ms. de Laon), les différentes versions du drame des Mages ne comprennent pas le « Massacre des Innocents ». En revanche on en trouve une version assez développée, présentée comme un drame séparé, dans le ms. de Fleury. Le drame commence par une procession des enfants. Puis la Sainte Famille est avertie par l'ange qu'il faut fuir. Hérode apparaît alors et tandis qu'il menace de se tuer, apprenant qu'il a été trompé (« *Delusus es* », annonce son aide de camp), les enfants réapparaissent en chantant. L'aide de camp conseille alors le massacre, qui est décidé, en dépit des supplications des mères. Après la « déploration de Rachel », thème maintes fois exploité au Moyen Age, les enfants ressuscitent et font une dernière procession. Enfin, Hérode ayant été détrôné, un ange annonce le retour de la Sainte Famille.

Les drames liturgiques de ces deux grands cycles ont servi de modèles à beaucoup d'autres. Les sujets sont empruntés aux scènes dramatiques de la Bible, aux épisodes les plus frappants de la vie de Jésus, à la vie des prophètes, aux miracles des saints... Des dialogues versifiés en langue vulgaire sont insérés de plus en plus souvent (véritables tropes du drame), donnant naissance aux premiers chefs-d'œuvre de notre théâtre.

D'abord représentés dans les monastères, puis dans les églises, en utilisant au maximum les particularités architecturales, les drames liturgiques, ou les « Jeux », ainsi qu'on commence alors à les appeler, sortent sur le parvis (fin XIIe siècle), d'où ils se transporteront même au cimetière et sur la place publique. Ils se séparent alors définitivement de la liturgie et s'ouvrent aux influences profanes. Pour être mieux vus des spectateurs, les protagonistes jouent sur un plancher surélevé, devant un des portails de l'église qui figure éventuellement la porte du ciel ou de la « maison de Dieu »; costumes, décors et artifices divers permettent de rendre la mise en scène plus explicite. Dans de nombreux manuscrits, les didascalies (instructions du poète aux interprètes) sont de plus en plus précises et exigeantes : celles du *Jeu d'Adam*, modèles du genre, précisent même qu'il faut construire un faux serpent qui montera le long de l'arbre défendu !

---

1. Notamment : Paris (Bibl. nat., ms. lat. 904 et 16 819), Madrid (Bibl. nac., ms. 289), Montpellier (fac. Médecine, ms. 304), Bruxelles (Bollandistes, ms. 299), Orléans (ms. 201, de Fleury), Laon (ms. 263)...

Deux petits chefs-d'œuvre, se rattachant à la tradition des Drames liturgiques de Noël, méritent une mention particulière : le *Jeu de Daniel* et le *Jeu d'Adam*.

Jeu de Daniel Ce drame est une composition collective des clercs étudiants de Beauvais, comme nous l'apprend le prologue *(Ad honorem tui Christe...)* ; il est daté de 1140. Sa représentation avait lieu primitivement à l'office de matines, ainsi qu'en témoigne le *Te Deum* final, et probablement pendant la période de Noël. La mise en scène en était particulièrement somptueuse. Une importante figuration entoure les rois Darius et Balthazar; leurs déplacements sont l'occasion de magnifiques processions (avec l'appoint du trésor de la cathédrale); on voit, pendant le fameux festin, l'écriture miraculeuse apparaître sur le mur; on tremble avec Daniel lorsqu'il est livré aux lions, mais un ange apparaît pour le défendre, etc. Le manuscrit, conservé au British Museum (Egerton 2615), prévoit le concours de harpes, de tambours « et autres instruments de musique ».

La musique, très abondante et variée, est notée lisiblement. Elle illustre trois genres différents :

1. Les pièces narratives, sortes de récitations musicales analogues à la psalmodie traditionnelle, qui jouent ici le rôle du récitatif d'opéra, dans la mesure où elles font avancer l'action. Ex. : la scène où Daniel déchiffre l'énigme de l'écriture miraculeuse.

2. Les pièces processionnelles ou « chants de conduite » (*conductus* dans le manuscrit), accompagnant les mouvements scéniques importants : entrées ou sorties du roi, de la reine, de Daniel, transport des vases sacrés devant Balthazar, etc.

Entrée de Balthazar et de sa suite (chœur)

Le style est celui de la « séquence » (une syllabe par note) avec un parfum de chanson populaire. Le chœur pour l'entrée de Darius est un des plus étonnants « conduits » monodiques du Moyen Age. Sa splendeur barbare, qui était certainement rehaussée par l'éclat des instruments, est saisissante :

Entrée de Darius

3. Les pièces lyriques, dans un style souvent très proche des chansons de troubadours et d'une qualité digne des plus belles d'entre elles : le chant de la reine *(Ut scribentis noscas ingenium)*, les lamentations de Daniel *(Quo casus sortis* et *Hujus rei non sum reus...)* etc.

Daniel hésite à se rendre à la cour

Pau_per et ex _ u _ lans en _ vois al Rois par vos

Cet admirable témoignage de la renaissance du XIIe siècle a fait l'objet d'un disque que tout amoureux du Moyen Age doit posséder (voir la discographie à la fin du tome 2).

Jeu d'Adam   Le *Jeu d'Adam et Ève* (fin XIIe siècle) se présente comme un grand prologue au défilé des phophètes, en langue vulgaire (sauf le chœur), destiné à être représenté *sur le parvis* (les didascalies sont précises à ce sujet).

Il se compose de deux parties : l'histoire d'Adam et Ève et celle de Caïn et Abel (préfiguration de la Passion). Après la malédiction de Dieu contre le frère meurtrier, un beau chœur tire la morale de l'histoire (« *Vos inquam convenio, ô Judei...* »), puis de divers côtés s'avancent les prophètes, précédés par Abraham. Le texte du *Jeu d'Adam*, plusieurs fois édité de nos jours, est connu comme le premier chef-d'œuvre de notre théâtre parlé. La musique consiste en *répons* traditionnels, en latin, auxquels les vers dialogués français servent en quelque sorte de commentaire.

Ce jeu est une ébauche de ce que seront les grands Mystères du XVe siècle, où l'on remontera au « péché originel » pour montrer le sens de la Résurrection. Le thème central de ces Mystères sera souvent le drame de la Passion, qui inspirera de nombreux compositeurs jusqu'à Bach, mais dont on ne trouve pas d'exemple dans les drames liturgiques avant le XIIIe siècle. De cette époque datent les deux Passions du codex Buranus : l'une assez brève, sans notation musicale, l'autre très développée avec des neumes indéchiffrables. Le principal intérêt de celle-ci réside dans la richesse dramatique, la diversité des lieux scéniques *(mansions)* et l'abondance des indications de mise en scène.

Autres Jeux et Miracles   En sortant de l'église et en adoptant la langue vulgaire, le drame liturgique, désormais appelé Miracle,

Jeu ou Mystère [1], stimulera l'imagination créatrice des poètes et des musiciens. Dans la multiplicité des sujets que l'on emprunte très librement aux Écritures ou aux vies de saints, certains sont particulièrement féconds, telle la populaire légende de saint Nicolas [2]. Sur ce thème, nombre d'histoires nouvelles, tout à fait profanes, ont été composées, se terminant toutes par un miracle du saint. Elles sont souvent très intéressantes, tant du point de vue dramatique que musical, notamment celles que contient le manuscrit de Fleury déjà cité (au nombre de quatre). Dans l'un de ces Miracles intitulé *Filius Getronis*, on trouve d'intéressantes ébauches de leitmotive : chaque personnage a son thème particulier! Mieux encore, l'un d'eux utilise le beau thème de sa mère pour exprimer son impatience de rentrer chez lui.

Filius Getronis (thème d'Euphrosina)

(ms. de Fleury, p. 196-205)

L'élément profane s'est si bien introduit dans les représentations qu'à partir du XIIIe siècle on composera des spectacles sur des sujets entièrement profanes, dont l'un des premiers et des plus célèbres est le *Jeu de Robin et Marion* du poète compositeur Adam de la Halle ou Adam le Bossu [3]. C'est une ravissante « pastourelle » dramatique, dont le ton est juste et les personnages (surtout Marion) beaucoup plus vrais qu'ils ne le sont d'ordinaire dans ce genre de sujet. Ce petit chef-d'œuvre, représenté vers 1285 devant la cour française de Naples, est-il bien le premier opéra-comique, ainsi qu'on l'affirme habituellement? On n'y sent pas la convention du théâtre lyrique, où ce sont des acteurs qui chantent et non leurs personnages. Les bergers d'Adam de la Halle ne chantent pas pour demander leurs pantoufles, mais par plaisir, par espièglerie, ou pour amuser leurs amis (« Robin, fai nous un poi de feste », exige Marion). Leurs refrains chantés, comme leurs danses, sont des jeux. Ils jouent sans cesse : à la « choule » (sorte de hockey), « as Rois et as Roïnes » (jeu du Roi qui ne ment), à saint Coisne (qui essaie de faire rire ses louangeurs) et autres jeux de société; ou bien ils improvisent une danse dont ils commentent chaque figure. Les refrains à

Adam de la Halle
ou Adam le Bossu
vers 1240 - vers 1287

Fils d'un employé à l'échevinage d'Arras, il étudia à l'abbaye de Vauxcelles, puis à Paris, et devint clerc. Dans le *Dit de l'université de Paris*, Rutebeuf décrit la misère et la débauche des étudiants de ce temps-là. En 1282 il suivit à Naples Robert d'Artois qui allait prêter main-forte à Charles d'Anjou après les Vêpres siciliennes. Il composa vraisemblablement son *Jeu de Robin et Marion* pour distraire la cour française de Naples, et selon le témoignage d'un contemporain, c'est là qu'il serait mort. Il avait une réputation de trouvère qui lui est restée. Mais s'il est digne de notre admiration c'est avant tout comme auteur dramatique et compositeur de pièces polyphoniques.

œuvre Trois jeux, le *Jeu de la Feuillée* (v. 1262), satire de la bourgeoisie, le *Jeu de Robin et Marion* (1285), pastourelle dramatique, et un bref *Jeu du pèlerin* (d'attribution incertaine), les deux derniers agrémentés de chansons; des pièces polyphoniques à 3 voix (quatorze rondeaux, un rondeau-virelai, une ballade, sept motets); des chansons monodiques.

---

1. Le mot *ministerium* (« office », « cérémonie »), équivalent des mots *ordo* ou *officium* qui désignaient les drames liturgiques, s'est déformé par assimilation en *misterium*, que l'on a confondu ensuite en *mysterium*. Bien que les dénominations aient été souvent confuses, on désignait plus particulièrement par « Mystères » les grands drames de la Passion, par « Jeux » les représentations (sacrées ou profanes) sans caractère de gravité, par « Miracles » les légendes miraculeuses.
2. Celle des trois clercs itinérants (des goliards, des escholiers... dont on a fait plus tard des enfants) tués, mis au saloir et ressuscités par le saint.
3. Bibl. nat., ms. fr. 25 566 et Bibl. Méjane à Aix-en-Provence, ms. 572.

succès, qui animent certes l'opéra-comique, mais conventionnellement, sont ici des éléments musicaux de l'action : ils sont « en situation ».

Chanson de Marion

Danse de Robin et Marion

(BN, ms. fr. 25566)

Cependant, dans les Jeux et les Mystères, la musique n'est plus toujours essentielle, consubstantielle au texte, comme dans les drames liturgiques, véritables ancêtres de l'opéra et de l'oratorio (cinq siècles avant les *Nuove Musiche* de Florence!). Dans les grands drames de la Passion, la musique apparaît seulement entre les scènes, sous forme d'interludes instrumentaux, de « répons », de « conduits » (chants de procession)... Mais l'intérêt littéraire est parfois très grand, comme dans la *Passion du Palatinus* (Bibl. vaticane, ms. *Palatinus latinus* n° 1969) datant de la seconde moitié du XIVe siècle : la franchise réaliste et la force dramatique un peu sauvage y sont impressionnantes. Leur intérêt sociologique surtout est considérable car ils constituent une forme originale de théâtre populaire, auquel une large participation collective donnait le caractère de *happenings* sacrés. En France, les Confrères de la Passion en ont prolongé la tradition jusqu'à leur interdiction en 1548. Aujourd'hui on en trouve encore des survivances dans différentes localités, dont la plus célèbre est la petite ville d'Oberammergau en Bavière.

En marge de ce théâtre sacré, les grandes processions, particulièrement aux XIIe et XIIIe siècles, donnaient lieu à de véritables danses rituelles, à l'occasion des grandes fêtes liturgiques ou de celles des saints locaux. Il en reste quelque chose de nos jours dans les cérémonies des « ostensions » de saint Martial, célébrées tous les sept ans à Limoges. Et les Limousins se souviennent encore d'un vieux couplet du XIIIe siècle :

Saint Marçau, prega per nos
Et nos espringaram per vos.

(« Saint Martial, priez pour nous, et nous danserons pour vous. »)

La danse de Robin dans le *Jeu de Robin et Marion*. (ms. 572 de la Bibl. Méjane à Aix-en-Provence).

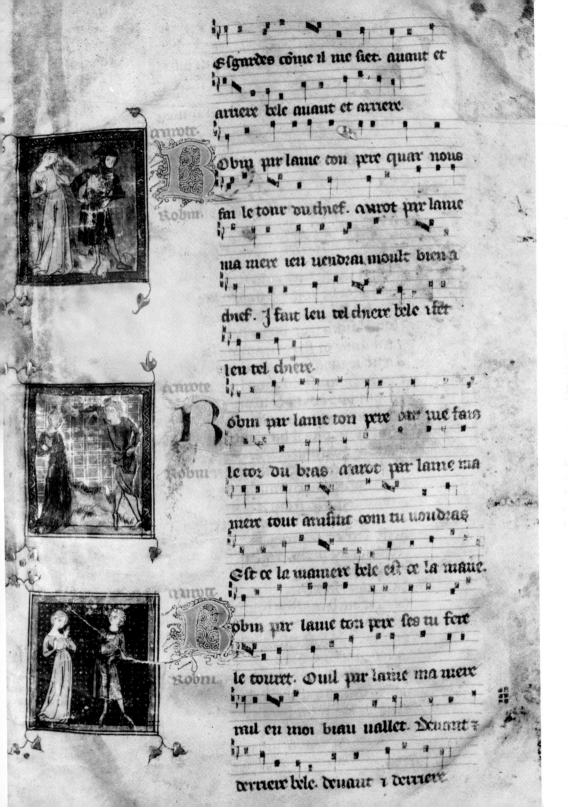

Esgardes côme il me siet. auant et

arriere bele auant et arriere.

Robin pur lame ton pere quar nous

fai le tour du chief. auroit pur lame

ma mere ieu uendrai moult bien a

chief. J fait leu tel chiere bele i fet

leu tel chiere.

Robin pur lame ton pere par me fais

le tor du bras. aaroit pur lame ma

mere tout aaisine com tu uoudras

Est ce la maniere bele est ce la maue.

Robin pur lame ton pere ses tu fere

le touret. Ouil pur lame ma mere

nul en moi biau uallet. Deuant i

derriere bele. deuant i derriere

Bien qu'elles aient été condamnées par de nombreux conciles depuis le VIe siècle, ces pratiques chorégraphiques dans les églises et alentour sont encore fréquentes au XVIe siècle, au point que les autorités ecclésiastiques doivent défendre aux curés, « sous peine d'excommunication, de mener danses, faire bacchanales et autres insolences ès églises et ès cimetirres ».

Polyphonie romane

Dans un célèbre traité de la fin du IXe siècle, le *Musica Enchiriadis* (ou *Enchirias de Musica*), on trouve pour la première fois dans l'histoire la description du principe polyphonique, illustré de courts exemples notés. Les voix simultanées doivent toujours être parallèles, c'est-à-dire semblables, et en consonance parfaite (formant entre elles des intervalles d'octave, de quinte ou de quarte). Toutefois, pour garantir l'impression de consonance au début et à la fin, l'auteur recommande de partir de l'unisson et d'y retourner pour conclure.

Vox principalis

Rex cœ_li Do_mi_ne ma_ris un_di_so_ni

Vox organalis

Aucun traité n'avait encore expliqué cette manière de faire appelée « diaphonie » et, faute de notation, on n'aurait pas pu jusqu'alors en donner d'exemple. C'est pourquoi chacun s'extasie devant cette banalité, que l'on a qualifiée un peu vite de « Serment de Strasbourg de la musique [1] ». Mais s'agissait-il pour les contemporains d'une banalité ou d'une nouveauté remarquable?

Malheureusement, rien ne permet d'affirmer que la pratique de la polyphonie soit apparue pour la première fois au IXe siècle... sans que rien puisse donner la certitude du contraire. Cependant, l'observation de polyphonies primitives chez les peuples d'Afrique ou d'Océanie et même chez les paysans de certaines régions d'Europe (où le folklore n'a pas été contaminé par l'industrie musicale) suggère l'hypothèse que c'est depuis très longtemps une pratique populaire spontanée, consciente ou non (voir p. 166). Déjà Aristote remarquait que les hommes et les femmes chantaient à l'octave, *en croyant chanter à l'unisson*. Dans des groupes de chanteurs inexpérimentés, on observe même souvent que les

---

1. On sait que les Serments de Strasbourg, par lesquels Charles le Chauve et Louis le Germanique se promirent assistance mutuelle contre leur frère Lothaire (842), sont proposés à l'admiration des écoliers comme étant le premier texte écrit en « français » (langue d'oïl, ou romane). Ici l'importance historique du document est évidente : il témoigne pour la première fois de la promotion d'une langue vernaculaire se substituant au latin.

voix moyennes s'installent tout naturellement dans leur bonne tessiture, entre les voix aiguës et les voix graves, chantant la même mélodie à la quinte ou à la quarte sans perdre l'illusion d'être à l'unisson. Peut-être aussi un penchant naturel au lyrisme individuel (donc à la variation) faisait-il consciemment quitter la route commune, pour exécuter un bourdon, un *ostinato* ou une imitation canonique rudimentaire.

L'événement remarquable ne serait donc pas l'existence du fait polyphonique, mais son adaptation systématique à la musique savante, par suite du déclin de la tradition grégorienne. Une pratique populaire simple serait ainsi devenue une méthode d'enrichissement puis de « composition » de plus en plus complexe. C'est la *pensée polyphonique* qui constituera la singularité de la musique occidentale lorsque, à partir du xiiie siècle, la composition de mélodies originales simultanées fera d'une dimension verticale insolite l'un des principes essentiels de la création musicale. A l'idée fausse de « naissance de la polyphonie », on pourrait substituer celle d' « avènement du contrepoint », technique savante.

L'apparition du concept d'œuvre a sans doute favorisé cette évolution en stimulant la recherche; mais seule l'écriture permettait de dépasser les stades rudimentaires. Elle a fait de la polyphonie un procédé de composition; puis elle s'est enrichie à son tour pour répondre aux besoins de l'art nouveau. La notation est vraiment le facteur décisif de toute l'évolution ultérieure de la musique occidentale.

Le développement de la polyphonie savante sera très lent. Ses deux premières étapes, très élémentaires, s'étalent sur deux cent cinquante ans au moins!

1. Organum parallèle (? — vers 1025). Pendant un siècle et demi environ, le procédé que décrit l'*Enchiriadis* ne semble pas avoir évolué : quartes ou quintes parallèles, assurant la similitude des deux voix, à l'exception, éventuellement, des débuts et des fins de phrases. Deux autres voix peuvent chanter à l'octave des premières. Ce procédé, que l'on appelle « diaphonie » ou organum parallèle, est apparenté au *cantus gemellus* de certaines musiques populaires (Scandinavie, Corse, Italie méridionale, Portugal). Il n'est pas d'essence polyphonique. C'est un embellissement, un enrichissement en épaisseur d'une mélodie liturgique donnée *(Vox principalis)* par l'adjonction d'une voix jumelle *(Vox organalis)*, facilement improvisée au grave ou à l'aigu. Le même principe se retrouvait dans beaucoup d'orgues médiévales, où chaque touche ou tirette faisait parler plusieurs tuyaux, accordés en quarte, quinte et octave. Dans le fameux orgue de Winchester (vers 980), il y en avait dix rangs. Mais cette similitude n'est pas une explication suffisante du mot *organum*, dont l'étymologie reste mystérieuse.

Le premier grand recueil d'*organa*, le *Winchester troper* d'Oxford (Bodl. 775), rédigé vers 1000, contient plus de cent cinquante pièces, dont quelques-unes semblent indiquer des mouvements contraires. Mais l'emploi de neumes sans lignes en rend la transcription hypothétique.

2. Mouvement contraire, le « déchant » (vers 1025 - 1140). Le principe remarquablement fécond du mouvement contraire (origine du contrepoint moderne) est décrit pour la première fois dans le *Micrologus* de Guido d'Arezzo (vers 1025); il le sera de nouveau plus tard dans le traité de John Cotton (vers 1100). Les voix cessant d'être parallèles, quand l'une monte, l'autre descend et réciproquement. La voix principale est au grave, la voix organale ou de « déchant » au-dessus [1].

Une vraie polyphonie apparaît ainsi, assez librement improvisée, mais toujours note contre note.

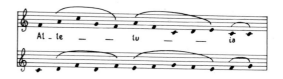

L'exemple ci-dessus, emprunté à la théorie de John Cotton (*Ad organum faciendum*), n'utilise que des consonances parfaites sauf une exception. Le jeu du mouvement contraire peut faire apparaître fugitivement des consonances imparfaites (tierce) et même des dissonances (seconde majeure), comme dans cet exemple d'un manuscrit de Chartres (vers 1100) :

La *vox principalis* est toujours une mélodie préexistante que la *vox organalis* étoffe.

---

1. *Discantus* est l'équivalent du grec Διαφωνία.

L'école limousine, toujours en avance sur son temps, essayera, dès la première moitié du XIIe siècle, de faire correspondre plusieurs notes de déchant à chaque note de la voix principale. Cette initiative, apparue dans un manuscrit de Saint-Martial, ouvre la voie aux véritables compositions polyphoniques et appelle la notation proportionnelle. J'y reviendrai plus loin.

Jusqu'à ce tournant capital, le rude équilibre des premiers organa évoque les voûtes et les piliers robustes des édifices romans du XIe siècle, tandis que les sculptures au réalisme pur et naïf, qui animent les façades, procèdent de la même inspiration que les *versus* de Saint-Martial et les drames liturgiques. Plus tard les progrès de l'organum suivront l'évolution de l'architecture, jusqu'aux délires « flamboyants » de l'*Ars nova*, en passant par les souples lignes « gothiques » des conduits et des motets du XIIe-XIIIe siècle, dont Notre-Dame de Paris sera un des foyers prestigieux.

Mais au début du XIIe siècle, le nouvel art polyphonique est encore le monopole de quelques grands centres religieux : Chartres, Tours, Fleury (Saint-Benoît-sur-Loire), Winchester.... et surtout Saint-Martial de Limoges, berceau de la plupart des genres connus au Moyen Age. Ailleurs, la polyphonie ne semble pas avoir été perçue comme une nouveauté, ni même comme une méthode féconde avant le XIIe siècle environ. Est-ce manque de curiosité pour une méthode insolite, de diffusion restreinte, ou indifférence à une pratique populaire courante, dont seuls quelques esprits visionnaires auraient compris les promesses ?

Certes le déchant (que l'on pourrait qualifier de « trope de superposition ») est un moyen encore assez grossier de satisfaire l'instinct créateur et l'ambition de progrès. Aussi, deux siècles et même trois après la « naissance » officielle de la polyphonie, la plus grande partie de la musique notée est-elle monodique : formes lyriques nées du chant grégorien, chansons des troubadours, drames liturgiques et jeux, formes populaires... Le procédé qui donnera naissance à toute la musique occidentale, de l'école de Notre-Dame au dodécaphonisme, ne suscite pas encore l'intérêt des non-spécialistes.

La courtoisie et l'art du « trouver »

« Le XIIe siècle a été l'un des grands siècles de la civilisation occidentale, une des étapes décisives de sa genèse [1]. » L'art roman est à son apogée et déjà les voûtes s'élèvent vers le ciel, les lignes s'assouplissent en tendres volutes, l'imagination ardente des bâtisseurs de cathédrales se donne libre cours. Le drame litur-

---

1. Henri Davenson (H.-I. Marrou), *Les Troubadours*, 1961, rééd. le Seuil, « Points », 1971, petit livre passionnant et indispensable à la connaissance du sujet.

gique, au terme de son développement, enfante notre théâtr
dramatique et lyrique. Au rayonnement intellectuel des abbaye
va se substituer celui des universités[1] ; au début du siècle suivant
celles de Paris et d'Oxford auront une chaire de mathématique
et de musique. La littérature et la musique se libèrent de la
tutelle de l'Église et l'on assiste à la renaissance d'un art et d'une
pensée profanes.

Cependant, le pape Urbain II lance en 1095 le premier appel à
la délivrance des Lieux saints. Mais, tandis que le terrible saint
Bernard appelle à la lutte contre les cathares et prêche à Vézelay
la deuxième croisade, la tradition humaniste se perpétue dans une
prose latine inspirée des modèles classiques, l'enseignement de la
théologie se renouvelle par l'emploi de la dialectique aristoté-
licienne, le débat philosophique parvient à un très haut niveau...
Ce qui n'empêchera pas le savant Abélard, chanoine à Notre-
Dame de Paris, d'être émasculé sur ordre de son collègue Fulbert,
dont il a épousé en cachette la nièce Héloïse. Saint Bernard,
qui accuse Abélard de substituer l'intelligence à la révélation,
la dialectique à la foi, la philosophie spéculative au mysticisme,
obtient sa condamnation par le concile de Sens.

Quant au système féodal, il se désagrège. Les premières « communes » avaient vu le jour en Italie (Milan, 1067) et en France
(Le Mans, 1069). L'ancienne économie rurale et domaniale ne
pouvant absorber une population en constante augmentation
depuis la fin des Grandes Invasions, le mouvement communal
s'étendait irrésistiblement, le commerce naissant favorisait le
développement des routes et des villes, et le nouveau statut politique de la bourgeoisie urbaine bouleversait les structures sociales
traditionnelles. Deux mondes absolument différents étaient con-
frontés, celui des châteaux et celui des villes ; et le renouveau
de l'antique et démocratique notion d'État faisait redécouvrir
l'idée monarchique de prince souverain, source des lois.

Cette époque de renaissance économique et culturelle est celle
où Wagner puisera son inspiration : *Tristan et Iseult*, les *Niebe-
lungen*, *le Conte del Graal*, *Perceval*,... C'est l'époque de *la Chanson
de Roland*, du *Charroi de Nîmes*, de Chrétien de Troyes et de Marie
de France, du *Roman de Renart*..., celle des premiers Planta-
genêts, des Templiers, de Philippe Auguste et de Salāh al-Dīn...
celle des troubadours surtout.

Cortejar Sur le plan des mœurs, un phénomène nouveau, l'esprit
courtois, engendre un nouvel art de vivre au sein de la vieille
société féodale. Depuis les origines de la féodalité, les seigneurs
s'entouraient d'un nombre incroyable de parents, familiers,
vassaux et serviteurs de toutes spécialités. Les châteaux étaient

1. Bologne (1088), Paris (1120), Oxford (1130), Salerne (1173).

des microcosmes qui se suffisaient à eux-mêmes et dont la prospérité se fondait sur l'agriculture et sur la guerre. Les royaumes ne faisaient pas exception et pouvaient être à la merci de quelques comtés puissants. Tout cela change au XIIe siècle.

Derrière les remparts que la guerre lointaine et l'évolution politique privent temporairement de leur fonction, une vie de cour s'organise dans la splendeur et la folle prodigalité, dans un certain raffinement de mœurs aussi, qui engendre une conception nouvelle de l'amour. Née dans le midi de la France, d'où elle s'étendra dans toutes les directions, la *cortezia* est la qualité essentielle de cette vie de cour, faite de sociabilité, de nobles sentiments, de prodigalité. *Cortejar* c'est aussi se rendre visite d'une cour à l'autre avec toute la somptuosité possible... Ces bonnes manières, dont les poètes n'ont pas manqué de rédiger le code, bouleversent de façon bien merveilleuse la mentalité de ces roitelets belliqueux chez qui la raison du plus fort s'imposait jusqu'alors par l'élimination physique de l'adversaire.

« De la noble et grant cour d'amour. »

Alors les seigneurs, qui ne voyaient jadis dans la femme qu'un instrument de plaisir, une pourvoyeuse de rejetons mâles, ou le moyen d'agrandir leurs États, se trouvent soudain à ses pieds. La faible victime, la perpétuelle amoureuse déçue, donnée (ou vendue) dès l'enfance à un mari indifférent, prise, répudiée, bafouée, enfermée, devient l'objet d'un véritable culte, dont témoigne une merveilleuse floraison littéraire et musicale. On en est réduit aux hypothèses pour expliquer cette soudaine mutation. La plus séduisante est l'influence de la poésie arabe, découverte à la faveur des croisades et des conquêtes musulmanes sur notre continent : de nombreux auteurs en ont montré l'importance dans la formation du lyrisme occitan, révélant les similitudes de ce dernier avec le *zadjal* andalou, forme spécifiquement arabe. Mais l'érotique arabe exalte le désir charnel par la chasteté et en prolonge le trouble dans de délicieux raffinements; l'amour courtois n'est ni chaste ni dominé par la sexualité, il est une quête et un don.

Son éclosion a peut-être été favorisée par les circonstances. La dame recluse dans son château, dans l'attente de son seigneur et maître, parti pour la guerre lointaine, la guerre d'*outrée*, règne sur une cour de vassaux et de chevaliers servants, de *sirvens*, dont les prévenances la touchent d'autant plus sûrement qu'on est plus habile à *trobar*, à « trouver » *vers* et *sons*... Le personnage du mari, imposé à une fille trop jeune, devient le symbole de la force brutale et grossière. Le chevalier, lui, soumet sa force et son courage au pouvoir de la dame, la révélant à elle-même dans un doux parfum d'adultère. Mais le *gelos* (jaloux) fait garder la belle; la nécessité de tromper la vigilance du *gardador* crée une tendre complicité. Et c'est peut-être la femme qui invente les

D'un recueil de poésies de troubadours
(fr 854, fin XIIIe siècle).

subtilités de cet amour courtois, qui prolongent les délices de l'attente et trompent l'angoisse de la séparation.

Si le Midi très chrétien a ainsi exalté l'amour extra-conjugal, c'est grâce à une mythologie de maris puissants et odieux, de chevaliers pauvres et valeureux, les premiers possédant les femmes, les seconds les honorant et les servant. « Il n'y a pas d'amour entre époux », fait-on dire à la douce Marie de Champagne. Du moins l'idéal courtois de l'amour ne saurait s'accommoder d'une conception du mariage où tout serait vulgarité, contrainte, calcul d'intérêts. La galanterie du XVIIe siècle ne s'en accommodera pas mieux. Mais cette dernière sera une affectation du comportement, que Molière dénoncera de tout son art et de tout son cœur. L'amour courtois est au contraire un idéal qui inspire la littérature et transcende le comportement. Cet idéal trouvera sa plus haute expression dans le *dolce stil nuovo* et dans l'amour de Dante pour la Béatrice du *Canzoniere* et de *la Vita nuova*.

Troubadours Il ne faut pas se représenter le comportement de tous les troubadours en se référant à cette *cortezia*, qui n'a inspiré la lyrique occitane qu'à partir de 1140 environ. On imaginerait mal un Guillaume IX, comte de Poitiers, duc d'Aquitaine, devenu notre premier troubadour au retour de la croisade, se jetant aux pieds des nombreuses dames qu'il a aimées et interposant une dialectique amoureuse entre sa virilité triomphante et l'objet de son désir. Il faut rejeter aussi le mythe du troubadour errant, du chevalier pauvre et invincible, vaincu par l'amour et humblement prosterné devant une dame noble. La soumission au bon plaisir de la « maîtresse » n'est souvent qu'une fiction poétique, où le culte religieux de la Dame pourra se confondre au culte de « Notre-Dame ».

« *Chansonnier du Roy* »
(fr 844, fin XIIIe siècle).

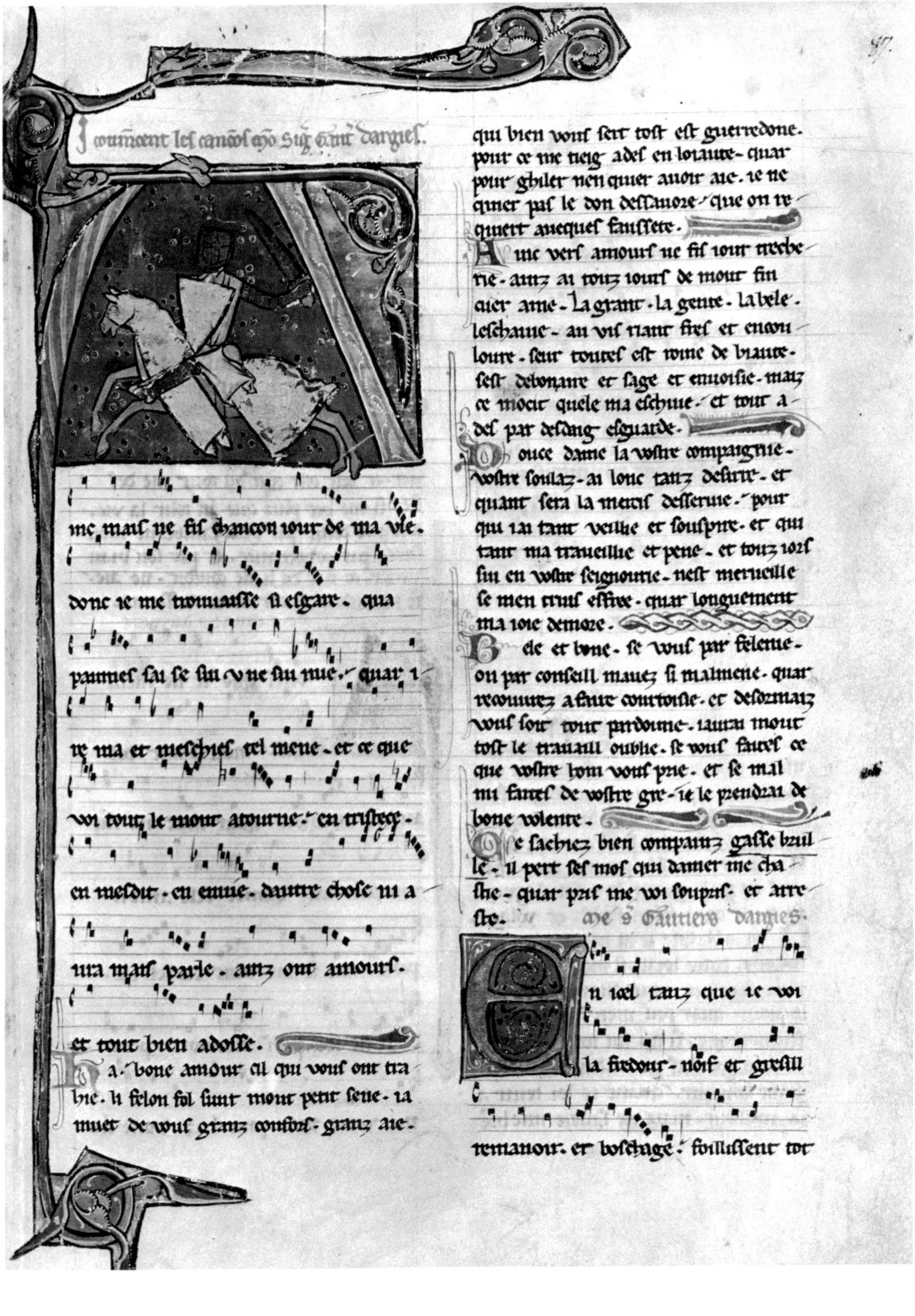
87
Jcoumencent les cancons mon sig gaut dargies.
me mais ne fis chancon iour de ma vie.
donc ie me tournasse si esgare. qua
paumes sai se sui ou ne sui mie. quar i
re ma et meschies tel mene. et ce que
voi tout le mont atourne. en tristece.
en mesdit. en envie. dautre chose ni a
ura mais parle. aintz ont amours.
et tout bien adosse.
Ha. bone amour cil qui vous ont tra
hie. li felon fol sunt mout petit sene. ia
mes de vous granz confors. granz aie.
qui bien vous sert tost est guerredone.
pour ce me tieg ades en loiaute. quar
pour ghiler nen quier avoir aie. ie ne
quier pas le don dessavoree que on re
quiert avecques faussete.
Aine vers amours ne fis iour trecbe
rie. aintz ai toutz iours de mout fin
cuer ame. la grant. la gente. la bele.
leschaure. au vis riant fres et enco
loure. seur toutes est ioine de biaute.
sest debonaire et sage et envoisie. maiz
ce mocit quele ma eschiue. et tout a
des par desdaig esguarde.
Douce dame la vostre compaignie.
vostre soulaz. ai lonc tantz desirre. et
quant sera la merci desservie. pour
qui iai tant veillie et souspire. et qui
tant ma traveillie et pene. et toutz iorz
sui en vostre seignourie. nest merveille
se men truis esfree. quar longuement
ma ioie demore.
Bele et bone. se vous par felenie
ou par conseill mavez si malmene. quar
recouvrez a faire courtoisie. et desormaiz
vous soit tout pardoune. iaurai mout
tost le travaill oublie. se vous faites ce
que vostre hom vous prie. et se mal
mi faites de vostre gre. ie le prendrai de
bone volente.
Ne sachiez bien compainz gasse brul
le. il pert ses mos qui damer me cha
stie. quar pris me voi souspris. et arre
ste.
me s. Gautiers dargies.
En iuel tantz que ie voi
la fredour. noif et gresill
remanoir. et boschage. foillissent tot

Poète et musicien savant, le *trobador* est souvent un homme de haut rang et de grande notoriété. C'est parfois aussi, surtout dans la première génération antérieure à la courtoisie, un homme rude, paillard et brutal, comme on l'est à cette époque de chevalerie. Même s'il est d'origine modeste, il s'élève au niveau social que confère l'indépendance, la supériorité intellectuelle, la qualification professionnelle, et on le traite comme l'égal des grands. Il n'est généralement au service de personne, privilège dont les musiciens du monde occidental ne jouiront plus avant le xixᵉ siècle.

Tantôt les troubadours sont leurs propres interprètes, tantôt ce qu'ils « trouvent » est colporté par les « jongleurs », musiciens itinérants à talents multiples. Héritiers des mimes latins, ces jongleurs sont musiciens, bateleurs, acrobates, montreurs de marionnettes ou d'animaux dressés. Éventuellement ils font office de messagers, de confidents et de bouffons. On ne peut pas se passer d'eux, mais on ne les estime pas. Il faut souligner que la condition d' « interprète », généralement respectée de nos jours, était au Moyen Age un objet de mépris. *Inter omnes homines, maxime fatui sunt cantores* (« De tous les hommes, les plus sots sont les chanteurs d'église »), aurait estimé Guido d'Arezzo. Certains *jogladors* se mettent au service de troubadours célèbres, qu'ils suivent dans leurs déplacements, chantant leurs « vers » et forgeant leur légende à grand renfort de biographies romancées. Plus tard, les ménestrels seront des jongleurs d'une classe supérieure, pourvus d'un office stable *(ministerium)*; ils s'organiseront en corporation au xivᵉ siècle.

L'art du *trobar* est né en Limousin, région rattachée alors à l'Aquitaine et parlant naturellement la langue d'oc. Cet art est une synthèse de poésie et de musique, comme le Moyen Age en a eu le secret, jusqu'à ce que la complexité polyphonique impose la spécialisation (Machaut sera le dernier grand poète-compositeur). Les sources d'inspiration sont d'abord l'actualité... telle que le poète l'a vécue : la croisade, l'hérésie cathare, les conflits sociaux et les bouleversements politiques, la petite histoire aussi. Le troubadour chante encore l'épopée médiévale (Roland, Vivien, le roi Arthur, Perceval, Tristan...) et ses propres aventures, guerrières ou amoureuses, sans essayer de justifier ses plaisirs, ni de dramatiser ses malheurs dont il traite parfois avec un sympathique humour. A l'avènement de la courtoisie, le thème de l'amour s'élèvera de l'expérience personnelle au mythe, avec ses figures traditionnelles : l'amant, l'ami complice, le *gaite* chargé d'annoncer l'aube, le *gardador* de la belle, le médisant (ou *lauzengier*) et naturellement le jaloux.

Les premiers modèles musicaux sont les *versus* de l'école limousine. Une chanson s'appelle d'abord un « vers » (*Farai un vers*, chante Guillaume d'Aquitaine). Déjà en 1096 les chants destinés à encourager les premiers croisés empruntaient leurs mélodies au répertoire des *versus* [1]. Contrairement à ce qu'on croit, l'inspiration populaire n'apparaît pas dans la chanson savante des troubadours avant une époque tardive. L'influence de la mélodie postgrégorienne est largement dominante, enrichie peu à peu de raffinements qui sont peut-être empruntés à la lyrique arabe.

L'œuvre des troubadours nous est conservée dans de nombreux manuscrits. Les plus importants sont les « chansonniers » de la Bibliothèque nationale (dont le ms. fr. 844, copié dans la seconde moitié du XIIIe siècle pour Charles d'Anjou, le fondateur de la dynastie de Naples) et celui de la Biblioteca ambrosiana de Milan. Leur lecture (il s'agit de notation carrée) est sans ambiguïté du point de vue des notes, mais les valeurs rythmiques restent souvent hypothétiques... ce qui explique la diversité des interprétations modernes.

Du premier troubadour, Guillaume IX (1071-1127), il ne nous est resté qu'un court fragment mélodique noté... d'autant plus insuffisant que ses vers hauts en couleur ont la beauté sauvage des temps héroïques d'avant la courtoisie. Mais dès la génération suivante les mélodies sont très souvent écrites. Pendant plus d'un siècle, l'art du *trobar* s'épanouit dans les pays de langue d'oc avec un éclat exceptionnel, grâce à des créateurs qui — fait nouveau dans une histoire de la musique jusqu'alors vouée à l'anonymat — seront illustres en leur temps et passeront à la postérité. Leurs chansons seront copiées régulièrement jusqu'à la fin du XVIe siècle.

Le plus grand d'entre eux fut Bernard de Ventadour (? - vers 1195). Il a grandi au château de Ventadour, en Limousin, haut lieu de la courtoisie. Son père y était archer et sa mère *forniera*, c'est-à-dire qu'elle avait la charge du four à pain. Le vicomte Ebles III, seigneur de Ventadour et fils du troubadour Ebles II, s'intéressa au talent du jeune homme et « lui fit grand honneur ». S'étant fait une réputation, Bernard quitte le château, emportant le tendre souvenir de la vicomtesse [2]. Il fréquente la cour d'Aliénor d'Aquitaine (la petite-fille de Guillaume IX) et la suit en Angleterre lorsqu'elle épouse Henri II. Plus tard il est à la cour de Raimond V de Toulouse. A la mort de celui-ci, il se retire à l'abbaye de Dalon dans le Périgord. Quelques-unes des vingt chansons qui nous sont parvenues avec la notation (sur quarante-

---

1. Le ms. lat. 1139 de la Bibl. nat., provenant de Saint-Martial (fin XIe siècle), contient des pièces apparentées au style des troubadours, notamment une prière à la Vierge composée en occitan.
2. La légende se mêle toujours aux biographies des troubadours. Les principales sources sont les *vidas* (courtes vies romancées) et les *razos* (« raisons » ou commentaires), textes que les jongleurs composaient en guise de présentation des chansons qu'ils interprétaient. Voir Boutière et Schutz, *Biographies des troubadours*, 1950.

cinq connues) figurent dans plusieurs manuscrits, ce qui témoigne de leur popularité. Ainsi en est-il de la célèbre chanson « d'aube », *Quan vei la lauzeta mover.*

Quan vey la lau_ze_ta mo — ver De joy sas

a _ las con — tra'l rai,

(d'après H. I. Marrou)

Quatre troubadours illustres ont eu l'honneur d'être évoqués dans *la Divina Commedia*. Le premier, Bertran de Born (vers 1140 vers 1215), seigneur de Hautefort dans le Périgord, était un hobereau réactionnaire et belliqueux, qui rêvait d'anéantir les marchands et d'inciter les puissants au combat. Dans *l'Enfer* (XXVIII, 112-142), Dante le fait apparaître dans la même *bolgia* que Mahomet, parmi les *seminatori di scandalo e di scisma*. Il le voit décapité, tenant sa propre tête par les cheveux, et la tête dit :

> *E perchè tu di me novella porti,*
> *sappi ch'i'son Bertram dal Bornio, quelli*
> *che diedi al Re giovane i ma' conforti.*

(« Et pour que tu portes des nouvelles de moi, sache que je suis Bertran de Born, celui qui donna des mauvais conseils au jeune roi. ») Bertran aurait en effet encouragé son ami et protecteur Henri au Court Mantel, fils d'Henri II d'Angleterre à se révolter contre son père. A la mort du « jeune roi » (à vingt-huit ans, en 1183), Hautefort est assiégé par Richard Cœur de Lion, second fils d'Henri II. Bertran doit capituler, mais il met au service du vainqueur son talent pour le « sirventès » (chanson politique et partisane), ne cessant d'encourager Richard à combattre son père, ses frères et le roi de France Philippe Auguste. Dans le *De vulgari eloquentia*, Dante citait déjà Bertran de Born comme un poète de la guerre.

Guiraut de Borneilh (seconde moitié du XIIᵉ siècle), né dans un château du vicomte de Limoges, était d'origine modeste. Il fut d'abord jongleur; mais son talent de trouveur fut tel qu'on le surnomma *maestre dels trobadors*. C'est lui que Dante appelle *quel di Lemosi* (le *Purgatoire*, XXVI, 120), opposant à son art simple et populaire celui plus sophistiqué d'Arnaud Daniel, par la voix du poète Guido Guinizelli... Parmi les chansons que Guiraut composait l'hiver et faisait entendre l'été de cour en cour, accompagné de deux jongleurs, l'admirable *Rei glorios* est resté célèbre jusqu'à la fin du XIVᵉ siècle (sa mélodie se trouve alors utilisée dans le provençal *Jeu de sainte Agnès*) :

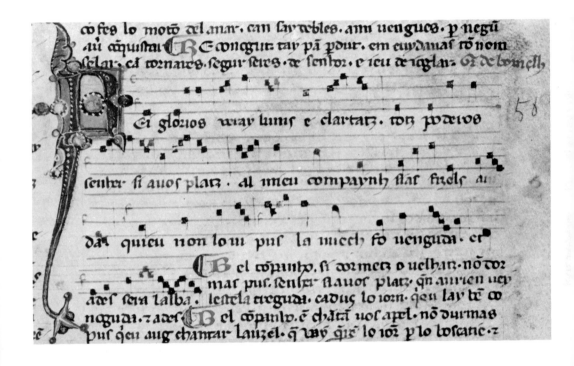

Guiraut de Borneilh : *Rei glorios*
(BN ms fr 22543 fol. 8 v°).

Arnaud Daniel (seconde moitié du XIIe siècle) était si pauvre qu'il dut lui aussi se faire jongleur. Mais, en 1180, devenu un troubadour célèbre, il assistait au couronnement de Philippe Auguste : *C'al coronar fui del bon rei d'Estampa* (Étampes était résidence royale). Dans le passage du *Purgatoire* qui fait suite à l'évocation du « Limousin », l'âme d'Arnaud Daniel (plus de cent ans après sa mort) s'exprime en provençal, langue que Dante aimait et connaissait parfaitement (*le Purgatoire*, XXVI, 139-147) :

Ieu sui Arnaut, que plor e vau cantan;
consiros vei la passada folor,
e vei jausen lo joi qu'esper denan.

(« Je suis Arnaut qui pleure et vais chantant, pensif je vois la folie passée et me réjouissant je vois la joie espérée dans l'avenir. ») Arnaud, que Dante considérait comme *miglior fabbro del parlar materno*, a inspiré aussi Pétrarque et Aragon (l'essai, *la Leçon de Ribérac*).

Foulques (ou Fouquet) de Marseille (? - 1231), fils d'un riche marchand génois, était l'ami de Richard Cœur de Lion, du comte de Toulouse et du roi d'Aragon... C'est du moins ce que dit sa *vida*. A la mort de ces seigneurs, et après une vie sentimentale agitée, il entra dans l'ordre de Cîteaux avec sa femme et ses enfants. Il fut fait abbé du Thoronet, puis évêque de Toulouse (1205) et prit part à la croisade contre les albigeois.

Il apparaît dans un long passage du *Paradis* (IX, 64-142) comme une sorte d'apôtre. Dans le grand style de l'éloquence sacrée, chargé de références mythologiques et théologiques, « Folco » évoque l'amour comme une vision du ciel; il fait l'éloge de Rahab, la prostituée de Jéricho, qui sauva les envoyés de Josué, premiers combattants de Terre sainte; il condamne la cupidité du haut clergé et des papes, qui ne s'attachent qu'au temporel et se désintéressent de la Terre sainte; il annonce que Rome sera bientôt libérée de sa honte.

Parmi les troubadours dont la musique nous est parvenue, d'autres encore méritent le souvenir... et l'attention des amateurs, puisque les œuvres de certains d'entre eux ont fait l'objet d'enregistrements. Marcabru (1re moitié du XIIe siècle), jongleur-troubadour gascon, est l'auteur d'une célèbre « pastourelle » à la saveur populaire, *L'autr'ier jost'una sebissa*. Jaufré Rudel, « prince de Blaye » (1re moitié du XIIe siècle), dont l'amour légendaire pour Odierne comtesse de Tripoli, qu'il n'avait jamais vue et dans les bras de qui il alla mourir, inspira Pétrarque; pour cette bien-aimée lointaine, il composa une admirable *cansó* :

(BN ms. fr. 22543, fol. 63)

Peyre Vidal (fin XIIe siècle), fils d'un pelissier de Toulouse, porta l'art du *trobar* jusqu'en Hongrie et en Orient. Raimbaut de Vaqueiras (fin XIIe siècle) est l'auteur de la seule *estampida* provençale notée, la célèbre *Calenda maya*. Gaucelme Faidit

(1185-vers 1220) est l'auteur d'un *planh* sur la mort du roi Richard ; il émigra en Italie. Guiraud Riquier de Narbonne (? - vers 1292) fut le dernier troubadour ; on possède quarante-huit pièces notées de lui, dont une belle prière, riche en vocalises, *Jhesu Crist, filh de Dieu viu.*

Il y eut aussi quelques femmes *trobairitz*, dont la plus célèbre fut la comtesse de Die. Nous ne possédons d'elle qu'une seule mélodie, conservée dans le chansonnier de Charles d'Anjou, mais c'est un chef-d'œuvre poétique et musical :

A chan_tar m'er de so qu'eu no vol_ri _ a
car eu l'am mais que nul_la ren que si _ a

Tan me ran_cur de lui cui sui a_mi _ a
Vas lui no'm val mer_ces ni cor_te_zi _ a

Ni ma bel_tatz, ni mos pretz, ni mos sens ;

C'a_tres_sim sui en_ga_nad' e tra_hi _ a

Com degr'es_ser, s'eu fos de_za_vi_nens.

(BN ms. fr. 844, fol. 202)

A défaut de règles formelles impérieuses, les thèmes d'inspiration les plus fréquents permettent de distinguer quelques genres habituels à la lyrique occitane. Ainsi le « *sirventès* » (de *sirvens* = homme-lige) est une chanson politique, partisane ou satirique, où le poète engage sa plume dans la défense d'une idée, d'un homme ou d'une action, en rapport avec l'actualité ; on peut y rattacher la chanson de croisade, et dans une certaine mesure le *dit*, poème satirique chanté, très en vogue au XIVe siècle, contre lequel Charles VI publie une ordonnance en 1395, interdisant de mettre en cause le roi, le pape ou les seigneurs... Le *planh* (*planctus* latin) est une déploration sur la mort d'un personnage illustre ou familier... La *cansó* chante les joies et les peines de l'amour ; littéralement, ce mot veut dire « chanson », mais il désigne plus particulièrement le grand lyrisme provençal dans sa forme la plus élaborée. D'un caractère plus narratif ou dramatique, l'*alba* ou « chanson d'aube » brode sur le thème de la séparation des amants, à l'heure où l'alouette succède au rossignol ; ce sont souvent de très belles pièces où sont évoquées, par la voix de l'ami vigilant (les amants sont trop occupés pour chanter), les

figures conventionnelles de l'amour courtois (voir à la page 260)...
La pastourelle met en scène un chevalier courtisant une bergère
(avec ou sans succès); tandis que la bergerie chante les amours
des bergers entre eux... La *tensó* et le *joc partit* (ou *partimen*) sont
de curieux débats dialogués de casuistique politique (la première)
ou amoureuse (le second); répondant au goût médiéval pour la
procédure, ces jeux poétiques faisaient dialoguer deux personnages
sur la même mélodie, devant une assemblée faisant office de
tribunal. Les « cours d'amour » procédaient sans doute de ce
genre de divertissement... Les chansons à Notre-Dame ont fleuri
lorsque l'Inquisition s'est installée dans le Midi après l'affaire
des albigeois; elles répondaient à un souci de spiritualisation de
l'amour courtois... La « chanson de toile » appartenait à un vieux
répertoire de pièces narratives que les femmes délaissées chantaient en tissant ou en brodant; les troubadours et les trouvères
l'ont adaptée à l'esprit courtois, mettant parfois l'homme, et
non plus la femme, en position d'attente amoureuse...

Entre ces genres, les distinctions musicales sont imprécises;
souvent une même mélodie est utilisée pour deux chansons d'inspiration très différente. Mais il ne faut voir là ni pauvreté ni
négligence. Les mélismes et les subtiles variantes sur les mots clés
attestent le caractère savant, « intellectuel », de cet art qui annonce
l'esprit du madrigal.

Par le raffinement de sa musique et les nombreux témoignages
qu'elle nous en a laissés, la poésie lyrique s'oppose aux genres
épiques et narratifs. A vrai dire, ces derniers n'intéressent guère
l'histoire de la musique, en dépit de leur importance littéraire.
Aucune chanson de geste ne nous a conservé le plus petit fragment
de sa musique. Différents témoignages nous assurent pourtant
qu'elles étaient chantées, probablement sur une mélopée très
simple apparentée à la litanie ou à la psalmodie. Une des indications les plus précieuses nous est donnée par le *Jeu de Robin et
Marion* d'Adam de la Halle. « Je sai trop bien chanter de geste »
dit Gautiers, le cousin de Robin. Puis il entonne une grossière
parodie de la *Chanson de Girart de Vienne*, qui nous restitue peut-
être la mélodie originale.

En revanche, le manuscrit d'*Aucassin et Nicolette*, que l'auteur
qualifie de « chantefable », charmante satire du roman courtois
et du poème épique, nous indique les mélodies sur lesquelles
doivent être chantées ses « laisses ». Quant aux grands « lais »
narratifs d'origine celtique, dont ni texte ni musique ne nous

sont parvenus, nous en connaissons seulement les arguments : ils ont été repris (avec des allusions à leur origine chantée) dans les romans et dans de longs poèmes, comme ceux de Marie de France, qui ont conservé la dénomination de « lai ».

Il n'est pas du tout certain que les poètes aient toujours été les compositeurs de leur musique. Souvent sans doute ils se faisaient aider ou puisaient dans un répertoire préexistant. Les jongleurs, qui étaient à l'occasion arrangeurs, ou tout au moins copistes, avaient un riche répertoire de « timbres » populaires et de musiques instrumentales. Ils ont probablement contribué à imposer les formes musicales les plus courantes : rondeaux, virelais, caroles et ballades (chansons dansées à couplets et refrain, dont la structure est très variable jusqu'au XIVe siècle), lais strophiques et chansons sans refrain (formes issues de la séquence et du *versus*), laisses strophiques de type litanie, que l'on trouve dans les « chansons de toile » (c'est sans doute la forme musicale des chansons de geste), etc.

Avant de mourir d'épuisement dans les subtilités formelles du *trobar ric* et l'ésotérisme du *trobar clus*, l'art des troubadours méridionaux triomphe un peu partout, de la cour de Tolède à celle de Ferrare, du duché de Normandie au royaume de Hongrie. Dans certains pays le *trobar* fleurit en langue provençale, dans d'autres il donne naissance à un art autochtone.

Trouvères Les trouvères du nord de la Loire ont été les premiers émules des troubadours à utiliser le parler local, à partir de 1160 environ. Marie de Champagne et Aélis de Blois ont certainement beaucoup contribué avec leur mère à l'éclosion de cette lyrique de langue d'oïl. Filles de Louis VII et d'Aliénor d'Aquitaine, arrière-petites-filles de Guillaume IX d'Aquitaine, le premier troubadour, elles ont encouragé l'esprit courtois et introduit à leur cour l'art du « trouver ». Leur demi-frère Richard Cœur de Lion écrira lui-même des chansons en langue d'oïl et le petit-fils de Marie sera le célèbre Thibaud de Champagne.

On considère généralement Chrétien de Troyes (? - 1191) comme le premier trouvère; mais l'esprit courtois n'apparaît dans son œuvre qu'à partir de *Lancelot* (vers 1180) et le lyrisme paraît être moins son fait que le roman chevaleresque et la poésie épique. Conon de Béthume (vers 1150-1219), homme de politique et de guerre, peut davantage revendiquer la priorité; du moins est-il sans doute le premier grand trouvère dont les chansons notées nous soient parvenues, et dont le talent ait eu un rayonnement considérable. D'autres noms restés célèbres méritent d'être retenus : Blondel de Nesles qui doit sa notoriété à la belle légende de la délivrance de Richard Cœur de Lion, davantage qu'à son talent sans originalité; Gautier d'Espinaus, Huon

Tropaire de la région d'Auch provenant de la bibliothèque de Saint-Martial de Limoges (XIe siècle).

d'Oisy, le châtelain de Coucy, dont l'imposante forteresse fut détruite pendant la guerre de 1914-1918; Gace Brûlé (? - vers 1220), seigneur champenois, le plus grand trouvère de sa génération, dont le talent sera souligné par Dante dans le *De vulgari eloquentia;* Thibaud IV de Champagne (1201-1253), roi de Navarre en 1234, admirable poète lyrique, considéré souvent comme le prince des trouvères; Gautier de Coincy (1178-1236), Colin Muset, etc., enfin Adam de la Halle (vers 1240-1287). Mais ce grand musicien-poète, justement célèbre pour ses rondeaux à 3 voix ou ses Jeux, fut un médiocre trouvère. Sa génération est celle de la décadence, où le *trobar* occitan l'a précédée de peu. Cependant, tandis que les trouveurs du Midi s'égarent dans l'ésotérisme et les raffinements excessifs, ceux du Nord recherchent la simplicité, qu'ils finissent par confondre avec l'enfantillage et la vulgarité. Ils sont de plus en plus nombreux : Jacques Chailley en dénombre 182 dans la seule ville d'Arras vers 1270. Les meilleurs se compromettent dans des concours et des « jeux partis » d'un niveau lamentable, indigne des successeurs de Gace Brûlé ou de Thibaud de Champagne.

Gace Brûlé

Li plus des-con-for-tez du mont sui et si chant com en-voi-siez. Ne ja Dieus joi-e ne me dont de ça dont je vueil es-tre liez, s'uns au-tres n'en fust en-ra-giez.

En marge des courants historiques, les chansons des goliards ont fleuri du XIe au XIVe siècle, constituant un fonds extrêmement riche et savoureux. Ces chansons nous sont conservées dans de nombreux manuscrits, dont le plus célèbre, le codex Buranus (XIIIe siècle), contient environ 200 pièces du XIe au XIIIe siècles *(Carmina Burana)* [1]. Poètes-musiciens errants, qui parcouraient l'Europe occidentale, les goliards étaient des étudiants ou des clercs « vagants » en difficulté avec l'Église. Ils écrivaient généralement en latin, mais parfois dans la langue vernaculaire (français ou allemand plus ou moins dialectal), des chan-

1. Souvenons-nous qu'à cette anthologie éclectique sont joints plusieurs drames liturgiques : deux Passions, un Drame du Sépulcre, avec l'épisode des pèlerins, un grand cycle de Noël. On y trouve aussi des chants religieux, dont une belle « séquence » du sous-prieur de Saint-Victor, Godefroy de Breteuil : *Planctus Mariae Virginis.* Plusieurs chansons du recueil ont inspiré la cantate *Carmina Burana* de Carl Orff (1937).

sons de tous genres : bachiques, satiriques, érotiques, morali-
satrices, anticléricales... Leur vie scandaleuse et l'inconvenance
de leurs satires incitaient généralement les goliards à conserver
l'anonymat. Les trouvères de la décadence, participant à la
réaction anti-idéaliste qui a suivi la mort de saint Louis, ne
sont pas restés sourds à l'exemple des goliards, en cette fin
de siècle où le naturalisme de *Robin et Marion* annonce la fin
de l'esprit courtois.

Entre temps, les troubadours émigrés en Italie au moment
de la guerre des albigeois ont fait école; et, tandis que le Provençal Raimbaud de Vaqueiras compose des vers toscans, les
premiers *trovatori* de la péninsule cultivent la langue provençale, dans leurs *ballate, tenzone* ou *servantesi*. Bientôt ils utiliseront leur langue maternelle, notamment en Toscane où s'épa-
nouira dans la seconde moitié du XIIIe siècle le *dolce stil nuovo*
génialement illustré par *la Vita nuova*. Le plus célèbre trouvère
italien, Sordello (au service de Charles Ier d'Anjou, de 1245 à
1265), occupe une place importante dans *le Purgatoire* de *la Divina
Commedia;* Dante en fait le symbole de l'amour de la patrie.

Parallèlement à la poésie lyrique profane, une forme religieuse populaire fleurissait alors en Italie, particulièrement en
Ombrie : les *laudi*. Ces chansons pieuses se sont développées
dans les confréries laïques que formaient les disciples de saint
François d'Assise [1]. Elles se répandirent ensuite dans toute
l'Italie, grâce à d'inquiétantes confréries de pénitents qui prê-
chaient de ville en ville les bienfaits de la flagellation : au cours
des longues processions expiatoires qu'ils organisaient, on chantait des *laudi spirituali*. On verra plus loin comment certaines
laudi dialoguées ont été l'origine de l'oratorio, à la façon dont
le drame liturgique est né du trope *Quem quaeritis*.

Minnesänger En Allemagne, un répertoire de chansons latines
et allemandes fleurissait depuis le IXe siècle, lorsque l'art des
troubadours y fut importé au XIIe siècle sous l'influence de
Béatrice de Bourgogne (femme de Frédéric Barberousse) et des
poètes germaniques qui avaient pris part aux croisades. Adapté
au génie allemand, l'esprit courtois a suscité un art fécond et
original, le *Minnesang* (*Minne* = amour courtois). Les principaux
centres en sont l'Autriche, la Bavière, la Souabe, la Franconie
et la Thuringe. Les *Minnesänger* composent en allemand, mais
en adoptant les genres et les thèmes d'inspiration des troubadours : *Minnelied* (cansó), *Tagelied* (alba), *Streitgedicht* (tenson),
Spruch (sirventès), *Leich* (lai ou descort), *Kreuzlied* (chanson de

---

1. Le célèbre *Hymne au soleil* de François est une laude, dont malheureusement la
musique ne nous est pas parvenue.

croisade). Comme on ne possède aucune notation musicale des *Minnesänger* de la première génération, on peut supposer qu'ils utilisaient les mélodies de leurs modèles. En revanche les générations suivantes nous ont laissé de nombreux témoignages de leur génie mélodique, dans des manuscrits d'Iéna, de Colmar, de Heidelberg, de Münster, de Vienne, etc.

Du plus grand de ces trouvères germaniques, Walther von der Vogelweide (vers 1170 - vers 1230), dont les *Minnelieder* et les *Sprüche* sont considérés comme des modèles poétiques, nous ne possédons malheureusement que peu de chansons notées. Parmi celles-ci est un très beau *Kreuzlied*, composé vraisemblablement en 1228 lorsque son protecteur Frédéric II est parti pour la croisade :

« *Palästinalied* »

Tannhäuser (« Der Tanuser ») et Wolfram von Eschenbach (vers 1170 - vers 1220) participèrent en 1207 à un fameux *Sängerkrieg* organisé à la Wartburg par le landgrave Hermann de Thuringe [1]. On sait que Wagner s'est inspiré de cette joute poético-musicale et de la légende du Venusberg qui, dès le XIIIᵉ siècle, s'était formée autour de Tannhäuser. Et c'est au *Parzival* de Wolfram (adaptation de l'œuvre de Chrétien de Troyes) que Wagner emprunta l'argument de son dernier drame musical. Parmi les meilleurs *Minnesänger*, il faut citer encore : Hartmann von der Aue (? - v. 1215), auteur d'un célèbre poème narratif, *Der arme Heinrich;* Der Unvürzaghete, Meyster Rumelant, Reinmar von Haguenau « der Alte », Neidhart von Reuenthal (v. 1180 - v. 1250) qui figure dans les *Carmina Burana*, Heinrich von Meissen, dit « Frauenlob » (v. 1260 - 1318)... et un attardé génial, Oswald von Wolkenstein (v. 1377 - 1445). Ce seigneur tyrolien à la mine patibulaire, qui fut, bien après Machaut, le premier grand polyphoniste allemand, s'amuse à raconter dans une série de chansons truculentes ses amours tumultueuses et ses rocambolesques aventures de voyageur belliqueux. Les traditions du *Minnesang* survivront encore jusqu'au XVIᵉ siècle dans les corporations de Meistersinger, dont le plus célèbre représentant, Hans Sachs, a été immortalisé par Wagner avec un grand souci d'exactitude (organisation des maîtres chanteurs,

1. E.T.A. Hoffmann, dans un conte intitulé *La Guerre des maîtres chanteurs*, met en scène plusieurs *Minnesänger*, dont Walther et Wolfram.

règles des concours, formes poétiques et musicales... tout cela est très sérieusement documenté).

Entre temps, les « flagellants » italiens ont fait des adeptes au-delà des Alpes et, pendant la grande épidémie de peste de 1349, des chants apparentés aux *laudi* ont été diffusés par les pénitents. Ces *Geisslerlieder* (« chants de flagellants »), qui ont constitué un véritable folklore religieux, sont apparemment une des sources du choral luthérien :

Espagne et Portugal Très tôt, la lyrique occitane s'est aussi répandue en Espagne et au Portugal. De nombreux troubadours, parmi lesquels Peyre Vidal, Guiraut de Borneilh, Marcabru, ont voyagé dans la péninsule ibérique; les grands seigneurs espagnols s'exercent à l'art du *trobar* et le Portugal comptera d'excellents troubadours autochtones jusqu'à l'extinction de la dynastie de Bourgogne (1383). Le précieux recueil des *Cantigas de Sancta Maria*, compilé (plutôt que composé) par Alfonso X « El Sabio » dans la seconde moitié du XIIIe siècle, raconte les miracles de la Vierge en langue galicio-portugaise et dans le meilleur style des derniers troubadours, mêlé peut-être d'influence arabe. Ce recueil de plus de quatre cents mélodies nous est conservé par quatre manuscrits, dont un (Bibl. de l'Escurial) contient quarante miniatures représentant des musiciens.

Polyphonies gothiques

De 1140 à 1315 environ, tandis que la monodie triomphe sous toutes les formes dans la poésie lyrique, faisant briller le talent des premières vedettes internationales, la polyphonie savante continue de progresser. Mais c'est un art difficile, qui pose des problèmes ardus d'exécution et de notation. Sa diffusion est encore restreinte : elle reste l'affaire de musiciens spécialisés, qui sont rarement sortis de l'anonymat. L'inventeur d'organa ou de déchants (appelé *organista* ou *discantor*) est musicien et non poète : c'est un savant « arrangeur » musical, qui n'a pas l'art de chanter la vie et la mort.

L'organum à vocalises ou « fleuri » Une intéressante nouveauté, originaire sans doute de Saint-Martial, apparaît dans l'organum au plus tard vers 1140 : à chaque note de la voix principale, correspondent désormais non plus une, mais plusieurs notes de la voix organale. Le principe en a été suggéré par le théoricien John Cotton vers 1100, mais on n'en possède pas d'exemples notés antérieurs aux manuscrits de Saint-Martial. L'acquisition, déjà ancienne, du mouvement contraire et la promotion récente de la tierce et de la sixte au rang de « consonances imparfaites » favorisent l'assouplissement de la voix organale. Celle-ci s'enrichit de longs mélismes vocalisés (ou joués par un instrument ?), flottant comme une guirlande au-dessus de la voix principale : style caractéristique de cet organum fleuri, dont l'école limousine s'est fait une spécialité.

Organum fleuri (Saint-Martial)

NB Les valeurs rythmiques sont arbitraires et non proportionnelles.

La voix principale est appelée maintenant *tenor* ou « teneur », *quia discantus tenet*. La voix organale devient le *duplum*, auquel on ajoute parfois un *triplum* et même un *quadruplum*. Le *tenor* s'établit au grave et n'utilise que quelques notes du thème liturgique, mais ces notes se sont beaucoup allongées pour donner au *duplum* le temps de dérouler ses mélismes : l'habitude de ces

Apocalypse de Saint-Sever, XIᵉ siècle.

Vieillards de l'Apocalypse : fresque de Saint-Martin de Fenollar (XIIᵉ siècle).

tenors fragmentaires se conservera, la courte phrase pouvant être répétée autant de fois que l'exigera l'inspiration du déchanteur.

A la suite de Saint-Martial, l'école de Notre-Dame portera l'organum fleuri à son apogée. Autour de la nouvelle basilique en pierres blanches de Creil, mise en chantier en 1163 à l'initiative de l'évêque Maurice de Sully, s'est cristallisée une école polyphonique dont le rayonnement a été immense. Deux noms restés célèbres dominent une production en grande partie anonyme : Léonin, *optimus organista*, et Pérotin, *optimus discantor*. Les mots *organista* et *discantor* sont très significatifs : il semble en effet qu'on ait eu tendance alors à distinguer la liberté d'un *organum* aux souples vocalises de la rigueur d'un *discantus* mesuré. Le style de Léonin (si l'on peut se fier aux copies des XIIIe et XIVe siècles qui nous ont conservé ses œuvres) représente la transition entre l'organum fleuri de Saint-Martial et la polyphonie mesurée de Pérotin. Léonin était décorateur; son successeur Pérotin est un architecte moderne, dont les grands *organa* à quatre voix, ou *quadrupla*, particulièrement le *Viderunt omnes*, sont les premiers chefs-d'œuvre de l'histoire de la polyphonie.

XIIe et XIIIe siècle

organum Tenor liturgique au grave, incomplet, en valeurs longues; il porte son texte original. Voix organale vocalisée (sans texte).

conduit Tenor original (composé). Toutes les voix ont le même rythme et le même texte (sacré ou profane, plutôt solennel).

motet Tenor, liturgique ou profane, en valeurs longues *(cantus firmus)* : il est incomplet et ne porte pas de texte (sans doute instrumental). Les autres parties sont composées sur des textes originaux multiples, plus souvent sacrés que profanes.

chanson Le tenor n'est pas un *cantus firmus* *. La voix principale, ou *vox prius facta*, est parfois la voix médiane ou la voix supérieure. Les autres voix peuvent avoir un rôle d'accompagnement. Le texte est unique.

Pérotin, Viderunt omnes

On peut observer un étonnant canon à la quinte entre le *duplum* et le *triplum*, extension d'un procédé employé par Pérotin et par ses successeurs immédiats, surtout en Angleterre : l'interversion des voix.

D'autres genres polyphoniques dérivés de l'organum se développent sous l'impulsion de l'école de Notre-Dame, notamment le conduit et le motet.

Le conductus ou conduit   Composition entièrement originale (sans tenor liturgique), le conduit polyphonique comporte deux, trois, exceptionnellement quatre voix, dont aucune n'est en valeurs longues; elles ont toutes le même texte et le même rythme. Souvent les fins de séquence sont enrichies de ritournelles sans texte, ou *caudae*, qui étaient peut-être confiées à des instruments.

L'importance du *conductus* est considérable : le déchanteur y devient un compositeur à part entière. Il pense polyphoniquement et semble écrire souvent « en partition » au lieu d'adapter successivement une, deux ou trois voix organales à un tenor donné. Il peut donner libre cours à son imagination et à sa science : à partir de 1240 environ, on trouve dans les conduits des exemples de contrepoint renversable.

Les sujets traités (généralement en latin) sont variés. Le plus souvent ils sont empruntés à l'actualité : sujets moraux ou politiques (plusieurs conduits sont composés en 1170 pour accuser Henri II de l'assassinat de Becket et l'adjurer de se repentir), célébration de victoires (*De rupta Rupecula*, pour la prise de La Rochelle par Louis VIII en 1224), couronnement et mort des rois, etc. Trois conduits pour le sacre des rois de France à Reims sont justement célèbres, tant pour la qualité de la musique que pour les conditions exceptionnelles de leur exécution (il a été prouvé qu'ils avaient une fonction précise dans la cérémonie) :

o *Ver pacis aperit* à 2 voix pour le sacre de Philippe Auguste, le 1er novembre 1179. La cérémonie est conduite par l'oncle du nouveau roi, Guillaume de Champagne, cardinal archevêque de Reims, entouré de nombreux évêques et archevêques. Gautier de Châtillon, ami du cardinal, est l'auteur de l'énigmatique poème, et peut-être aussi de la musique, car on lui doit des chansons dans le style des trouvères et des goliards.

o *Beata nobis gaudia* à 1 voix pour le sacre de Louis VIII, le 6 août 1223. Le texte, qui se termine par une citation de l'hymne *Veni Creator spiritus*, suggère que cette belle mélodie a dû être chantée au moment de l'arrivée de la sainte Ampoule à la cathédrale, au terme d'une impressionnante procession.

Gaude felix Francia, conduit pour le sacre de saint Louis (manuscrit de Saint-Victor).

○ *Gaude felix Francia* à 2 voix pour le sacre de saint Louis le 29 novembre 1226. Le style de cette pièce magnifique et celui de la précédente les ont fait attribuer toutes deux, avec une très grande probabilité, à Pérotin.

Trois autres conduits lui sont attribués par un théoricien anonyme du XIIIe siècle et la plupart de ceux qui nous ont été conservés dans différents manuscrits peuvent être rattachés à l'école de Notre-Dame de Paris.

Le motet (sans aucun rapport avec ce qu'on appellera « motet » à partir du XVIIe siècle). Dans un manuscrit de Saint-Martial, de la première moitié du XIIe siècle, on trouve deux organa

Léonin et Pérotin
seconde moitié XIIe siècle

Ces diminutifs (« Leoninus » pour Léon, « Perotinus » pour Pierre) font à peine sortir de l'anonymat général ces deux musiciens, qui se sont succédé comme *organista* et *discantor* (spécialistes de l'*organum* et du *discantus*) à l'église de la Bienheureuse Vierge Marie, reconstruite au temps de Pérotin pour devenir Notre-Dame de Paris. Léonin est probablement l'auteur d'un *Magnus Liber de Gradali et Antiphonarii* (plus de quatre-vingts *organa* à deux voix, que l'on ne connaît que par des copies plus tardives), ouvrage qui a été révisé et complété par Pérotin, le plus grand musicien de l'école de Notre-Dame. Seuls quatre organa (dont deux à 4 voix) et cinq conduits ont pu être attribués avec certitude à Pérotin. Sa contribution à la création du motet, au début du XIIIe siècle, est probable, mais hypothétique.

où les vocalises de la voix organale ont été munies d'un texte (différent de celui de la voix principale), selon le principe des tropes. Le procédé s'est généralisé et l'on a pris l'habitude de chanter les mots du trope : le *duplum* fut alors appelé *motetus* et un nouveau genre de composition, le motet, est apparu aux environs de 1200, fondé sur le procédé de l'organum « tropé »... par conséquent sur la pluralité des textes.

Motet { O Maria Virgo Davidica / O Maria Maris Stella / Veritatem }

(Montpellier, ms. H 196, d'après Besseler)

Le tenor liturgique, en valeurs longues comme dans l'organum à vocalises, est limité à quelques notes plusieurs fois répétées; parfois le fragment sera même si court qu'il fera figure d'*ostinato*. Dans la seconde moitié du XIIIe siècle, son thème sera souvent emprunté au répertoire des danses et des chansons profanes. Les voix supérieures *(motetus, triplum, quadruplum)*, qui constituent l'essentiel de la composition, sont chantées sur des textes différents, d'abord religieux et paraphrasant en latin le texte du tenor, puis profanes et en langue vulgaire. On trouvera bientôt des motets bilingues où *motetus* et *triplum* seront, par exemple, l'un une hymne à la Vierge en latin, l'autre une chanson d'amour en français. En se généralisant après 1250, l'emploi du français confirme et accentue l'indépendance des voix supérieures qui n'ont plus rien de commun avec le tenor. Pendant un siècle et demi, les motets seront plus souvent profanes que religieux. Le tenor très simple, certainement confié aux instruments, leur donne parfois l'aspect de chansons accompagnées à une, deux ou trois voix. Ailleurs la fantaisie se donne libre cours, comme dans ce motet de la fin du XIIIe siècle qui annonce les chansons descriptives de Janequin avec son tenor emprunté à un cri de Paris (« fraises nouvelles, mûres de France! »).

Les manuscrits de l'école de Notre-Dame, un célèbre manuscrit de la Bibliothèque de Bamberg et quelques autres (Turin, Darmstadt, Madrid, Burgos, Worcester, etc.) nous ont conservé de beaux motets du XIIIᵉ siècle. Mais la source la plus importante est le ms. H 196 de l'École de médecine de Montpellier, vaste anthologie où sont représentés les différents styles et les différents stades d'évolution. La publication en fac-similé a été faite, avec transcription et commentaire, par Yvonne Rokseth, Paris, 1948, 4 vol.

Le procédé d'interversion des voix, évoqué un peu plus haut, est parfois employé : chaque voix chante le fragment mélodique que la voisine vient de terminer. Cette manière de faire est fondée sur un principe extrêmement fécond, l'imitation, dont l'illustration la plus élaborée sera la fugue. Dès le XIIIᵉ siècle, ce principe donne naissance à la *rota* (ou ronde), appelée aussi canon, parce qu'elle est soumise à la règle, au « canon » de l'imitation. Le plus célèbre exemple antérieur à l'*Ars nova* est une délicieuse pièce anglaise à quatre voix, *Sumer is icumen in*, provenant du monastère de Reading (British Museum, Harley 978). Ce petit chef-d'œuvre a été daté de 1225, puis de 1240 environ; l'aisance de son style le fait considérer aujourd'hui comme plus tardif (vers 1300)... en lui faisant perdre son caractère sensationnel. Une sorte de double tenor répétant en *ostinato* une phrase très simple de huit notes (nouvel exemple d'interversion, entre ces deux voix) apparente cette *rota* au motet.

NB   Toutes les voix doivent être lues en principe à l'octave inférieure de la notation. Mais on peut supposer aussi que le *pes* (2 voix inférieures) est chanté par les voix graves et le canon par les voix aiguës. (British Museum)

Une autre composition de la même époque, dans un manuscrit de Worcester, témoigne encore de l'habileté des polyphonistes anglais, en nous donnant un parfait exemple de « Rosalie », procédé de développement fondé aussi sur l'imitation :

Chansons avec refrain Les rondeaux, virelais et ballades, qui trouveront leur plein épanouissement à l'époque de l'Ars nova, étaient probablement à l'origine des arrangements polyphoniques de pièces monodiques pré-existantes. Trois particularités les distinguent des conduits et des motets :

– une structure mélodique précise, caractérisée par la réapparition périodique d'un refrain;

– un texte unique, imposant généralement (du moins au XIIIe siècle) le même rythme à toutes les voix;

– la prépondérance mélodique de la *vox prius facta*, que les autres voix « accompagnent »; cette mélodie principale est souvent la voix médiane (nouveauté remarquable).

Les premiers chefs-d'œuvre du genre sont les admirables *Rondeaux* à 3 voix d'Adam de la Halle (vers 1260-1280), qui comprennent plus exactement 14 rondeaux, 1 rondeau-virelai, 1 ballade (Bibl. nat., ms. fr. 25566). Ces œuvres, dont Adam a composé poèmes et musique, témoignent d'une maîtrise et d'une originalité exceptionnelles.

A ce tour d'horizon des principaux styles polyphoniques apparus aux XIIe et XIIIe siècles, il faut ajouter quelques mots sur une remarquable singularité de la musique anglaise, dont les exemples précédents indiquent déjà le raffinement. Dès les premières notations polyphoniques, on constate que les Anglais pratiquent une sorte d'organum où les parties ne procèdent plus par octaves, quintes ou quartes comme sur le continent, mais par tierces parallèles : c'est ce qu'on appelle le *gymel* (de *gemellum* ou *cantus gemellus*). Cette pratique, antérieure à la conquête normande, est probablement d'origine celtique. Elle

imprègne la polyphonie anglaise du XIIIᵉ siècle et a sans doute
été à l'origine du « faux-bourdon » (séries de sixtes, ou d'accords
de trois sons dans leur premier renversement).

Gymel

Faux-bourdon anglais
(vers 1300)

La technique et le style musical des Anglais auront, comme on le
verra, une influence déterminante sur l'évolution qui aboutira
aux polyphonies vocales de la Renaissance. Et je ne résiste pas
à verser au dossier de la musique anglaise une autre charmante
pièce de la seconde moitié du XIIIᵉ siècle dans le style du gymel :

« Edi Beo » *(Happy be thou)*

Notation de la musique mesurée

Depuis l'adoption de la portée de quatre lignes, étagées de tierce
en tierce, et la transformation graphique des neumes en « notation carrée », les intervalles mélodiques sont susceptibles d'être
notés sans ambiguïté [1]. Les premières portées sont apparues en
Italie dans la seconde moitié du XIᵉ siècle, consacrant les efforts
de Guido d'Arezzo pour en faire accepter l'usage, et vers la
fin du XIIᵉ, l'écriture qui est restée celle du plain-chant était
formée dans le centre de la France, avec une grande qualité de
graphisme. En revanche, l'interprétation rythmique n'était toujours pas déterminée par la notation. Or les règles de la prosodie
et la force de l'habitude n'auraient pas suffi à garantir la

---

1. Seule l'identité de la mélodie est fixée par la notation. Sa hauteur absolue reste
indéterminée malgré les apparences : elle est choisie arbitrairement en fonction
de la tessiture des voix. Dans la théorie comme dans la pratique, l'Occident médiéval
est indifférent à la hauteur absolue et cette notion n'aura qu'une importance secondaire jusqu'au XVIIIᵉ siècle. La première détermination officielle du diapason ne
date elle-même que de 1859 (435 Hz).

1

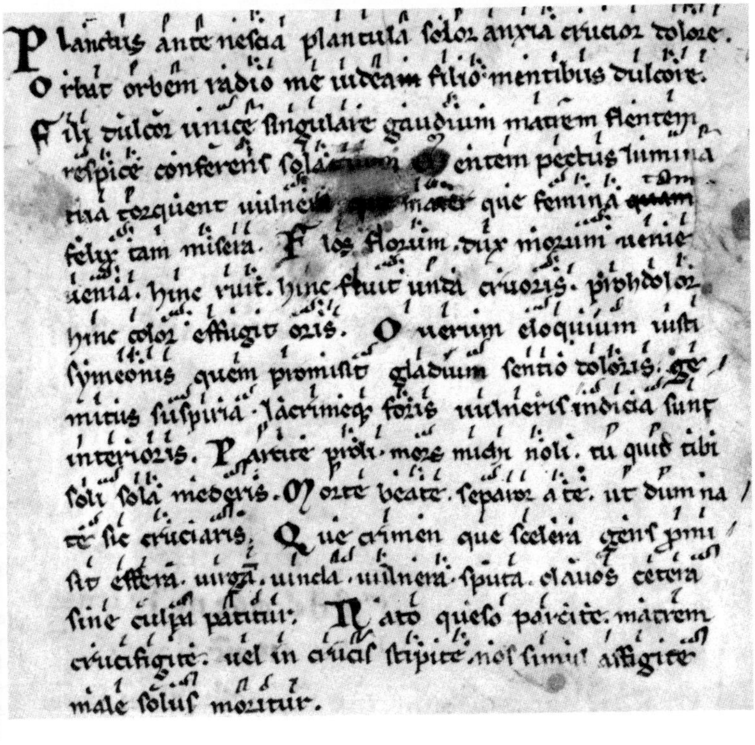

2

Évolution de la notation :

1 notation alphabétique (XIᵉ siècle).
2 neumes alignés (tardifs :
codex Buranus, XIIᵉ siècle).

3

5

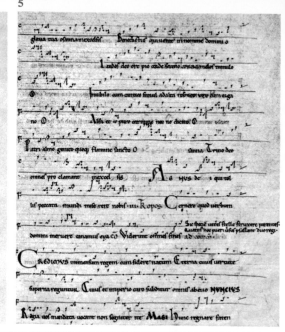

4

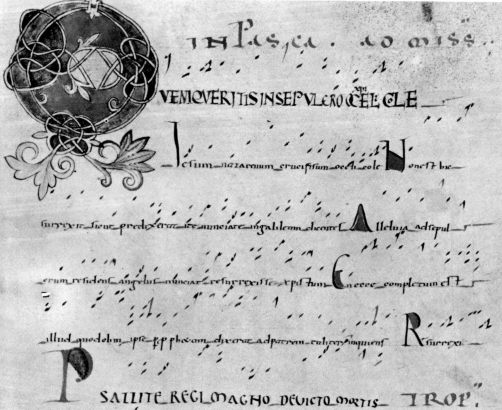

concordance des voix dans une polyphonie de plus en plus complexe. Il fallait déterminer rigoureusement les valeurs rythmiques, rendre désormais la musique mesurée.

On y est parvenu progressivement et incomplètement : la représentation graphique de structures aussi fugitives et irrationnelles que les rythmes ne rend parfaitement compte, ni de la pratique instinctive, ni des représentations mentales du compositeur. La notation rythmique a été de tout temps une simplification schématique, dont les créateurs d'aujourd'hui ressentent encore l'insuffisance. Les solutions successives au problème ont été sommairement les suivantes.

1. Faute de mieux, on s'inspire d'abord de la métrique latine, dont les règles sont adaptées assez laborieusement à la musique. C'est ainsi que depuis le milieu du XIe siècle, un système de rythmes stéréotypés est appliqué à la musique polyphonique et probablement aux genres monodiques syllabiques. Formés de mesures semblables, analogues aux « pieds » de la métrique classique, les « modes rythmiques », comme on les appellera plus tard, sont déterminés par le caractère mélodique, par la prosodie et par les conventions du moment. Le mode choisi pour chaque voix est en principe conservé jusqu'à la fin. La longue vaut normalement deux brèves.

2. Pour permettre d'indiquer plus précisément les modes rythmiques choisis, on attribue aux différentes ligatures (figures formées de plusieurs notes sur la même syllabe) des valeurs rythmiques définies. A la fin du XIIe siècle, les théoriciens commencent à en expliquer le mécanisme de plus en plus complexe, et Johannes de Garlandia en donne une théorie détaillée dans son *De musica mensurabili positio* (début du XIIIe siècle).

3. A la même époque s'impose la primauté du ternaire. La longue vaut en principe trois brèves; mais elle n'en vaut que deux lorsqu'elle est suivie ou précédée d'une brève, avec laquelle elle forme une cellule ternaire. Les modes rythmiques sont alors les suivants :

NB Les progrès de la notation en Europe ne sont pas synchroniques. On trouve par exemple dans le *Codex Buranus* (XIIe-XIIIe siècle) des neumes alignés indéchiffrables, alors que deux siècles plus tôt de nombreux manuscrits présentent une notation diastématique à peu près lisible.

3 et
4 neumes aquitains (XIe siècle).
5 neumes avec lignes et « clés » de fa et d'ut (XIIe siècle).

1er mode	− ∪	(trochée)	= ♩ ♩
2e mode	∪ −	(ïambe)	= ♩ ♩
3e mode	− ∪ ∪	(dactyle)	= ♩. ♩ ♩
4e mode	∪ ∪ −	(anapeste)	= ♩ ♩ ♩. (rare)
5e mode	− − −	(spondée?)	= ♩. ♩. ♩.
6e mode	∪ ∪ ∪	(tribraque)	= ♩ ♩ ♩

On remarque que, dans les troisième et quatrième modes, les deux brèves sont inégales pour former une cellule ternaire ou « perfection » : l'une vaut un temps *(brevis recta)*, l'autre deux *(brevis altera)*. Ces deux modes sont analogues à notre 6/4 ou à notre 6/8. L'interprétation des modes rythmiques est généralement difficile : non seulement les règles sont très nombreuses et compliquées, mais souvent elles diffèrent d'un auteur à l'autre. Plusieurs solutions peuvent ainsi se présenter à la transcription des œuvres de Pérotin et de ses contemporains.

4. Toujours au début du XIIIe siècle, de nouvelles figures de notes apparaissent, représentant des durées relatives, des proportions constantes; d'où l'appellation de « notation proportionnelle ». Plusieurs traités importants en établissent la théorie, dont l'*Ars cantus mensurabilis* de Francon (vers 1260). Les principaux signes sont les suivants :

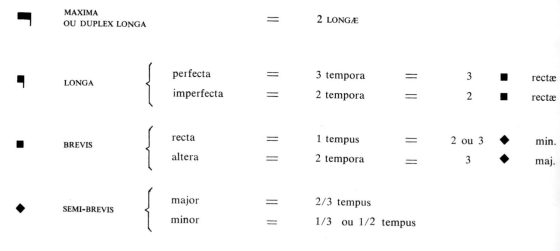

■	MAXIMA OU DUPLEX LONGA		=	2 LONGÆ			
■	LONGA	perfecta	=	3 tempora	=	3	■ rectæ
		imperfecta	=	2 tempora	=	2	■ rectæ
■	BREVIS	recta	=	1 tempus	=	2 ou 3	◆ min.
		altera	=	2 tempora	=	3	◆ maj.
◆	SEMI-BREVIS	major	=	2/3 tempus			
		minor	=	1/3 ou 1/2 tempus			

Cette notation, dite « franconienne », nous a conservé avec une précision satisfaisante de nombreuses compositions polyphoniques du XIIIe et du début du XIVe siècle, parmi lesquelles les rondeaux d'Adam de la Halle, les motets du ms. de Montpellier, ceux du *Roman de Fauvel*, etc. Pour plus de clarté, des points, appelés *puncta divisionis*, séparent quelquefois les cellules ternaires ou « perfections », jouant un rôle analogue à celui de nos barres de mesure (qui n'apparaissent qu'au XVe siècle).

Évolution de la notation (suite)

6 notation carrée (XIIIe siècle).

Per omnia secula seculorum. Amen. Dominus vobiscum. Et cum spiritu tuo. Sursum corda. Habemus ad dominum. Gratias agamus domino deo nostro. Dignum et iustum est. Vere dignum et iustum est.

5. Enfin, dans son célèbre traité *Ars nova musicae* (vers 1325), Philippe de Vitry révise la théorie franconienne, enrichie depuis peu d'une valeur nouvelle, la *minime* ♩ et rétablit le rythme binaire. Les éléments essentiels de notre système de notation se trouvent déjà dans celui de l'*Ars nova* du XIVe siècle, tel qu'il est résumé dans le tableau suivant :

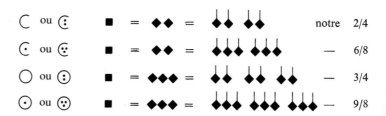

MODUS	{	perfectus	:	▜	=	■ ■ ■
		imperfectus	:	▜	=	■ ■
TEMPUS	{	perfectum	:	■	=	◆ ◆ ◆
		imperfectum	:	■	=	◆ ◆
PROLATIO	{	perfecta	:	◆	=	♩ ♩ ♩
		imperfecta	:	◆	=	♩ ♩

N.B. Les subdivisions de la minime sont binaires : ♩ = ♪ ♪

Les quatre combinaisons possibles d'un « temps » et d'une « prolation » forment les quatre principaux types de « mesures » ou *tempora* du XIVe siècle. Des signes spéciaux en indiquent la nature au début de la portée :

C ou (⫶)	■	=	◆ ◆	=	♩♩ ♩♩	notre	2/4
Ċ ou (⫶̇)	■	=	◆ ◆	=	♩♩♩ ♩♩♩	—	6/8
O ou (⫶)	■	=	◆ ◆ ◆	=	♩♩ ♩♩ ♩♩	—	3/4
Ȯ ou (⫶̇)	■	=	◆ ◆ ◆	=	♩♩♩ ♩♩♩ ♩♩♩	—	9/8

Dans le dernier quart du XIVe siècle, ce système se complique d'un certain nombre de conventions nouvelles, qui n'en modifient pas toutefois les principes fondamentaux : *punctum additionis* (même fonction que notre point) et notes rouges pour indiquer le passage du ternaire au binaire, sous-multiples de la minime, notes blanches, adoption d'une cinquième ligne, etc. Il faut attendre le XVe siècle pour que soit généralisé l'emploi des notes blanches et noires qui, simplifiées par les premiers imprimeurs, puis arrondies à la fin du XVIe siècle par les graveurs, donnent naissance au système de notation actuel.

Le principe de la « notation proportionnelle » représente le plus grand progrès de l'écriture musicale symbolique depuis l'adoption du principe diastématique (assimilation de l'acuité d'un son à une hauteur). Il n'y aura pas de plus grand progrès avant la découverte de l'enregistrement sonore, qui peut être considéré comme une notation « analogique », c'est-à-dire sans *logos* intermédiaire. Stimulés par le besoin de conserver la musique, de la faire surgir inchangée quand on le désire, les progrès de la notation excèdent maintenant les exigences de l'aide-mémoire : la « composition » dispose désormais d'un système abstrait cohérent, outil fécond susceptible d'inspirer des structures nouvelles, et de faire progresser les techniques vocales et instrumentales.

L'Ars nova

Après la mort de saint Louis (1270), une réaction anti-idéaliste se manifeste dans les mœurs et dans les arts. Le deuxième *Roman de la Rose* en est le plus évident témoignage : tandis que le poème de Guillaume de Lorris (vers 1236) était inspiré de l'idéal courtois, celui de Jean de Meung (1275-1280) exprime le nouveau courant de pensée, naturaliste et rationaliste; ce que le premier suggère finement, le second le développe de manière encyclopédique. L'époque qui s'ouvre est celle des ruptures décisives, économique, sociale, politique, religieuse. Au déclin de l'organisation féodale, de l'esprit de croisade, de l'autorité de l'Église, correspond l'essor d'une bourgeoisie commerçante. Une crise économique sans précédent provoque des révoltes dans les villes européennes, dont celle de 1306 à Paris. Impécunieux et jaloux de l'autorité royale, Philippe le Bel essaie de s'enrichir en persécutant les Templiers, cependant qu'il s'assure le contrôle de l'autorité pontificale en faisant élire un pape français et en obtenant son installation à Avignon. Enfin, à partir de 1337, une longue série de conflits entre la France et l'Angleterre, que l'on appellera guerre de Cent Ans, créera des situations politiques et culturelles nouvelles...

Mais, sous les premiers Valois, la civilisation fait un grand bond. Les arts deviennent plus réalistes et plus savants, les langues vernaculaires affirment leur prépondérance et leur originalité, le profane empiète sur le sacré, l'artiste découvre sa vocation subversive... L'esprit nouveau se manifeste en musique par un goût pour la complexité, une recherche de modernisme, une aspiration à l'autonomie de la composition, dont le processus devient intellectuel. Ces tendances trouvent leur expression théorique dans le fameux traité du chanoine diplomate Philippe de Vitry, futur évêque de Meaux : *Ars nova musicae* (vers 1325) [1].

---

1. Appeler *ars antiqua* la polyphonie des XIIe et XIIIe siècles, comme on le fait si souvent, est une étourderie et une mauvaise action. Cette étiquette inepte fausse l'idée qu'on peut se faire de ces deux siècles d'art exemplaire.

Et les musiciens d'avant-garde qualifieront d'Ars nova le fruit de leurs spéculations... de la même manière que des compositeurs d'aujourd'hui se réclament de la « nouvelle musique ».

Avec ses tendances antagonistes, conservatrice et moderniste, la crise musicale que traduit cet art nouveau est comparable à celles qui agiteront la musique occidentale au xxe siècle. Protestant contre des techniques « modernes », jugées inadéquates aux fonctions sacrées, la bulle avignonnaise (1324-1325) de Jean XXII anticipe celles de Jdanov (1934 et 1947), sans en avoir toutefois la désastreuse efficacité.

Ars nova française Le foyer de l'Ars nova est la France. La musique italienne en subit l'influence, mais évolue de façon différente. Quant à l'Angleterre, insensible au remue-ménage, elle attend son heure en mûrissant des styles qui ont fait jusqu'alors le prestige de sa musique. Sur le plan technique, l'Ars nova se caractérise principalement par l'émancipation du rythme et l'affirmation d'un sentiment harmonique.

○ rythme Les progrès de la notation suscitent l'ambition d'en épuiser les ressources, puis d'inventer encore de nouveaux signes et de nouvelles conventions pour composer les plus subtiles combinaisons de rythmes. Il s'ensuit une complexité assez lassante, dont les éléments ne sont pas toujours perçus à l'audition : rythmes décalés, syncopes, parenthèses rythmiques, polyrythmie *, etc. Si l'architecture est une musique pétrifiée, c'est aux sortilèges rythmiques de l'Ars nova que s'apparente la riche dentelle des basiliques de Reims et d'Amiens, dont le style est parfois suggéré par le graphisme des manuscrits. Un procédé singulier, inauguré dans les motets de la seconde moitié du xiiie siècle, évoque les minutieux évidements de la pierre : c'est le « hoquet ». Il consiste en l'alternance rapide des voix, dont le décalage fait se correspondre tour à tour les notes et les silences. Ce procédé d'allègement de la polyphonie, qui devient au xive siècle un style de composition, trouvera de nombreux échos dans la musique de clavier, de Couperin à Boulez. Une autre technique rythmique de l'Ars nova jouera un rôle important dans les formes d' « imitation » (*ricercare*, canon, fugue) : l'augmentation et la diminution des valeurs rythmiques, indiquées par des signes spéciaux.

○ sentiment harmonique La conscience des relations tonales se développe ou se confirme, dans le maquis de la *musica ficta*. On désigne ainsi un système plus ou moins empirique, où des notes sont altérées pour modifier le caractère de certains intervalles. Déjà, au temps de l'organum en quintes parallèles, on s'était avisé que la quinte si . fa était trop petite, ce qui rendait la voix organale différente de la voix principale, chaque fois qu'appa-

...aissait un si dans cette dernière. Pour résoudre cette difficulté, on élevait d'un demi-ton le fa correspondant de la voix organale. Depuis le XIIIe siècle, des règles assez variables prescrivaient l'altération * éventuelle de certains sons, sans que la notation ait le préciser ; mais la théorie en était assez confuse. Au début du XIVe siècle, en revanche, il est parfaitement établi que deux raisons principales peuvent obliger les chanteurs à hausser ou baisser certaines notes d'un demi-ton :

1. La nécessité de rendre toutes les quartes et quintes justes. Le triton (quinte diminuée ou quarte augmentée), appelé *diabolus in musica*, est inacceptable entre deux voix simultanées : ainsi le fa devient dièse lorsqu'il est associé à un si et le si devient bémol lorsqu'il est associé à un fa.

2. L'affirmation du caractère conclusif des cadences, grâce à l'attraction qu'exerce la finale sur sa voisine d'un demi-ton. Lorsque l'avant-dernière note d'une cadence est à un ton de la finale (septième mineure, dans les modes de ré, la, mi, si et sol), elle est haussée d'un demi-ton, devenant ce que nous appelons la note « sensible ». Cette attirance de la sensible * pour la tonique, sur quoi reposera l'harmonie tonale, sera bientôt exploitée pour changer de finale, donc de mode : c'est le principe de la « modulation ». Mais lorsqu'on veut aller dans le mode de la, où la sixte et la septième sont mineures, il faut élever d'un demi-ton non seulement le sol, mais aussi le fa pour éviter le surprenant intervalle de seconde augmentée : fa♮.sol♯... ce qui oblige aussi à élever le do d'un demi-ton, pour éviter les rencontres de triton entre la tierce mineure (do) et la sixte majeure (fa♯) ! A la faveur de ces manipulations, le *diabolus in musica* reparaît nécessairement ailleurs et il faut recourir pour le chasser à de nouvelles altérations, que l'on est bien obligé de noter lorsque la situation est devenue trop complexe.

Les vieux modes ecclésiastiques sont bouleversés par ces méthodes et le mode d'ut apparaît de plus en plus comme le mode « majeur », auquel les autres sont contraints de ressembler [1].

Cependant, le sentiment « harmonique » s'enrichit d'une nouveauté importante : l'adjonction à la polyphonie d'une partie supplémentaire appelée *contratenor*. D'abord de même tessiture que le tenor, avec lequel il se croise sans cesse, il se stabilise bientôt sous le tenor (*contratenor bassus*, d'où « basse-contre ») après avoir occupé de temps à autre une position intermédiaire entre le tenor et le *duplum* (*contratenor altus*, d'où

---

1. Aucune théorie de la *musica ficta* ne peut être exhaustive, car des sons pouvaient être altérés en fonction d'un sentiment esthétique irrationnel. Les théoriciens eux-mêmes reconnaissent la légitimité des altérations *causa pulchritudinis*.

Le Roman de Fauvel
(fr 146, début XIVᵉ siècle).

« haute-contre »). La combinaison d'un tenor et d'un contratenor instrumentaux accentue l'aspect de monodies accompagnées dans certaines pièces (ballades et virelais surtout)
aspect trompeur en vérité, car l'écriture reste essentiellemen
polyphonique, horizontale. Le sentiment harmonique est encor
diffus. Il existe dans la mesure où interviennent des relation
dynamiques ou hiérarchiques entre les sons du système; il s
manifeste dans la *musica ficta* et la crainte du *diabolus in musica*
Mais la conscience d'une qualité des mélanges de sons ou de
enchaînements de climats harmoniques, la conception hédo
niste de l'accord en tant qu'individualité, sont encore loin d'ins
pirer la composition musicale.

Les débuts de l'art nouveau sont illustrés par un magnifiqu
manuscrit enluminé de la Bibliothèque nationale (ms. fr. 146)
le *Roman de Fauvel*. Ce grand poème satirique de Gervais d
Bus[1] composé entre 1310 et 1314, a été enrichi peu après (1316
de nombreuses compositions musicales : 23 motets à 3 voi
(doubles motets, dont 17 dans le nouveau style), 10 motets à
2 voix, 32 proses et lais, 14 rondeaux, ballades et virelais, 52 allé
luias, répons, antiennes, hymnes, versus. Insérées dans le manus
crit par un certain Chaillou de Pestain, gentilhomme de la cour
ces pièces constituent une précieuse anthologie de la musiqu
en vogue depuis le début du XIIIᵉ siècle. Parmi les œuvres « mo
dernes », dont plusieurs pourraient être attribuées à Philipp
de Vitry, se trouvent représentés les principaux genres qui von
illustrer l'Ars nova.

Le même manuscrit contient une collection de 31 rondeaux
virelais et ballades de Jehannot de Lescurel, qui finit sur l
potence en 1303 : ces belles mélodies aux gracieux mélisme
devraient valoir à leur auteur une plus grande notoriété. Un
seule pièce est polyphonique : le rondeau à 3 voix, *A vous, douc*
débonnaire, qui représente excellemment la transition entre l
classicisme du XIIIᵉ siècle et l'Ars nova.

Principal genre hérité du XIIIᵉ siècle, le motet de l'époqu
nouvelle conserve la pluralité des textes et adopte systémati-

---

1. Notaire de la chancellerie royale, il dénonce la corruption de la société française
sous Philippe le Bel. Fauvel est un animal symbolique qui en incarne tous les
défauts : son nom est formé des initiales de Flatterie, Avarice, Vanité, Vilénie
Envie, Lâcheté.

quement le principe isorythmique, qui joue un rôle très important dans la musique de l'Ars nova. Ce principe unificateur est fondé sur des structures rythmiques périodiques. Une même succession de valeurs rythmiques, appelée *talea* (« bouture »), est adaptée invariablement dans une même voix (généralement le tenor) aux phrases mélodiques successives. Tout à fait libérée des modes rythmiques, la *talea* est une structure inventée, parfois longue et complexe, qui se répète. L'isorythmie, appliquée d'abord au seul tenor du motet, s'étendra bientôt aux autres voix et à d'autres genres, particulièrement chez Machaut (motets et ballades). Une intéressante polyrythmie peut alors se produire entre les *taleae* des différentes voix. Lorsque la mélodie elle-même se répète plusieurs fois et qu'elle n'a pas le même cycle que la *talea* (nombre de notes différent de celui des valeurs rythmiques), elle sera dotée d'un rythme différent à chaque répétition : ainsi rythme et mélodie se renouvellent continuellement, tout en sauvegardant l'unité de la composition [1].

Quant à la pluralité des textes, adroitement utilisée par les musiciens de l'Ars nova, elle ne devrait pas trop surprendre nos contemporains, habitués aux ensembles d'opéras où souvent les personnages suivent chacun leur idée sans paraître se soucier des autres.

Ballades, rondeaux et virelais sont des genres lyriques apparentés aux chansons à refrain. Seul le rondeau a une origine chorégraphique certaine : c'était au XIIIe siècle une chanson dansée qui conduisait la ronde. Très simple dans sa coupe, le rondeau de l'Ars nova, qui s'est détaché de la danse, se distingue par son caractère résolument polyphonique (2, 3 ou 4 voix réelles, souvent d'égale importance). Seule la forme poétique en est conservée dans les rondeaux de Machaut, dont l'exemple page 294 donne une idée de la complexité contrapuntique.

Ballades et virelais sont au contraire des monodies ou des monodies accompagnées. Lorsque leur écriture est polyphonique, une seule voix est chantée, exceptionnellement deux ou trois (doubles et triples ballades de Machaut, à textes multiples); les autres voix sont confiées à des instruments, dont le choix n'est pas prescrit. Mais, comme plus tard dans le lied romantique, les « voix » instrumentales dialoguent avec la partie chantée : ce ne sont pas des accompagnements subalternes, mais des « personnages » musicaux. Les ballades de Machaut se composent de trois strophes, dont le dernier vers (identique dans chaque strophe) forme refrain. Cette construction est inspirée de la

---

1. On trouve de nos jours un principe analogue dans les longues pédales rythmiques mélodiques et harmoniques (ou « groupes-pédales ») utilisées dans une partie de l'œuvre de Messiaen, associées les unes aux autres.

ballade poétique, dont le même Machaut nous a donné des exemples admirables : trois strophes comprenant chacune huit, dix ou douze vers, suivies parfois d'un « envoi » (quatre, cinq ou six vers), le dernier vers de chaque strophe et de l'envoi étant identique. Dans les compositions musicales, l'envoi a généralement disparu.

Les virelais, ou chansons balladées comme les appelle Machaut, ne se distinguent guère des ballades, si ce n'est par une plus grande simplicité d'allure et une forme moins stricte : ce sont de délicates chansons, généralement monodiques, parfois avec un tenor instrumental. Plus savant mais monodique lui aussi, le lai, selon Machaut, est un long poème lyrique composé de douze strophes ou paires de strophes, toutes différentes musicalement sauf la dernière qui reprend la mélodie de la première.

Guillaume de Machaut
en Champagne vers 1300
Reims 1377

Très jeune, il reçut les ordres mineurs, étudia probablement la théologie à l'université de Paris et conquit le grade de « magister ». Vers 1323, il est secrétaire de Jean de Luxembourg, roi de Bohême, qu'il accompagne jusqu'en 1340 dans ses expéditions en Moravie, en Silésie, en Pologne, en Lituanie, en Italie. Bien qu'aveugle, le roi Jean Ier participe à la bataille de Crécy (1346) où il est tué. Il est probable que Machaut n'est plus auprès de

lui depuis 1340. C'est à cette date qu'il se serait fixé à Reims en qualité de chanoine; ce qui ne l'empêche pas de se mettre au service de Bonne de Luxembourg, fille de son ancien patron, puis du roi de Navarre, Charles le Mauvais, enfin du roi de France Charles V et de Jean de Berry. A Reims, il se consacre à la poésie (il est presque aussi grand poète que musicien), à la musique, à l'équitation, à la chasse et à une idylle avec la jeune Péronne d'Armentières, qui lui inspire le *Dit de la Vérité* et de précieuses lettres (1362-1365). A la mort de Machaut, Eustache Deschamps

compose en son honneur une admirable ballade, qui se fait l'écho de sa grande notoriété.

œuvre Dix-neuf lais (dont dix-sept monodiques et deux « en chasse »), trente-trois virelais (vingt-cinq monodiques, huit avec tenor instrumental), vingt et un rondeaux (2, 3, 4 voix), quarante-deux ballades (1 — 4 v. dont une double et deux triples), vingt-trois motets (3 et 4 v.), un double « hoquet » à 3 v. *(David)*, une messe à 4 v., quelques pièces musicales insérées dans les grands poèmes *(Remède de Fortune, Veoir Dit*, etc.)...

L'Ars nova est dominée de très haut par la personnalité du Champenois Guillaume de Machaut. Comme Monteverdi et Bach, bien qu'à une moindre échelle, c'est un génie coordinateur, qui résume le passé, invente le présent et cautionne l'avenir. Dans les motets latins, les virelais et surtout les ballades, il montre son expérience des anciens styles, particulièrement de celui des troubadours et des trouvères (dont l'esprit chevaleresque et courtois inspire encore mainte ballade); dans les rondeaux, les motets français (profanes) ou la Messe, il témoigne de son aisance à maîtriser l'art nouveau, que souvent il dépasse. Dans le rondeau à 3 voix, *Ma fin est mon commencement*, Machaut utilise avec une adresse diabolique la technique du contrepoint rétrograde, ou « à l'écrevisse » :

Machaut, rondeau
« Ma fin est
mon commencement »

(Éd. Ludwig, tome 1)

Enluminure d'un manuscrit des œuvres de Machaut, vers 1370 (fr 1584).

On remarquera que la voix supérieure est exactement le « mouvement rétrograde » du tenor, c'est-à-dire sa lecture à reculons en commençant par la dernière note et en finissant par la première. De plus, les deux moitiés du contratenor sont rigoureusement symétriques par rapport à la double barre centrale : cette voix inférieure est donc identique à son propre mouvement rétrograde! Mais de telles subtilités d'écriture ne sont pas perçues à l'audition : les trois voix semblent se mouvoir assez librement, dans la mesure où les nombreuses syncopes sont exécutées sans trop de raideur.

Ces exploits techniques, dont l'Ars nova nous fournit d'autres exemples, seront encouragés par les innombrables jeux, énigmes et subtilités contrapuntiques de tous genres imaginés par les musiciens du xve siècle. On peut estimer que la réussite en est d'autant plus admirable qu'elle demeure cachée, mais malheureusement la polyphonie se trouve engagée sur la voie de l'ésotérisme et de la complexité croissante où généralement l'auditoire ne pourra pas la suivre.

Cependant Machaut est plus séduisant dans ses ballades et ses virelais, genres les plus propices à l'épanouissement de son double génie, poétique et musical. Ayant suffisamment prouvé sa virtuosité dans les motets et les rondeaux, il peut donner libre cours à son lyrisme dans les genres mélodiques. Il s'y montre précurseur du lied : qualité expressive et originalité des mélodies, importance des parties instrumentales, harmonieux équilibre de l'intelligence et de la sensibilité... Un simple fragment de refrain témoignera de la fraîcheur de son inspiration :

(Virelai)

Dou _ ce da _ me jo _ li _ _ e pour Dieu ne pen _ ses mi _ _ e,

Couronnement de l'œuvre de Machaut, l'imposante *Messe de Nostre Dame* est la première messe polyphonique homogène. Un intéressant ensemble, connu sous le nom de *Messe de Tournai* (début xive siècle), est une anthologie de pièces disparates réunies pour constituer une messe complète, comme le sont d'autres messes anthologiques provenant de Besançon, Toulouse, Barcelone, etc. Dans la messe de Machaut, l'unité est au contraire affirmée par des cellules mélodiques et rythmiques caractéristiques.

On a prétendu longtemps — et certains l'écrivent toujours — que ce chef-d'œuvre a été composé pour le couronnement de Charles V; mais aucun document n'a jamais confirmé cette hypothèse qui ne repose même pas sur la vraisemblance. Machaut était à l'époque du sacre chanoine à la cathédrale de Reims : une miniature du temps nous le montre assistant, dans le chœur, à la cérémonie. S'il avait composé sa messe pendant le peu de temps séparant la mort de Jean II du sacre de Charles V, pour l'embellissement de cette cérémonie, il aurait probablement tenu à participer lui-même à une aussi solennelle exécution et n'aurait pas manqué d'en rendre compte dans ses écrits, comme il l'a fait en de moindres circonstances.

Cette œuvre magistrale est écrite à 4 voix, toutes chantées mais certainement avec des doublures instrumentales : des ritournelles sans paroles sont en effet réservées aux instruments, comme le montre clairement l'un des principaux manuscrits de la messe. *Kyrie, Sanctus, Agnus Dei* et *Ite missa est* sont soumis au principe isorythmique et s'apparentent plus ou moins au motet : le *Kyrie* et l'*Agnus* sont construits sur des tenors liturgiques. *Gloria* et *Credo* ne sont pas isorythmiques : ils adoptent très librement le style du conduit, avec les *caudae* sans texte, et se terminent l'un et l'autre par un long *Amen* à vocalises, véritables compositions d'avant-garde où l'Ars nova déploie ses sortilèges. Ponctuant la polyphonie et contrastant avec sa complexité, de grands accords, sur lesquels se repose de temps à autres le discours musical, semblent soutenir l'édifice comme les piliers des cathédrales. Le sentiment « harmonique » que traduit cette verticalité s'exprime de façon étonnante dans un court passage du *Credo*, lorsque soudain une série d'accords en valeurs très longues (huit fois les valeurs précédentes) interrompt le rythme de la composition sur les paroles : *Ex Maria Virgine*.

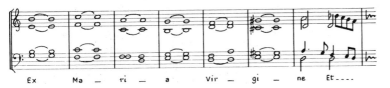

D'autres élargissements expressifs, sur *Qui ex Patre* ou sur *Et in terra pax hominibus* et *Jesu Christe* (début et fin du *Gloria*), ou encore les dissonances qui soulignent le mot *crucifixus*, dénotent une remarquable maîtrise des possibilités dramatiques de la musique polyphonique. Par ses dimensions, par son unité (cellules mélodiques et rythmiques parcourant toute l'œuvre), par sa puissance expressive, par l'homogénéité de son écriture, la *Messe* de Machaut se présente comme un des monuments importants de l'histoire de la musique. Indépendamment de son intérêt musicologique, cette œuvre exceptionnelle fascine l'auditeur le moins disposé à l'analyse. Mais on peut préférer le charme subtil des admirables ballades et voir davantage en Machaut le dernier poète-musicien, ou avec Besseler (*Die Musik des Mittelalters und der Renaissance*, Potsdam, 1934) le romantique du XIVe siècle [1].

Ars nova italienne L'esprit de l'Ars nova n'a pas produit en Italie les mêmes effets qu'en France. Le *trecento* est encore sous l'influence du *dolce stil nuovo*, qui inspire Dante et Pétrarque, et la civilisation de la péninsule annonce la Renaissance. Fraîcheur et volubilité sont les qualités essentielles de la musique

---

1. Trente-deux manuscrits nous conservent les œuvres de Machaut. Certains, richement enluminés, ont été copiés sous la direction du compositeur pour des amateurs importants. Toutes ces œuvres ont fait l'objet d'éditions modernes, dues aux travaux de Ludwig, Besseler, G. de Van, Chailley, Machabey, etc.

italienne nouvelle, que l'empreinte de l'école limousine et provençale préserve des excès de l'Ars nova française.

Principalement mélodique, la musique du *trecento* emploie très rarement des tenors liturgiques; la voix principale, généralement à l'aigu, est plus souple et plus expressive que de l'autre côté des Alpes. Sous le patronage actif de deux grands mécènes, Lucchino Visconti (1287-1349) à Milan et Mastino II Della Scala (? - 1351) à Vérone, de nouveaux genres polyphoniques se développent en Italie du Nord : le madrigal et la *caccia*.

Genre spécifiquement italien, le madrigal est apparu au début du XIVe siècle, sous la dénomination de *matricalis*, *matriale* ou *madriale*. L'étymologie n'apporte pas beaucoup de lumière sur l'origine du madrigal. *Matricalis* (de *matrix*) fait peut-être allusion à l'emploi de la langue maternelle ou à la culture autochtone. *Matriale* pourrait être aussi une déformation dialectale du latin *materialis*, dans le sens de « profane », s'opposant à *spiritualis*. Enfin certains auteurs font de *madriale* un dérivé de *mandria* (en italien « troupeau »), hypothèse peu convaincante qui impliquerait une inspiration pastorale... Poétiquement, le madrigal du XIVe siècle se compose de une à quatre strophes de trois vers chacune, chantées sur la même musique; elles sont suivies pour conclure d'un *ritornello* de deux vers sur une musique différente. Musicalement, c'est une composition polyphonique à 2 voix (Giovanni da Cascia) puis à 3 voix (Jacopo da Bologna) où se découvre l'influence du conduit et celle des chansons de troubadours. Les techniques d'imitation* y sont fréquentes ainsi que les intentions descriptives et les métaphores amoureuses. Le 4 août 1346, Lucchino Visconti donne une grande fête pour le baptême de ses jumeaux. A cette occasion, Jacopo da Bologna (familier des Visconti, ainsi que Giovanni da Cascia) compose un madrigal.

La *caccia* (« chasse ») est une sorte de madrigal à une strophe, en forme de canon. Sa dénomination a deux sens : les parties se poursuivent, se « chassent » l'une l'autre; les sujets sont souvent empruntés à la chasse ou, par métaphore, à la poursuite amoureuse.

Les *caccie* multiplieront les subtiles équivoques et créeront un engouement durable pour les descriptions musicales, que Janequin portera à un sommet : chasse, pêche, marché, orage, incendie, dispute, bruits de la rue, etc. L'écriture est généralement à deux voix en canon régulier, auxquelles est ajouté un tenor instrumental libre.

Niccolo da Perugia, *Caccia* (ritournelle)

(Florence,
Med. Laur.
ms. Pal 87

A Florence, éblouissante capitale artistique, la musique profane
reste monodique jusqu'au milieu du XIVe siècle. Pétrarque compose
quelques poèmes madrigalesques que les milieux littéraires
découvrent vers 1350 en même temps que les compositions
polyphoniques du Nord. Mais les délicieuses *ballate*, spécialité
florentine, conservent la primauté de l'inspiration mélodique.
Monodique jusque vers 1370, puis à 2 ou 3 voix dont une ou
deux sont chantées, l'autre ou les autres formant un accompagnement instrumental, la *ballata* s'oppose aux subtilités du
madrigal par la clarté de son lyrisme où s'annonce le bel canto :
c'est la raison de son immense succès. Son style est tout à fait
différent de celui des ballades de l'Ars nova française. Les meilleurs exemples sont dus à Francesco Landini, auteur d'au moins
cent quarante *ballate*, qui font penser souvent à la délicate transparence de la lumière florentine.

Landini, *Ballata*

(une version pour orgue de cette *ballata* se trouve dans un manuscrit de la Bibliothèque nationale).

Francesco Landini
Fiesole (Florence) 1325
Florence 2 septembre 1397

Devenu aveugle dès l'enfance à la suite d'une variole, il acquit cependant une vaste culture et une exceptionnelle virtuosité sur tous les instruments (surtout son orgue portatif). Il fut probablement le disciple de Jacopo da Bologna. Exception faite de séjours à Vérone (où il fut au service de Mastino Della Scala) et à Venise (où il fut couronné de lauriers par le roi de Chypre en présence de Pétrarque, après un tournoi poétique), il semble qu'il ait toujours vécu à Florence, où il jouissait d'une très haute réputation de poète et de musicien. Il y fut enseveli dans l'église San Lorenzo dont il avait été organiste; la pierre tombale le représente portant son *organetto*.

œuvre Douze *madrigali*, une *caccia* et plus de cent quarante *ballate* (2 et 3 voix).

« Codex Squarcialupi » (XIVᵉ siècle) musique de Francesco Landini.
En lettrine :
le compositeur et son orgue portatif.

Contemporains ou successeurs de Landini, d'autres compositeurs de *ballate* ont contribué au prestige de l'Ars nova florentine : Niccolo da Perugia, Gherardello, le Liégeois Ciconia dont l'art pur appartient à l'Italie, le merveilleux Fra Andrea de' Servi, organiste du couvent de l'Annunziata, etc.

Le retour des papes d'Avignon (1377) puis le Grand Schisme, créent une confusion politique préjudiciable à la musique italienne et à la culture du *trecento*. La diversité d'un nouveau public avide de solutions inédites favorisera l'influence étrangère, freinant le développement des styles autochtones, dont le XVᵉ siècle ne retiendra que les éléments les plus populaires.

Musique instrumentale Comme celle des époques précédentes, la musique des XIIIe et XIVe siècles est essentiellement vocale [1]. Quelques rares documents pourtant nous conservent pour la première fois des compositions écrites pour les instruments. Dans un manuscrit de Bamberg (XIIIe siècle) figurent sept pièces qui ne semblent pas destinées à être chantées. L'une d'elles (sur le tenor *In seculum*) porte l'indication *In seculum viellatoris*, suggérant l'hypothèse qu'elle était jouée par les vièles. D'autres manuscrits, notamment au British Museum, à la Bibliothèque nationale et surtout à Faenza, nous ont conservé des arrangements pour orgue d'œuvres de Machaut, Landini, Jacopo da Bologna et du *Roman de Fauvel*. On trouve encore, dans un manuscrit italien du British Museum, quinze danses instrumentales : huit *istampite*, un *trotto*, quatre *saltarelli* et deux danses à sujets littéraires suivies chacune d'une *rotta*, la *Manfredina* et *Lamento di Tristano*.

Lamento di Tristano (tertia pars)

La rotta

(British Museum, Add. 29 987)

Istampita

(British Museum Add. 29 987)

Mais les manuscrits où l'on peut reconnaître sans équivoque une notation instrumentale sont extrêmement rares, et il ne

1. L'organum fleuri, toutefois, pourrait avoir été au XIIe siècle un genre instrumental (mélisme) avec un prétexte vocal (voix principale) ... comme sera plus tard la *Sonata sopra sancta Maria* de Monteverdi!

faut pas parler d'un art instrumental autonome avant le milieu du XVe siècle... Encore n'aura-t-il pas l'importance et la splendeur de l'art vocal, « grande musique » par excellence.

La plupart des danses sont chantées, notamment la très populaire *carole* et les autres danses collectives (connues principalement par des sources littéraires). En revanche, les danses par couple sont instrumentales : estampie, *ductia*, *nota*, formées de plusieurs figures ou *puncta*. La plus souvent citée, l'estampie, bien que d'origine vocale, paraît être devenue à partir de 1250 environ le genre instrumental par excellence, susceptible d'être séparé de la danse pour l'agrément de l'audition. Les instruments sont alors utilisés pour leurs qualités spécifiques, comme ils le sont dans les arrangements de motets et de ballades. Pendant longtemps il n'y aura guère d'autre musique instrumentale « pure ». Ou, s'il en existe, elle n'est pas notée : on comprend d'ailleurs que le joueur d'instrument, conscient de l'insécurité de sa modeste condition, sans les protections dont jouissent les « trouveurs », n'ait pas intérêt à divulguer par la notation un répertoire qui constitue sa seule richesse et sa seule sécurité.

A l'exception de la musique pour luth et pour instruments à clavier, dont l'écriture est particulière, les manuscrits du Moyen Age et de la Renaissance prescrivent rarement la distribution instrumentale : on joue des instruments dont on dispose et on les réunit selon l'occasion. Les références littéraires et picturales sont parfois de précieux inventaires des instruments en vogue à une époque déterminée. Ainsi, dans son *Remède de fortune*, Machaut mentionne entre autres instruments : vièle, rebec, guiterne, luth, micanon, citole, psaltérion, harpe, trompes, orgues, « cornes, plus de dis paires », quatre sortes de cornemuses ou musettes, « et le grant cornet d'Alemaingnes », etc. Dans un autre poème, *la Prise d'Alexandrie*, il cite aussi « l'eschaquier d'Engleterre » (voir la Note sur les instruments p. 227). On trouve encore de nombreuses allusions aux instruments de musique dans le *Décaméron* de Boccace et surtout dans les *Canterbury Tales* de Chaucer : vièles, harpes, luths, guiternes, psaltérion, orgue, flûtes, etc.

Ces instruments ont acquis, à la fin du XIVe siècle, leurs qualités essentielles, particulièrement le luth et les instruments à clavier que la Renaissance va doter d'un très riche répertoire. Obéissant aux exigences de la *musica ficta*, l'orgue permet de jouer tous les demi-tons par l'intermédiaire d'un clavier disposé comme aujourd'hui, en deux rangs de touches blanches et noires. On signale à Rouen, en 1386, un instrument muni de deux claviers manuels. Le clavier de pédale apparaît à la même époque en Allemagne et en Flandre. Les mixtures, que l'on appelle désormais « pleins jeux » par opposition aux jeux de solo (flûtes et anches à la fin du siècle), sont composées rationnellement : unisson (8'), octave grave (16'), octave aiguë (4'), douzième (2'2/3) double-octave (2')... comme aujourd'hui. D'après une description qu'en donne Praetorius au XVIIe siècle, l'orgue de la cathédrale de Halberstadt (1361) aurait disposé d'un jeu de 32'. L'échiquier ne possède pas encore les mécanismes ingénieux qui donneront naissance au clavicorde (cordes frappées) et au clavecin (cordes pincées), mais il connaît un certain succès. En 1360 Édouard III d'Angleterre offre un échiquier (œuvre du Français Jehan Perrot) à son ex-prisonnier le roi de France Jean II le Bon... contraint de lui abandonner un tiers de la France (traité de Brétigny). Un autre échiquier est construit en 1385 à Tournai, pour la cour de Bourgogne. Et en 1388 le roi d'Aragon demande à son beau-frère, le duc de Bourgogne de lui procurer un de ces instruments « semblan d'orguens, qui sona ab cordes » *(sic)*.

Inspiré comme un troubadour et savant comme un moine « déchanteur », le compositeur du XIVe siècle devient souvent célèbre. On n'attend plus de lui la démonstration publique de son savoir-faire, mais la préparation d'œuvres accomplies, aptes à lui survivre. On ne sait pas encore nommer ces immortels produits du génie. Un *punctum* d'estampie du ménestrel Tassin, utilisé comme tenor, est appelé « Chose Tassin », ou *Res Tassini*. Machaut lui-même, à propos du thème d'une de ses compositions, parle de « Res d'Alemaigne » et, dans une de ses lettres à Péronne d'Armentières, il déclare : « Toutes mes *choses* ont été faictes de vostre sentement et pour vous espécialement [1]. »
Le même Machaut est attentif à ne pas livrer ses compositions à la postérité avant de les avoir jugées à l'audition : « N'ay mie accoutumé de bailler chose que je face, tant que je l'aye oï. »
Le renom des compositeurs et le succès de leurs « choses » passent les frontières et les échanges culturels internationaux sont favorisés par les événements politiques et militaires. Le Grand Schisme d'Occident (1378-1417) provoque des migrations dans les deux sens : par la route d'Avignon à Rome les influences réciproques amorcent l'unification des cultures. De part et d'autre, l'étranger fascine comme un phare et, tandis que les musiciens de France et d'Angleterre font le pèlerinage d'Italie, les nouveaux mécènes italiens, Malatesta, Este, Gonzague, Médicis, vont encourager l'imitation des musiciens de la cour de Bourgogne...
Lorsque le Flamand Dufay arrive en Italie, vers 1420, et l'Anglais Dunstable en France, vers 1422, une ère nouvelle est commencée, que l'on peut appeler déjà Renaissance.

1. Au XVIe siècle encore, on qualifiera parfois de *res facta* la musique savante composée, par opposition à l'improvisation.

La grande Renaissance
Apogée de la polyphonie
et commencement
des temps modernes

F. del Cossa : fresques du palais
Schifanoia à Ferrare.

A quels signes reconnaîtra-t-on l'aube des temps modernes, que la grande Renaissance prétend inaugurer? Les premiers siècles de culture chrétienne nous paraissaient prolonger l'Antiquité de telle manière que les débuts du Moyen Age laissent l'impression d'un immense fondu-enchaîné, aboutissant au renouveau culturel qui marque au VIIIe siècle l'avènement des Carolingiens. Au XIIe siècle, la culture médiévale entre dans un âge d'or, dont le XIVe siècle voit l'apogée, mais aussi le déclin. Et si l'on trouve encore des témoignages de cette culture jusqu'au milieu du XVe siècle, cependant la Florence de Cosme de Médicis ou la Bourgogne de Philippe III illustrent déjà une ère nouvelle.

La fin de la guerre de Cent Ans (1453) est souvent proposée comme charnière entre le Moyen Age et la Renaissance. Mais l'esprit nouveau se manifeste dès le XIVe siècle, particulièrement dans l'Italie de Dante, de Pétrarque et de Boccace. Presque partout en Europe les structures féodales ont éclaté et un vaste bouillonnement d'idées libère des forces nouvelles. L'essor de l'individualisme et de la liberté de pensée favorise le développement d'un esprit scientifique, dont la démarche expérimentale s'oppose à la superstition et à la routine. Les progrès techniques ont fait apparaître des biens de consommation nouveaux et le commerce est devenu le principal moteur de l'action politique. Même si celle-ci n'est pas toujours conforme à notre conception de la démocratie, il faut remarquer qu'à la fin du XIVe siècle plusieurs États se sont dotés de parlements et que le pouvoir échoit à des hommes nouveaux qui ne manquent généralement ni de talent ni d'imagination. Ainsi les Médicis qui, à partir de 1434, règnent avec éclat sur Florence ne sont pas des féodaux évolués, mais appartiennent à une famille de marchands et de banquiers qui se sont souvent trouvés avec le peuple contre les patriciens. Ces « tyrans » éclairés sont bien des hommes de la Renaissance, au même titre que les penseurs et les artistes dont ils ont favorisé la liberté créatrice et soutenu les conceptions audacieuses.

Dans la première moitié du XVe siècle, les peintres découvrent la perspective, les architectes composent la lumière et les ombres, font chanter les façades et disposent leurs constructions harmonieuses dans des paysages urbains conçus pour le plaisir, poètes et musiciens recherchent la suavité dans la perfection technique, tandis qu'une curiosité féconde stimule les échanges internationaux et les aspirations humanistes. A l'époque des premiers Ming et de la disparition de Byzance, l'Europe se lance à la conquête du monde, physiquement et spirituellement, malgré les conflits qui la déchirent.

En ce temps de guerres et de cruautés, la culture occidentale brille d'un vif éclat. La collusion anglo-bourguignonne, ses succès militaires et politiques, ont favorisé l'essor économique et le rayonnement culturel de l'Angleterre et des Flandres. En Italie, où le régime des « princes » s'est substitué à l'organisation communale, un certain nombre de cités deviennent puissantes et prospères; elles se protègent de la guerre (que leurs banquiers financent) par le meurtre et la diplomatie. Il s'établit entre elles un équilibre politique, favorable à l'extraordinaire épanouissement artistique et intellectuel de la Renaissance italienne. Ainsi, deux foyers de haute civilisation, celui du Nord et celui du Sud, vont exercer longtemps l'un sur l'autre une influence féconde.

En 1420, l'année où le traité de Troyes, cinq ans après Azincourt, consacre la suprématie anglaise, Brunelleschi, âgé de quarante-trois ans, établit les plans du Duomo de Florence, Jan Van Eyck a trente ou trente-cinq ans, à peu près l'âge de Fra Angelico, Uccello a vingt-quatre ans, Piero della Francesca et Jean Fouquet quatre ou cinq. Parmi les musiciens, John Dunstable, âgé de trente ou quarante ans, est au service du duc de Bedford, frère d'Henri V, qu'il suivra en France deux ans plus tard; Guillaume Dufay, qui n'a pas encore vingt ans, est à Rimini au service des Malatesta...

Lorsque, à la fin du siècle, Christophe Colomb abordera aux Caraïbes et Vasco de Gama aux Indes, Mantegna et Botticelli seront à la fin de leur carrière, Dürer, Michel-Ange et Janequin au commencement de la leur, tandis que Léonard de Vinci et Josquin des Prés auront atteint leur glorieuse maturité.

Les temps modernes ont bien commencé, avec la Renaissance, au XVe siècle. C'est pour la petite Europe le début d'une accélération de l'histoire et d'une expansion vertigineuse qui lui permettront de dominer le monde jusqu'au début du XXe siècle.

Le bon vent d'Angleterre A de rares exceptions près, comme Johannes Ciconia (vers 1335 - 1411) ou Nicolas Grenon (vers 1365-1445), les successeurs de Machaut poussèrent les procédés de l'Ars nova à l'absurde. La crise aurait pu conduire la polyphonie à son déclin. Elle fut en partie sauvée par l'Angleterre que préservait son insularisme. Fortement tributaire du continent aux XIIe et XIIIe siècles (troubadours et trouvères, Saint-Martial, école de Notre-Dame, Université...), la musique avait subi en Angleterre une évolution continue, assimilant tardivement avec son génie spécifique les acquisitions les plus précieuses de l'Ars nova. Lorsque, à partir d'Azincourt (1415), les conquêtes d'Henri V favorisent les échanges culturels avec le continent, les musiciens anglais apportent aux pays français et flamands la nouveauté séduisante d'une tradition perdue.

Depuis le XIIIe siècle, l'Angleterre a entretenu et enrichi les caractères qui faisaient alors le charme spécifique de ses polyphonies : sens de la plénitude ou de la suavité harmonique (multiplication du nombre des voix, libre emploi des tierces et des sixtes), adresse à maîtriser les techniques « d'imitation » (interversion des voix, canons), souplesse et continuité de la phrase mélodique. On aurait tort de taxer de conservatisme ces musiciens anglais qui ont fait évoluer l'ancienne polyphonie selon une voie originale, sans sacrifier leur indépendance aux spéculations complexes et aux règles rigides de l'Ars nova. Que leur musique nous soit plus facilement accessible que d'autres prouve justement leur avance.

Lorsque la musique de John Dunstable (vers 1380-1453), le plus grand compositeur depuis Machaut, a été connue hors d'Angleterre, elle a fait certainement l'effet d'une nouveauté remarquable, exerçant de proche en proche une influence profonde. Tinctoris, compositeur et théoricien flamand, fait connaître à toute l'Europe le nom de Dunstable et le poète Martin Le Franc, qui vit à la cour de Bourgogne, explique dans *le Champion des dames* (1437) que Dufay et Binchois

> *ont prins de la contenance*
> *Angloise et ensuy* (suivi) *Dunstable*
> *Pour quoy merveilleuse playsance*
> *Rend leur chant joyeux et notable.*

R. van der Weyden :
Philippe le Bon
duc de Bourgogne, vers 1445.

Selon le même poème, Dufay et Binchois ont eu la révélation de la musique anglaise à la cour de Bourgogne et ils ont reconnu aussitôt la supériorité de cette musique sur la leur. Sans doute ont-ils été frappés par sa liberté, sa simplicité, sa transparence, par la souplesse du contrepoint, la piquante sonorité des passages en faux-bourdon [1]. Les Anglais n'avaient pas intellectualisé la musique : ils s'appliquaient à lui conserver la plaisante allure de la spontanéité, comme ils « déchantaient » jadis par goût et non par convention.

A la mort d'Henri V, en 1422, son frère le duc de Bedford, devenu régent, s'établit à Paris (âgé d'un an, le nouveau roi d'Angleterre, Henri VI, est aussi l'héritier du trône de France). En 1423 il épouse la sœur du duc de Bourgogne, scellant à la fois une alliance de gouvernement et l'union féconde de deux cultures [2]. Bedford entretient à Paris une musique privée, dont la vedette est probablement le célèbre Dunstable, musicien, mathématicien et astronome attaché à son service. De Paris, Dunstable

1. A l'époque le jeune Dufay avait déjà vécu six ou sept ans à Rimini au service des Malatesta. Il avait pu découvrir dans la musique italienne les qualités de fraîcheur mélodique et de clarté polyphonique dont resplendiront ses propres compositions. On ne peut donc pas expliquer son génie par la seule influence anglaise. Suzanne Clercx (*Revue de musicologie*, n° 11, 1957) a montré d'autre part que les Italiens utilisaient dès le XIVe siècle une écriture analogue au faux-bourdon. 2. C'est aussi sous sa régence que Jeanne d'Arc est brûlée à Rouen (1431).

a certainement voyagé dans une partie de l'Europe, principalement en Italie où ont été découverts un grand nombre de ses manuscrits (Trente, Modène, Aoste et Bologne).

John Dunstable illustre au plus haut degré les qualités qui viennent d'être attribuées à la musique anglaise. Son génie mélodique, son sens « harmonique », la fraîcheur et le naturel de son inspiration pouvaient paraître singuliers aux héritiers de l'Ars nova. Pour les oreilles d'aujourd'hui, c'est le premier musicien dont l'art semble familier.

Dunstable, *Alma Redemptoris Mater*

A l'exception de trois chansons polyphoniques (deux françaises, une italienne), toutes les œuvres connues de Dunstable sont des compositions religieuses latines. L'un des premiers (le premier peut-être) il a utilisé le *cantus firmus** comme principe unificateur de la messe polyphonique. Cette notion remonte au XIIe siècle : dans l'organum fleuri, puis dans le motet, le thème du tenor n'est plus l'essentiel, mais le prétexte ou le fil conducteur de la composition. Appelé *cantus firmus* par les théoriciens, ce thème, généralement abrégé et en valeurs longues, est théoriquement répété sans modification jusqu'à la fin. Mais, tandis que dans le motet médiéval un tenor liturgique sert de guide au contrepoint de mélodies profanes, dans la musique religieuse des XVe et XVIe siècles, c'est le *cantus firmus*, joué par des instruments, qui est souvent emprunté à une chanson populaire ou à une composition profane. Malgré les protestations du concile de Trente, cette union du profane et du sacré se perpétue jusque dans l'œuvre du très romain Palestrina. L'un des thèmes le plus souvent utilisés est la célèbre chanson de *l'Homme armé*, qui inspirera Dufay, Busnois, Okeghem, Tinctoris, Compère, Obrecht, Brumel, Josquin, Mouton, Pierre de La Rue, Pipelare, Senfl, Morales, Palestrina et plusieurs autres, jusqu'à Carissimi. Sans être nécessairement le thème principal, le *cantus firmus* assure l'unité de la messe à laquelle il donne son nom, en manifestant sa présence dans les cinq pièces de l' « ordinaire ».

Lo_me, lo_me, lome ar_mé

Trois miniatures de manuscrits français (début du XVe siècle) : l'aube de la Renaissance.

D'autres musiciens anglais, éclipsés par le talent et la notoriété de Dunstable, mériteraient aussi d'être connus comme les premiers artisans de la renaissance musicale, notamment Leonel Powers, dont le style est semblable à celui de Dunstable, au point de suggérer que leurs deux noms recouvrent une seule identité. Certains de ces musiciens sont membres de la chapelle royale *(Chapel Royal)*, fondée vers 1100 par Henri Ier, dont le prestige s'accroît sous Henri V et dont le rayonnement est favorisé par les échanges avec la cour de Bourgogne [1]. Plusieurs musiciens anglais seront même au service de Jean sans Peur et de Philippe le Bon et l'un d'eux, Robert Morton, enseignera la musique au futur Charles le Téméraire... D'autres centres musicaux prospères fonctionnent en Angleterre dans les *colleges* des universités d'Oxford, de Cambridge, de Winchester, achevant de retirer au clergé le monopole de la vie musicale, fût-elle d'inspiration religieuse.

École franco-flamande Sous l'influence anglaise, les États de Bourgogne (Hainaut, Artois, Picardie, Flandres, Brabant, Hollande...) seront une pépinière de grands musiciens. Beaucoup iront en Italie réchauffer leur lyrisme et apprendre le beau chant, attirés par la civilisation brillante de la péninsule, dont marchands et ambassadeurs content les merveilles; ils y exercent à leur tour une influence décisive sur l'évolution du grand style polyphonique. Cette « école franco-flamande », comme on est convenu

1. Jusqu'au XIVe siècle, la *Chapel Royal* faisait principalement appel à des musiciens étrangers. Ensuite, la cour s'attachera régulièrement des musiciens anglais, avec la qualité de *chaplain* ou de *clerk*, puis sous les Tudor de *gentleman of the Chapel Royal*. C'est alors seulement que beaucoup d'entre eux, de Tallis à Gibbons, sont devenus célèbres.

de l'appeler aujourd'hui, exercera pendant un siècle dans le monde musical une suprématie presque absolue, car tous les grands compositeurs du XVᵉ siècle en font partie : Binchois, Dufay, Okeghem, Isaac, Busnois, Tinctoris, Obrecht, Josquin, Mouton... Mais s'ils sont tous originaires de la même région, entre Somme et Rhin, et s'ils se sont tous instruits aux mêmes sources, la plupart ont accompli une carrière internationale et tous représentent un art européen, peu différencié dans sa perfection, qui conduit la polyphonie à son apogée, autour de 1500.

Cette perfection de la polyphonie franco-flamande est transcendante au timbre et à l'expression poétique : elle est purement musicale, ce qui lui a permis de constituer le modèle universel dont tout l'art polyphonique de la Renaissance est plus ou moins tributaire. L'Angleterre elle-même, par un juste retour des choses, va recueillir les fruits de ce qu'elle a semé. Henri VIII, l'un des premiers artisans de la renaissance musicale qui illustrera l'époque des Tudors, dotera l'Église d'Angleterre, vers 1516, d'un répertoire composé (ou copié) par un organiste anversois Benedictus de Opitiis et, entre 1519 et 1528, il fera l'acquisition d'une importante collection de musique sacrée franco-flamande.

La qualité de l'écriture polyphonique se fonde sur une meilleure intelligence de ses exigences et de ses richesses. C'est ainsi que l'écriture à quatre voix impose son harmonieux équilibre et assure pour longtemps sa prédominance, avec la disposition :

Cantus	(ex-*discantus*)	plus tard soprano
Altus	*(contratenor altus)*	plus tard alto
		ou haute-contre
Tenor		plus tard tenor
Bassus	*(contratenor bassus)*	plus tard basse

Flûte double et cistre : détail
d'une fresque d'Assise.

Cette disposition bien équilibrée paraît si satisfaisante pour les voix qu'on se passe souvent d'instruments. Les bonnes tessitures des différentes parties se complètent parfaitement sans solution de continuité. Elles évoluent avec une apparente liberté, souvent avec des importances équivalentes, donnant cette impression toute nouvelle de suavité harmonique. Mais le jeu des tensions et des détentes ou les cadences tonales fondées sur des attractions « harmoniques », confèrent de plus en plus à la partie grave *(bassus)* le rôle de soutien de l'édifice qu'elle conservera pendant cinq siècles ou presque et auquel la théorie classique apportera certaines justifications scientifiques.

Cette récente maîtrise de l'écriture des voix trouvera son aboutissement dans le grand style *a cappella* des générations après Josquin. La parfaite intelligence de la fin et des moyens, qui caractérise dès son origine la musique de la Renaissance, donne au principe d'imitation* une souplesse et une efficacité nouvelles. Comprise comme un jeu variable de ressemblances dans la diversité, l'imitation ne se laisse plus paralyser par les difficultés de la *musica ficta*. L'imitation stricte se cantonne principalement dans les curiosités musicales et les canons énigmatiques, où les compositeurs du XVe siècle aiment éprouver leur virtuosité. En principe, le canon est toujours énigmatique. Il est noté à une seule partie, comme une quelconque chanson monodique, avec des indications sibyllines : *canit more Hebraeorum* ou *quaerendo invenistis* ou *omnia probate, quod bonum est tenete...* Le jeu consiste à trouver le « canon », la règle de l'interprétation.

Le rapide progrès de l'écriture polyphonique au début du XVe siècle a été facilité par d'importantes améliorations dans le système de notation. On en a attribué l'initiative à Dufay, mais il est probable qu'il a seulement contribué à les imposer en fournissant les meilleurs exemples de leur utilisation.

1. Les principaux signes évoluent de la façon suivante, chacun représentant théoriquement une valeur double du suivant :

	XIVe siècle	XVe siècle	depuis XVIIe siècle [1]
brève	■	▢	
semi-brève	◆	◇	𝅝
minime	♩ (pleine)	◇ à hampe	𝅗𝅥
semi-minime	♪ (pleine)	◇ à crochet ou ♩	♩
fusa (nouveau)		◆ à crochet	♪
semi-fusa (nouveau)		◆ à double crochet	♬

2. L'usage du point se généralise pour prolonger une valeur de moitié, en la rendant ternaire : ♩. = ♩ ♪

3. Les altérations sont plus correctement notées, surtout lorsqu'il en est fait un usage raffiné, particulièrement chez Josquin. Cependant, jusqu'au XVIe siècle, il faut encore se référer à la *musica ficta* pour rétablir les justes altérations dans les transcriptions à usage pratique. Au milieu du XVIe siècle le chromatisme exigera plus de précision.

4. Les valeurs rythmiques sont clairement notées, mais la barre de mesure n'apparaîtra que dans la seconde moitié du

1. La valeur réelle des signes ne correspond pas aux similitudes graphiques. Pratiquement notre noire a une durée équivalente à celle de la semi-brève du XVe siècle.

Guillaume Dufay
? peu après 1400
Cambrai 27 novembre 1474

Enfant de chœur à la maîtrise de la cathédrale de Cambrai.

v. 1419-1426 Musicien au service de Carlo Malatesta à Rimini.

1428-1437 Chantre à la chapelle pontificale, après avoir reçu la prêtrise (1428). Il suit le pape Eugène IV à Florence où il compose un motet pour la consécration du Duomo. Il cumule les prébendes de chanoine.

1437-1440 Musicien à la cour de Savoie, où il a déjà séjourné en 1434-1435. Il assiste au concile de Bâle en 1438, comme membre du chapitre de Cambrai (dont Eugène IV l'a fait chanoine en 1435).

1440-1474 Il semble qu'il ait fait de Cambrai sa résidence principale, mais il est souvent absent : à la cour de Philippe le Bon comme *cantor illustrissimus domini Ducis Burgundie*, à celle de Louis de Savoie, à Besançon, dans le Bourbonnais, peut-être en Angleterre... sans doute aussi dans les villes des Flandres où il jouit d'un canonicat. Sa renommée est alors immense et son influence s'étend à une bonne partie de l'Europe.

œuvre Neuf messes complètes (ses chefs-d'œuvre), une quarantaine de fragments de messes, environ quatre-vingt-dix motets ou hymnes (sacrés et profanes); soixante-cinq chansons françaises, sept chansons italiennes (dont l'admirable *Vergine bella* de Pétrarque).

xvie siècle, lorsque l'on commencera à publier la musique en partition. Ces barres séparent alors des cellules rythmiques de même durée; mais elles perdront leur signification à partir du xviie siècle, par le jeu des liaisons, des syncopes et des changements de rythmes.

5. Peu après 1450, apparaissent les premiers essais de « tablature » de luth, permettant aux amateurs qui ne savent pas lire la notation de jouer la musique nouvelle. Il s'agit d'une notation directe : elle n'indique pas les sons qu'il faut obtenir, mais la façon de les obtenir (place des doigts de la main gauche sur la touche). J'y reviendrai plus loin.

Dufay et Binchois La personnalité de Guillaume Dufay domine la première moitié du xve siècle, comme celle de Josquin des Prés dominera la seconde. Authentique génie de la Renaissance, il allie la science à la culture, l'universalité du style à l'originalité de l'inspiration. Dans les motets isorythmiques les plus complexes, sa merveilleuse veine mélodique et sa maîtrise de l'écriture parviennent à préserver la spontanéité du lyrisme. Les beaux motets que Dufay écrit en Italie illustrent bien cet art suprême qui efface les traces de l'effort. Attaché à la chapelle pontificale, qu'il suit à Bologne et à Florence, il se surpasse pour chaque occasion solennelle, notamment pour la cérémonie de consécration du Duomo de Florence, où il donne l'admirable *Nuper rosarum flores* (25 mars 1436). Cette musique est l'harmonieuse synthèse de la science polyphonique française, de la sensualité harmonique anglaise et du chaud lyrisme italien, que Dufay a découverte une quinzaine d'années plus tôt dans l'entourage des Malatesta.

Réciproquement, l'Italie le vénère et subit son influence. En 1467, Antonio Squarcialupi, organiste et compositeur à Florence, demande au vieux maître de lui envoyer des chanteurs de Cambrai pour la chapelle des Médicis, et Laurent le Magnifique, qui ne l'a pas connu personnellement, lui adresse un de ses poèmes en lui demandant de le mettre en musique. Dufay inaugure la tradition des grands artistes internationaux de la Renaissance, pour qui l'Italie est une patrie.

Mais il a certainement entretenu aussi des contacts avec des milieux anglais, en Angleterre ou sur le continent, entre son départ d'Italie et son entrée au service de Philippe le Bon, comme « chantre illustrissime de Monseigneur le duc de Bourgogne ». Vers 1440, il emprunte le *cantus firmus* de sa *Missa Caput* à un fragment de l'antienne *Venit ad Petrum*, propre à la liturgie anglaise de Salisbury.

Le plus célèbre contemporain de Dufay, Gilles Binchois (vers 1400-1460), n'a guère subi l'influence de l'Italie, où il n'est

probablement jamais allé. Presque toute sa carrière s'est poursuivie à la chapelle de Bourgogne, dans l'ambiance d'une cour
brillante, axée sur le plaisir. Auparavant, il avait vécu un an ou
deux à Paris et dans le Hainaut, dans l'entourage du duc de
Norfolk, poète et musicien amateur qui avait épousé la petite-
fille de Chaucer. Sa musique, alerte et raffinée, combine l'influence anglaise à celle du milieu qu'elle doit satisfaire. Son
style présente des points communs avec celui de Dufay, dont il
fut le compagnon pendant une dizaine d'années au service de
Philippe le Bon. Mais il ne faut pas en conclure à l'existence d'une
« école de Bourgogne ». Si les hasards de la guerre et de la politique ont fait naître les polyphonistes franco-flamands dans les
vastes États du duc de Bourgogne, ce n'est pas à une hypothétique tradition bourguignonne qu'ils doivent leur culture et les
caractères communs de leurs styles. Le brio intellectuel et artistique de la cour de Philippe le Bon et les fêtes fastueuses que
l'on y donnait ont exercé une attraction plutôt qu'une influence.
Comme Sluter ou Van Eyck, les musiciens de la chapelle bourguignonne venaient des États du Nord, porteurs d'une culture spécifique qui trouvait à s'épanouir dans l'entourage du très puissant
souverain. Et, comme le duc voyageait souvent et que l'on
connaissait partout son goût pour les arts, les meilleurs musiciens
étaient toujours appelés à célébrer ses visites, donnant à sa
propre chapelle les exemples les plus stimulants.

Renaud de Montauban, vu au
XVe siècle (manuscrit de la
bibliothèque de l'Arsenal).

En dehors de son rôle important de catalyseur, la chapelle de
Bourgogne peut sans doute être créditée d'une importante acquisition stylistique, celle du « faux-bourdon ». Dufay, l'un des
premiers, a utilisé ces successions d'accords de tierces et sixtes
(premier renversement de l'accord parfait dans notre terminologie), style qui procède du déchant anglais et de ses développements. Chez les uns et les autres la partie intermédiaire entre
le cantus et le tenor est souvent improvisée, selon la tradition
et l'on trouve alors sur les manuscrits la mention « contratenor
à faux-bourdon ». Mais, tandis que les Anglais réservent la
mélodie principale à la voix la plus grave, les musiciens de Bour-

gogne s'avisent de la placer à la voix supérieure, donnant à cette écriture verticale un aspect tout à fait moderne [1].

En ajoutant une quatrième voix au faux-bourdon habituel, Dufay réalise une remarquable synthèse du style homophone* (ou harmonique) d'origine anglaise et du contrepoint* continental.

Okeghem Le plus grand musicien de la génération suivante, Jean Okeghem (vers 1430-1496), a suivi une voie très différente. N'ayant séjourné, semble-t-il, ni en Italie ni à la cour de Bourgogne, ce pur Flamand a créé un style personnel, remarquable par la noblesse et la rigueur de la pensée polyphonique. De l'enseignement qu'il reçut de Dufay, à Cambrai en 1449, il retint davantage la subtilité du contrepoint que la suavité mélodique et harmonique. Il fut le fondateur de la nouvelle école polyphonique franco-flamande qui a succédé à celle de Dufay et Binchois. Par ses disciples, directs ou indirects, et les élèves de ceux-ci, il exerça une influence considérable sur l'évolution de la polyphonie, comme en témoigne la filiation spirituelle suivante : Okeghem → Josquin [2] → Mouton → Willaert → les Gabrieli → Schütz. Il demeura presque toute sa vie au service des rois de France et ne voyagea guère. Pourtant sa réputation était telle que le poète Guillaume Crétin consacra plus de quatre cents vers à son panégyrique et Josquin honora sa mémoire d'une magnifique *Déploration de Jehan Okeghem* à 5 voix. Un fameux *Deo gratias* à 36 voix (en canon énigmatique à 6 fois 6 voix), souvent cité dès la mort d'Okeghem comme un témoignage de sa légendaire virtuosité contrapuntique, a suscité bien des jugements irréfléchis sur la science froide et le manque de séduction de sa musique. Pour qui se donne la peine d'écouter, cette science remarquable est toujours au service de l'émotion et lui permet d'atteindre, sans ornement superflu, à une saisissante grandeur.

1. Sur le « déchant anglais » et ses origines, voir p. 279 à 280. L'origine anglaise du faux-bourdon semble avérée, bien que la musique italienne ait joué un rôle important dans l'évolution des styles homophones
2. Josquin n'a probablement pas été un élève direct d'Okeghem, comme on l'a cru longtemps : il ne paraît pas que leurs routes se soient jamais confondues. Cependant, le grand art polyphonique a été transmis de l'un à l'autre, avant de rayonner en Italie. De même, Mouton a été disciple spirituel de Josquin.

Joannes Okeghem

? vers 1430
Tours? 1496

1443-1444 Sa première formation musicale se fait à la maîtrise de la cathédrale d'Anvers.
v. 1445-1448 Chantre et chapelain du duc Charles de Bourbon à Moulins.
1449 Probablement élève de Dufay à Cambrai.
v. 1452-1496 Au service des rois de France Charles VII, Louis XI et Charles VIII. A partir de 1459, il est trésorier de l'abbaye Saint-Martin de Tours; en 1470, il voyage en Espagne aux frais du roi.
1496 A sa mort, le poète Guillaume Crétin consacre plus de quatre cents vers à son panégyrique.

œuvre Dix-neuf messes (dont neuf sur cantus firmus), parmi lesquelles la plus ancienne messe de Requiem polyphonique, des motets; dix-neuf chansons françaises.

Jusqu'au milieu du XVIe siècle, l'école tranco-flamande rayonnera sur tout le monde musical, notamment sur l'Italie où Willaert et Cyprien de Rore feront éclore le madrigal. Dès l'époque d'Okeghem, le Flamand Tinctoris (vers 1445 - 1511) s'installe à Naples à la cour de Ferdinand d'Aragon et fonde une école de musique qui sera le berceau de l'école napolitaine... Antoine Busnois (vers 1440 - 1492), un des maîtres de la chanson française, élève d'Okeghem, apporte au service de la chapelle de Bourgogne son habileté contrapuntique et sa sensibilité raffinée...

Orgue portatif (clavier à la main droite), harpe, tympanon, mandole... (miniature des *Heures* de Louise de Savoie, vers 1450).

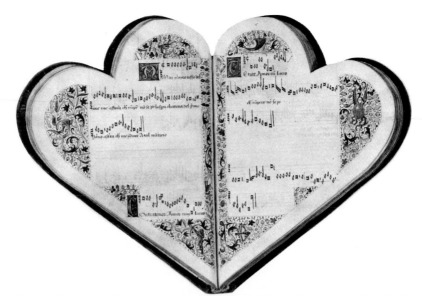

Josquin des Prés, Isaac, Obrecht Josquin des Prés (vers 1440-1521), le plus grand musicien de son temps, dont la gloire ne sera égalée que par celle de Lassus, a passé une quarantaine d'années en Italie. Il y est venu pour la première fois en 1459, comme « biscantore » à la cathédrale de Milan. Il ne repart dans le Nord que vers 1495, après avoir été au service du duc de Milan, de la chapelle pontificale et du duc de Ferrare. Héritier de l'art de Dufay et de celui d'Okeghem, il les surpasse encore, tant par la perfection technique que par la qualité de l'inspiration mélodique et la justesse de l'expression lyrique, particulièrement dans ses admirables motets, dont il sera question plus loin. C'est le plus italien des maîtres franco-flamands; mais il apportera à l'Italie beaucoup plus encore qu'il ne lui aura pris, et notamment le souverain équilibre de l'intelligence et du cœur, la parfaite union de la poésie et de la musique...

Henricus Isaac (vers 1450-1517) commence sa carrière à Florence. Après la chute des Médicis il quitte l'Italie pour Vienne, où il est au service de Maximilien, accompagnant la cour impériale dans ses déplacements et voyageant aussi pour son compte en Italie. Aussi cosmopolite que le sera Lassus, ce très grand musicien a fait éclore ou progresser les grands genres représentatifs des écoles musicales de la Renaissance : messe et motet dans la tradition franco-flamande, « représentation sacrée » (*Santi Giovanni e Paolo*, sur un poème de Lorenzo, 1488), formes instrumentales de « Hausmusik », *Canti carnascialeschi* et surtout lied allemand. Ce Flamand de culture italienne est l'un des principaux fondateurs de l'école polyphonique allemande...

Enfin, le Néerlandais Jakob Obrecht (1452-1505), souvent associé à Okeghem sans aucune raison, ni de style, ni de généra-

Chansonnier de Jean de Montchenu, recueil de chansons italiennes et françaises, seconde moitié du XVe siècle.

Josquin des Prés

? vers 1440 (?)
Condé-sur-Escaut 27 août 1521

Première formation musicale à la maîtrise de Saint-Quentin; influence indirecte d'Okeghem, dont il se montre le disciple.

1459-1472 Chantre au Duomo de Milan.

1472 - v.1490 Au service de Galeazzo Maria Sforza, duc de Milan, puis, après l'assassinat de ce dernier (1476), du cardinal Ascanio Sforza, à Rome. Entre temps, il séjourne à Ferrare à la cour d'Ercole d'Este.

1486-1494 Chantre à la chapelle pontificale à Rome, d'où il entreprend des voyages en Italie avec le cardinal Sforza (notamment à Florence et Modène).

1495-1499 Maître de chœur à la cathédrale de Cambrai.

v. 1500-1515 Compositeur à la cour de Louis XII. Mais il est quelque temps à la cour d'Ercole d'Este (1503 - v.1505), auquel est dédiée la messe *Hercules*.

1515-1521 Prévôt du chapitre de Condé-sur-l'Escaut.

œuvre Dix-neuf messes à 4 voix, cent vingt-neuf motets à 4, 5, 6 voix (ses chefs-d'œuvre); plus de quatre-vingts chansons, françaises, italiennes, latines, ou instrumentales.

tion, est appelé à Ferrare en 1487 par Ercole d'Este, qui l'envoie chercher spécialement à Bruges, tant il apprécie la qualité expressive et la suavité harmonique de son écriture polyphonique, souvent audacieuse. Le séjour d'Obrecht à Ferrare (où il est revenu s'installer un an avant sa mort) a été trop bref et trop tardif pour que son style ait pu subir l'influence italienne. En revanche, l'exceptionnelle séduction de sa musique a certainement contribué au prestige de l'école flamande en Italie, portant à un haut degré de raffinement la tradition héritée de Dunstable.

Le premier Italien qui ait parfaitement assimilé le style polyphonique venu du Nord est Costanzo Festa (vers 1480-1545), admirable musicien trop peu connu, dont l'œuvre inaugure la tradition du motet et du madrigal italiens [1]. Les Flamands de sa génération qui succèdent à Josquin, Isaac et Obrecht sont eux aussi les promoteurs d'un art nouveau, représentant le deuxième souffle de la Renaissance musicale, en France et en Italie...

La musique et l'esprit de la Renaissance

Le grand épanouissement de la polyphonie vocale, qui commence au temps de Dufay, peut-être même avant, cette subite maîtrise technique qui libère l'inspiration et donne à l'auditeur d'aujourd'hui le sentiment que la musique nous est soudain plus proche, cette aurore radieuse est, faute de mieux, qualifiée de « Renaissance ». Mais qu'est-ce qui renaît? Le cliché du retour à l'antique, forgé par les contemporains pour définir leur renouveau intellectuel et artistique, n'a pas de signification en musique. Les rares monuments sont ici sans valeur exemplaire et la science musicale gréco-latine, que les Arabes des Xe et XIe siècles nous ont aidés à mieux connaître, n'est pas une découverte : elle est restée pendant le Moyen Age le fondement de la théorie occidentale. Quant aux néo-platoniciens, ils ne sont pour rien dans le prestigieux développement de la composition polyphonique, de Dufay à Monteverdi, processus continu, spécifiquement musical et franchement moderne, qui est déjà parvenu à son apogée quand se répand dans les cénacles la mode de l'Antiquité.

Grand moment de civilisation, de prise de conscience culturelle et politique dans les dernières décennies de la guerre de Cent Ans, la Renaissance a été pour les musiciens le climat favorable à la diffusion de techniques nouvelles et à l'évolution audacieuse de la grande tradition occidentale d'avant l'Ars nova. Une même ambi-

1. L'œuvre de Festa a été publié récemment par l'American Institute of Musicology sous la direction d'Albert Seay.

tion de découverte anime savants et artistes, sur les multiples routes du progrès. La poursuite d'un idéal commun n'exclut pas la diversité des méthodes et il faut renoncer ici à la théorie — rarement juste d'ailleurs — selon laquelle la musique serait historiquement en retard évolutif sur les autres arts. Dufay est bien le contemporain de Fra Angelico, Okeghem de Memling, Josquin de Botticelli et de Léonard de Vinci... comme Lassus sera celui de Brueghel et de Véronèse.

La grande polyphonie vocale, qui atteint son classicisme à la fin du XVe siècle, est une des manifestations de l'esprit de la Renaissance; la chanson française, le madrigal, la poésie de la Pléiade ou le psaume huguenot en sont d'autres. Mais les mouvements humanistes de la seconde moitié du XVIe siècle annoncent peut-être davantage l'ère baroque qu'ils n'incarnent véritablement l'âge d'or, dont ils se sont crus les témoins privilégiés. Telle qu'ils l'ont définie, la Renaissance est un mythe, ou un vif sentiment collectif de supériorité. On se découvre artiste ou savant, comme l'adolescent se découvre intelligent et s'en grise, et l'on croit sincèrement que rien de beau et de noble n'a existé depuis l'Antiquité, dont il faut saisir le flambeau par-delà les « ténèbres des temps gothiques [1] ». Dans son *Liber de arte contrapuncti* (1477), Tinctoris lui-même, dont le sérieux est hors de doute, déclare qu'il n'y avait pas eu de musique digne d'attention avant celle des quarante dernières années, c'est-à-dire avant celle de Dunstable et de Dufay. Sans que la culture antique y entre pour quelque chose, ce jugement aura une longue carrière, puisque les romantiques le reprendront à leur compte (V. Hugo : *Que la musique date du XVIe siècle*).

Pour nous, la Renaissance n'est pas l'origine d'une culture supérieure, mais un changement de lumière. Elle évoque la sensibilité raffinée, l'expression juste, l'hédonisme sonore et l'éclat des fêtes, la recherche de perfection dans un art libéré des contraintes, l'élan, la découverte. C'est l'apogée de la polyphonie vocale, suivi de l'abandon d'un équilibre trop parfait et la découverte d'une expression nouvelle. Parce que la Renaissance évite le conservatisme esthétique, ses styles échappent à la décadence.

Sous l'angle de la sociologie musicale, un des faits marquants de cette période est l'influence grandissante de la bourgeoisie. Armateurs, marchands, financiers rivalisent avec la noblesse dans la somptuosité des demeures, la richesse des collections d'instruments, le raffinement de la culture musicale; et ils considèrent comme une marque singulière de mauvaise éducation l'incapacité de déchiffrer convenablement sa partie dans une chanson ou un madrigal.

1. Rabelais, Lettre à André Tiraqueau, *Œuvres complètes*, le Seuil, coll. « l'Intégrale », 1973, p. 942-943.

Henricus Isaac
? vers 1450
Florence 1517

1475-1496 Organiste à la cour de Laurent de Médicis à Florence et maître de musique des enfants, Pietro, Giovanni (futur Léon X) et Giuliano. Il fait de courts séjours à Ferrare, Innsbruck (à la cour de l'archiduc Sigismond), Rome. Il est organiste de plusieurs églises de Florence, dont Santa Maria del Fiore (le Duomo).
1496-1515 Compositeur à la cour de l'empereur Maximilien, établie à Vienne. Il voyage beaucoup : Augsbourg, Constance (où il fréquente Machiavel), Torgau, Innsbruck, Florence, Ferrare (il rencontre Josquin à la cour d'Ercole d'Este), etc.
1515-1517 Son installation permanente à Florence, où depuis quelques années il passe le principal de son temps comme agent diplomatique de Maximilien... et sans doute comme musicien des Médicis.

œuvre Trente à quarante messes, cinquante motets, *Choralis Constantinus* (cinquante-huit messes brèves pour la liturgie de Constance); environ soixante chansons polyphoniques (allemandes, françaises, italiennes, flamandes); une *sacra rappresentazione* et des *Canti carnascialeschi* sur des poèmes de Laurent de Médicis; des chansons instrumentales.

Imprimerie musicale L'alphabétisation musicale de ces nouvelles classes dominantes est considérablement facilitée par les progrès de l'imprimerie. A partir de 1473, plusieurs ateliers essayent d'appliquer à la notation musicale le procédé typographique de Gutenberg. L'entreprise est délicate, car l'impression doit se faire en trois temps : un premier passage pour les portées, un second pour les notes, un troisième pour le texte et la pagination. Hormis quelques essais sporadiques, les premiers imprimeurs d'Allemagne et d'Italie préfèrent recourir à la xylographie, d'autant qu'ils ne sont pas spécialisés en musique. Mais en 1498, Ottaviano Petrucci obtient de la seigneurie de Venise le privilège exclusif d'imprimer la musique avec des caractères mobiles de son invention. En 1501 un premier volume sort de ses presses sous le titre : *Harmonice musices Odhecaton*. C'est un recueil de chansons où figurent les noms de Josquin, Compère, Agricola, Obrecht, Isaac, Busnois, etc. Bien que le procédé de Petrucci l'astreigne à la technique du triple passage, la perfection typographique de ce premier essai n'a guère été dépassée; le repérage est absolument parfait (un exemplaire de cette édition, malheureusement incomplet, subsiste au Liceo musicale de Bologne). Les publications de Petrucci se sont succédé à une cadence régulière, faisant de lui le premier éditeur de musique : quatre volumes en 1502 (dont le premier des quatre recueils de messes de Josquin), huit en 1503 (dont une réédition de l'*Odhecaton* et un recueil de messes d'Obrecht), cinq en 1504, huit en 1505 (dont un second livre de messes de Josquin), quatre en 1506 (dont un recueil de messes d'Isaac), huit en 1507[1] (dont deux volumes de tablatures de luth), etc.

L'exemple de Petrucci a été suivi largement en Italie, en France, aux Pays-Bas. Les imprimeurs-éditeurs ont joué un rôle considérable dans la diffusion de la musique nouvelle et dans la formation d'un « public » d'amateurs. Mais cette promotion culturelle se limite aux classes sociales les plus favorisées, car les livres de musique valent très cher et même le papier à musique. Si l'imprimerie a favorisé la diffusion de la polyphonie savante, elle a contribué aussi à créer des classes socio-musicales. N'ayant pas accès à la musique notée, le peuple est contraint de cultiver une autre musique, improvisée ou de tradition orale. En revanche, dans la partie supérieure de l'échelle sociale, la musique fait obligatoirement partie de la culture générale : on doit savoir jouer d'un instrument, comme on doit savoir composer des vers latins.

Bientôt la profusion des œuvres polyphoniques imprimées

---

1. Pour les œuvres du XVIᵉ et du XVIIᵉ siècle, les dates indiquées se rapportent en général à la première publication. Pour les autres époques, ce sont des dates de composition, exception faite du théâtre : les dates des opéras et ballets sont celles de la 1ʳᵉ représentation, sauf indication contraire.

Mantegna : anges musiciens.

1 Guillot ung iour
2 Vne belle ieune efpoufee
3 Mamye a eu de dieu le don
4 Plus ne fuis ce que iay efte
5 Vng iour robin
6 Las quon congneuft
7 Secouez moy
8 O fortune neftois
9 Ou mettra lon
10 Va roffignol
11 Baifez moy toft
12 Ichanneton fut

Une chanson de Janequin
dans un recueil édité chez Attaingnant,
en 1536 (Bibliothèque Mazarine).

Les débuts de l'imprimerie musicale

1473 *Collectorium super Magnificat* de Gerson, imprimé par Conrad Fyner à Esslingen, avec une brève illustration musicale où les portées sont ajoutées à la main.

1476 *Missale romanum*, premier texte musical entièrement imprimé (atelier d'Ulrich Han, à Rome). La technique utilisée est celle du double tirage : on imprime d'abord les portées (en rouge) puis les notes (en noir).

1480-1498 Octavianus Scotus améliore considérablement la méthode typographique à double tirage. D'autres ateliers impriment de la musique, à Rome, Bologne, Milan, Nuremberg, Bamberg, Augsbourg, Bâle, Paris, Strasbourg, etc., les uns en typographie, les autres par le vieux procédé, plus facile mais moins élégant, de la xylographie (blocs de bois gravés).

1501 *Harmonice musices Odhecaton*, recueil de quatre-vingt-quatorze pièces polyphoniques des plus grands maîtres franco-flamands, imprimé à Venise par Ottaviano Petrucci, premier éditeur de musique. C'est la première fois qu'on utilise des caractères mobiles en métal pour imprimer la musique proportionnelle. La méthode est toujours celle du double tirage, mais le repérage est parfait et la qualité typographique superbe. Un exemplaire

et la difficulté de celles-ci témoigneront de l'intelligence musicale et de l'habileté des nouveaux « amateurs ». L'Anglais Thomas Morley (1557-1602) a laissé des indications intéressantes sur les soirées musicales dans la bonne société de son temps. Les uns chantaient, d'autres prenaient des instruments, mais aucun ne se serait dérobé en prétextant son incapacité. Dans certains livres, en Angleterre surtout, les différentes parties sont imprimées en sens opposé sur les doubles pages successives, pour pouvoir être lues de part et d'autre d'une table.

Pour la première fois, cependant, le développement de l'édition faisait de la musique une marchandise... sans toutefois que la diffusion inespérée de leurs « choses », de leurs *œuvres*, fît la richesse des compositeurs, même lorsqu'ils étaient devenus des vedettes internationales. Comme le remarque Nanie Bridgman [1], Josquin aurait englouti cinq ans de salaire s'il avait voulu acheter l'*Adoration des mages* de Fra Angelico (évaluée trois cents florins, à la mort de Laurent de Médicis). Consacrés par l'édition, les musiciens célèbres sont traités par les familles puissantes qui les attachent à leur service avec les marques de la plus haute estime. Mais sur le plan matériel ils vivent dans la dépendance de leurs seigneurs et maîtres dont la générosité peut seule leur permettre de s'établir décemment à leur compte !

1. N. Bridgman, *La Vie musicale au quattrocento*, Gallimard 1964.

de la deuxième édition de cet ouvrage (1504) se trouve à la Bibliothèque nationale.

1510 *Canzoni nove con alcune scelte de varii libri di canto*, premier volume publié par Antico, éditeur de musique à Rome (gravure sur bois). La plupart des chansons sont « empruntées » à Petrucci.

1515 Sambonetus emploie la gravure métallique, procédé plus simple et plus économique, qui sera généralisé à la fin du siècle avec des notes arrondies.

v. 1525 Pierre Hautun invente des caractères mobiles comprenant la note de musique avec un fragment de portée. Attaingnant sera le premier utilisateur de ces poinçons.

1527 *Chansons nouvelles de musique à quatre parties*, première publication du célèbre éditeur parisien Pierre Attaingnant. Ce recueil n'est connu que par un catalogue du XVIIIe siècle. En revanche, la Bibliothèque nationale possède un exemplaire d'un recueil de trente-quatre chansons datant du début de l'année suivante (1528).

vers 1530 Le graveur Étienne Briard, établi à Avignon, donne à la tête des notes la forme arrondie que nous leur connaissons.

1539-1542 Grève des imprimeurs à Lyon et Paris.

Principaux éditeurs au XVIe siècle

Petrucci : Venise et Fossombrone (1501-1523).

Antico : Rome (1509-1537).

Attaingnant : Paris, rue de la Harpe (1527-1552). Compositeur.

J. Moderne : Lyon (1532-1567). Compositeur.

Gardano : Venise et Rome (1538-1623).

T. Susato : Anvers (1542-1564). Compositeur.

Phalèse : Anvers et Louvain (1545-1673).

N. Du Chemin : Paris (1549-1576).

Le Roy et Ballard : Paris, rue Jean de Beauvais (1551-1788). Après la mort de Le Roy, compositeur, ami de Lassus et Ronsard, la maison est dirigée par la famille Ballard.

Tallis et Byrd : Londres (1575-1585).

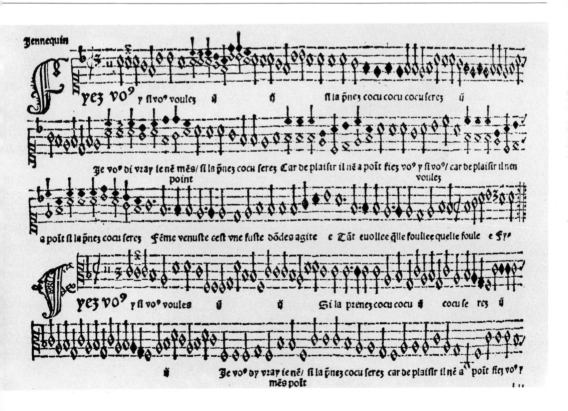

Une fête sur l'eau, conçue par
Antoine Caron, ordonnateur des
Entrées et Fêtes de Catherine
de Médicis.

Or, si les grands mécènes sont rarement généreux, ils sont
souvent prodigues avec talent et quelquefois ils ont un certain
génie. Avant que l'imprimerie eût établi l'autonomie de l'œuvre,
ils avaient reconnu le statut implicite de l'artiste : une liberté
si radicale qu'elle ne saurait être un modèle. L'artiste est placé
hors des lois communes; nul ne sera tenté de l'imiter avant le
milieu du XIXᵉ siècle...

C'est en Italie que se développe l'édition musicale; c'est en
Italie aussi que les « tyrans éclairés » ont proliféré avec le plus
d'éclat et d'originalité. Cinq États puissants dominent la vie
politique, économique et culturelle de la péninsule, rivalisant
de splendeurs : la Rome pontificale, la république de Venise,
le duché de Milan, la république de Florence et le royaume de

Naples. Mais plusieurs petites villes conservent indépendance et originalité, sous la férule de familles illustres : Ferrare (Este), Mantoue (Gonzague), Rimini (Malatesta), Urbino (Montefeltro et Della Rovere), la république d'Amalfi (Piccolomini). Grandes ou petites, les cités d'Italie rivalisent de gloire artistique. La tendance est moderne et les langues nationales s'imposent, dans la ligne tracée par Dante, contre les traditions académiques attachées au latin.

Fêtes Autant que le prestige culturel, autant que les qualités de l'esprit, dont les princes donnaient souvent l'exemple, les impressionnantes concentrations de richesses pouvaient exercer une fascination sur les artistes du Nord, dont une majorité a fait le voyage d'Italie. Certes les grandes fêtes qui célèbrent les mariages des princes ou leurs « entrées » dans les villes sont partout magnifiques, mais le luxe et la richesse d'invention des fêtes italiennes sont exemplaires. La musique est de toutes ces réjouissances et, dans la seconde moitié du XVIe siècle, les intermèdes des fêtes florentines seront une préfiguration des premiers opéras : sortes de madrigaux où souvent une partie soliste, richement vocalisée, est « accompagnée » par le chœur.

Les fêtes de la Renaissance nous surprendraient par leur extravagance et leur tristesse. Acteurs et spectateurs de leurs propres exploits, les princes, leurs parents et leurs amis font préparer des chars somptueux, où ils apparaissent en divinités ou en héros vengeurs, chacun formant un tableau du spectacle. Ils y participent par l'éclat de leur renommée, qui donne à leurs apparitions une ampleur théâtrale, mais aussi par leur complicité dans la fête, par leur adhésion à la convention théâtrale. Tantôt ils y jouent leur propre personnage, tantôt un héros mythologique ou une allégorie. Les nacelles de Vénus tirées par des tourterelles, les nuages bourrés de dieux, les volcans s'ouvrant pour découvrir la forge de Vulcain et autres machines fantastiques, contribuent à émerveiller le peuple, qui constitue le seul vrai public.

Car ces fêtes sont des entreprises démagogiques, véhicules d'idéologies trompeuses au nom desquelles les arts s'associent artificiellement dans une orgie de bons sentiments. Elles contribuent à donner une illusion de la prospérité nationale et de l'équilibre politique. On peut imaginer l'arrière-plan de tragédie que masquent mal les cortèges de chars et les réjouissances publiques : contraste shakespearien entre le faste et la misère, le raffinement et la barbarie, l'humanisme et la cruauté, le sublime et le trivial... Depuis le début du XVe siècle, la société moderne est en formation, avec ses grandeurs et ses vices, ses terribles contradictions et sa culture hautaine.

Sigismond Malatesta par Piero della Francesca. fresque de Rimini.

Chars allégoriques aux fêtes données pour

Quelques fêtes et cérémonies fameuses

25.3.1436 Consécration du Duomo de Florence, dont Brunelleschi vient de terminer la coupole. Le pape Eugène IV officiait. « Au cours de la cérémonie, dit un chroniqueur, on entendit chanter des voix si nombreuses et variées et de telles symphonies s'élevèrent au ciel qu'on croyait entendre un concert d'anges... Au moment de l'élévation, la basilique tout entière retentit de symphonies harmonieuses accompagnées du son de divers instruments... » Guillaume Dufay a composé pour l'occasion son magnifique motet *Nuper rosarum flores*.

17.2.1454 « Banquet du vœu » ou « Fête du faisan » : rassemblement des chevaliers de la Toison d'or, organisé à Lille par le duc de Bourgogne Philippe le Bon, pour décider de la reconquête de Constantinople. Une chanson de Binchois, *Je ne vis oncque la pareille*, est exécutée à cette occasion et un enfant, monté sur un cerf blanc, « tenait la teneur ».

1502 Noces d'Alfonso d'Este et de Lucrezia Borgia à Ferrare. Des intermèdes en musique sont intercalés entre les actes des comédies de Plaute. On en avait fait l'essai en 1493 lors du premier mariage d'Alfonso avec Maria Sforza.

1512 « Divertissement à la manière d'Italie, appelé Maske », le soir de l'épiphanie devant Henry VIII d'Angleterre.

juin 1520 Entrevue d'Henry VIII et François Ier au Camp du Drap d'or. La somptuosité de la cérémonie dépasse l'imagination. Le décor est grandiose, la nature elle-même est arrangée pour répondre au besoin de symétrie; l'édifice principal du côté français aurait, à lui seul, coûté 300 000 ducats.

Les deux rois se sont fait accompagner de leurs chapelles, qui chantent en alternance les parties de la messe. Pour commencer, un organiste français, Pierre Mouton, accompagne les chanteurs anglais. Jean Mouton et Claudin de Sermisy sont membres de la chapelle de François Ier.

1568 Noces du duc Wilhelm de Bavière et de Renée de Lorraine à Munich. La musique, dont Lassus est directeur, joue un grand rôle : musiques de plein air pour les cornets et les trombones, sextuor de *viole da brazzo*, ensembles les plus variés et insolites où se mêlent les voix et les instruments. A la chapelle, un motet à 6 de Lassus est exécuté par quatre-vingt-quatre chanteurs, cinq cornets, deux trombones et un orgue; pour un autre, le clavecin et l'archiluth se joignent aux violes et aux instruments à vent.

1572 Noces d'Henri de Navarre et de Marguerite de Valois. Ron-

le mariage d'Henri II et de Catherine de Médicis (1533).

sard collabore à une mascarade, *le Paradis d'amour*, qui annonce le ballet de cour.

1574 Visite du roi de France Henri III à Venise. Représentation d'une tragédie de Frangipane avec musique de Merulo.

oct. 1579 Noces de Francesco de' Medici et de Bianca Cappello à Florence. Le faste est sans précédent (300 000 ducats de dépenses. A titre de comparaison, un maître de chapelle est payé, à la même époque, entre 200 et 400 ducats par an...) Des fêtes se déroulent aussi dans le palais des Cappello à Venise. Le palais Pitti est transformé en un théâtre de rêve, avec des machineries prodigieuses. La famille Bardi et les artistes de la Camerata sont les organisateurs de la fête, qui mobilise les meilleurs musiciens, parmi lesquels Merulo, Striggio, Gabrieli, Vecchi, ainsi que les célèbres chanteurs Giulio Caccini et Vittoria Archilei. Et les plus

illustres familles fournissent des chars somptueux sur lesquels elles représentent des scènes merveilleuses d'idiotie. Maîtresse de Francesco avant que celui-ci ne fût veuf de Jeanne d'Autriche (1578), Bianca fascinait par sa beauté, sa richesse, sa vie agitée, sa légende et recevait les hommages publics de poètes et de musiciens : Galilei lui dédia son premier livre de madrigaux en 1574.

15.10.1581 Mariage du duc de Joyeuse et de Mademoiselle de Vaudémont, sœur de la jeune reine Louise. Claude Le Jeune collabore aux fêtes et surtout un magnifique spectacle est « monté », par le savoyard Balthazar de Beaujoyeulx, sous l'influence de Baïf : le *Balet comique de la Royne*. La musique est confiée à Girard de Beaulieu et Jacques Salmon, musiciens du roi. Beaujoyeulx, lui-même musicien, est ici l'ordonnateur du spectacle, l' « inventeur » (c'est-à-dire scé-

nariste, metteur en scène, régisseur). Il s'agit d'un des premiers et des plus célèbres « ballets de cour », comprenant des évolutions chorégraphiques accompagnées de récits, airs et chœurs dans le style mesuré « à l'antique ». La scène représente les sortilèges de Circé vaincus, non plus par Ulysse, mais par le roi!

1589 Mariage de Ferdinando de' Médici et de Christine de Lorraine (petite-fille de Catherine de Médicis) à Florence. Un grand spectacle, intitulé *la Pellegrina*, est le couronnement de la fête. « Inventé » par Bardi, avec la collaboration de Cavalieri, il comprend de très importants intermèdes musicaux, composés par Cristofano Malvezzi, Luca Marenzio et Giovanni de' Bardi, dans le style ancien; par Emilio de' Cavalieri, Jacopo Peri, Giulio Caccini et Antonio Archilei, dans le nouveau *stile rappresentativo*. Chaque intermède se présente comme une

Un bal à la cour des Valois (école française, XVIᵉ siècle).

suite de madrigaux ou d'airs précédée d'une *Sinfonia* instrumentale. Les décors et les machines sont de Bernardo Buontalenti, qui sera l'inventeur de la scène « à transformations », avec coulisses et fonds.

1600 Représentation de l'*Euridice* de Peri au palais Pitti, à l'occasion du mariage de Maria de'Medici avec le roi de France Henri IV (représenté par le duc de Bellegarde). Cette pastorale dramatique est considérée comme le premier opéra qui nous soit parvenu.

Théorie de la musique et Renaissance

Jusqu'au XVIᵉ siècle, la théorie musicale, foncièrement académique, est une discipline scientifique du *quadrivium*, enseignée en latin dans les universités. Cette science traditionnelle est appelée *musica* et celui qui la possède est un *musicus*. Le musicien pratiquant, lui, est un *cantor*; son art, le *cantus*, est enseigné dans les nombreuses *scholae cantorum* (toutes les églises importantes en entretiennent) et dans les écoles privées. L'enseignement académique, inspiré des vieux auteurs classiques (Boèce), semble étranger à la musique vivante; purement spéculatif et désespérément confus, il s'exprime dans un latin prétentieux qui contribue à décourager les « amateurs ». Au XVIᵉ siècle, les vrais problèmes commencent à être soulevés, dans une foule de traités, réédités de nombreuses fois. Tout honnête homme se doit désormais de connaître non seulement la pratique, mais aussi la théorie de la musique, qui se rattache maintenant aux études générales et non plus aux sciences. Mais l'humanisme est une disposition intellectuelle courante et ce sera toujours par référence aux penseurs de l'Antiquité que l'on tentera de défendre les idées et les goûts, même les plus modernes.

La théorie commence à se donner des objectifs pratiques et une méthode rigoureuse à partir de Gioseffe Zarlino (1517-1590). Compositeur en même temps que théoricien, élève de Willaert, maître de chapelle à San Marco, Zarlino a eu l'intention louable de définir une gamme de base dont les intervalles seraient les plus simples arithmétiquement, donc les plus « naturels » possibles. C'est la gamme de l'exemple page 106 (2), dont le succès aura été durable, car elle est encore enseignée aujourd'hui et reste qualifiée de « naturelle », bien qu'elle ne le soit pas davantage que la gamme cyclique, dite « pythagoricienne » (exemple p. 106 (3). En effet, la série des harmoniques de do sur laquelle on a prétendu fonder par la suite la gamme de Zarlino ne contient pas de fa, aussi loin qu'on la pousse, et le la, 27ᵉ harmonique, est dans le rapport 27/16 (et non 5/3) avec la tonique. Mais cela Zarlino ne pouvait pas le savoir, car la théorie des harmoniques était inconnue de son temps et l'on n'avait qu'une connaissance empirique des divisions naturelles de la corde vibrante [1].

1. Les intervalles 4/3 et 5/3 n'apparaissent que dans la comparaison d'harmoniques entre eux; les sons qu'ils définissent n'appartiennent pas à la série harmonique. En revanche, on peut construire la gamme avec les sons d'une telle série, à condition de partir de la quinte de la fondamentale (gamme de do avec les harmoniques de fa, gamme de sol avec les harmoniques de do, etc.) Quant aux sons de la gamme de Pythagore, ils appartiennent tous à la même série harmonique, mais il faut commencer le cycle une quinte au-dessous de la tonique choisie (fa pour construire une gamme de do).

Pratiquement, la gamme de Zarlino a fait surgir plus de difficultés qu'elle n'a proposé de simplifications :

1. Cette gamme distingue deux sortes de ton, le majeur (9/8) et le mineur (10/9), différents d'un comma, ambiguïté qui demeure obscure pour beaucoup de musiciens et ne rend pas toujours compte de la pratique musicale.

2. Les instruments à vent ne jouent pas naturellement juste les quatrième et sixième degrés (fa et la), non harmoniques.

3. L'incertitude est générale sur l'intonation des altérations, la valeur du demi-ton pouvant varier de 50 % (un quart de ton) selon la fonction et la position dans l'échelle de la note altérée. Pour accorder les instruments à sons fixes, on est obligé d'adopter une valeur intermédiaire (fausse) des tons et demi-tons.

4. La modulation la plus simple est rendue délicate par la nécessité de rétablir la répartition caractéristique des tons majeur et mineur dans la nouvelle tonalité. Ainsi, pour passer de do en sol, il faut :

– hausser le fa d'un limma 135/128 (plus grand que le demi-ton chromatique), pour en faire un fa $\sharp$, sensible de sol ;
– hausser le la d'un comma pour intervertir l'ordre des tons majeur et mineur (si l'on module de do en fa, le ré devra être baissé d'un comma pour la même raison).

$$
\begin{array}{ccccccc}
\ldots & \text{MI} & \text{fa} & \text{SOL} & \text{la} & \text{SI} & \ldots \\
& & \tfrac{1}{2} & \text{T} & t & \text{T} & \\
& & \text{T} & \tfrac{1}{2} & \text{T} & t & \\
\ldots & \text{MI} & \text{fa}\,\sharp & \text{SOL} & \text{la}_+ & \text{SI} & \ldots^{[1]}
\end{array}
$$

Toutes les notes pourraient être ainsi faussées par des modulations successives (certaines deux fois !), provoquant une modification du diapason. Dans la gamme cyclique, où n'apparaît qu'une sorte de ton, cette difficulté n'existe pas [2].

L'intérêt des recherches de Zarlino, cependant, aura été de donner ses premières bases théoriques solides à notre système harmonique... le condamnant par là même aux ambiguïtés subtiles. Dans son important ouvrage *Istituzioni armoniche* (1558), il établit déjà la théorie de l'accord parfait majeur et mineur et pose quelques jalons du futur « système tonal ».

Mais la musique de la Renaissance n'est pas encore « tonale », malgré l'introduction du mode de do dans la théorie par Glareanus (*Dodecachordon*, 1517). Ce théoricien suisse, ami d'Érasme,

1. T = ton majeur ; t = ton mineur ; ½ = demi-ton.
2. Dans son *Dialogo... contro Ioseffo Zarlino* (1581), Vincenzo Galilei, père du célèbre astronome, défend le système pythagoricien contre celui de son ancien maître Zarlino (qu'il commence par piller). Mais sa dialectique est confuse et ses arguments fragiles. Cet avocat du chant expressif oublie notamment que la gamme de Zarlino est la plus expressive, justement parce que l'intonation des notes varie avec leur fonction !

donne la nomenclature des modes du plain-chant, avec les dénominations erronées héritées du Moyen Age, et il en ajoute quatre, affublés au hasard des noms grecs disponibles :

Authentes	Plagaux

9e ton : « éolien » *(hypodoristi)*

10e ton : « hypoéolien » *(doristi II)*

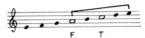

11e ton : « ionien » (fausse *lydisti* = F différente)

12e ton : « hypoionien » (fausse *hypophrygisti* = F différente)

F = finale
T = teneur

Entre parenthèses : harmonies grecques de mêmes octaves modales (voir p. 90)

Quant à Zarlino, il utilise la même nomenclature dans la première édition de ses *Istituzioni*, mais dans la deuxième édition il la modifie de manière à ce que le mode de do devienne le premier ! Mersenne, au XVIIe siècle, adoptera cette nouvelle nomenclature incohérente.

Aux modes 5 et 6 du plain-chant (finale fa) la musique polyphonique ajoute un si♭ ; aux modes 7 et 8 (finale sol), elle ajoute un fa♯, les transformant ainsi en modes « majeurs ». C'est au XVIe siècle également que l'on commence à confondre « aspects d'octave » et modes (c'est-à-dire l'ambitus et la finale des modes plagaux). Par exemple on dira du 2e mode (ré plagal) que c'est un « mode de la », et on le confondra avec le 9e, de structure interne différente. De même le 6e mode pourra se confondre avec le 11e (mode majeur). Comme, d'autre part, l'écriture polyphonique ne permet pas toujours de distinguer un mode authente de son plagal, le nombre de modes différents tendra peu à peu à se réduire, au point de n'être bientôt plus que de deux : le majeur et le mineur. C'est ainsi que se fera, dans la plus totale confusion, le passage du système modal au système tonal !

Tempéraments Les recherches théoriques sur les échelles et les discussions que les différents choix suscitent posent de manière aiguë le problème du « tempérament », c'est-à-dire d'une division pratique de l'octave, permettant de construire ou d'accorder les instruments à sons fixes en identifiant des sons très voisins.

Déjà les anciens Chinois avaient tenté de fausser les quintes pour que la douzième (après réduction d'octaves) fût identique au huâng-tchong (son fondamental) et que l'on pût ainsi se contenter de douze *lyu* (voir p. 112). Et Aristoxène de Tarente préconisait la division du ton en deux demi-tons égaux... Mais

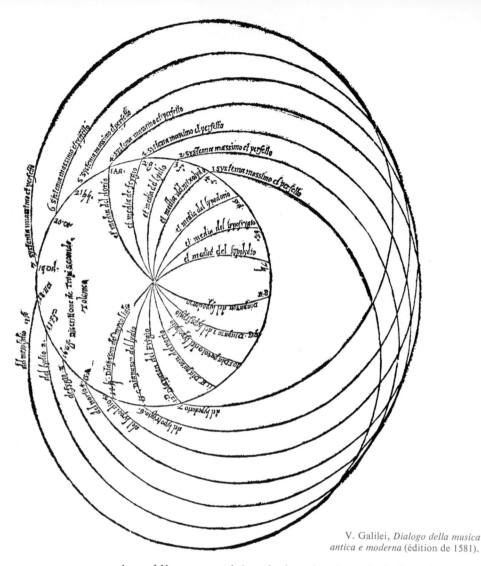

V. Galilei, *Dialogo della musica antica e moderna* (édition de 1581).

le problème est resté dans le domaine des spéculations théoriques jusqu'à ce que l'évolution de l'écriture polyphonique, rendant souvent nécessaire l'emploi de notes altérées, ait fait surgir des difficultés nouvelles pour l'accord des instruments à sons fixes. Sans faire allusion au tempérament, l'organiste bohémien Arnolt Schlick, environ 1510, recommande d'accorder les instruments à clavier, les luths et les harpes, par quintes ascendantes (et octaves) jusqu'à do♯ et par quintes descendantes (et octaves) jusqu'à la♭ :

Joueuse de tympanon : *les Échecs amoureux* (fr 143, vers 1500).

Cette méthode simple donne une gamme chromatique « cyclique » qui constitue une bonne approximation du tempérament égal [1] et permet de moduler facilement sans fausser peu à peu toutes les notes. C'est la gamme des violonistes.

En 1519, Willaert compose une œuvre chromatique, *Quid non ebrietas*, qu'il présente comme une énigme et que les meilleurs musiciens ne parviennent pas à exécuter correctement. C'est la proposition inverse du *Clavecin bien tempéré* : l'œuvre de Willaert

1. On peut le vérifier, en comparant dans le tableau de la page 177 les sons de l'échelle cyclique obtenus par la méthode de Schlick à ceux de l'échelle tempérée.

Raphaël, *l'École d'Athènes*, détail : Pythagore donne une explication schématique des consonances musicales.

prouve par l'absurde qu'il faut égaliser les demi-tons ! Cette démarche a paru si hardie à l'époque qu'on l'a comparée aux tentatives d'Archimède pour résoudre la quadrature du cercle. Pourtant Zarlino, Salinas, Galilei et bien d'autres discutent de tempérament, tandis que les instrumentistes cherchent empiriquement des solutions moyennes au problème de l'accord et qu'un élève de Willaert, Nicola Vicentino, se fait construire vers 1560 un *archicembalo* à six claviers pour pouvoir obtenir une gamme naturelle juste dans tous les tons. Pensant comme tant d'autres avoir résolu le problème, un certain Giacomo Gorzanis compose en 1567 une série de danses dans tous les tons majeurs et mineurs.

En fait, les solutions proposées sont des approximations empiriques, qui ne garantissent pas l'identité de la gamme. Zarlino et les théoriciens qui se rallient à son système ne voient pas que le problème est insoluble tel qu'ils l'ont posé. Ils proposent bien de diviser l'octave en douze demi-tons égaux, mais sans donner de théorie mathématique, ni de méthode pratique d'accord. Galilei préconise pour chaque demi-ton la valeur 18/17, évaluation très approchée, puisqu'il manque seulement à cet intervalle un vingtième de comma pour coïncider exactement avec la douzième partie de l'octave ; mais lui non plus n'indique pas la méthode d'accord correspondante.

La solution pratique la plus souvent utilisée à la fin du XVIe et au XVIIe siècle est un tempérament inégal comportant les tierces et quintes suivantes (au quart de comma près, parce que les quintes sont faussées) :

– huit tierces majeures harmoniques 5/4 : do.mi, si♭.ré, mi♭.sol, fa.la, ré.fa♯, mi.sol♯, sol.si, la.do ♯ ;
– quatre quartes diminuées 32/25 (excédant la tierce majeure d'un petit quart de ton ou *diesis*) : do♯.fa, fa♯.si♭, sol♯.do, si.mi♭ ;
– onze quintes légèrement faibles (d'un quart de comma) : toutes sauf la suivante ;
– une quinte très forte (+ une *diesis*), dite « quinte du loup » : sol♯.mi♭.

Cet accord est celui de la plupart des orgues du XVIIe siècle. Malgré son imperfection, aucune solution au tempérament égal ne sera formulée avant la fin du XVIIe. Je résumerai au prochain chapitre, p. 520, la théorie et les conséquences pratiques du système. Comment éviter en effet ce sujet ardu, quand tant d'auteurs, depuis Bach et Rameau, font des allusions elliptiques au tempérament sans en dévoiler les principes et les effets.

Théorie et liberté Les théoriciens cependant ont assez peu de contrôle sur la musique vivante, toujours en avance sur les traités. Ainsi, la Renaissance marque le début d'une aspiration à la dissonance, revendiquée comme un droit au progrès contre le conservatisme des écoles. Or cette aspiration est rarement suscitée ou même récupérée par les théoriciens, car la dissonance ne leur apparaît pas comme un caractère positif, mais, selon la conception platonicienne, comme un défaut de consonance. Le sentiment harmonique naissant invite pourtant les créateurs à découvrir les possibilités dynamiques et les qualités expressives des dissonances. Comme l'écrit si bien Thomas Mann dans son *Doktor Faustus*, « le caractère polyphonique de l'accord est d'autant plus marqué qu'il est plus dissonant. La dissonance est la mesure de sa dignité polyphonique. » Ni Claude Le Jeune, ni Willaert, ni Monteverdi ne l'eussent démenti.

La Renaissance consacre la liberté de l'artiste vis-à-vis du système. La maîtrise d'une technique d'écriture prodigieuse permet aux musiciens de ce temps de dépasser la règle, de négliger les principes périmés, de consacrer tous leurs soins au style et à l'expression poétique. Le style se conforme davantage au plaisir qu'à la convention et l'expression poétique impose au chant une souplesse nouvelle.

A cette liberté de la création correspond celle de l'interprétation. La chose écrite n'impose encore aucun respect contraignant et la variabilité des exécutions sera constante jusqu'à la seconde moitié du XVIII⁰ siècle. L'iconographie et la littérature font de nombreuses allusions à des pratiques musicales qui ne correspondent pas à la musique notée; ensembles inhabituels de voix et d'instruments, emploi d'une grande variété d'instruments dont la musique écrite ne prescrit pas l'usage, comportement individualiste et détendu n'évoquant pas la rigueur d'une écriture polyphonique complexe... En étudiant sur les tableaux les attitudes des chanteurs, dont la représentation est vraisemblablement aussi exacte que les figurations d'instruments, on peut découvrir que, dès le XV⁰ siècle, en Italie particulièrement, la technique vocale est très élaborée. Les contemporains écrivent d'ailleurs qu'un chant est *soavissimo*, parfois *artificioso*. Le second qualificatif paraît mieux convenir, car les compositeurs se plaignent de ce que les chanteurs chantent d'autant plus fort qu'ils sont plus célèbres et qu'ils abusent de toutes sortes d'artifices : tremblements, trilles, diminutions, fioritures, changements de registre, voix de tête et surtout d'un certain chevrotement qui ravit les foules d'Italie.

Tous les compositeurs n'étaient pas résignés à ces pratiques, car Josquin s'est opposé à ce qu'on ajoute des ornements à ses compositions.

Ces signes avant-coureurs du *buon canto* (plus tard *bel canto*) en Italie sont liés au « vedettariat » nouveau. Les musiciens de talent, chanteurs et instrumentistes, voyagent beaucoup et acquièrent une réputation internationale, qui dépassera souvent désormais celle des compositeurs. Pour faire valoir leur prestigieux talent, ils prendront toute sorte de libertés avec le texte. Les amateurs en prendront d'autres, pour des raisons différentes : désireux d'exécuter la musique en vogue, ils doivent compter avec les limites de leur talent, le nombre et la qualité de leurs partenaires, sans parler de leur souci d'imiter tel virtuose en renom. Les catalogues des imprimeurs proposent de nombreux arrangements des œuvres fameuses; certaines éditions de chansons françaises ou de madrigaux comporteront

Chansons normandes
du XVe siècle
(ms. de Bayeux, XVIe siècle).

Un concert vers 1500 : sextuor vocal, quarteron de violes, clavicorde, harpe, luth, cornet, flûte traversière.

En advise vng rosier dont la ro

se est florie Et en este comme en vuer El

le est tout espanye Elle est espanye.

est vng tresbeau bouton vmeil q est flors nouuelle

ment aniez les daillouy dot mesmerueil y fot tousio en

combrement

une tablature de luth, permettant l'exécution par une ou plusieurs voix avec « accompagnement » instrumental, et dans les titres des œuvres publiées les compositeurs auront parfois soin de suggérer différents modes d'exécution.

Il ne faut pas voir dans le changement progressif des mœurs musicales un signe de décadence. La grande polyphonie vocale s'est développée continuellement de Dufay à Monteverdi. Si l'on peut considérer qu'elle atteint son classicisme avec Josquin, ce n'est pas pour s'acheminer ensuite vers son déclin, comme on l'a parfois affirmé au hasard, mais vers une limite supérieure. La réaction monodique de la fin du xvie siècle ne doit pas être considérée comme un retour aux sources, nécessité par les excès et les déviations d'un art déchu, mais plutôt comme l'éclosion d'un art nouveau après une longue ascension vers la perfection du contrepoint expressif, dont on pense avoir épuisé les richesses au terme de cinq ou six siècles de recherche et d'imagination.

L'impasse où aboutit la polyphonie peu avant 1600 peut être comparée à celle qui marquera le milieu du xxe siècle. Mais cette fois, l'art polyphonique, handicapé par le tempérament (et par sa conclusion logique, le dodécaphonisme), sera épuisé, non par sa perfection, mais par la découverte de ses limites.

La chanson polyphonique

La chanson polyphonique de la Renaissance est un genre spécifiquement français qui prend sa source dans le motet du xiiie siècle. L'abandon de la teneur liturgique, l'adoption d'un texte unique et d'une structure mélodique précise avaient donné naissance au répertoire des ballades, rondeaux et virelais que Machaut a porté au plus haut niveau. Le mot « chanson » désigne encore, au début du xve siècle, des pièces à refrain, d'allure populaire et d'écriture simple. Mais de plus en plus cette dénomination s'appliquera aux compositions profanes non dansées, quels qu'en soient la forme et le style; et si l'on compose encore des ballades et surtout des rondeaux et des virelais, ces pièces, qui se distinguent par la forme qu'impose la structure poétique, épousent un style, un esprit nouveau, plus clair et plus libre, celui de la chanson française.

La vogue des chansons, populaires ou savantes, sera vite spectaculaire. Les pièces à la mode (ce que nos confectionneurs de musique appellent un « tube ») se retrouvent dans toute l'Europe, tantôt comme « teneurs » de messes et de motets, tantôt adaptées aux instruments, parfois même inscrites comme des maximes aux murs d'un cabinet de travail ou d'un salon de musique. Isabelle d'Este avait fait reproduire en marqueterie sur le mur de sa *grotta* le canon d'Okeghem *Prendez sur moy*. Les représentations de Mystères, les farces, les fêtes princières, les banquets, les défilés de carnaval, sont entremêlés de chansons, exécutées soit à voix seule, soit en polyphonie. On retrouve les mélodies des chansons françaises jusque dans le répertoire des *laudi spirituali*.

Dans la première moitié du XVe siècle, l'écriture en est généralement à 3 voix *(superius, tenor, contratenor)*. Exception faite des pièces essentiellement contrapuntiques en style d'imitation (rondeaux, canons), on ne chante qu'une seule voix, parfois deux, les autres étant confiées aux instruments... tout à fait comme dans les ballades et les virelais du siècle précédent. Binchois a composé cinquante-six chansons, illustrant ce style avec une extrême élégance, et Dufay au moins soixante-quinze. Les unes s'apparentent au virelai ou à la ballade; d'autres comportent une quatrième voix s'unissant au superius dans un jeu d'imitations serrées, ou en de souples arabesques. Les plus belles et les plus célèbres chansons de Dufay, telles que *Se la face ay pale* ou *Mon seul plaisir*, appartiennent à la seconde partie de sa vie : ce sont des chefs-d'œuvre de raffinement et de noblesse d'expression, qui témoignent de l'évolution importante que subit la chanson dans la seconde moitié du siècle. Okeghem et surtout Busnois (vers 1440 - 1492) réalisent un admirable équilibre de l'écriture à 3 voix : répartition du texte et de l'intérêt mélodique entre toutes les voix, changements de rythme ou de style en fonction des sentiments exprimés, parfaite maîtrise de la technique du contrepoint.

Mais c'est surtout à Josquin des Prés que l'on doit les premières chansons polyphoniques complexes, à 4 voix et plus, dans le grand style de la chanson de la Renaissance. A la fois savantes et populaires, elles cachent si bien leurs artifices par les ressources d'un art supérieur que leurs thèmes sont fredonnés dans la rue! Si la frontière entre musique savante et populaire est si allègrement franchie, c'est bien sûr que cette frontière était alors incertaine, qu'aucune musique commerciale ne faisait la fortune de fillettes aphones et surtout qu'aucun tabou ne s'opposait encore à ce que chacun traite la musique selon son plaisir. Mais comment reconnaître les authentiques mélodies populaires qui se sont naturellement introduites dans la musique savante, dans l'ignorance où nous sommes du folklore des siècles passés[1]? Manifestement, Dufay, Josquin, Janequin,

---

1. Jusqu'au XIXe siècle, on se souciait rarement de noter les mélodies populaires et rien ne garantit l'authenticité de celles qui nous sont parvenues. Seul l'enregistrement sonore permet la conservation de cet art spontané que la notation trahit, ainsi que l'ont montré Bartók et Kodaly à partir de 1906.

Lassus et d'autres ont utilisé des « timbres » populaires (eux-mêmes influencés par la chanson savante, dont les échos parvenaient aux antichambres, aux cuisines et jusque dans la rue). Des refrains comme « La triory, la viredon, Jalory dondaine... » sont nettement d'origine populaire, tout comme ce thème d'une chanson de Loyset Compère :

Et les « fricassées » nous conservent bon nombre de mélodies d'origines diverses : on appelait ainsi au XVIe siècle des plaisanteries musicales formées par la juxtaposition et la superposition de fragments mélodiques, qu'il s'agissait de reconnaître au passage. Il y avait osmose profonde entre le « savant » et le « populaire » : la musique était encore un aspect de civilisation.

Un autre trait dominant de la chanson française est l'emploi extrêmement efficace du style d'imitation*. Principe unificateur de la composition polyphonique, comme on l'a vu précédemment, l'imitation peut intéresser la structure mélodique elle-même lorsque, par exemple, la seconde moitié de la phrase est le renversement de la première ou qu'une phrase est constituée par la reproduction d'un même motif sur différents degrés. C'est une des sources les plus pures de l'émotion musicale et non, comme on le croit parfois, un austère exercice. Mieux que par l'insistance rythmique, l'auditeur est entraîné au cœur de l'idée, dont il découvre simultanément toutes les faces. Retrouvant ce qu'il perd en même temps qu'il le perd, il est roulé doucement par les vagues successives, suspendu dans une sorte d'apesanteur exquise.

Josquin, *Basies moy, ma doulce amye*
(triple canon à la quarte)

Là comme ailleurs, l'art de Josquin est exemplaire. Ses soixante-quinze chansons (3 à 6 voix) illustrent toutes les qualités du genre. Tous les styles et toutes les techniques sont employés avec une aisance et une ingéniosité constantes, et il est évident que les formes les plus simples sont l'objet des mêmes soins que les plus ambitieuses. Mais, si l'art de Josquin est culminant, il n'éclipse pas toutefois celui des innombrables musiciens de son temps qui se sont consacrés à la chanson polyphonique et qui témoignent d'une des plus heureuses répartitions du talent qu'ait connues l'histoire de la musique : Rabelais les énumère interminablement dans le prologue du *Quart Livre*. Les meilleurs d'entre eux sont Agricola (vers 1446-1506), Isaac, Obrecht, Loyset Compère (vers 1450-1518), Brumel (vers 1460-1525), Pierre de La Rue (vers 1460-1518)... La plupart sont des gens du Nord, touchés par la grâce italienne.

C'est aussi le temps de ces belles chansons sans parure, qui faisaient les délices de la cour de Louis XII où on les qualifiait de « rurales » ou « rustiques »[1] — *l'Amour de moy* en est le plus célèbre exemple —, ou de ces danses chantées au parfum mystérieux, dont le précieux ouvrage de Thoinot Arbeau (*Orchésographie*, 1589) nous donne deux modèles superbes : *Jouissance vous donneray* et *Belle qui tiens ma vie*.

1. Jusqu'à la fin du XVIᵉ siècle, les titres des recueils imprimés distinguent les « chansons rustiques » des « chansons musicales ». Mais les unes et les autres sont des « chansons nouvelles », *composées* dans un style facile ou savant. Les premières sont plus facilement mémorisables et d'inspiration bucolique ou populaire : elles forment un répertoire de musique légère, non un folklore.

CHANSON

Belle qui tiens ma vie

(d'après Thoinot Arbeau,
Orchésographie, 1589)

Belle qui tiens ma vie
Captiue dans tes yeulx
Qui m'as l'ame rauie
D'vn soubz-ris gracieux
Viens toſt me ſecourir
Ou me fauldra mourir.
    Pourquoy fuis tu, mignarde
Si ie ſuis près de toy
Quand tes yeulx ie regarde
Ie me perds dedans moy
Car tes perfections
Changent mes actions.
    Tes beautez & ta grace
Et tes diuins propos
Ont eſchauffé la glace
Qui me geloit les os
Et ont remply mon cœur
D'vne amoureuse ardeur.
    Mon ame ſouloit eſtre
Libre de paſſions
Mais amour s'eſt faict maiſtre

De mes affections,
Et a mis ſoubs ſa loy
Et mon cœur & ma foy.
    Approche donc ma belle,
Approche toy mon bien,
Ne me ſois plus rebelle
Puisque mon cœur eſt tien,
Pour mon mal appaiſer
Donne moy vn baiſer.
    Ie meurs mon Angelette
Ie meurs en te baiſant
Ta bouche tant doucette
Va mon bien rauiſſant.
A ce coup mes eſpritz
Sont tous d'amour eſpris.
    Pluſtoſt on verra l'onde
Contre mont reculer,
Et pluſtoſt l'œil du monde
Cessera de bruſler,
Que l'amour qui m'epoinct
Decroiſſe d'vn ſeul poinct.

Chanson parisienne Dans les premières années du XVIᵉ siècle, un esprit nouveau fait fleurir les chefs-d'œuvre de la « chanson parisienne ». Les formes fixes sont oubliées, la préférence est aux phrases musicales brèves que l'on peut répéter ou traiter en imitation; l'écriture à quatre voix, toutes chantées (superius, altus, tenor, bassus), devient la plus féconde et la mieux équilibrée.

L'époque de François Iᵉʳ sera gaie, avenante, réaliste, à l'image de ses magnifiques demeures aux grandes terrasses ouvertes sur la campagne, qui paraissent dédiées au plaisir et à la beauté. Aux subtilités de la rhétorique et aux langueurs de l'amour courtois ont succédé le lyrisme concis, l'expression délicate ou grivoise d'un érotisme souriant, l'évocation de la nature. Si la forme est libre, c'est que le compositeur n'a d'autre guide que le sentiment poétique qu'il s'est donné pour mission de commenter ou d'exalter. Une véritable collaboration s'établit entre le musicien et le poète et souvent celui-ci appelle ses pièces « chansons », comme pour mieux souligner leur destination lyrique (voir Clément Marot). Les petits récits poétiques à personnages, que Marot appelle « chansons avec propos », sont particulièrement savoureux, car ils donnent à la polyphonie sa meilleure justification.

A partir de 1528, paraissent chez l'éditeur parisien Attaingnant différents recueils de *Chansons musicales à quatre parties*. Jusqu'en 1552, il publiera plus de cinquante volumes représentant au total environ mille cinq cents chansons, d'une qualité moyenne très élevée. Les premières livraisons proposent des œuvres de Janequin (dont les quatre plus célèbres chansons descriptives), Claudin de Sermisy, Pierre Certon, Passereau, Manchicourt, Gombert, Jacques Clément (dit « Clemens non papa »), Créquillon... tous encore inconnus ou presque. On peut imaginer la surprise émerveillée de la plupart des amateurs.

Avec Clément Janequin, la chanson polyphonique accomplit un bond prodigieux. Il a composé près de trois cents chansons dans une diversité de styles extraordinaire : imitation libre, écriture verticale homophonique, division du chœur, réponses en écho, onomatopées, changements de rythmes, polyrythmie... Le poème est généralement traité syllabiquement, mais avec un raffinement jamais atteint, particulièrement dans ces grands tableaux musicaux qui ont fait sa gloire et où son génie est véritablement exceptionnel : *la Guerre, le Chant des oiseaux, la Chasse, le Caquet des femmes, les Cris de Paris, le Siège de Metz* [1].

Flûte à bec et tympanon : tapisserie des ateliers de la Loire (vers 1500).

1. « ...j'ai dressé une bataille rapportée en chant et resonnance au plus pres que j'ay peü de la vive vois, tant des parolles d'hommes pour l'ordonnance d'icelle, que sons de trompettes, clairons, bruits de canons, artilleries, et autres choses propres en assaus et bataille, que j'ay aussi intitulée bataille de Mets » (Janequin, dédicace à François de Guise).

Rien n'est dangereux comme la musique descriptive; or chez Janequin il n'y a pas une vulgarité, pas une onomatopée ridicule. Après quatre siècles et demi, ses étonnants tableaux sonores n'ont pas vieilli et leur pouvoir de suggestion n'a rien à envier aux plus ambitieux poèmes symphoniques.

Janequin, *La Guerre*

(Éd. de l'Oiseau-Lyre (Lesure) volume I, p. 47-48)

Cette première version de *la Guerre* évoque la victoire de François Ier sur les troupes suisses à Marignan (1515). Le succès en fut immense et durable, suscitant toutes sortes d'arrangements dont le plus remarquable est celui d'Andrea Gabrieli (instruments à vent), publié en 1592 sous le titre *Aria della Battaglia*. Janequin lui-même en a tiré la substance mélodique d'une messe *la Bataille* et, en 1555, il en a donné une nouvelle version à 5 voix, assouplie, embellie en quelque sorte, mais moins violente, moins extraordinaire. Le texte n'a plus de rapport avec la bataille de Marignan : les troupes suisses ont disparu, les « mutins bourguignons » font leur apparition!

Il est remarquable que la complexité soit toujours fonctionnelle chez Janequin : l'écriture est complexe lorsque le sujet l'exige

Paolo Uccello, *Bataille de San Romano.*

Clément Janequin
Châtellerault vers 1485
Paris 1558

On ne sait rien de sa première jeunesse ni de son apprentissage de musicien (Ronsard en fait un disciple de Josquin).
1505-1531 Réside dans le Bordelais, où on le trouve d'abord musicien et « clericus » au service de Lancelot Du Fau, président des enquêtes au parlement de Bordeaux, puis, en 1526, dans la suite de l'archevêque de Bordeaux. A partir de 1525, il est pourvu de multiples bénéfices ecclésiastiques, tant dans le Bordelais qu'en Anjou.
1531-1549 Résidence à Angers, où il a déjà des prébendes, des amis et un frère marchand, Simon Janequin. En 1534-1537, il est maître de la psallette de la cathédrale (dont il se disait chapelain en 1527). En 1548 il entreprend des études à l'université de la ville.
1549-1558 Résidence à Paris, rue de la Sorbonne. Il fréquente l'Université, devient chapelain et musicien du duc de Guise, puis « compositeur ordinaire du roi » (Henri II). Malgré sa réputation et ses multiples sources de revenus, il est mort pauvre (son testament en fait foi).

œuvre Plus de deux cent cinquante chansons françaises (3, 4, 5 voix); deux messes *(la Bataille et l'Aveuglé Dieu)*, *Proverbes de Salomon* (1558), *Octante-deux psaumes de David* (1559), plusieurs livres de motets, psaumes et chansons spirituelles (1549-1559).

Janequin, *Ce moys de may*
(Éd. de l'Oiseau-Lyre (Lesure),
volume I, p. 129)

et qu'il faut peindre en même temps la diversité des objets, des sentiments ou de l'action. Mais lorsque le sens poétique est simple, la musique l'est aussi, avec autant d'art subtil dans l'économie des moyens que dans l'audacieuse combinaison de toutes les ressources du contrepoint.

Claudin de Sermisy
? vers 1490
Paris 1562

Ronsard en fait un disciple de Josquin.

1508 - v.1514 « Clerc musicien » à la Sainte-Chapelle du Palais, dont il sera chanoine en 1533.

1515 - v.1553 Membre de la chapelle royale, comme chanteur puis, à partir de 1532, comme « sous-maître » chargé des enfants. Dans ces fonctions, il participe aux funérailles de Louis XII (1515) et de François Ier (1547), ainsi qu'à des rencontres historiques : celle de François Ier et du pape Léon X à Bologne (1515), celles de François Ier et de Henry VIII au Camp du Drap d'or (1520), puis à Boulogne (1532).

1553-1562 Il ne paraît pas avoir de fonction officielle, mais son nom apparaît régulièrement dans les publications des éditeurs parisiens et dans les actes de délibérations du chapitre de la Sainte-Chapelle.

œuvre Environ deux cents chansons (la plupart à 4 voix), treize messes, de très nombreux motets, une *Passion selon saint Matthieu*.

Les chansons de Claudin de Sermisy (environ deux cents, la plupart à 4 voix) sont dignes d'être rapprochées de celles de Janequin dans notre admiration. Il est plus lyrique, moins descriptif; son inspiration mélodique foisonnante fait merveille dans la chanson d'amour.

Sermisy, *Jouissance vous donneray* (Marot)

Derrière ces deux grands maîtres de la chanson dite parisienne, Passereau et Certon font encore très bonne figure.

Chez les musiciens du Nord, successeurs de Josquin et de Jean Mouton (v. 1460-1522), l'écriture est plus sévère, les imitations plus strictes, l'inspiration plus retenue. Leur style suit avec une certaine prudence la ligne tracée par Josquin et lorsque d'aventure ils adoptent le style parisien (comme Thomas Créquillon et surtout Clemens non papa) ils font un peu figure d'épigones. C'est davantage dans la musique religieuse que leur personnalité s'affirme. Deux d'entre eux cependant ont illustré la chanson française avec un éclat particulier : Nicolas Gombert (vers 1505-1556) musicien de Charles Quint, qui adapte au genre profane avec une superbe aisance le grand style d'imitation (canons triples et quadruples) de ses motets; et Jacques Arcadelt (vers 1515-1568), Flamand d'Italie et l'un des premiers madrigalistes, qui, à l'opposé de Gombert, adopte un style d'une transparente clarté, montrant la voie à la génération de Palestrina. Arcadelt et Pierre Certon, publient les premiers « airs » strophiques, dans le style homophonique le plus limpide, correspondant à cette nouvelle recherche de simplicité qui est restée depuis attachée à l'idée de chanson. Le lied allemand et le choral adoptent une allure analogue.

La chanson après 1550 C'est à l'illustration de la forme strophique et du style concis que se consacre le supplément musical des *Amours* de Ronsard, publiés en 1552. L'union est parfaite entre les poèmes et la musique de Janequin, Certon, Marc-Antoine de Muret (humaniste, poète et musicien, 1526-1586) et Goudimel; la régularité strophique en favorise la mémorisation. Ronsard s'est fait le champion d'une poésie lyrique, telle que la concevaient les Grecs au temps de Sappho, d'Anacréon et de Pindare. Il destinait ses propres poèmes à être chantés, au moins les *Odes*, les *Hymnes*, les *Sonnets* et naturellement les *Chansons* de 1556. Il se donne même pour le créateur d'une poétique musicale *(Odes, I)* :

> *Premier j'ay écrit la façon*
> *D'accorder le luth aux odes*

On déteste alors les vieilles formes de la poésie française, « comme rondeaux, ballades, vyrelaiz, chantz royaulx, chansons et aultres telles épisseries qui corrumpent le goust de nostre Langue » (Du Bellay, *Deffense et Illustration de la langue francoyse*). En revanche, il faut respecter certaines règles pour que la poésie puisse convenir au chant. Ronsard en considérait deux comme fondamentales : la régularité strophique et l'alternance des rimes masculines et féminines (*Abrégé de l'art poétique francoys*, 1565). Il chantait et jouait de la guitare, mais ses idées musicales devaient être assez confuses. Ses lectures classiques l'avaient imprégné des idées platoniciennes sur « l'harmonie » du monde, sur les « effets » de la musique et son rôle dans l'État. Sans doute son instinct musical était-il sûr : il savait bien choisir ses collaborateurs, orienter leur style, stimuler leur imagination. Plus de trente musiciens de son temps ont été inspirés par environ deux cents poèmes de Ronsard : Costeley, Goudimel, Janequin, Le Jeune, Lassus, Bertrand, Le Roy, Certon, Muret, Roussel... [1]

Mais avait-il besoin d'une autre musique que la sienne, ce poète attentif à la qualité sonore des mots? En chantant « Ce vase plein de lait, ce panier plein de fleurs » ou « Le beau cristal de vos larmes roulées », ne fait-on pas tort à la discrète harmonie des vers? Bonne ou mauvaise, la musique ajoute rarement au génie d'un poète; et si la poésie féconde le génie musical, c'est par la nature de l'inspiration, non par la qualité formelle des

---

1. Sans être aussi importante, la place de Marot n'est pas négligeable : quarante-quatre de ses chansons ont été mises en musique.

vers. La tentative de ressusciter la lyrique grecque a échoué, parce que les compositeurs n'ont pas joué le jeu, se préoccupant davantage du sentiment poétique que de l'alternance des rimes. Jusqu'à nos jours il se fera beaucoup de bonne musique sur des vers exécrables et autant de mauvaise sur d'excellents vers...

Dans la seconde moitié du XVIe siècle cependant, la chanson polyphonique est soumise à l'influence prépondérante de la musique italienne, et cela surtout grâce à l'une des plus fortes personnalités de l'histoire de la musique, celle d'un compositeur flamand établi à Munich, Roland de Lassus. Ce musicien cosmopolite, qui s'exprimait volontiers dans un extraordinaire jargon fait d'un mélange de latin, de français, d'italien et d'allemand, a laissé plus de deux mille compositions dans tous les genres connus alors. Son génie universel est aussi à l'aise dans la gauloiserie que dans le mysticisme et s'exprime aussi naturellement dans les formes polyphoniques les plus complexes que dans celles de la chanson populaire. De 1555 à 1584, il a publié cent quarante-six chansons françaises, la plupart à 4 et 5 voix : tous les procédés d'écriture, tous les styles, toutes les tendances nouvelles y sont représentés avec une maîtrise supérieure et un sens aussi fort de la comédie que de la tragédie.

De Roland de Lassus,
Al Illustrissimo et ecc^{mo} s^{or} principe Guilhelmo,
Duca de la baviere alta e bassa [...]

Monsieur mon prince, mon duc, mon seigneur, mon maistre, va del resto, salus et gaudio.
Moi povre gentilhome charbonier, délaissé de tous, sinon de celuy qui peut plus que tous, abandonné loin du né, de maison de buisson, de jardin au matin, de tous fruit, non pas cuit, et de fleurs et d'odeurs, et en somme moi povre homme, de tout bien n'ai plus rien : Voilà la feste que me fait la male peste [peste à Munich en 1572]. Je veux dire, mon tres excellent prince et seigneur, que apres avoir demourest par 6 wochen en mon jardin il gran duca albert misit mihi litteram, ut irem ad Starenberghen, ut visitarem suam Altitudinem; et sic fuit factum; mais le temps fuit tantum temperatus par trop [...] A cosi ou par ainsj ich bin aspettando il mio prudentissimo signore, si come fanno i giudeij il messia, sed illos non veniat, mais mon maitre si. Je parle comme un couillon, mais c'est la conclusion, jours et nuit pour vous prion en bonne devotion : tourné maistre à la maison, garde bien la clef du con, car sans elle rien de bon. Ici fais fin a ma leçon, baisant en toute humilité [...] Je remercie dieu et apres votre Ex^{ce}, qui est cause que je serve et servirai à mons^r votre pere; mais quil ne pense de estre invité ou prié a disner ou souper, si premierement ne me donne le moien de le pouvoir faire a ses depens [...] Le reste que demande votre Ex^{ce} se peut trouver a noremberg, a venise et a paris, demandant en tel chacun logo tutte l'opere stampate de la musica orlandesca [...] Je supplie votre Ex^{ce} venir a minich et demourer en mon petit logis 10 jours, que je despendrai seulement tous les jours 10 florins, ce seront 100 florins desperdu (sans avoir été pendus), recevant tel contentement que Jai receu de ma vie.

Lassus, *J'ai cherché la science*

Roland de Lassus
ou Orlando di Lasso
Mons 1532
Munich 14 juin 1594

Enfant de chœur à l'église Saint-Nicolas de Mons, sa jolie voix lui vaut trois tentatives d'enlèvement. Le dernier de ces mélomanes entreprenants est le vice-roi de Sicile, Ferdinand de Gonzague, qui commande les forces impériales devant Saint-Dizier. Avec l'assentiment (obligé) des parents, il emmène l'enfant. On ignore qui ont été ses maîtres.

1544-1550 Il accompagne Ferdinand de Gonzague à Palerme et à Milan.

1550-1552 S'établit à Naples, au service du marquis della Terza.

1552-1555 Invité à Rome par l'archevêque de Florence, il est nommé maître des chœurs de Saint-Jean de Latran.

1555-1556 Après un hypothétique séjour en Angleterre, il s'installe à Anvers. Premières publications de ses œuvres à Venise et et Anvers.

1556-1594 De vingt-quatre ans à sa mort (à soixante-deux ans), il est à Munich au service des ducs de Bavière Albert puis Wilhelm : chantre d'abord, puis Kapellmeister à partir de 1563. A son apogée, la chapelle ducale comprendra soixante chanteurs et trente instrumentistes ; Giovanni Gabrieli est quelque temps son assistant. Lassus déploie à Munich une activité prodigieuse, édifiant une œuvre monumentale, participant à toutes les cérémonies, à toutes les réjouissances de la cour (il se produit même comme acteur comique aux noces du duc Wilhelm et de Renée de Lorraine en 1568), entreprenant de nombreux voya-

Lassus, *La Nuit froide et sombre*

Lassus a été le plus illustre musicien de la Renaissance ; sa gloire a surpassé celle de Palestrina et ses contemporains pouvaient le considérer comme le plus grand compositeur qui ait existé jusqu'alors. L'un des principaux artisans de son succès en France et de son influence sur la chanson française fut son ami Adrian Le Roy, l'éditeur, qui l'introduisit auprès de Charles IX ; ce souverain cultivé, amateur de musique moderne, a tenté en vain d'attacher Lassus à sa cour.

Parmi ses contemporains, deux grands musiciens représentent la tendance la plus avancée de la polyphonie profane : Guillaume Costeley (1531-1606), organiste des rois Charles IX et Henri III, familier du salon de la comtesse de Retz, est partisan d'un chromatisme poussé, allant jusqu'à une expérience de musique en tiers de ton [1] ; Claude Le Jeune, le plus célèbre des musiciens huguenots, dont les grands psaumes du *Dodécachorde* (1598) sont les chefs-d'œuvre du genre, se propose l'alliance d'une harmonie moderne et de la métrique antique dans des chansons de dimensions inaccoutumées. Les modes et ce que l'on croit être les « genres »

---

1. La tentative de Costeley n'est pas unique. D'autres ont voulu utiliser des intervalles plus petits que le demi-ton, en se référant aux Grecs ou à Zarlino ; Anthoine de Bertrand notamment (vers 1545-1580), connu pour ses deux livres des *Amours* de Ronsard, prescrit l'emploi de quarts de ton dans sa chanson : *Je suis tellement amoureux*.

PATROCINIVM MVSICES

LAVDATE·DOMINVM· OMNES GENTES

MISSÆ
ALIQVOT QVINQVE
VOCVM.
ORLANDI DE LASSO
Sereniſs: Ducis Bauariæ, Chori Magiſtri.

Monachii excudebat Adamus Berg.
M. D. LXXXIX.

ges pour recruter des chanteurs ou pour porter ses œuvres aux plus illustres dédicataires. Il se rend notamment à Francfort (couronnement de Maximilien II) avec A. Gabrieli, à Venise, Ferrare, Mantoue, Florence, Rome, Paris (il habite chez l'éditeur Le Roy et la cour de Charles IX l'accueille avec enthousiasme), etc. Il entretient avec le duc Wilhelm des relations amicales, illustrées par une correspondance truculente. En 1590 une crise de neurasthénie affecte sérieusement sa santé physique et mentale. De son mariage avec Regina Wäckinger (1558), il a eu six enfants, dont trois ont été musiciens à la cour de Bavière : Ferdinand, Rudolf et Ernst.

œuvre Cinquante-trois messes (4 — 8 voix), quatre Passions, près de cent *Magnificat*, mille motets et compositions assimilées (2 — 12 v.); deux cent madrigaux et villanelles (3 — 10 v.), cent cinquante chansons françaises (3 — 8 v.), cent lieder allemands (3 — 8 v.).

Édition originale du *Patrocinium musices* de Lassus, 1589.

mélodiques des Grecs sont utilisés avec une science remarquable
pour agir sur l'âme des auditeurs. Le Jeune a été le plus brillant
adepte des idées de Baïf et de son Académie; sa popularité fut
énorme à la fin du XVIᵉ siècle, mais il est de nos jours inexplica-
blement méconnu.

Le Jeune, *Qu'est devenu ce bel œil?*

Les humanistes L'union de la musique et de la poésie dans le
culte de l'Antiquité avait suscité l'idée originale de « musique
mesurée à l'antique » et la fondation par le poète Antoine de Baïf
et le musicien Thibaut de Courville de la célèbre Académie de
poésie et musique. L'imitation des Anciens est depuis plus d'un
siècle un thème favori des poètes et l'on respire alors dans toute
l'Europe un air d'humanisme. Voulant retrouver la source de la
poésie lyrique, on cherche à fonder une esthétique musicale sur
des idées platoniciennes mal assimilées ou sur les vieilles légendes
antiques : le roi David guérissant Saül avec sa « harpe », Orphée
charmant les fauves, Arion sauvé par le dauphin, Amphion
bâtissant Thèbes avec sa lyre... et Platon fondant sur le respect
des modes la stabilité de l'État.

L'Académie de musique et de poésie ouvre en 1571, munie
de lettres patentes de Charles IX, où se trouve rappelée l'importance politique de la musique : « Il importe grandement pour
les mœurs des Citoyens d'une ville que la Musique courante et
usitée au pays soit retenue sous certaines loix, d'autant que la
pluspart des esprits des hommes se conforment, et comportent,
selon qu'elle est... » Les mêmes idées qui incitent le roi à protéger
l'Académie déterminent le Parlement à la combattre, en consi-
dération des dangers qu'elle ferait courir à la jeunesse. Mais on
n'écoute pas cet avis parlementaire et l'Académie commence
ses concerts hebdomadaires auxquels assiste Charles IX, dans
la maison de Baïf « sur les fossés Saint-Victor-au-Faubourg »
(à l'emplacement de l'actuelle rue du Cardinal-Lemoine). On y
entend un répertoire très particulier, où est appliqué à la musique
polyphonique ce que l'on croit savoir des modes et des rythmes
de la musique grecque.

Les modes sont tout simplement ceux du plain-chant et l'illusion d'avoir retrouvé le « genre » chromatique est obtenue par

l'emploi d'altérations nombreuses. Quant au rythme, il s'inspire très artificiellement de la prosodie classique : la « musique mesurée » cherche à imposer à la poésie lyrique française l'ordonnance des longues et des brèves, qu'exige la bonne déclamation des vers grecs ou latins. Certes la déclamation — et à plus forte raison le chant — peut justifier un léger allongement de certaines syllabes dans les vers français. Mais l'*ictus* (accentuation variable qui précise le rythme prosodique) y est inutilisable puisque, dans notre langue, il y a déjà un accent, sur la dernière ou l'avant-dernière syllabe, selon que la terminaison est masculine ou féminine. Si l'*ictus* tombe ailleurs que sur l'accent tonique naturel, la prononciation devient ridicule ou incompréhensible. Certes la détermination des longues et des brèves, assez incertaine en français, aurait bien besoin de l'*ictus*, d'autant plus que la durée de nos syllabes n'obéit jamais à des règles quantitatives comme celles de la versification antique. Mais les Grecs et les Latins avaient une prosodie qui correspondait certainement à leur prononciation naturelle. Pourquoi ne pas en avoir cherché une qui correspondît à la nôtre?

La réussite du système n'est pas évidente, car les musiciens ont employé leur talent à faire oublier le pédantisme des poètes. Les successions de dactyles (— ∪ ∪), d'anapestes (∪ ∪ —) ou de spondées (— —) qui forment des mesures binaires, et les successions de trochées (— ∪) ou de ïambes (∪ —) qui forment des mesures ternaires, ne leur posaient pas de problèmes. Ils obtenaient la variété rythmique désirée par les augmentations et les diminutions ou par les dédoublements de longues, comme ceci :

(mètre iambique)

Mais dans les mètres asymétriques, il était souvent très difficile de trouver un rythme musical s'adaptant aux mesures habituelles : les valeurs de notes risquaient d'être perpétuellement décalées par rapport aux barres de mesure en de continuelles syncopes.

Cependant, ces contraintes n'ont pas tari l'inspiration des musiciens ordinaires de l'Académie, principalement Claude Le Jeune qui fait éclater le genre de la chanson tout en se conformant aux nouvelles théories. Ses compositions atteignent parfois des dimensions importantes, qui en font des sortes de cantates, comme *Mignonne je me plains* (en huit parties); que le style soit homophone ou que de grandes phrases lyriques s'enchevêtrent dans un subtil concert de voix, la variété mélodique et rythmique est toujours merveilleuse.

C'est une variante du « ionique mineur » (voir p. 94) qu'utilisera Monteverdi dans la chanson d'*Orfeo* « Vi ricorda, o boschi ombrosi... » acte II.

Le Jeune, *Revecy venir du Printans*

Le Jeune, *Du trist'hyver*

L'influence de l'Académie sera tardive : une règle stricte interdisait de diffuser ou de copier la musique qu'on y exécutait. La plupart des chansons de Claude Le Jeune n'ont été publiées qu'à partir de 1603, après la mort du compositeur. Pourtant l'esprit humaniste et la musique mesurée ont favorisé la mutation de la « chanson » en « air ». La chanson en forme d'air, c'est-à-dire strophique, syllabique et homophonique, constituait une catégorie de « musique légère » dont le succès n'a cessé de croître tout au long du XVIe siècle, sous la dénomination de vaudeville, puis, après 1565, de « chansonnette » ou d' « air ». Le premier Livre de Pierre Certon (1552), entièrement consacré à ce type de chanson, en fournit d'excellents exemples :

Certon, *J'ay le rebours*

J'ai le re_bours de ce que je souhai _ _ te   Tout le plai_sir que per_dre craignoye
J'ai conver_ty en joy_e contrefai _ _ te

tant J'ay du mal tant   tant que le cœur me fend d'avoir l'a _ mour deffai _ _ te J'ay du mal tant _ te.

Les compositeurs de psaumes et de « chansons spirituelles »
n'ont pas hésité à reprendre la musique de ce répertoire léger,
volontiers grivois, tant le style paraissait conforme à l'idéal de
simplicité prêché par la Réforme, puis par la Contre-Réforme;
ainsi les airs les plus populaires étaient assurés d'un auditoire
de plus en plus vaste. Mais c'est aux humanistes que le style de
l'air doit en quelque sorte sa consécration officielle, son ano-
blissement, par la transformation des vaudevilles (ou « voix-de-
ville ») en airs de cour. Simples, élégants, ceux-ci peuvent être
chantés facilement par une seule voix accompagnée : en 1571,
Le Roy publie un premier *Livre d'airs de cour miz sur le lutz*...
Comme on le verra, la même évolution s'est produite en Italie,
puis en Angleterre, sous des influence analogues.

Lorsque l'Académie ferma ses portes en 1584, sous la pression
des graves événements qui assombrissaient le règne d'Henri III,
Baïf et le compositeur Mauduit projetaient de faire représenter
« une pièce de théâtre en vers mesurés à la façon des Grecs »...

De la frottola au madrigal

Dans l'Italie du xvᵉ siècle, l'influence franco-flamande est prépondérante; mais la réaction populaire à cet art difficile suscite
une importante floraison de musique autochtone, *canti carnascialeschi, frottole, laudi, strambotti, rispetti, villanelle, canzoni,
balletti*, etc., que l'on aurait beaucoup de plaisir à mieux connaître.

Le trait commun de ce vaste répertoire est une écriture homophonique* « verticale » et généralement syllabique. La partie
supérieure *(cantus)* se distingue par la simplicité et la continuité de la ligne mélodique, tandis que les autres parties font
souvent figure d'accompagnement et peuvent être confiées à des
instruments. Lorsque, après plus d'un siècle, ce vieux style
autochtone sera considéré comme une « renaissance » de l'art
antique, on ne reconnaîtra plus ses origines véritables!

Les chants de carnaval, ou *Canti carnascialeschi*, ont été
mis à la mode à Florence par Laurent de Médicis vers 1475.
Il en composa lui-même plusieurs poèmes, dont certains furent
mis en musique par « Arrigo » Isaac, organiste à la cour des
Médicis. Machiavel s'y exerça aussi. Destinées à remplacer
un ancien répertoire populaire, probablement monodique, ce
sont des chansons strophiques, vives et joyeuses, en hommage
au printemps, à l'amour, au métier, souvent satiriques, effron-
tées et grivoises. La musique en est généralement écrite à 3 ou
4 voix, parfois plus (jusqu'à 15 voix selon un témoignage du
temps), dans un style homophonique, avec la mélodie à la partie
supérieure.

Laurent de Médicis
représenté par Benozzo Gozzoli
dans le Cortège des rois mages
(Palais Riccardi, Florence).

Isabelle d'Este,
vue par Léonard de Vinci.

Visin, visin (chant de Carnaval)
et *Jesu, iesu* (laude)

Je-sù ie_sù ie_sù____, o_gnun chia_mi Je ___ sù_____.
Vi-sin vi_sin vi_sin, chi vuol spazzar ca ___ min_____.

Sous le règne éphémère de Savonarole (1494-1498), le défilé traditionnel du carnaval, avec ses chars magnifiques, ses déguisements et ses folles réjouissances, est remplacé par le *carnasciale con crucifisso*, pieux divertissement accompagné du chant des *laudi*[1]. Ces chansons sacrées en langue vernaculaire, dont l'origine remonte à saint François d'Assise (voir p. 269), étaient primitivement chantées à l'unisson : au XVᵉ siècle elles adoptent une écriture à 3 ou 4 voix, très simple. Deux livres de *laudi* à 4 voix sont imprimés par Petrucci en 1508. Les *laudi* jouent aussi

---

1. Mot féminin, qui s'écrit aussi bien *lauda* (plur. *laude*) ou *laude* (plur. *laudi*).

un rôle important dans le théâtre religieux, qui n'a cessé d'être populaire depuis le temps des premiers drames liturgiques.

Chanson de carnaval et *laude* appartiennent à la même famille musicale que la *frottola*. Cette forme très populaire fleurit d'abord à Mantoue dans l'entourage d'Isabelle d'Este, puis se répand dans toute l'Italie. C'est une chanson strophique, facile et gaie, dont seule la voix supérieure était chantée. Née sans doute dans la rue comme le chant de carnaval, la *frottola* perd très vite sa spontanéité dans les cercles raffinés d'amateurs et encore plus dans l'édition : de 1504 à 1514, Petrucci en publie onze livres, où figurent les noms de Josquin, Agricola, Compère, et surtout Tromboncino... Les poèmes restent d'inspiration populaire, ou se voulant tels *(strambotti, rispetti, barzelette...)*; mais, sous l'influence de la nouvelle génération de musiciens franco-flamands établis en Italie, le style de la *frottola* s'éloigne de plus en plus de la simple homophonie, les voix deviennent plus indépendantes et susceptibles d'être toutes chantées, le style d'imitation fait son apparition. Le *strambotto* et la *frottola* deviennent madrigal.

Le madrigal Le nouveau madrigal ne conserve rien de celui du XIVe siècle, si ce n'est un certain raffinement poétique et musical. Appliqué à une forme musicale, le mot semble oublié lorsqu'il réapparaît pour la première fois dans une lettre que César de Gonzague adresse à Isabelle d'Este en 1510 *(madrigaletto)*. En 1533, l'imprimeur Dorico publie à Rome le premier livre de madrigaux, qui sera suivi par un grand nombre d'autres jusqu'au début du XVIIe siècle. Les pionniers du genre sont les musiciens franco-flamands Verdelot, Willaert, Arcadelt et Cyprien de Rore, et les poètes imitateurs de Pétrarque qui, à l'exemple de Bembo, veulent renouer, non sans affectation, avec un raffinement perdu. A la musique pour tous, les premiers madrigalistes opposent une *musica reservata*, qui s'adresse aux initiés. Il faut bien se représenter que le madrigal, comme la chanson française, n'est pas une musique chorale destinée aux auditions publiques, mais une musique « de chambre » conçue pour des petits groupes de chanteurs et d'instrumentistes, réunis autour d'une table.

Le Flamand Cyprien de Rore (1516-1565), établi en Italie, élève et successeur de son compatriote Willaert à Saint-Marc de Venise, est le véritable créateur de ce nouveau genre italien, synthèse de la polyphonie franco-flamande, de la poésie selon Pétrarque et du génie mélodique italien. L'union de la musique au texte et la liberté de la forme en sont les caractères essentiels, ainsi que la continuité musicale. La vaine tentative de correspondre à la poésie inspire aux musiciens les plus aberrants « madri-

galismes », figures sonores illusoires se référant sommairement à des symboles ou à des apparences. Il ne leur suffit pas d'imiter musicalement une réalité sonore : ruisseau, oiseaux, chasse ou guerre. Il faut encore trouver des équivalences musicales à certains concepts. Tout ce qui monte ou descend suscite des mouvements mélodiques ascendants ou descendants, les mots *ciel* ou *mort* sont accompagnés d'harmonies transparentes ou disso-

Le concert, tapisserie d'Arras, 1420, détail d'une musicienne.

Luca Marenzio
Coccaglio (Brescia) 1553
Rome 22 août 1599

Selon les meilleures hypothèses, il aurait fait ses études à Mantoue, à Vérone ou à Rome, mais on ne sait pas avec qui.

1579-1586 Au service du cardinal d'Este à Rome. S'il accompagnait le cardinal dans ses nombreuses visites à Ferrare, où régnait son frère Alfonso d'Este, Marenzio a certainement connu Le Tasse, poète à la cour, qui venait d'achever *la Gerusalemme liberata*.

1588-1590 Il est à la cour des Médicis à Florence, fréquente les musiciens de la Camerata Bardi et compose deux *intermedi* splendides pour *la Pellegrina*, spectacle organisé pour les noces du grand-duc Ferdinand et de Christine de Lorraine, en 1589.

1590-1595 Il est à Rome au service de Virginio Orsini et dispose d'un appartement au Vatican. En 1595, John Dowland est pendant deux mois son hôte et son élève.

1595-1598 Séjour à Cracovie et à Varsovie, à la cour de Sigismond III Vasa, roi de Pologne et de Suède.

1598-1599 Venise. Rome. Il meurt dans les jardins de la Villa Médicis.

œuvre Plus de deux cents madrigaux à 4, 5, 6 voix (1580-1599 : 8 livres), cent quinze *Villanelle ed Arie alla napoletana*, des motets, une messe à 8 v., deux Intermèdes (3 — 18 v.).

nantes, certains mots clés sont soulignés par des mélismes et l'on s'amuse à placer des mots tels que *sol* (soleil), *si* (oui), *mi fa* (me fait) sur les notes homonymes. La traduction musicale du sentiment poétique fait intervenir parfois le « chromatisme », comme on disait déjà [1] : les notes altérées entraînent des modulations, des changements de « couleur » correspondant au changement de sentiment. C'est le sens harmonique moderne qui s'éveille ici, marquant la fin d'un certain « classicisme » de la polyphonie. Le madrigal est délibérément moderne; aussi son évolution sera-t-elle rapide.

L'autre caractère fondamental du madrigal, sa liberté, se manifeste par son indépendance vis-à-vis de toute forme fixe, de toute structure poétique déterminée, de tout style d'écriture ou d'interprétation conventionnels. Il n'y a pas de voix systématiquement prépondérante; toutes ont un intérêt mélodique et toutes peuvent être chantées, sans qu'il soit pour autant défendu de doubler ou de remplacer une ou plusieurs voix par des instruments.

La deuxième période du madrigal est encore illustrée par Cyprien de Rore et par quelques grands musiciens italiens ou italianisants qui sont tous ses disciples spirituels (et peut-être réels) : A. Gabrieli (élève de Willaert lui aussi), Philippe de Monte, Palestrina et surtout Roland de Lassus, toujours exemplaire. Par son prestige et sa fonction sociale, le madrigal peut être comparé à ce que sera la musique de chambre de Haydn à Brahms. A la prépondérance du quatuor à cordes correspond celle du madrigal à 5 voix, disposition la plus habituelle jusqu'au début du XVIIe siècle. Les principaux caractères du madrigal sont alors fermement établis : écriture polyphonique, souvent en imitation, pas de cantus firmus ni généralement de voix prépondérante, « madrigalismes », « chromatismes », pas de partie instrumentale obligée, mais liberté d'utiliser des instruments, caractère intime...

La troisième et dernière période de production madrigalesque en Italie est illustrée par de très grands musiciens, qui portent le genre à son apogée : Marc'Antonio Ingegneri (vers 1545-1592), Orazio Vecchi (1550-1605), Giovanni Gabrieli (1557-1612), Giovanni Croce (vers 1557-1609), et surtout l'incomparable trinité, Marenzio-Monteverdi-Gesualdo. Luca Marenzio n'est pas un génie audacieux, mais il a réalisé la synthèse la plus harmonieuse des traditions flamande et italienne. Son œuvre impor-

---

1. Ce mot a changé plusieurs fois de signification depuis l'Antiquité, provoquant bien des malentendus. L'acception moderne (succession de demi-tons) date de la fin du XIXe siècle. Pour les musiciens de la Renaissance, le chromatisme est l'altération de certaines notes d'un mode, pour en modifier la « couleur » à des fins expressives... ou pour tenter de retrouver le genre chromatique * des Anciens.

tante, qui comprend plus de deux cents madrigaux à 4, 5 et
6 voix, est sans faiblesse : elle représente la perfection d'un
type de composition polyphonique désormais classique.

Marenzio, *O valoroso Dio*

Carlo Gesualdo, prince de Venosa

Naples vers 1560
Gesualdo (Avellino) 8 septembre 1613

Neveu du cardinal archevêque de Naples Alfonso Gesualdo et, par sa mère, du cardinal archevêque de Milan Carlo Borromeo (futur saint), il appartenait à une grande famille très cultivée de l'Italie méridionale. Dans la maison de son père don Fabrizio, il rencontrait de nombreux musiciens, parmi lesquels son cousin Ettore Gesualdo, chanteur et luthiste. Il devient lui-même excellent luthiste et apprend la composition d'un certain Pomponio Nenna, de Bari. Sa condition sociale fait de lui le seul musicien absolument indépendant de la Renaissance.

1586 Il épouse sa cousine donna Maria d'Avalos d'Aragona, très belle et déjà deux fois veuve à 21 ans.

1590 Il tue sa femme et l'amant de celle-ci, Fabrizio Carafa. Le vice-roi fait classer l'affaire et

Torquato Tasso, ami de Gesualdo, écrit trois sonnets sur la mort des deux « nobilissimi amanti ». Ce drame suscitera une abondante littérature en Italie, de 1590 à nos jours, et même à l'étranger (*les Dames galantes* de Brantôme et *le Puits de sainte Claire* d'Anatole France). Selon une source digne de foi, Gesualdo aurait aussi fait disparaître un bébé de paternité douteuse!

1594 Il épouse à Ferrare Leonora d'Este, fille du duc Alfonso II. Bientôt donna Leonora se plaindra à ses frères (le cardinal et le nouveau duc de Modène) de l'infidélité de Carlo. Elle lui survivra. Publication des deux premiers livres de madrigaux.

œuvre Six livres de madrigaux à 5 voix (1594-1611), un livre de madrigaux à 6 v. (1626), deux livres de *Sacrae Cantiones* à 5, 6, 7 v., *Responsoria et Alia ad Officium Hebdomadae Sanctae spectantia* (1611).

Claudio Monteverdi et Carlo Gesualdo, au contraire, ont exploité toutes les possibilités qu'offrait la liberté de forme et d'écriture du madrigal. Les neuf Livres de Monteverdi illustrent génialement l'évolution du genre, de son épanouissement à sa mutation radicale. Les quatre premiers Livres (1587-1603) sont parfaitement « classiques »; aux madrigaux du cinquième Livre (1605) encore polyphoniques et à cinq voix comme les précédents, est, adjointe une basse continue*, signe des temps nouveaux [1]; le sixième Livre, intensément lyrique, contient des madrigaux à 5 voix et basse continue dont quelques-uns forment des sortes de cantates (*Lamento d'Arianna*, d'après un fragment d'un opéra perdu, et *Lagrime d'amante*) et un « dialogo a 7 con il suo basso continuo per poterli concertare nel clavicembalo » (*Presso un*

---

1. La basse continue, qui est alors une invention récente liée à l'apparition des monodies accompagnées, représente la partie la plus grave de l'accompagnement instrumental : le contexte doit permettre aux musiciens de « réaliser » la basse en complétant l'harmonie et en ajoutant les ornements propres à leur instrument et au style de la composition.

fiume tranquillo); enfin les trois derniers Livres, à 1, 2, 3, 4 et 6 voix (1619-1651), sont consacrés à de véritables cantates dramatiques, dont il va être question tout à l'heure.

Carlo Gesualdo, prince de Venosa, n'est pas seulement en avance sur son temps : certaines de ses audaces nous surprennent encore. Ses quatre premiers Livres de madrigaux à 5 voix sont composés, avec une extrême habileté, dans le style traditionnel. Les trois derniers, deux à 5 voix et un à 6 voix (1611-1626), sont des recueils de musique d'avant-garde : affranchi de la nécessité de servir un patron, Gesualdo évolue avec une aisance superbe dans un univers harmonique neuf, qui peut paraître irrationnel si l'on y cherche une logique indépendante de l'imagination poétique. Un instinct sûr de l'efficacité des contrastes, une grande intelligence des poèmes (Arioste, Guarini, Tasso) et une prodigieuse technique lui permettent de se jouer des règles en toute liberté.

Gesualdo, *Ve Livre*

Madrigaux dramatiques Le style des « madrigaux dramatiques » apparaît dans la seconde moitié du XVIe siècle; mais on peut en voir une préfiguration dans les grandes chansons descriptives de Janequin. C'est au *Caquet des femmes* que fait d'ailleurs songer le premier de ces madrigaux à histoire : *Il Cicalamento delle donne al bucato a 4, 5, 6 e 7 voci*, publié en 1567. Ce « papotage des femmes au lavoir » est l'œuvre d'Alessandro Striggio

(1535-1595), père du poète de l'*Orfeo* de Monteverdi et collaborateur habituel des fêtes florentines. C'est une courte scène brillante où les femmes, en lavant le linge, racontent les menus incidents de leur vie, s'interrogent sur leurs amours, se disputent, s'interrompent, avec une vivacité merveilleuse.

D'élégiaque, le madrigal devenait dramatique, sous l'influence du théâtre naturaliste et satirique de l'époque. Bien entendu l'épithète « dramatique » suggère simplement une action dialoguée, sans implication tragique : ces brillants divertissements sont voués à la comédie. Les personnages s'expriment polyphoniquement, ce qui invite aux savoureux contrepoints de propos simultanés dont le théâtre musical se fera une spécialité.

Dans les deux « madrigaux dramatiques » de Giovanni Croce en dialecte vénitien, on découvre les personnages et l'esprit de la toute nouvelle commedia dell'arte. *Mascarate piacevole e ridicolose per il Carnevale a 4, 5, 6 e 8 voci* (1590) et *Triaca musicale* (la *triaca* est une sorte de potion magique) à 4, 5, 6, 7 voix (1595) sont des suites de tableaux musicaux, sans grande relation entre eux, où la bouffonnerie s'allie à la sagesse, dans un style agréable et facile.

Les deux maîtres de la comédie madrigalesque sont cependant Orazio Vecchi (1550-1605) et Adriano Banchieri (1568-1634). Le premier a composé deux grands pots-pourris de *madrigali, capricci, villote, dialoghi, canzonette,* etc., où l'on retrouve les personnages de la commedia : la *Selva di varia ricreatione* (1590) et le *Convinto musicale* (1597). Mais le chef-d'œuvre de Vecchi est l'*Amfiparnasso* (1594), « commedia harmonica » en un prologue et treize scènes. C'est une délicieuse comédie musicale où l'élégiaque se mêle au bouffon. Pantalon, vieux et sourd, est ridiculisé par la belle Hortensia, tandis que sa fille Isabella, promise au Docteur, aime Lucio et en est aimée... Il y a là aussi des domestiques fripons, des usuriers juifs qui chantent un amusant quintette, un couple d'amoureux complices et un terrible capitaine espagnol : Lucio croit qu'Isabella aime ce matamore et tente de se suicider pendant que le Docteur chante sous la fenêtre de la belle un « madrigaletin » parodiant Cyprien de Rore... le tout en style polyphonique. Malgré la pauvreté de l'argument, c'est un enchantement !

Avec Banchieri, admirateur passionné de Vecchi et de Monteverdi, la fantaisie burlesque domine. Certains titres de ses comédies musicales évoquent la future « opera buffa » : *la Pazzia senile, Trattenimenti in villa, la Prudenza giovanile,* etc. Cependant, ni Banchieri, ni Vecchi, ni Croce, ne sont les promoteurs d'un nouveau théâtre musical, les « inventeurs » de l'opéra bouffe, comme on le laisse parfois entendre. Leurs « madrigaux

Gaudenzio Ferrari,
Angeli musicanti,
fresque de Saronno :
une des premières représentations
du violon, 1535.

Concert en Allemagne, XVIᵉ siècle.

Le *Lamento d'Arianna* dans le VIᵉ Livre de Madrigaux de Monteverdi.

dramatiques » n'ont jamais été destinés à la représentation :
ils illustrent un genre, malheureusement éphémère, qui se rattache au plus pur style madrigalesque. Les avertissements des
auteurs l'indiquent souvent, comme le fait le prologue de l'*Amfiparnasso* : « Ce spectacle se contemple avec l'esprit, où il entre
par les oreilles et non par les yeux; aussi faites silence et au lieu
de voir écoutez maintenant. » Et Banchieri faisait lire l'argument
de chaque épisode avant l'audition. Pourtant Croce, Vecchi
et Banchieri sont des modernes, parfaitement au fait des
tendances nouvelles; Vecchi assiste en 1600 à Florence à la
représentation de l'*Euridice* de Peri. Mais ces trois ecclésiastiques à qui l'on doit curieusement le développement des comédies
madrigalesques n'ont pas eu l'ambition de créer le théâtre lyrique,
pas plus qu'A. Gabrieli dans ses *Dialoghi musicali* (1592).

Claudio Monteverdi (portrait anonyme).

Claudio Monteverdi
Crémone mai 1567
Venise 29 novembre 1643

Son père est un médecin réputé. Un de ses frères, Giulio Cesare (1573-?), compositeur de talent, sera son assistant à Mantoue et contribuera à la défense de son œuvre. Claudio est l'élève d'Ingegneri, « musicae prefectus » de la cathédrale de Crémone, le plus fameux maître du moment.

1582 Sa première publication : *Sacrae Cantiunculae tribus vocibus.*

1590-1612 Au service du duc de Mantoue, Vincenzo Gonzaga, d'abord comme joueur de viole et chanteur, puis comme Maestro di cappella (1602). Il se marie en 1595 à la chanteuse Claudia Cattaneo. Il accompagne le duc en Hongrie dans sa campagne contre les Turcs (1595-1596), dans les Flandres (1599), peut-être à

Florence à l'occasion des noces de Marie avec le roi de France (1600).

En 1605 paraît le Livre v des madrigaux. En 1607 est représentée à Mantoue la Favola d'Orfeo. L'année suivante, *Arianna* et *Il Ballo delle Ingrate* sont représentés à l'occasion du mariage de Francesco Gonzaga, et Monteverdi commence la composition des Vêpres, publiées en 1610. Peu après le triomphe d'Orfeo, il perd sa femme.

1612-1613 Séjour à Crémone. Voyage à Milan.

1613-1643 Maestro di cappella à San Marco et maître de la musique de la Sérénissime République. De nombreux malheurs s'abattent sur lui et sa famille : le sac de Mantoue (1630) lui fait perdre les manuscrits de plusieurs opéras composés pour la cour (dont *l'Arianna* et l'opéra bouffe *la Finta pazza Licori*), la peste qui s'ensuit lui fait perdre son fils Francesco, son autre fils Massimiliano, médecin et astrologue, est arrêté par l'Inquisition... En 1632 il se fait prêtre. L'ouverture des premiers théâtres d'opéras à Venise en 1637 et 1638 (San Cassiano et Santi Giovanni e Paolo) stimule son génie dramatique qui trouve son apogée dans *l'Incoronazione di Poppea*, le premier opéra moderne (1642).

On lui a fait des obsèques magnifiques, simultanément à San Marco et à Santa Maria dei Frari où il est inhumé. Parmi ses élèves, le plus célèbre est Francesco Cavalli; mais tous les musiciens qui vivaient alors à Venise ont subi son influence.

œuvre Dix-huit opéras, dont seulement six ont été conservés : *La favola d'Orfeo* (Mantoue, 1607), *Il ballo delle Ingrate* (Mantoue 1608), *Tirsi e Clori* (Mantoue 1616), *Il Combattimento di Tancredi e Clorinda* (Venise 1624), *Il ritorno d'Ulisse in patria* (Venise, 1641), *l'Incoronazione di Poppea* (Venise 1642). – Musique religieuse : *Sacrae Cantiunculae* à 3 voix, *Madrigali spirituali* à 4 v., *Vespro della Beata Vergine da concerto...* (1 à 8 v. avec instruments), *Selva morale e spirituale* (1 à 8 v. avec instruments), deux messes a cappella (4 et 6 v.) et une messe à 4 v. avec basse continue. Neuf Livres de Madrigaux (i à iv à 5 v. a cappella; v et vi à 5 v. avec basse continue; vii et viii, 1 à 8 v. avec basse continue et parfois instruments concertants, contenant plusieurs compositions dramatiques; ix à 2 et 3 v. avec basse continue). *Canzonette a 3 voci*; *Scherzi musicali* à 1, 2, 3 v. avec basse continue ou instruments.

Vers la monodie En revanche, les chefs-d'œuvre des derniers Livres de Monteverdi, que l'on qualifie à tort de « madrigaux dramatiques », particulièrement *Il Ballo delle Ingrate* (représenté à Mantoue en 1608), *Tirsi e Clori* (Mantoue, 1616) et l'extraordinaire *Combattimento di Tancredi e Clorinda* (Venise, 1624), ces chefs-d'œuvre publiés plus tard dans les septième et huitième Livres ne sont pas des madrigaux, mais des cantates dramatiques ou des opéras.

Monteverdi lui-même distinguait deux manières dans sa production :

– *prima prattica* : style polyphonique traditionnel, celui de Marenzio — Messes, Livres i à iv des madrigaux et une partie du Livre v.

– *seconda prattica* (citée pour la première fois en 1605) : subordination de la musique au texte poétique, nécessitant la création d'un style mélodique nouveau *(stile rappresentativo)* selon les principes des humanistes florentins, emploi de la basse continue, richesse de l'instrumentation dans les œuvres pour le théâtre ou l'église — Livres v à ix des madrigaux, *Orfeo*, *Vespro della Beata Vergine*, *Selva morale*.

Le *stile concitato* (après 1624), présenté dans la préface du Livre viii, consacre le triomphe de la *seconda prattica*. Avec une instrumentation sobre et véhémente *(concitata)*, une écriture vocale très expressive où apparaissent l'*aria da capo* et le *recitativo secco*, c'est par excellence un style dramatique, celui du Livre viii des Madrigaux, du *Ritorno d'Ulisse* et de l'*Incoronazione di Poppea*.

Seule la *prima prattica* appartient à la Renaissance, ainsi que les pièces des cinquième et sixième Livres. Celles-ci, en effet, quelle que soit la distribution vocale et instrumentale choisie (seraient-elles même exécutées par une seule voix et des instruments) conservent encore le style madrigalesque.

Le succès du madrigal italien, parvenu très rapidement à son apogée, n'a pas compromis le développement de genres plus populaires ou du moins plus faciles; fécondés eux aussi par la *frottola*, ils en ont suivi l'évolution. Mais la forme sous laquelle ces *villanelle*, *villotte*, *canzonette*, *giustiniane*, etc., nous sont parvenues est due à la plume des madrigalistes. Comme les *Canti carnascialeschi*, elles se sont dénaturées en quittant la rue pour les palais. Ainsi, la *villanella*, ou *canzone villanesca alla napolitana* était à l'origine une forme populaire, en langue napolitaine, traitée dans une polyphonie homophone et chantée dans un style caractéristique. En 1537 paraît un recueil de *Canzoni villanesche alla napolitana*, puis Willaert, Lassus, Ph. de Monte, Marenzio, en écrivent, mais la langue napolitaine est abandonnée, comme le déplore le poète G. B. Basile :

> *Dov'è juto lo nomme*
> *Vuostro, dove la famma*
> *O villanelle meje napolitane?*
> *Ca mo cantate tutte 'n toscanese...*

« Où se sont perdus votre nom et votre réputation, ô mes villanelles napolitaines ? Car maintenant vous chantez toutes en toscan... »)

Comme la chanson française, le madrigal italien a subi l'influence des cercles humanistes qui fleurissaient dans l'Italie de la Renaissance [1]. L'un d'eux, la Camerata Bardi, a joué un rôle de premier plan dans la formation d'un style nouveau, libéré des contraintes de l'écriture polyphonique, où la poésie retrouvait une place éminente. Ce cénacle artistique réunissait, de 1576 à 1585 environ, dans la demeure du comte Giovanni de'Bardi, mécène érudit, poète et compositeur, d'excellents artistes qui comptaient parmi les meilleurs esprits du temps : les poètes Giulio Strozzi (dont la fille adoptive Barbara était chanteuse et compositrice), Alessandro Striggio, fils du compositeur et futur librettiste de l'*Orfeo* de Monteverdi, Ottavio Rinuccini, dont les « pastorales dramatiques » ont été les livrets des premiers mélodrames; les musiciens Vincenzo Galilei (1520-1591), père du célèbre astronome, dont la culture, la puissance de travail et la forfanterie étaient remarquables, Emilio de'Cavalieri (vers 1550-1602), Giulio Caccini (vers 1545-1618) et sa fille Francesca, tous trois chanteurs et compositeurs.

Ils sont tous partisans de ce qu'ils croient savoir de la déclamation lyrique dans la tragédie antique. Mais ils ne connaissent la musique des Grecs que par des traductions d'Aristoxène, Ptolémée, Euclide, Boèce, et par les travaux récents de Glareanus, Dentice, Zarlino ou Galilei. Dans son *Dialogo della musica antica e della moderna* (1581; rééd. moderne en fac-similé, Milan 1934), consacré en partie à sa polémique avec Zarlino, Galilei publie les trois hymnes apocryphes grecques attribuées à Mésomède.

Ces humanistes font entendre des œuvres composées dans un style monodique, qu'ils opposent à la polyphonie, style dans lequel on pourra désormais *recitar cantando*. Ce sera le style des premiers opéras (voir p. 423 s).

---

1. L'imitation de l'Antiquité préoccupait les humanistes italiens dès la première moitié du xvᵉ siècle. Plusieurs essais avaient été tentés de vers « mesurés à l'antique » et le philosophe Marcilio Ficino (1433-1499) fondait en 1470, dans son domaine de Careggi, près de Florence, une « Accademia di Platone », où la pensée platonicienne réglait toutes les activités.

Emilio de'Cavalieri, contribution à *La Pellegrina*

Ils réalisent le rêve de Baïf, qui confessait son regret de n'avoir pas retrouvé la tradition grecque des « fables chantées ». Et dans leur recherche de simplicité ils rejoignent la Réforme, qui puise dans le fonds populaire les modèles d'un nouveau chant collectif.

Chansons allemandes et espagnoles L'évolution qui caractérise la chanson française et le madrigal italien, finissant par mettre en cause l'essence même du style polyphonique, se retrouve ailleurs, quoique de façon moins accusée.

Le lied polyphonique allemand se distingue par un cantus firmus emprunté au fonds populaire et placé au ténor, du moins jusqu'au milieu du XVIe siècle. Son style s'est formé au contact des maîtres franco-flamands, dont l'influence est tempérée par les emprunts au *Volkslied* puis par le rayonnement du choral luthérien qui puise aux mêmes sources populaires. Les meilleurs compositeurs de lieder sont alors Isaac (influencé par la *frottola*), Finck, Hofhaimer, Senfl, Greiter,... et l'universel Roland de Lassus. Il faudrait ajouter tous ceux qui ont contribué à créer le merveilleux répertoire de ces *Geistliche Lieder* que sont les chorals. Et tandis que l'exquise simplicité de ce répertoire luthérien assure son succès jusque dans les champs et les ateliers, le mouvement humaniste suscite lui aussi une musique simple, auxiliaire de la poésie latine, dont elle met en valeur les différents mètres. Les *Varia carminum genera* (1534) de Senfl répondent à ce propos, ainsi que les *Harmoniae poeticae* de Hofhaimer sur des *Odes* d'Horace, et plusieurs autres recueils de qualité moindre.

En Espagne, où les traditions musicales autochtones se sont formées au contact d'une grande diversité de cultures (juive, arabe, occitane, franco-flamande, italienne, etc.), un répertoire original de chansons polyphoniques nous est conservé dans plusieurs *cancioneros*, principalement entre 1460 et 1520 : *villancicos* (virelais, d'origine médiévale), *estrambotes* (style du *strambotto* ou de la *frottola*), *romances* ou *canciones*. La tendance à la simplification des structures contrapuntiques s'est manifestée de bonne heure et il ne semble pas que ce soit sous l'influence française ou italienne, car les chansons de Juan del Encina, à la fin du XVe et au début du XVIe siècle, témoignent d'une grande maturité dans l'expression lyrique la plus pure et la plus dépouillée d'artifices. Il est vrai qu'Encina était à la fois poète et musicien : ses *eglogas* et *representaciones* (ou *autos*), où les dialogues alternent avec des *canciones*, constituent un jalon extrêmement intéressant dans l'histoire du théâtre musical. Dans le courant du XVIe siècle cependant, la chanson polyphonique espagnole subit l'influence de la chanson française et surtout du madrigal italien, dont elle suit à peu près l'évolution. Mais le siècle prestigieux de Charles Quint et de Philippe II est avant tout pour la musique espagnole l'âge d'or de la polyphonie sacrée. Il en sera question un peu plus loin.

Le madrigal anglais

Au début du XVe siècle, les qualités exemplaires de la musique anglaise ont orienté le développement de la poplyphonie franco-flamande. Mais très vite le courant s'inverse et l'Angleterre imite la cour de Bourgogne. Après Dunstable, elle ne peut confronter aucun talent original avec ceux de Dufay, Okeghem, Isaac ou Josquin des Prés... Ses musiciens ne sont que des épigones jusqu'à l'avènement des Tudors ; et lorsque commence à se dessiner un éclatant renouveau de la musique sacrée en Angleterre, la polyphonie profane, elle, accentue son retard sur l'évolution des styles français et italien.

Sous Henri VII, le premier Tudor (1485-1509), on pratiquait une chanson de cour raffinée, très influencée par l'école de Dufay et Binchois, qui survit jusqu'en 1525 environ. Mais le règne d'Henri VIII encourage un type de *part-song* plus spécifiquement anglais : gais, vigoureux, souvent truculents, ces équivalents de la *frottola* conservent au poème toute son intelligibilité grâce à une écriture simple et claire. Malheureusement, très peu de chansons antérieures à la Réforme ont survécu aux troubles religieux [1]. De plus chacun doit faire preuve d'un extraordinaire opportunisme, au milieu de l'instabilité des croyances, pour éviter d'être brûlé. Dans ces circonstances peu propices à l'épanouissement des arts, les influences italienne et française dominent la vie musicale anglaise. A la cour et dans la haute aristocratie, on s'enthousiasme pour les chansons étrangères contenues dans les beaux volumes imprimés et l'on découvre les premiers madrigaux d'Italie, tandis que les compositeurs anglais se préoc-

---

1. Deux recueils du British Museum, Add. 5 665 et 31 922 (début XVIe siècle) contiennent d'intéressantes chansons, en style contrapuntique et en style homophone. Plusieurs sont attribuées au roi Henri VIII.

William Byrd
? 1543
Stondon Massey (Essex) 4 juillet 1623

Élève de Tallis avec qui il restera lié jusqu'à la mort de celui-ci.

1563-1572 Organiste à la cathédrale de Lincoln.

1572-? Organiste de la Chapel Royal, poste qu'il partage avec Tallis.

1575 Tallis et Byrd, en association, obtiennent de la reine Elisabeth un privilège de vingt et un ans pour l'édition et la vente de musique imprimée. Peu après la mort de Tallis (1585), Byrd cède son privilège.

1577-1623 Byrd vit à la campagne, d'abord à Harlington (Middlesex), puis à Stondon Massey (Essex). Il semble qu'il y ait passé en procédure le temps qu'il pouvait distraire à la composition d'une œuvre considérable.

œuvre Pour le culte catholique : trois messes et deux cent dix motets latins (plusieurs recueils de *Cantiones sacrae* et de *Gradualia*). Pour le culte anglican : quatre *services* et environ soixante-dix *anthems* et psaumes. Quatre-vingts madrigaux (la plupart dans des recueils mixtes, avec psaumes et *anthems*), des chansons sacrées et profanes avec accompagnement de luth ou de violes. Environ cent trente pièces pour virginal, de la musique pour les violes.

cupent davantage du service exigeant et instable de l'Église. Ainsi, jusqu'au milieu du règne d'Elisabeth, la chanson « artistique » autochtone est rare et il manque à l'Angleterre un Petrucci pour la promouvoir.

Mais presque subitement, dans la dernière décennie du siècle, alors que sur le continent l'esprit de la Renaissance approche de son déclin, un âge d'or de la musique et du théâtre va être l'honneur des règnes d'Elisabeth et de Jacques Ier. Après s'être fait longtemps oublier, l'école anglaise va produire en moins de trente ans une éblouissante floraison de chansons, d'ayres et de madrigaux qui en fait l'égale de ses devancières sur le continent. L'influence de la reine a certainement contribué à ce renouveau : intelligente et cultivée, elle s'entourait des meilleurs esprits et des plus grands talents de son temps, pratiquait elle-même la musique, favorisait la diffusion du madrigal italien et soutenait les musiciens anglais en proportion de leurs talents, fussent-ils catholiques comme William Byrd.

C'est justement ce très grand musicien, comparable à Lassus pour l'éclectisme de son génie, qui publie les premières œuvres majeures de cette école élisabéthaine, grâce à un privilège d'édition accordé par la reine. En 1588, il fait paraître ses *Psalms Sonets and Songs of Sadnes and Pietie*. Certaines pièces de ce recueil mixte (Byrd en conservera plus tard la formule) sont les premiers madrigaux anglais, sans en porter le nom.

Cette année 1588, la victoire sur l'Invincible Armada espagnole calme les passions religieuses, établissant un climat d'euphorie stimulante. Marlowe et Shakespeare, âgés de vingt-quatre ans, débutent au théâtre. Parmi les plus grands musiciens anglais, William Byrd lui-même a quarante-cinq ans, Thomas Morley trente et un, John Dowland vingt-cinq... La même année un certain Nicholas Yonge, chantre à la cathédrale Saint-Paul, publie sous le titre de *Musica transalpina* une anthologie de madrigaux italiens, auxquels ont été adaptés des poèmes anglais. Le succès de cette initiative suscitera plusieurs autres éditions d'*Italian Madrigalls Englished*. En 1589 William Byrd publie ses *Songs of Sundrie Natures* qui comprennent des psaumes, des madrigaux et des ayres (dont un pour deux voix de ténor avec accompagnement de violes).

Enfin, en 1594, paraît un recueil de vingt-deux *Madrigalls to foure Voyces* de Thomas Morley, où pour la première fois des madrigaux anglais sont appelés par leur nom. Ce merveilleux musicien au génie souriant est le véritable fondateur de l'école madrigalesque anglaise. Le style du madrigal italien, qui flattait le snobisme des riches amateurs, n'inspirait pas jusqu'alors les compositeurs anglais. L'exemple de Morley sera le plus précieux des modèles. Bien que son admiration pour les maîtres italiens

Petit concert domestique : luths et virginal.

l'ait fait glisser parfois de l'imitation au démarquage pur et
simple, la fraîcheur et la vivacité de son inspiration donnent à
son œuvre une allure nouvelle, spécifiquement anglaise. Les
recueils de *canzonets* de 2 à 6 voix (1593-1597), que rien de bien
évident ne distingue des madrigaux, constituent les plus parfaites
illustrations de son style.

Canzonet O grief even! on the bud

O grief! even on the bud that fair_ly flow — ered, the sun hath low_ered

L'influence de Morley s'est encore exercée par la publication d'un
fort intelligent traité, *Plaine and Easie Introduction to practicall
musicke* (1597), où des compositions de Marenzio, Vecchi, Croce,
etc. sont citées en illustration de sa méthode. En 1601, bénéficiant d'un privilège d'édition, il publie un important recueil
collectif de madrigaux, *The Triumphes of Oriana*, dû à la collaboration des meilleurs compositeurs anglais (dont Morley,
Wilbye et Weelkes). Composées en hommage à la reine, qui est

confondue avec l'héroïne d'*Amadis de Gaule*, les différentes pièces se terminent toutes par : *Long live fair Oriana* [1] !

Curieusement, les successeurs de Morley, qui se sont élevés aux cimes de l'art, sont presque tous inconnus du public « continental ». Pourtant les madrigaux de John Wilbye (1574-1638), Thomas Weelkes (vers 1575-1623) et Orlando Gibbons (1583-1625), pour ne citer que les trois plus grands, sont dignes de leurs homologues italiens. L'œuvre de Wilbye est peu abondante, mais tout y est d'une égale perfection et d'une originalité sans cesse renouvelée. La fantaisie, la sensibilité poétique, l'aisance et la variété du style sont souvent dignes de Marenzio ou de Monteverdi.

Wilbye, *Flora gave me fairest flowers*

Weelkes est un étonnant musicien, qui use de chromatismes, de brusques modulations, de successions d'harmonies dissonantes, avec la désinvolture de Gesualdo. Toutes ses audaces sont justifiées par la sincérité de son lyrisme, tendre ou fantasque. Les madrigaux de Gibbons sont plus austères, plus « classiques ». C'est un admirable polyphoniste qui excelle dans tous les genres et dont la personnalité peut faire penser à celle de Byrd. L'épître dédicatoire de son recueil de madrigaux (1612) commence par cette phrase qui résume une esthétique : *It is proportion that*

1. Cette anthologie est imitée d'une collection italienne publiée en 1592, *Il trionfo di Dori*, à laquelle collaborèrent Palestrina, Marenzio, Gabrieli, Vecchi, etc. Les poèmes se terminent tous par : *Viva la bella Dori!*

Weelkes, *O care thou wilt despatch me*

beautifies everything. Selon le titre du recueil, ces compositions à 5 voix sont *apt for viols and voyces*. Cette formule, inaugurée douze ans plus tôt par Weelkes, devient de plus en plus habituelle : comme ailleurs, on veut permettre aux amateurs d'adapter aux circonstances le mode d'exécution de la musique imprimée. Or les violes sont alors très à la mode en Angleterre et la plupart des amateurs cultivés en possèdent une collection des différents modèles : *a chest of viols*. Mais chez Gibbons l'indication d'une équivalence des voix et des violes prend une signification particulière, car ce musicien joue un rôle prépondérant dans l'évolution de la musique pour les violes, en adaptant magistralement à ce répertoire instrumental le grand style d'imitation de la polyphonie vocale.

A l'audition, toute cette musique se révèle profondément originale. Le madrigal anglais, auquel on peut assimiler les *canzonets*, *songs*, *pastorals*, etc., diffère de la musique continentale en ce qu'il est la synthèse du génie poétique anglais et du madrigal italien et qu'il s'est développé dans le climat particulier de l'*english home*. Comme le montre abondamment Edmund H. Fellowes, le meilleur spécialiste de cet art, les grandes demeures luxueuses, construites en si grand nombre dans la seconde moitié du règne d'Élisabeth, ont été les milieux féconds où se sont formés les genres musicaux profanes. La prospérité commerciale favorisait la constitution ou l'accroissement des grandes fortunes; mais le goût artistique ambiant les préservait de la vulgarité qui s'attache à la richesse. Les importantes collections d'instruments (répartis dans différentes pièces, ils étaient en plus grand nombre que les chaises!), de manuscrits et de recueils imprimés qui figurent sur les inventaires, témoignent de la curiosité artistique des classes dirigeantes du temps. Dans les premières pages de son traité, Morley décrit une soirée dans la bonne société.

Après le souper, que l'on prenait alors vers cinq heures et demie, la maîtresse de maison pria sa famille et ses invités de se distribuer les différentes parties de quelque musique familière ou nouvelle, « comme c'était l'usage ». Mais l'un des convives, un étudiant, qui s'était déjà singularisé pendant le souper en refusant d'arbitrer un différend musical par méconnaissance du sujet, raconte qu'il fut obligé de se récuser encore une fois quand on lui demanda de chanter : « Lorsque, après beaucoup d'excuses, je protestai sans détour que je n'en étais pas capable, tout le monde parut songeur et l'on se demanda en chuchotant comment j'avais été élevé. »

John Dowland
Londres? 1563
Londres? 20-21 janvier 1626

On ne sait rien de sa famille ni de son éducation.

1580-1584 Il est à Paris, au service de l'ambassadeur d'Angleterre, sir Henry Cobham, puis de son successeur sir Edward Stafford.

1584-1594 Probablement en Angleterre. Il obtient le diplôme de « Bachelor of Music » à Oxford (Christ Church) en 1588.

1594-1598 Luthiste aux cours de Brunswick et de Hesse. En 1595 il entreprend un voyage en Italie : Venise (où il rencontre Giovanni Croce), Padoue, Gênes, Ferrare, Florence, Rome (où il est pendant deux mois l'élève de Marenzio). Il est probablement le plus grand luthiste d'Europe.

1598-1606 Luthiste du roi Christian IV de Danemark. Il fait quelques voyages en Angleterre, pour acheter des instruments et pour offrir ses *Lacrymae* à Anne de Danemark. En 1606, il est renvoyé pour mauvaise conduite (affaires d'argent semble-t-il) et s'installe à Londres où il possède une maison à Fetter Lane.

1612-1626 Luthiste des rois Jacques Ier et Charles Ire d'Angleterre, emploi dans lequel son fils Robert (v. 1586-1641) lui succède.

œuvre Trois livres de *Songes or Ayres* à 2, 4, 5 voix avec tablature de luth (1597-1603), et *A Pilgrimes Solace... to be sung and plaid with the lute and viols* (4e livre d'ayres, 1612), soit au total quatre-vingt-sept pièces. *Lacrymae or Seven Tears, figured in seven passionate Pavans*, suite pour 5 violes (1604). Quelques ayres et pièces instrumentales dans des recueils collectifs.

Je n'ai pas encore parlé de John Dowland, parce qu'il est exceptionnel. Bien qu'il se rattache par son style à l'école madrigalesque anglaise, il n'a pas composé de madrigaux. Son génie discrètement romantique s'est manifesté dans un genre de chanson accompagnée, dont il fut le créateur et le maître incontesté : l'« ayre ». Contrairement au madrigal, c'est une pièce de soliste où l'intérêt mélodique se cantonne à la voix supérieure (cantus).

Et tandis que dans le madrigal le style d'imitation incite à des répétitions fragmentaires du texte, généralement limité à une strophe, dans l'ayre le poème est chanté d'un bout à l'autre et les répétitions sont rares. Ce genre lyrique exige l'intelligibilité des vers, l'intégrité du sentiment poétique. Enfin l'ayre est composé de telle sorte qu'il peut s'interpréter de différentes manières : une voix et luth, plusieurs voix sans luth (la voix supérieure est « accompagnée » par les autres), instruments seuls (ensemble de violes), voix et violes (avec ou sans luth). Le *First Booke of Songes or Ayres of Four Partes with Tableture for the Lute* de Dowland (1597) propose l'alternative d'un accompagnement au luth ou par trois autres voix : sur la page de gauche, la mélodie principale avec la tablature; sur la page de droite, trois autres parties vocales disposées pour être lues autour d'une table.

Les deux premiers livres de Dowland ressortissent à l'écriture polyphonique traditionnelle, en dépit de la prédominance du cantus. Les pièces des troisième et quatrième Livres sont de pures monodies accompagnées, dans le style harmonique du XVIIe siècle. Mais quels qu'en soient le style et la forme, la fécondité de l'inspiration mélodique, la maturité du sens harmonique, l'émotion contenue du lyrisme, nous les rendent toutes merveilleusement proches et touchantes.

Flow my tears (1600)

L'évolution de l'ayre est analogue à celle de l'air de cour, de la polyphonie à la monodie. Son rôle sera très important dans la transformation du « masque » en opéra, dont il sera question dans le prochain chapitre. L'exemple italien sera encore une fois décisif. Dans son masque *The Vision of Delight* (1617), Ben Jonson écrit que *Delight spake in song...*, allusion évidente au *recitar cantando* des Florentins, à ce fameux *stile rappresentativo*, qu'il présente comme une nouveauté en Angleterre.

Cependant, en marge de toutes les audaces, la légendaire fidélité des Anglais à la tradition se manifeste par la continuité de certaines pratiques polyphoniques. C'est ainsi que deux formes mineures, le *catch* et le *glee*, sont devenues, comme le cricket et l'english breakfast, les symboles ésotériques de vertus nationales. Le catch, dont on peut voir l'origine dans le *Sumer is icumen in* (voir l'exemple p. 278), est un canon très libre dont l'écriture est parsemée de difficultés de tous genres (syncopes, rythmes boiteux, intervalles disjoints, dislocation du texte, jeux de mots, pièges pour la diction, etc.). La dénomination est sans doute une déformation de l'italien *caccia;* mais elle indique aussi que chaque chanteur doit essayer d'attraper *(to catch)* sa partie à temps. Le *glee* est une chanson polyphonique d'écriture beaucoup plus simple, au rythme franc, qui est apparue seulement au début du XVIIIe siècle. Le succès de l'un et l'autre genre a été durable : l'Hiberian Catch Club de Dublin (fondé en 1680) et le Noblemen and Gentlemen's Catch Club de Londres (fondé en 1761) ont maintenu jusqu'à nos jours une tradition musicale de la Renaissance.

Le renouveau de la musique sacrée

Au moment où les influences anglaise et italienne se conjuguent pour former le grand style polyphonique franco-flamand, la pléiade des musiciens du Nord participe à un extraordinaire renouveau de la musique religieuse, qui devient prépondérante au milieu du siècle. Aucune explication convaincante n'est donnée de ce phénomène : l'époque n'est pas particulièrement dévote, et l'Église, davantage soucieuse de son intégrité que de son progrès, est un mauvais débouché pour l'art moderne. Mais les grands mystères chrétiens, si parfaitement intégrés à la liturgie, sont de nature à stimuler l'imagination créatrice : ils invitent à la splendeur de la forme, à la perfection du style, et l'ardeur supposée de sa foi épargne au musicien bien des contraintes.

Messes et motets La plupart des compositeurs de la Renaissance ont illustré les deux formes majeures de la musique spirituelle : la messe et le motet.

La *Messe de Nostre-Dame* de Machaut était le premier exemple de messe polyphonique homogène. Des cellules mélodiques et rythmiques caractéristiques introduisent un facteur d'unité dans l'ensemble du cycle. Mais c'est un chef-d'œuvre unique : pendant plus de cinquante ans, les successeurs de Machaut se sont contentés de mettre en musique des pièces isolées de la messe. C'est Dufay qui, le premier, fait fructifier l'héritage et qui d'emblée, sans hésitation ni maladresse, trouve le grand style de la messe polyphonique (*Missa sine nomine*, vers 1420). Dans sa *Missa sancti Jacobi* (vers 1427), la partie de tenor porte l'indication « faux-bourdon ». C'est probablement la première fois qu'apparaissent le nom et le procédé dans une composition polyphonique. Dufay a pu apprendre en Italie, où il se trouve alors, et non dans les contrées sous domination anglaise, cette technique dont il fera un fréquent usage. Enfin il est un des premiers à utiliser le principe unificateur du cantus firmus unique dans le cycle complet de la messe polyphonique. Dunstable l'a sans doute précédé dans cette voie, mais seulement dans deux diptyques isolés, *Gloria-Credo* et *Sanctus-Agnus*. Cinq messes de Dufay illustrent ce principe, qui sera désormais inséparable de la polyphonie sacrée jusqu'au triomphe du style concertant au début du XVIIᵉ siècle. Ce sont cinq chefs-d'œuvre, sur les cantus firmi suivants : antienne *Venit ad Petrum* de la liturgie anglaise de Salisbury (Missa *Caput*), ballade *Se la face ay pale* de Dufay, antienne *Ecce ancilla Domini*, chanson à la mode *l'Homme armé*, hymne *Ave Regina coelorum*. Dans la messe *Se la face ay pale*, non seulement le cantus firmus mais aussi le thème initial de la voix supérieure se retrouvent dans tout le cycle.

Autant que le nouveau principe d'unité, la grandeur sereine de cette musique, qu'exprime aussi la peinture du quattrocento, constitue un exemple dont l'ensemble de la musique religieuse de la Renaissance sera tributaire. Dans les générations qui ont précédé la Réforme, tous les compositeurs ont été inspirés par la messe et y ont trouvé la force de se surpasser, trois d'entre eux avec un bonheur exceptionnel : Okeghem, Obrecht et Josquin.

Les messes d'Okeghem se distinguent par la grandeur, l'émotion contenue, la rigueur du style. La science contrapuntique n'est pas, chez lui, un facteur de sécheresse, mais plutôt de pureté; elle préserve sa musique du conventionnel et du superflu. Le principe du cantus firmus est employé avec une rare maîtrise. Dans la messe *Fors seulement*, au lieu que le cantus firmus (une chanson d'Okeghem) soit répété en valeurs longues à une même voix, selon l'habitude, le thème circule librement d'une voix à l'autre, fragmenté et varié, inaugurant le style de la « messe-parodie », auquel sacrifieront tous les plus grands compositeurs de la Renaissance. Une suavité angélique rend particulièrement émouvantes et proches de nous les messes d'Obrecht. La variété de son inspiration mélodique et de sa manière d'employer les cantus firmi, son lyrisme, la subtilité « harmonique » de son écriture, y font merveille, notamment dans les chefs-d'œuvre que sont les messes *Fortunata desperata* et *Sub tuum praesidium*.

Josquin se confirme ici encore le plus grand musicien de son temps. Les messes *De Beata Vergine*, *D'ung aultre amer* et surtout *Pange lingua*, sans doute les plus belles, témoignent d'une maîtrise absolue du grand style polyphonique. Josquin représente bien le classicisme rayonnant de cet art difficile, imposant aux générations suivantes les plus hautes exigences stylistiques. Cependant, c'est peut-être dans les motets qu'il est encore le plus grand.

Seule forme héritée de l'école de Notre-Dame, le motet de la Renaissance s'est séparé définitivement de ses origines. Les textes multiples sont extrêmement rares [1], le style d'imitation domine, le cantus firmus, emprunté généralement à la liturgie, circule d'une voix à l'autre; le principe isorythmique, encore adopté par Dufay, a disparu au milieu du siècle. Enfin et surtout, le motet est désormais une forme essentiellement religieuse, qui s'harmonise à la splendeur des nouvelles basiliques. Ici et là, des réminiscences profanes trahissent ses origines, sous forme d'allusions, d'acrostiches, de significations ambiguës; le style est aussi plus dramatique que celui de la messe. Malgré certaines similitudes avec le madrigal (Palestrina composera des madrigaux spirituels), le style du motet s'en distingue fondamentalement, parce qu'il est un style de cérémonie, convenant au chœur, et non un style d'intimité, de « musique de chambre ».

Le profil de Florence dans une *Annonciation* de Filippo Lippi.

Dufay, Okeghem, Isaac, Obrecht, Loyset Compère, Brumel, Mouton, etc. ont laissé de splendides motets, hymnes, psaumes ou Magnificat, souvent très savants (*Deo gratias* d'Okeghem en canon énigmatique à 36 voix) ou très solennels (*Salvum fac regem* de Mouton pour le sacre de François Ier). Mais ceux de Josquin, notamment *Ave Maria* (à 4 voix), *Stabat Mater* (à 5 voix), *Planxit autem David* (à 4 voix), et surtout le célèbre *Miserere* (à 5 voix), sont parmi les plus grands chefs-d'œuvre de toute l'histoire de la musique.

Les messes et les motets de Josquin seront maintes fois réédités par les plus célèbres imprimeurs du XVIe siècle, s'offrant ainsi en modèles à plusieurs générations. C'est au rayonnement considérable de cette œuvre, jusque vers 1560, que l'Italie du XVIe siècle doit en partie d'avoir réalisé un idéal universel de la polyphonie sacrée.

---

1. Le motet *Nuper rosarum flores* de Dufay, pour la dédicace du Duomo de Florence, conserve textes multiples et isorythmie.

Josquin, *Miserere*

Adriaan Willaert
Bruges vers 1480
Venise 8 décembre 1562

1514 Envoyé à Paris pour y étudier le droit, il s'intéresse davantage à la musique et devient élève de Jean Mouton (lui-même disciple spirituel de Josquin).
v.1518 - v.1527 Voyages en Italie : Bologne, Rome, Urbino, Ferrare (engagé à la chapelle d'Alfonso d'Este en 1522), Milan (au service de l'archevêque Ippolito d'Este en 1525).
1527-1562 Maestro di cappella à Saint-Marc de Venise, où son influence et son enseignement sont à l'origine de la prestigieuse école vénitienne. Principaux élèves : Gioseffe Zarlino, Cyprien de Rore, Andrea Gabrieli. Sans être le « créateur » du double chœur, Willaert en a généralisé l'emploi, devinant avec son instinct de la plénitude sonore tout le parti qu'on pouvait tirer des deux tribunes se faisant face à Saint-Marc (avec chacune son orgue et son chœur).

œuvre Des messes, un grand nombre de motets et madrigaux (publiés entre 1539 et 1563), *Canzone villanesche alla napolitana* (1545), *Fantasie e Ricercari* instrumentaux (1559), des transcriptions pour luth.

Venise a joué un rôle éminent et original dans cette renaissance de la musique spirituelle. Capitale de l'édition musicale, elle est un des principaux centres de diffusion de la production franco-flamande. En 1527, Adriaan Willaert, élève de Jean Mouton, lui-même émule de Josquin, est en Italie au service de la maison d'Este, lorsqu'il est élu maître de chapelle de San Marco sur la recommandation du doge Andrea Gritti. Très grand musicien, doué d'une très forte personnalité, Willaert est le fondateur de la prestigieuse école vénitienne. Cyprien de Rore, Zarlino et Andrea Gabrieli sont ses élèves à Venise et il forme le maillon central d'une chaîne de maîtres et disciples qui transmet à Schütz la science de Josquin et d'Okeghem (voir p. 317). La nouvelle école se distingue par la magnifique écriture à double chœur, adaptée à la disposition particulière des tribunes de San Marco (avec chacune son orgue et son chœur). Ce style aux riches possibilités dramatiques continuera d'être cultivé par les successeurs de Willaert jusqu'à Monteverdi.

Mais tandis que l'héritage de Josquin commence à produire dans toute l'Europe des richesses nouvelles, la Réforme, la réaction catholique et les troubles qui s'ensuivent, provoquent une importante rupture dans l'évolution de la musique sacrée. De la condamnation de Luther (1519) à l'édit de Nantes (1598), le XVIe siècle a continuellement été troublé, souvent de façon tragique, par les querelles religieuses.

Chorals Comme toute révolution, la Réforme est purificatrice et simplificatrice; elle sacrifie le superflu à l'essentiel. Tandis

Carpaccio, *Présentation des ambassadeurs à Venise.*

que Zwingli, à Zurich, proscrit la musique à l'église, Luther, plus sagement, souhaite simplement substituer un chant d'assemblée aux prestations artistiques des chorales instruites. Jugeant le plain-chant « grégorien » trop difficile pour la masse des fidèles, il entreprend, avec ses principaux collaborateurs Rupff et Walther, de doter l'église d'un vaste répertoire d'hymnes en langue allemande. Par *Choralgesang* ils entendent de façon générale le chant collectif a cappella. Plus tard, les hymnes de l'Église évangélique seront elles-mêmes appelées *Choral*. Le succès de ce répertoire s'étend bientôt hors de l'église, donnant naissance à un précieux fonds musical populaire : *Turmmusiken*, que l'on joue les jours de fête en haut d'une tour de l'église (instruments à vent), hymnes chantées de porte en porte par les étudiants quêteurs *(Kurrenden)*, fêtes familiales, etc.

Mieux encore, le choral est à la source de la musique allemande, dont l'essor date du milieu du XVIe siècle. Les premiers grands musiciens de culture germanique sont en effet des compositeurs de chorals : Johann Walther (1496-1570), Ludwig Senfl (1488-1543) originaire de Zurich, Matthias Greiter (vers 1500-1550), Hermann Finck (1527-1558), Hans Leo Hassler (1564-1612), Michael Praetorius (1571-1621)...

Cependant, la plupart des chorals ne sont pas des compositions originales, mais des mélodies bien connues auxquelles ont été adaptées des paroles nouvelles. Luther lui-même a écrit ou traduit les poèmes d'une quarantaine de chorals, entre 1523 et 1543. Une douzaine de mélodies seulement lui sont attribuées, mais sans certitude [1]. Plus conservateurs qu'on ne pense, Luther et ses collaborateurs puisaient d'habitude à trois sources musicales (voir tableau page 536) :

- o le chant liturgique romain;
- o les cantiques populaires et les Geisslerlieder (chants de flagellants);
- o les chansons profanes (comprenant même des chansons de goliards et de Minnesänger).

Dans les arrangements polyphoniques initiaux, les fidèles chantaient simplement la mélodie principale; en même temps, ils en transformaient peu à peu le rythme, l'épurant en quelque sorte, jusqu'à obtenir une succession de durées presque égales, simplification analogue à celle qui s'est opérée dans le chant grégorien.

Les mélodies, non pas appauvries mais idéalisées, des chorals auront un rayonnement extraordinaire. La simplicité de leur structure, le caractère populaire que sauront leur conserver les compositeurs, l'unité de style réalisée par l'interprétation dans les églises évangéliques et les arrangements qu'elle suscite, permettront à des éléments originellement disparates de constituer un répertoire homogène. Les premiers recueils de chorals paraissent en 1524; parmi eux, le célèbre *Geystliche gesangk Buchleyn* publié par Walther contient trente-cinq mélodies arrangées à 3, 4 et 5 voix. En moins de cinquante ans, deux cents recueils verront le jour.

↑ *Wachet auf*
↓ *O Haupt voll Blut*

Puis, jusqu'au XVIIIe siècle, de nombreux compositeurs, parmi lesquels Hassler, Schütz, Schein, Crüger, Praetorius, Pachelbel, Buxtehude, Bach, traiteront les mélodies de chorals, soit dans le style homophone qui correspond à la tradition et nous est encore familier (sublimes instants de méditation, dont Bach ponctuera ses Passions et ses Cantates), soit en contrepoint libre (choral « figuré ») dans le style du motet (chœur final de la cantate n° 147 de Bach par exemple), soit encore dans le même style en de magnifiques pièces d'orgue.

1. Luther était bon musicien : c'était un flûtiste et surtout un luthiste apprécié. Nous savons aussi par des lettres de ses amis qu'il chantait avec sa famille des motets de Josquin des Prés!

Psaumes Calvin n'est pas musicien. Le chant n'est pas pour lui un facteur d'enrichissement spirituel, mais il a « grande force et vigueur d'esmouvoir et enflamber le cueur des hommes ». A l'exemple de Luther, il constitue en 1539 un recueil hâtif de chants communautaires : *Aulcuns pseaulmes et cantiques mys en chant*. Un exemplaire unique de ce petit volume se trouve à la Staatsbibliothek de Munich. Les traductions en vers français sont de Clément Marot (douze psaumes) et de Calvin lui-même (six psaumes, le Cantique de Siméon, le Décalogue et le Credo). La principale source musicale est le psautier allemand que Calvin trouve à Strasbourg. Certaines mélodies sont excellentes, mais les adaptations sont désastreuses : les vers français, tiraillés par une musique destinée aux vers allemands, subissent au hasard des accentuations ridicules.

A souffert sous Pon-ce Pi-la-te

De 1533 à 1542, Clément Marot met en vers français quarante-neuf psaumes de David [1], ainsi que le Cantique de Siméon et le Credo. Théodore de Bèze, élève et successeur de Calvin, traduit les cent un psaumes restant (1551-1562). Après quelques éditions incomplètes, tous les psaumes sont publiés à Genève en 1562, avec cent vingt-cinq mélodies, soigneusement adaptées aux poèmes. L'origine de ces mélodies est un sujet de controverse. Au moins quatre-vingt-trois d'entre elles ont certainement été adaptées, et peut-être en partie composées, par Loys Bourgeois (vers 1510 - vers 1560), chantre à la cathédrale de Genève; mais on ne sait pas du tout qui a été le continuateur de Bourgeois. Il faut exclure de toute façon l'hypothèse que Goudimel ou Claude Le Jeune aient collaboré à cette publication. Beaucoup de mélodies du Psautier de Genève ne sont d'ailleurs que des adaptations de chansons connues, dont un certain nombre sont empruntées à Claudin de Sermisy.

A cette occasion, le totalitarisme artistique donne un témoignage assez savoureux de son habituelle sottise. Les innocentes mélodies compromises dans le Psautier — compromises comme le sont eux-mêmes les psaumes de David — seront condamnées par l'Inquisition comme « hérétiques »! Elles conserveront longtemps une odeur de soufre en formant un riche répertoire de « chansons huguenotes ».... Tout procès idéologique intenté à la musique est fatalement absurde; j'aurai l'occasion d'y revenir.

---

1. Ce sont les psaumes : 1 à 15, 18, 19, 22, 23, 24, 25, 32, 33, 36, 37, 38, 43, 45, 46, 50, 51, 72, 79, 86, 91, 101, 103, 104, 107, 110, 113, 114, 115, 118, 128, 130, 137, 138, 143. Ces belles traductions au charme archaïque sont malheureusement remplacées aujourd'hui par des traductions modernes : les fidèles n'y ont rien gagné...

Deux grands musiciens occupent une position éminente parmi tous ceux qui ont été inspirés par le Psautier de Genève : Claude Goudimel et Claude Le Jeune. L'un et l'autre ont publié deux séries complètes des cent cinquante psaumes : d'une part des arrangements homophones note contre note des mélodies traditionnelles, encore utilisés aujourd'hui dans le culte calviniste; d'autre part des versions en contrepoint fleuri dans le style du motet, où les mélodies du Psautier jouent le rôle de cantus firmi. Cependant Calvin n'admettait pas la polyphonie, si simple fût-elle, dans les services religieux. C'est pourquoi Goudimel prend soin d'avertir son lecteur (version homophone, 1565) : « Nous avons ajouté au chant des psaumes trois parties, non pour induire à les chanter en l'église, mais pour s'esjouir en Dieu, particulièrement ès maisons. » Mais les belles harmonisations limpides de Goudimel et Le Jeune se sont vite imposées comme un précieux élément du culte. Les versions élaborées, en revanche (celles de Le Jeune figurent parmi les chefs-d'œuvre de la musique sacrée), ne se distinguent en rien des grands motets polyphoniques, dont ils ont le caractère « artistique » et professionnel.

Un « art engagé » fait donc son apparition au XVIe siècle : c'est en effet la première fois que des musiciens ont conscience d'être impliqués dans les transformations du monde et mettent délibérément leur art au service d'une cause. Certains l'ont payé de leur vie, comme les huguenots Goudimel et Philibert Jambe de Fer, victimes de la Saint-Barthélemy, ou comme le papiste Anthoine de Bertrand condamné en représailles par les protestants de Toulouse. Ce dernier était devenu dévot à Toulouse sous l'influence des jésuites et avait renié ses admirables chansons « impudiques », au moment où Le Roy et Ballard en préparaient la publication (les *Amours* de Ronsard, 1576 et 1578). Un pasteur genevois, Simon Goulart, publiera en 1580 des *Sonnets chrétiens* sur la musique des *Amours !*

Contre-Réforme La réaction catholique ou Contre-Réforme cherche elle aussi à promouvoir un répertoire de musique religieuse en langue vernaculaire, équivalent des chorals et des psaumes protestants. Le succès en est inégal et les meilleurs musiciens commettent des airs spirituels et autres cantiques d'une pauvreté déconcertante. Il ne semble pas que le concile de Trente et les jésuites se soient montrés aussi persuasifs que les guides de la Réforme. L'Église de Rome s'est inquiétée davantage de combattre les excès de la grande tradition polyphonique ou les déviations du théâtre religieux, que d'inspirer une floraison de belles hymnes populaires et d'en favoriser la diffusion. Elle s'est attachée à contrôler le génie plus qu'à le mobiliser.

Seul le sympathique saint Philippe Néri (1515-1595) a trouvé
une réponse catholique originale au souci général de développer
à l'église le chant d'assemblée. Sous son impulsion, le chant des
laudi spirituali, institué par les disciples de saint François et
remis à la mode par Savonarole deux siècles plus tard sous une
forme polyphonique simple, connaît un regain de popularité.
Accompagnées d'un jeu scénique, elles avaient donné naissance, à
l'aube de la Renaissance, aux *Sacre Rappresentazioni* mêlées
d'éléments profanes, contre lesquelles fulminent les tribunaux
de la Contre-Réforme [1]. Mais dans les pieuses et cordiales réunions qu'il organise dans son oratoire romain (établi plus tard,
en 1577, à Santa Maria in Vallicella), Philippe encourage le
chant des simples *laudi*, dont le charme naïf et l'élan spontané
s'accorde à son idéal religieux. A partir de 1563, on en publiera
de nouveaux recueils pour les besoins de l'Oratoire. Palestrina,
qui fréquente saint Philippe et sa congrégation, a pu leur apporter
ses conseils et la contribution épisodique de quelques *laudi*
ou *madrigali spirituali;* mais on ne connaît aucune œuvre de lui
expressément destinée à l'Oratoire. Qu'il en aurait été le principal collaborateur et serait même mort dans les bras du saint,
est une pure invention de Giuseppe Baini au début du XIXe siècle.
Malheureusement pour la légende, les principaux compositeurs
de *laudi filippini* sont bien plus modestes : ils se nomment Giovanni Animuccia, Francesco Soto et Giovenale Ancina. Il est
difficile de discerner dans leurs publications la part de composition originale et la part d'adaptation, de *travestimento spirituale*
comme on disait alors. Mais ils ont su donner à l'ensemble de
ce répertoire une forme et un style homogènes, qui le distinguent
fondamentalement de la polyphonie sacrée : mélodies simples,
empreintes de passion naïve, harmonisation note contre note
où le sentiment tonal est fortement accusé (affirmation du majeur
et du mineur, importance de la sensible), régularité rythmique,
concision, prédominance très marquée de la voix supérieure...

Laude

---

1. La *Sacra Rappresentazione* n'est ni l'origine, ni une étape évolutive de l'oratorio,
genre essentiellement non représentatif. L'oratorio doit sa formation à l'apparition
dans les *laudi* de la Contre-Réforme d'éléments narratifs et dramatiques, ainsi
que du « stile recitativo ». La *Sacra Rappresentazione* a déjà succombé alors à sa
décadence. Théâtre aveugle, l'oratorio correspond bien à l'esprit de la réaction
catholique pour qui la vue est source de péché et doit être mortifiée plus rigoureusement que les autres sens.

Il ne subsiste alors de la *Sacra Rappresentazione* que de rares témoins : Passion et Résurrection au Colisée, Miracle de Bolsena sur le parvis d'Orvieto. Mais le souvenir en est vivant et l'engouement de jadis se reporte sur la *laude*. Dans l'atmosphère un peu clandestine des oratoires, celle-ci prend peu à peu une forme narrative et dialoguée, qui va donner naissance à l'oratorio (voir p. 487 s.).

Cependant, la Contre-Réforme n'a pas étouffé la grande polyphonie sacrée. Peut-être même lui a-t-elle permis d'atteindre son ultime perfection, en mettant un frein à sa complexité, en imposant à sa science rigueur et humilité, en préservant son formalisme de la décadence. Certes la splendeur formelle des messes et des motets, dans la seconde moitié du XVIe siècle, est le parfait accomplissement d'un idéal contraire à l'idéal mystique : celui de la Renaissance païenne. Mais il semble que l'art polyphonique soit alors si parfaitement maîtrisé qu'on ne perçoive plus sa complexité, toute trace d'effort ayant disparu. La richesse de l'écriture n'est pas une parure superflue, ni un exploit technique offert à notre admiration; elle est la condition habituelle de la création, la forme universelle de pensée musicale dont le génie de Victoria parvient à faire la plus haute expression artistique du mysticisme espagnol.

Victoria, motet *O magnum mysterium*

En dépit de l'intolérance, des crimes de l'Inquisition et du totalitarisme artistique, l'inspiration religieuse a été remarquablement féconde au XVIᵉ siècle. Parmi les derniers musiciens franco-flamands, héritiers directs de Josquin des Prés, trois grands compositeurs sont injustement oubliés aujourd'hui : Nicolas Gombert (vers 1505 - 1556) et Thomas Créquillon (? - vers 1557) ont composé l'un et l'autre d'admirables motets qui en font sans doute les plus grands musiciens de leur génération; Philippe de Monte (1521 - 1603), ami de William Byrd, est un génie presque aussi éclectique et prolifique que Lassus, et sa musique religieuse est digne d'être comparée à celle de Palestrina... L'école vénitienne, principalement Andrea Gabrieli et son neveu Giovanni, perpétue le style original de musique à double chœur hérité de Willaert et annonce le style concertant du début du XVIIᵉ siècle. Équivalent musical de Véronèse, Giovanni Gabrieli a le génie de la splendeur sonore : dans les *Sacrae Symphoniae*, dignes de Monteverdi, il associe les instruments aux voix avec un sens moderne de l'instrumentation et il en réussit l'équilibre avec une perfection jamais approchée jusqu'alors. Les grands maîtres du XVIIᵉ siècle lui seront tous plus ou moins redevables, particulièrement Schütz, Monteverdi, Praetorius, Hassler, Sweelinck, Frescobaldi.

Dans l'ensemble, les compositeurs franco-flamands et vénitiens paraissent étrangers aux passions religieuses de leur temps. Du moins leur musique sacrée n'est-elle pas l'instrument d'une foi militante. A une époque où l'Église est le principal débouché de la composition musicale, ils se conforment à une tradition fertile en écrivant des messes et des motets polyphoniques.

D'autres musiciens en revanche sont des catholiques engagés, comme Bertrand, comme les compositeurs huguenots. C'est probablement le cas de Claudin de Sermisy, le maître de la musique religieuse en France, bien que des mélodies de ses chansons aient été adaptées au psautier. Il faut écouter ses admirables messes qui comptent parmi les plus grands chefs-d'œuvre de la Renaissance française. Beaucoup plus évident est le zèle catholique de Jacobus Gallus (1550-1591), Slovène d'origine et Tchèque d'adoption, dont l'œuvre splendide se rattache par son style à l'école vénitienne. Moine cistercien, partisan déclaré des idées de la Contre-Réforme, il a mis son génie au service de ces idées, réalisant un compromis exemplaire entre les recommandations de l'Église (pureté, lisibilité, noblesse de l'inspiration mélodique) et la séduction de la polyphonie vocale.

Mais l'inspiration catholique dans la musique sacrée sera pour la postérité l'apanage de l'école romaine, et principalement de Palestrina. De ce très grand musicien on a fait un symbole, et une curieuse légende s'est construite autour de son œuvre et de sa personnalité. Née au début du XVIIe siècle dans le milieu jésuite de Rome, cette légende attribue à Palestrina un bienfait singulier : par la grâce de son génie, il aurait dissuadé le pape [1] d'interdire la musique à l'église! Selon le célèbre compositeur Adriano Banchieri (*Conclusioni del suono dell'organo*, 1609), il s'agirait du pape Marcel : à l'audition de la messe qui porte son nom, ce pontife aurait compris que les erreurs dans la musique sacrée sont imputables aux musiciens et non à leur art. Vingt ans plus tard, un jésuite, le père Cressolles, raconte que Palestrina composa en hâte des messes polyphoniques « où il montrait que les paroles pouvaient être pleinement comprises tout en conservant la symphonie », réussissant à convaincre le

Palestrina (Giovanni Pierluigi da Palestrina)
Palestrina 1525
Rome 2 février 1594

1537-? Apprentissage à la maîtrise de Sainte-Marie-Majeure.
1544-1551 Organiste et Maestro di canto à la cathédrale de Palestrina.
1551-1555 Son évêque étant devenu pape sous le nom de Jules III, il est nommé Maestro della cappella Giulia (Saint-Pierre), puis membre du chœur pontifical. Après le règne éphémère du pape Marcel, son successeur Paul IV exige la démission des chanteurs pontificaux coupables de mariage ou de madrigaux : Palestrina démissionne doublement.
1555-1568 Maître de chapelle à Saint-Jean de Latran (succédant à Roland de Lassus) puis à Sainte-Marie-Majeure. Parallèlement, il

pape (Paul IV cette fois) qu'il ne fallait pas supprimer la musique, mais seulement contrôler la composition. Le père Cressolles affirme tenir cette histoire d'un autre jésuite, qui la tenait lui-même de Palestrina.

Aux XVIIe et XVIIIe siècles, ce même récit est souvent reproduit avec des variantes et des embellissements absurdes. Puis la légende prend une dimension nouvelle au XIXe siècle après la publication d'un important ouvrage de l'abbé Giuseppe Baini sur Palestrina (1828). Le héros y est représenté comme le fondateur de la musique italienne, le premier musicien d'église authentiquement inspiré, celui qui a délivré la musique sacrée des influences étrangères et profanes. Dans un poème intitulé « Que la musique date du XVIe siècle » *(les Rayons et les Ombres)*, Victor Hugo n'hésite pas à en faire l'inventeur de la musique :

1. Marcel II n'a été pape que pendant vingt-deux jours, en avril 1555. La *Missa papae Marcelli* devait être exécutée au couronnement du pontife. Mais celui-ci est mort avant et Palestrina dédia sa messe à son successeur Paul IV. Ce dernier est mort en 1559, avant la réouverture du concile de Trente, dont les dernières sessions seulement (1562-1563) se sont préoccupées de réformer la musique sacrée... Et rien ne prouve que Palestrina ait alors sauvé quoi que ce soit.

enseigne la musique au Séminaire romain et organise les fêtes musicales du cardinal d'Este, dans sa villa de Tivoli récemment achevée.

1570-1594. Il reprend la direction de la cappella Giulia, à la mort d'Animuccia. Il devient en même temps le principal compositeur du chœur pontifical, auquel il fera chanter son hymne *Vexilla Regis* pendant la grandiose cérémonie d'érection de l'obélisque place Saint-Pierre (1585). C'est la période où il fréquente l'Oratoire de Philippe Neri. Celle aussi où il perd deux de ses fils puis sa femme, dans les épidémies consécutives aux guerres. Il veut alors entrer dans les ordres, mais en 1581, un an après la mort de sa femme, il épouse une riche veuve dont il gère avec succès le commerce de peaux pendant dix ans au moins. Il cumule cette activité avec ses fonctions à Saint-Pierre et une énorme production musicale, comprenant ses œuvres maîtresses.

œuvre Cent trois messes (dont *Assumpta est Maria*, son chef-d'œuvre), environ six cents motets, psaumes, hymnes, soixante madrigaux spirituels, cent madrigaux profanes.

Titien, *l'Amour sacré, l'Amour profane.*

Puissant Palestrina, vieux maître, vieux génie
Je vous salue ici, père de l'harmonie.
Car, ainsi qu'un grand fleuve où boivent les humains,
Toute cette musique a coulé de vos mains.

Palestrina est promu génie romantique et, bien qu'il ait été riche et célèbre, on le voit pauvre, incompris, solitaire, travaillant la nuit ... Berlioz s'est attaqué avec brio à cette légende d'autant plus absurde que l'œuvre de Palestrina est évidemment l'aboutissement d'une tradition et non l'origine, et que tout ce qu'on sait de ce vrai musicien de la Renaissance contredit le portrait que le romantisme veut en faire. Mais la légende de Palestrina a connu un succès inexplicable, entretenant de façon désastreuse jusqu'au début de notre siècle la méconnaissance de la musique du Moyen Age et de la Renaissance [1].

L'importance de son œuvre est stupéfiante, compte tenu du soin qu'il apportait à la composition. La perfection de la poly-

1. L'image romantique de Palestrina inspirera deux opéras, l'un de Carl Loewe (1869), l'autre de Hans Pfitzner (1917) sur un livret délirant. Voir l'étude de Pierre Gaillard, « Histoire de la légende palestrinienne », *Revue de musicologie* n° 57, 1971.

Cristobal de Moralès

Séville vers 1500
Malaga 1553

Éducation générale très complète (ses préfaces en latin en témoignent). Apprentissage musical à la cathédrale de Séville (?).

1526-1530 Maître de chapelle à la cathédrale d'Avila.

1535-1545 Chantre à la chapelle pontificale à Rome, en même temps qu'Arcadelt. Pour célébrer la trêve de dix ans conclue sur les instances du pape Paul III entre Charles Quint et François Ier, les chanteurs suivent la cour pontificale à Nice, et Moralès fait exécuter pour l'occasion un grand motet à 6 voix, *Jubilemus omnis terra*. A Rome, la chapelle se produit parfois à la Chapelle Sixtine, où Michel-Ange travaille à son *Jugement dernier*. A l'occasion d'un autre déplacement, pour une rencontre du pape et de l'empereur à Busseto (1543), Titien est invité à peindre les deux souverains.

1545-1547 Maître de chapelle à la cathédrale de Tolède.

1551-1553 Maître de chapelle à la cathédrale de Malaga. Malade et ruiné, il ne rencontre dans ces deux dernières fonctions que des déceptions. Mais il est universellement célèbre. Rabelais le cite dans le prologue du *Quart Livre* et on jouera sa musique à Mexico, en 1559, au service commémoratif de Charles Quint.

---

phonie vocale y est telle que l'intervention d'instruments serait tout à fait choquante. C'est par excellence le représentant du style a cappella. Son écriture irréprochable, véritable orchestration vocale, manque toutefois du lyrisme chaleureux que l'on trouve chez Lassus et Victoria. Mais Palestrina ne représente pas à lui seul l'école romaine de musique sacrée. Arcadelt l'a précédé à la direction de la chapelle papale *(Cappella Giulia)*, où les grands Espagnols Morales et Victoria ont été chanteurs, et Lassus l'a précédé à Saint-Jean de Latran.

Cristobal de Moralès et Tomas Luis de Victoria appartiennent à deux mondes différents. Le premier est andalou, le second castillan; Morales appartient à la génération qui a précédé Palestrina, Victoria à celle qui l'a suivi. Mais ils ont en commun le style spécifique qu'ils ont créé par assimilation à l'âme espagnole de la solide formation reçue à Rome. Le premier a passé dix années dans la ville pontificale (1535-1545), le second trente (1565-1596). Morales a connu la Rome fastueuse du pape Paul III Farnese et a pu voir Michel-Ange peindre *le Jugement dernier;* à l'époque de Victoria au contraire Pie V, ancien Grand Inquisiteur, faisait régner l'austérité dans une ville éprouvée par une récente crise économique, la plus grave qu'ait connue l'Europe depuis Philippe le Bel : Rome citadelle du catholicisme triomphant.

L'Espagne, où s'est forgée la personnalité de ces musiciens et d'où une culture musicale marquée par leurs génies rayonnera sur le royaume aragonais de Naples, cette Espagne de Charles

œuvre Vingt-cinq messes à 4, 5, 6 voix, plus de cent motets, hymnes et *Magnificat*, quelques madrigaux.

Tomas Luis de Victoria
Avila vers 1548-1550
Madrid 27 août 1611

Biographie mal connue. Il n'y a pas de trace de son apprentissage musical. Dans sa ville natale, il aura pu connaître la carmélite Teresa de Jesus (future sainte Thérèse) qui était en relations avec un de ses frères (elle mentionne cet augustin de Victoria dans son *Livre des Fondations*). Sa sensibilité semble avoir été profondément marquée par le mysticisme qui a inspiré l'œuvre réformatrice et littéraire de Thérèse, mysticisme dont Avila était un des foyers.

1565-1578 Étudiant en théologie, puis chanteur, enfin maître de chapelle, au Collegium Germanicum de Rome. Il succède quelque temps à Palestrina au Séminaire romain. En 1572, il publie son premier livre de motets. En 1575 il est ordonné prêtre.

1578-1585 Chapelain de San Girolamo della Carità, où Filippo Neri a fondé son Oratoire et où il continue à demeurer. Il semble avoir été en relations étroites avec le fondateur de la congregazione dell'Oratorio.

1594 Il quitte Rome définitivement, après y avoir passé trente ans, pour Madrid. Il est alors nommé chanteur, puis organiste du couvent des Descalzas Reales, où s'est retirée sa protectrice, l'impératrice Marie, sœur de Philippe II. C'est là qu'il est mort dans l'ombre, indifférent à la gloire dont témoignent les magnifiques éditions de ses œuvres.

œuvre *Officium hebdomadae sanctae* (1585), *Officium defunctorum* (1605), son chef-d'œuvre; vingt messes (4 à 12 voix), quarante-six motets (4 à 8 v.), trente-cinq hymnes à 4 v., des *Litaniae de Beata Virgine*, des psaumes, antiennes et cantiques.

Quint et de Philippe II se trouve dans une situation privilégiée du point de vue qui nous occupe : mécénat éclairé des souverains, enseignement des musiciens flamands, action purificatrice de la pensée mystique, interférence des différentes ethnies, assimilation des riches cultures qui ont convergé dans la péninsule depuis le Moyen Age. La chaleur et la noblesse du lyrisme, la sincérité du sentiment mystique donnent leur grandeur et leur originalité à l'école espagnole, qu'elle soit andalouse ou castillane. Victoria parvient au sublime par une vertu congénitale de grandeur dans la simplicité : pas de tour de force contrapuntique à la flamande, ni de froide perfection à la romaine, mais la maîtrise formelle d'un sentiment passionné. Son *Officium defunctorum* à 6 voix est l'un des plus authentiques chefs-d'œuvre de toute l'histoire de la musique.

Dans sa musique religieuse, Roland de Lassus reste un génie hors série. Attaché à la chapelle du duc de Bavière, il compose un grand nombre de messes et de motets dans le grand style d'imitation hérité de Josquin; les motets surtout représentent l'apogée de ce style. Dans certaines de ses compositions, il se montre, avec son imagination et sa virtuosité habituelles, attentivement obéissant aux directives pontificales. D'autres sont d'une audace et d'une liberté incomparables, comme ces trois extraordinaires recueils qui découragent l'analyse : les *Prophéties des Sibylles*, les *Psaumes de la pénitence* et les *Leçons du livre de Job*.

Roland de Lassus
Motet *Christi Dei* à quatre voix

Les Anglais abordent la musique sacrée avec une indifférence œcuménique aux querelles dogmatiques... bien que leur pays n'ait pas été le moins touché par les guerres de Religion. John Taverner (vers 1495-1545), le plus grand musicien anglais depuis Dunstable, militant luthérien de la première heure, ne s'est pas senti la vocation de composer des chants d'assemblée inspirés des modèles allemands. Son œuvre se compose principalement de motets (dont l'admirable *Dum transisset Sabbatum*) et de messes dans la tradition la plus savante du xve siècle. Dans le Benedictus de la messe *Gloria tibi Trinitas*, une belle mélodie empruntée à la liturgie de Salisbury est citée sur les paroles *in nomine*. Le succès de ce fragment de messe est tel que de nombreux compositeurs anglais jusqu'à Purcell adopteront la mélodie liturgique comme cantus firmus et donneront naissance à une forme instrumentale essentiellement polyphonique, appelée « In nomine », dont on connaît plus de cent cinquante exemples.

Quant à Thomas Tallis et William Byrd, les deux grands maîtres de la musique sacrée en Angleterre, ils ne pouvaient manquer de composer des *services* et des *anthems* [1] pour l'Église anglicane dont Henri VIII s'était proclamé le chef en 1531; mais il semble qu'ils aient réservé le meilleur de leur génie aux messes et aux motets latins. C'est dans la langue et la forme de l'ancien culte qu'ils se sentent libres de déployer leurs sortilèges; c'est là que se trouvent les sommets à conquérir. Tallis détient une sorte de record avec son motet à 40 voix, *Spem in alium* : huit chœurs à 5 voix s'y superposent réellement et ils ne se doublent pas comme on l'a souvent écrit.

---

1. Un *service* se compose de cantiques et de l'« ordinaire ». L'*anthem* est dans le culte anglican l'équivalent du motet.

La musique instrumentale

C'est au XIIIe et au XIVe siècle que sont apparues les premières compositions spécifiquement instrumentales; mais les manuscrits qui nous les conservent sont encore extrêmement rares. Pourtant la plupart des instruments en faveur à l'époque de la Renaissance avaient acquis au Moyen Age leurs caractères essentiels (voir la Note sur les instruments, p. 222 s.); mais ils étaient voués principalement à l'accompagnement du chant ou de la danse et à l'improvisation. Souvent ils doublaient ou remplaçaient des parties vocales, mais leur emploi, inspiré par les circonstances, n'était pas prescrit.

La véritable émancipation de la musique instrumentale date du milieu du XVe siècle environ. Elle peut être attribuée aux progrès de la lutherie — sur laquelle la pratique musicale agit à son tour — et au développement de la musique d'amateurs, de la « musique de chambre » au sens littéral. Au début du XVIe siècle, l'édition joue un rôle décisif dans la diffusion des nouvelles compositions destinées aux seuls instruments. Les plus en vogue, ceux qui ont permis l'éclosion des grandes formes instrumentales classiques, sont le luth, l'orgue, le clavecin et les violes.

Luth Le luth jouera dans la société de la Renaissance le rôle du piano dans celle du XIXe siècle. C'est à la fois l'instrument des amateurs, qui peuvent en déchiffrer les « tablatures » sans savoir leurs notes, et celui des initiés, qui en exploitent les sonorités raffinées et l'aptitude au jeu polyphonique. Dans un traité sur la perspective, Albrecht Dürer choisit le bel instrument pour illustrer ses démonstrations. Le luth a toujours conservé son aspect caractéristique, adopté à la fin du XIVe siècle : dos convexe formé de neuf à quarante « côtes » en sycomore, table en sapin découpée d'une belle « rose » ornée, manche au chevillier recourbé en arrière. L'instrument classique est tendu de six cordes ou doubles cordes : les trois plus graves sont doublées à l'octave, les deux suivantes à l'unisson, la plus aiguë est simple. L'accord le plus fréquemment adopté au XVIe siècle est, du grave à l'aigu : sol.do.fa.la.ré.sol. Des cordes supplémentaires de basse sont parfois tendues en dehors de la touche, donnant naissance à une variété d'instruments plus importants, à très long manche : archiluth, théorbe et chitarrone, souvent utilisés au XVIIe siècle pour la réalisation de la basse continue.

La tablature est un système de notation simplifiée, qui consiste à représenter la position des doigts sur la touche, c'est-à-dire le moyen matériel de produire les sons désirés, au lieu des sons eux-mêmes comme dans la notation traditionnelle. Six lignes

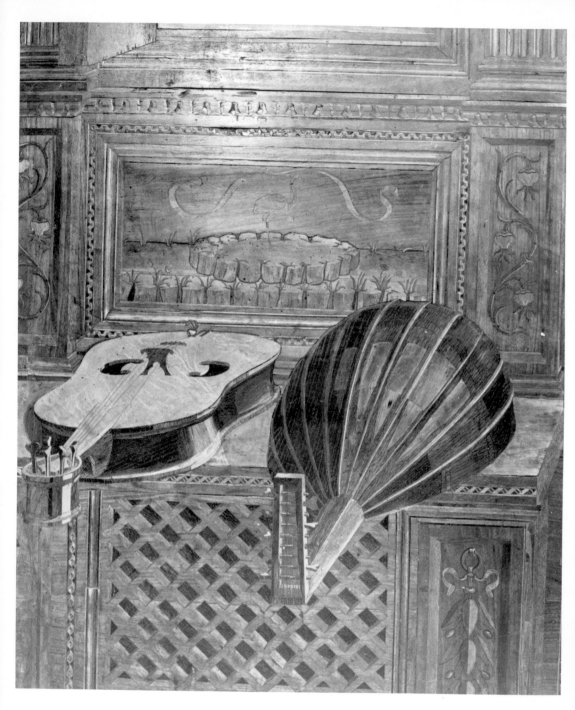

Marqueterie en trompe-l'œil,
studiolo du duc d'Urbino, fin XVe siècle.

parallèles représentent les six jeux de cordes (la plus aiguë en haut, sauf en Italie où le système est inversé). Au-dessus de chacune de ces lignes sont placées des lettres (des chiffres en Italie), correspondant aux « cases » où doivent se placer les doigts de la main gauche : *a* indique la corde à vide, *b* le doigt sur la première case (demi-ton plus haut), *c* sur la deuxième case et ainsi de suite, de demi-ton en demi-ton, jusqu'à *i*. Au-dessus de l'ensemble sont placés les signes de durée, qui ne sont pas répétés lorsque des valeurs égales se succèdent : | pour la ronde, ⌐ pour la blanche, ⌐ pour la noire, etc.

Un grand nombre de tablatures de luth sont publiées à partir de 1507 en Italie (Petrucci), de 1512 en Allemagne (Schöffer), de 1528 en France (Attaingnant). Le répertoire de l'instrument se compose d'abord de transcriptions de motets, chansons françaises et frottole [1], ainsi que d'airs de danse. Puis le talent de compositeurs-virtuoses comme Francesco da Milano (1497-vers 1573), Hans Neusiedler (vers 1509-1563), Adrian Le Roy (?-1598) ou le Hongrois Bálint Bakfark (1507-1576) suscite une floraison d'œuvres spécifiquement instrumentales, souvent très brillantes. Le luth reste cependant le partenaire idéal de la voix. Il permet à l'amateur de chanter seul une pièce polyphonique, les « voix » manquantes étant exécutées sur l'instrument : beaucoup de recueils comprennent à cet effet une réduction en tablature de la polyphonie. Cette pratique donnera naissance à un riche répertoire pour voix seule et luth, dont les Anglais, et principalement Dowland, se font une spécialité : la partie instrumentale n'est alors plus la réduction d'une composition polyphonique, ni un simple accompagnement sans caractère; c'est un personnage musical qui concerte avec la voix comme le fera le piano dans le lied romantique. Chez les musiciens français, la « chanson au luth », comme on disait alors, se fera air de cour. Le premier, Adrian Le Roy publie en 1571 un *Livre d'airs de cour miz sur le luth*, inaugurant un genre assez mal déterminé qui connaîtra le succès au XVIIᵉ siècle et contribuera à la formation du style d'opéra français.

1. Dans son *Intavolatura di liuto* de 1536, Francesco da Milano réussit même le tour de force de transcrire pour son instrument *la Guerre* et le *Chant des oiseaux* de Janequin! Et la même année le grand Willaert publie un recueil de madrigaux de Verdelot transcrits en tablature de luth.

En Espagne, la *vihuela de mano* joue le rôle du luth des autres pays d'Europe : c'est une sorte de grande guitare, qui emprunte au luth son chevillier incliné en arrière, la répartition et l'accord de ses cordes, sa tablature. Le plus magnifique recueil destiné à cet instrument est le *Libro de musica de vihuela de mano intitulado El Maestro* (1536) de Luis de Milan (vers 1500-1562). L'histoire écrite de la guitare (jusqu'alors instrument populaire) ne commencera en Espagne qu'à la fin du XVIᵉ siècle, lorsqu'on cessera d'éditer des livres de vihuela. Cependant, Ballard publie, dès 1551, cinq *Livres de tablature de guiterne* de son beau-frère Le Roy. Ensemble, ils ont publié aussi des recueils pour le « cistre ». Cet instrument, très apprécié des amateurs au XVIᵉ siècle, a une table et un manche analogues au luth, mais le dos est plat comme celui de la guitare. Il est tendu de quatre groupes de cordes (3. 3. 2. 2.) jouées au moyen d'un plectre.

Clavier La facture d'orgue s'est remarquablement développée au cours des XVᵉ et XVIᵉ siècles. L'instrument est devenu plus souple, il s'enrichit de nouveaux jeux et d'un troisième clavier manuel, les claviers sont agrandis (quatre octaves). Simultanément, les instruments à cordes et à clavier commencent à prendre une importance qui ne cessera de croître jusqu'à l'époque romantique. Leur origine, peu après 1300, a été l'adaptation rudimentaire aux psaltérions et dulcimers du clavier utilisé dans l'orgue. La priorité a peut-être été donnée d'abord aux cordes frappées (futur clavicorde), supposant un mécanisme plus simple. Mais une préférence pour le *clavisimbalum* ou *clavicymbalum* à cordes pincées s'est affirmée au XVIᵉ siècle. Le plus ancien clavecin qui nous soit parvenu date de 1521 ; mais l'instrument semble avoir acquis dès le début du XVᵉ siècle une qualité satisfaisante. Une miniature des *Très Belles Heures du duc de Berry* (1409) le représente déjà avec sa forme d'aile caractéristique et des descriptions précises en sont données dans les traités du Flamand Arnault (vers 1440) et du Bohémien Paulirinus (vers 1460).

A l'imitation de l'orgue, le clavecin sera pourvu de plusieurs jeux ou registres à partir de 1500 puis, dans le dernier quart du siècle, d'un second clavier. Hans Ruckers commence alors à créer les admirables instruments qui feront sa gloire et celle de ses descendants. Mais on fabrique aussi, depuis 1500 environ, de petits instruments portables (un seul clavier de quatre octaves, un seul registre) de forme rectangulaire qui, jusqu'au milieu du XVIIᵉ siècle au moins, éclipseront le clavicorde. On leur donne le nom d'*épinette* en France, de *spinetta* en Italie, de *virginal* en Angleterre. Dans ce dernier pays le succès est particulièrement grand ; mais si des œuvres aussi nombreuses, souvent très ambi-

P. Pourbus, *Musique de danse* (clavecin et luth).

tieuses, ont été composées pour le virginal, c'est sans doute
que ce mot a servi longtemps à désigner l'ensemble de la famille
du clavecin (le mot *harpsichord* ne s'impose qu'après 1650 pour
désigner le grand instrument).

La Renaissance n'a pas nettement différencié la musique des
instruments à clavier : beaucoup de pièces pour clavecin pouvaient être jouées à l'orgue et inversement. Certains recueils ne
précisent même pas à quel type ils sont destinés. Comme pour
le luth, les manuscrits du xve siècle sont rares. Les plus importants
sont le *Fondamentum organisandi* (1452) de l'organiste aveugle
de Nuremberg, Conrad Paumann (vers 1410-1473), véritable
traité de composition instrumentale, et l'important recueil
anonyme appelé *Buxheimer Orgelbuch* (vers 1460). Le premier
contient vingt-quatre études à deux voix, destinées probablement
aux apprentis organistes; le second est consacré en majeure
partie à des transcriptions pour orgue de chansons et de motets.
La notation est une sorte de tablature sur une portée de six
ou sept lignes, où la partie supérieure est représentée par les
signes traditionnels, les parties inférieures par des lettres. Presque
toute la musique d'orgue de la Renaissance utilisera des systèmes
analogues, dont la diversité rend le déchiffrage souvent difficile.
Beaucoup d'organistes du xviie siècle resteront encore fidèles
à la notation en tablature et Bach lui-même y fait appel épisodiquement dans l'*Orgelbüchlein*.

Le développement de l'imprimerie suscite partout une floraison
de recueils pour instruments à clavier. Le premier que l'on
connaisse est le recueil déjà cité, publié en 1512 par l'éditeur
allemand Schöffer : quatorze pièces d'orgue, douze chansons
au luth, trois pièces pour luth d'Arnolt Schlick (v. 1460 - v. 1520),
organiste de Heidelberg. Selon l'habituelle pratique, des transcriptions d'œuvres polyphoniques en vogue sont publiées par
Antico à Rome et Attaingnant à Paris. Ce dernier imprime aussi
en 1531 un important volume de danses pour le clavier (sans
précision du type d'instrument). Mais surtout quelques très
grands musiciens consacrent à l'orgue ou au clavecin des œuvres
majeures, se révélant les créateurs de la technique moderne du
clavier et des grandes formes classiques.

Marc'Antonio Cavazzoni (vers 1480-1560) et son fils Girolamo
(vers 1500 - 1560), fondateurs de l'école d'orgue italienne, ont
composé pour leur instrument des *motetti* et *canzoni* dans le
meilleur style polyphonique et des *recerchari* ou *toccate* dans
une forme très libre spécifiquement instrumentale. Andrea
Gabrieli leur est probablement redevable pour ses deux livres
de *Canzoni alla francese per l'organo* (1571-1605) ou ses trois livres
de *Ricercari* (posthumes : 1595-1596) qui contiennent les premières ébauches de la fugue. Claudio Merulo (1533-1604), le

plus grand organiste italien avant Frescobaldi, a laissé une œuvre éclatante, où se conjuguent la science, l'imagination et le feu intérieur. Seul à pouvoir lui être comparé, Antonio de Cabezon est le fondateur de l'école d'orgue espagnole; la plus grande partie de son œuvre a été publiée en 1578, douze ans après sa mort, par son fils Hernando, sous le titre *Obras de musica para tecla arpa vihuela* (titre qui témoigne d'une superbe indifférence à la matière instrumentale). Mêlé au milieu musical cosmopolite de la cour de Philippe II, Cabezon a formé son style au contact des musiciens espagnols, flamands, italiens et français; il y a ajouté la marque d'une haute spiritualité, entretenue sans doute par le climat mystique d'Avila où il a longtemps vécu.

L'Angleterre des madrigalistes, de Shakespeare, d'Élisabeth et de Jacques Ier a produit une école prestigieuse de virginalistes, dominée par William Byrd et John Bull. Les œuvres de ces musiciens marquent une étape décisive dans l'évolution de la technique de clavier : dans une écriture très audacieusement « virtuose » pour l'époque, ils ont illustré la plupart des formes connues et ils ont excellé, John Bull surtout, dans la musique descriptive et les portraits musicaux — genre où François Couperin fera preuve d'une intarissable imagination un siècle plus tard.

L'influence de l'école anglaise est sensible sur l'œuvre de deux musiciens, de qui procède en grande partie la musique de clavier baroque : le Hollandais Jan Peterszoon Sweelinck (1562-1621) et le Français Jean Titelouze (1563-1633). Sweelinck a probablement connu personnellement John Bull quand celui-ci vivait en exil à Anvers et son affinité avec l'école des virginalistes est confirmée par la présence de quelques pièces de lui dans le *Fitzwilliam Virginal Book*, l'un des plus importants recueils collectifs anglais du XVIIe siècle. Quelques-unes de ses fantaisies pour orgue ou clavecin peuvent être considérées comme les premières fugues régulières. Titelouze, organiste à la cathédrale de Rouen, fut sans doute le premier grand improvisateur au sens élevé que l'on donne aujourd'hui à cette fonction. Ses deux grands recueils pour l'orgue (*Hymnes... avec les fugues et recherches sur leur plain-chant* et *Magnificat ou Cantiques de la Vierge*, 1623 et 1626) constituent la charnière entre le style contrapuntique du motet traditionnel et l'orgue baroque.

Violes Issues des anciennes vièles à archet médiévales, dont il existait une multitude de types variables, les violes constituent à partir du XVe siècle une famille homogène d'instruments à cordes à l'imitation de l'ensemble vocal : soprano (ou « dessus de viole »), alto, tenor, basse, auxquels les Français ajouteront un « pardessus de viole » (accordé une quarte au-dessus du soprano) et les Italiens une contrebasse ou *violone* (octave inférieure de la basse). Ces instruments sont tendus de six cordes, accordées (du grave à l'aigu) :

soprano : ré.sol.do.mi.la.ré
alto : do.fa.si♭.ré.sol.do (tessiture de notre alto)
tenor : sol.do.fa.la.ré.sol (accord du luth)
basse : ré.sol.do.mi.la.ré (tessiture du violoncelle)

La touche est large et divisée en cases, comme celle du luth. Les plus petites violes se jouent la caisse appuyée sur les genoux, les plus grandes sont tenues entre les genoux : d'où le nom de *viola da gamba* donné à toute la famille (et pas seulement à la basse de viole).

Cependant, sur une fresque de Santa Maria Novella à Florence (Andrea di Bonaiuto, vers 1370), on voit une joueuse de vièle qui appuie son instrument sous le menton et tient l'archet comme aujourd'hui (le dos de la main au-dessus, alors que les joueurs de viole ont le dos de la main droite tourné vers le bas). L'iconographie atteste que cette méthode continue d'être pratiquée au XVe siècle concurremment à l'autre. Elle donne naissance à une famille d'instruments distincts des *viole da gamba*, que l'on appelle au début du XVIe siècle *viole da braccio*. Ces instruments ont alors tous les caractères distinctifs de la famille du violon : nombre de cordes réduit à quatre, chevalet plus haut et plus arqué, touche uniforme (sans cases), caisse plus plate et plus échancrée sur les côtés [1]. En outre, les cordes sont plus grosses et plus tendues.

Il en existe au moins trois types au début du XVIe siècle :

– soprano, presque identique à notre alto et accordé comme lui (do.sol.ré.la). Au XVIIe siècle il s'appellera simplement *viola*, dénomination que conserveront les Anglais et les Italiens. Les Allemands appellent l'alto *bratsche*, déformation de *braccio*.

– tenor, accordé une quarte ou une quinte plus bas. Cet instrument disparaît à la fin du XVIIe siècle, laissant un vide regrettable dans la famille des cordes.

– basse, accordée à l'octave inférieure du soprano, comme notre violoncelle. Elle prendra le nom de *violoncello* vers 1700.

Le *violino* (notre violon), accordé une quinte au-dessus du soprano (sol.ré.la.mi), n'apparaît qu'à la fin du XVIe siècle, de même qu'un *violino piccolo* encore une quarte plus aigu. Son nom n'est pas nouveau, car le mot « vyollon » désigne l'ensemble de la famille dans un compte des menus plaisirs de la cour de François Ier en 1529.

---

1. Bien des détails manquent encore, qui feront la qualité des instruments de Brescia et Crémone, à partir de 1570 environ. Quant à la tenue des *viole da braccio*, elle n'est pas encore conforme à la technique moderne : la caisse est posée sur ou sous la clavicule, le menton ne la touche pas, le manche est très incliné vers le bas. Les plus grands instruments sont tenus entre les genoux, sans perdre la dénomination *da braccio*.

La famille des violons ou *viole da braccio* n'a d'abord aucun prestige et ne se trouve qu'entre les mains des professionnels. « Nous appellons *violes* celles desquelles les gentilz hommes, marchantz, et autres gens de vertuz passent leur temps... L'autre sorte s'appelle *violon*, et c'est celuy duquel on use en dancerie communément et à bonne cause... Il se trouve peu de personnes qui en use, si non ceux qui en vivent, par leur labeur [1]. » Mais les violons s'imposent peu à peu dans la seconde moitié du XVIe siècle et les violes resteront jusqu'à Purcell une singularité anglaise. Dans les autres pays, seules subsistent la basse de viole (jusqu'au milieu du XVIIIe siècle) et la contrebasse ou *violone* dont la lente évolution a formé la contrebasse moderne.

Le groupe des violes forme le premier ensemble instrumental homogène. Le répertoire spécifiquement destiné à cet ensemble est une spécialité des musiciens anglais du temps d'Élisabeth et de Jacques Ier [2]. Tout amateur aisé possédait un *chest of viols*, collection de violes convenablement assorties (généralement deux sopranos, deux tenors et deux basses), rangées dans un meuble spécial. Lorsque ces instruments jouaient ensemble, ils formaient un *consort of viols* et cette formation paraissait répondre si parfaitement à l'idéal de la musique de chambre (comme plus tard le quatuor à cordes) que l'on appelait *broken consort* (« ensemble brisé ») les formations hétérogènes... Après s'être plus ou moins confondus avec la polyphonie vocale sous les premiers Tudors, les *consorts of viols* se sont distingués par une écriture spécifiquement instrumentale. Les chefs-d'œuvre du genre sont : *Lacrymae or Seven Tears, figured in seven passionate Pavans* de Dowland, et les *Fantasies* et *In Nomine* d'Orlando Gibbons (1583-1625).

De toute évidence, le timbre fait son apparition dans l'arsenal du compositeur. Mais l'imprécision des spécifications instrumentales est encore fréquente, car il paraît normal de laisser à chacun le choix des moyens d'exécution. On verra longtemps sur les pages de titre des indications telles que « pour clavecin ou orgue », *para tecla arpa vihuela, apt for voices or viols*, etc. Très souvent même aucune indication n'est donnée. Ainsi les admirables *Fantaisies* à 3, 4, 5, 6 voix d'Eustache du Caurroy (1549-1609) se présentent comme de pures spéculations musicales, sans référence à la réalité sonore sensible. A l'examen, certains de ces chefs-d'œuvre paraîtront convenir aux instruments à clavier, d'autres aux violes.

---

1. Philibert Jambe de Fer : *Epitome musical des tons et accordz es voix humaines, fluestes d'Alleman, fluestes a 9 trous, violes, violons* (1556)... Bien avant que ces lignes ne soient écrites, Léonard de Vinci, ce précurseur, passait pour être un bon virtuose de la *viola da braccio!*
2. W. Lawes vers 1640, M. Locke en 1656 et surtout Purcell en 1680 rendront hommage à une formation instrumentale devenue archaïque, en composant dans le style traditionnel des pièces pour ensembles de violes.

Du Caurroy, *Fantaisie à 4 voix*

Un siècle et demi plus tard, dans *l'Art de la fugue*, Bach montrera le même détachement des contingences instrumentales.

Instruments à vent Les nomenclatures d'instruments à vent permettent de remarquer que ceux-ci se constituent souvent en familles comme les cordes. Les artisans de la Renaissance ont complété ces familles et amélioré la facture des instruments en fonction des exigences nouvelles, plus qu'ils n'ont inventé des types nouveaux. La plupart de ceux qu'ils légueront à l'époque baroque étaient déjà en usage au Moyen Age, sous des dénominations parfois différentes. Cependant les « cromornes » par exemple sont apparus au XVe siècle : ce sont des instruments à anche double et à perce cylindrique, recourbés à l'extrémité en forme de crochet. Et les anciens cornets s'enrichissent et connaissent un âge d'or dans la seconde moitié du XVIe siècle. Les plus petits sont droits ou légèrement courbes ; les plus graves prennent la forme d'un S, d'où l'appellation de serpents.

La famille des chalumeaux, douçaines et bombardes est appelée « haut-bois » à partir du XVe siècle. Ils jouent un rôle de plus en plus important dans la musique de plein air et au XVIIe siècle les « hautx-bois et musettes du Poitou » feront partie de la « Grande Écurie ». Les trompettes, jadis cantonnées à la musique militaire, sont appelées à de plus hautes destinées musicales et sont associées à toutes les occasions festivales, profanes ou sacrées. Il en existe deux types : la petite *tromba*, appelée « trompette » ou *trombetta*, et la grande *tromba*, appelée *trombona* ou « trombone », semblable à la sacquebute ou buisine du Moyen Age [1]. Au XVIe siècle, le trombone donne naissance à toute une famille d'instruments, dont l'aspect ne s'est guère modifié jusqu'à nos

H. Aldegrever : cromornes...

1. Le vieil allemand *busûne*, augmentatif de « buisine », a donné par déformation *Posaune*, dénomination du trombone en Allemagne depuis la fin du XVIe siècle.

jours. Longtemps droite, la trompette est recourbée en forme de S au XVe siècle, mais l'art d'enrouler le tube sur lui-même n'est connu qu'à la fin du XVIe siècle [1].

La littérature et l'iconographie de la Renaissance nous représentent des formations hétéroclites. On trouve associés ainsi trombone, flûte, musette, cornet, luth et viole de gambe; ou un chœur de trombones et de cornets à l'ensemble de violes. Les *Consort lessons* publiées par Morley en 1599 sont destinées à un ensemble de six instruments : dessus et basse de viole, flûte basse, luth, pandore (sorte de guitare basse) et cistre... Le nombre des exécutants atteint parfois des proportions symphoniques. Selon un historien du XVIIe siècle, Henri Sauval, les concerts organisés par Mauduit employaient « soixante et quatre-vingts personnes, souvent jusqu'à cent vingt ». Agrippa d'Aubigné mentionne dans une lettre « un excellent concert de guitares, de douze violes, quatre espinettes, quatre luthz, deux pandores et deux tuorbes ». Et le manuscrit d'un *intermedio* d'Alessandro Striggio en précise ainsi l'instrumentation : *4 gravicembali doppi* (clavecins à deux registres), *4 viole d'arco, 2 tromboni, 2 tenori di flauti, 1 cornetto, 1 traversa* (flûte traversière), *2 leuti, 1 dolzaina, 1 ribechino* (rebec).

... viole, luth.

Mais les premiers qui aient pressenti ce que pourrait être l'art de l'instrumentation moderne sont les Gabrieli et Monteverdi : Andrea Gabrieli dans les *Sonate a 5 instrumenti* et dans l'*Aria della Battaglia* pour instruments à vent (1586), Giovanni dans les *Canzoni e Sonate* (1615), véritables compositions « symphoniques » au sens moderne du terme, ou dans la célèbre *Sonata pian' e forte* des *Sacrae Symphoniae* (1615) où il réalise de saisissantes oppositions entre les cuivres et les cordes; Monteverdi dans ses éblouissantes *Vêpres* (1610), chef-d'œuvre d'une ère nouvelle...

L'émancipation de la musique instrumentale au temps de la Renaissance n'a pas suscité la création d'orchestres, même réduits, au sens où nous l'entendons aujourd'hui : une formation instrumentale fixe, réalisant un équilibre sonore déterminé. Seule la musique de la cour s'est organisée sous François Ier en deux groupes réguliers, correspondant à deux genres d'exécutions bien distincts : la Musique de la Chambre, composée des instruments « bas » qui conviennent aux musiques d'intérieur, et la Musique de l'Écurie, formation beaucoup plus importante comprenant des instruments « hauts » et répondant aux exigences des fêtes de plein air. Mais généralement les musiciens se liaient par des contrats d'association de durée limitée, pour

1. La source la plus importante pour la connaissance des instruments de la Renaissance est le remarquable *Syntagma musicum* (1614-1619) de M. Praetorius.

Andrea Gabrieli
Venise vers 1520
Venise 1586
Giovanni Gabrieli
Venise 1557
Venise 12 août 1612

L'oncle et le neveu sont inséparables dans l'histoire de la musique. Andrea fut l'élève de Willaert, Giovanni l'élève d'Andrea.

v.1536 - ? Andrea chantre à San Marco, puis organiste à San Geremia à Venise. Il voyage ensuite en Allemagne et en Bohême : au couronnement de Maximilien II à Francfort, il est avec Lassus dans la suite du duc de Bavière.
1564-1584 Andrea au deuxième orgue de San Marco (au premier orgue : Merulo).
1575-1579 Giovanni à la cour de Bavière, où il est assistant de Lassus.
1579-1584 Giovanni assistant de Merulo à San Marco.
1584-1586 Andrea au premier orgue de San Marco.
1584-1612 Giovanni au deuxième orgue de San Marco.
1587 Giovanni publie ses premières œuvres et entreprend la publication posthume d'une partie de l'œuvre de son oncle.
1609-1612 Heinrich Schütz est l'élève de Giovanni à Venise. Celui-ci, de son lit de mort, enverra sa bague au musicien allemand.

œuvre d'Andrea Cantiones sacrae à 4-16 voix (1562-1578), Psalmi pœnitentiales avec instruments (1583); musique pour les chœurs d'*Œdipe roi* de Sophocle (Vicence, 1585), sept livres de madrigaux (1566-1589), *Concerti a 6-16 voci* pour voix et instruments (1587,

former de petites bandes qui louaient leurs services à l'occasion des fêtes publiques ou privées. François Lesure [1] a retrouvé au minutier central des notaires (Archives nationales) plus de cinquante de ces contrats, qui fournissent à l'historien des détails très intéressants sur l'organisation professionnelle. Les bandes parisiennes étaient réunies dans la confrérie de Saint-Julien, sorte de syndicat d'inspiration religieuse.

Formes instrumentales Il était naturel que le succès du luth et des instruments à clavier fît naître chez les amateurs le désir de jouer la musique la plus souvent entendue. Les imprimeurs étaient assurés du succès en publiant sous forme de tablatures des adaptations de pièces en vogue : fragments de messes, motets, chansons françaises, frottole, madrigaux... Les compositeurs les plus souvent transcrits sont Josquin des Prés, Isaac, Févin, Gombert, Mouton, Lassus, Claudin de Sermisy, Janequin, Verdelot, Arcadelt, Rore, Marenzio. Un style spécifiquement instrumental se forge dans ce travail d'adaptation. Tantôt, comme chez Bakfark, les modèles ne sont que les prétextes de créations nouvelles, où le thème disparaît par moment dans l'ornementation, tantôt la transcription est presque littérale, comme celle de Verdelot par Willaert. Un riche répertoire se constitue dès le début du XVIe siècle et des formes particulières aux instruments se définissent avec de plus en plus de netteté, annonçant les grandes formes classiques.

Variation Née du désir instinctif de varier les répétitions d'un même thème (chanson strophique, danse) et des embellissements qu'inspirent les techniques instrumentales, cette forme peut se présenter de deux manières différentes :
— Un même thème se répète au grave, toujours identique à lui-même, mais à chaque présentation (à chaque *punctum*), il sera entouré de contrepoints différents. Cette méthode est celle de la « basse obstinée », somptueusement développée dans les grandes passacailles et chaconnes des XVIIe et XVIIIe siècles, jusqu'à Hændel et Bach. Au XVIe siècle, cette forme est une spécialité des virginalistes anglais (Byrd, Bull, Farnaby, etc.).
— Le thème se transforme lui-même à chaque variation, au point de ne conserver de son aspect original que certains éléments essentiels. C'est la variation proprement dite : elle opère par transformation organique de la mélodie, de l'harmonie, du rythme, ou par enrichissement ornemental. Cette forme, qui atteindra son apogée dans l'œuvre de Beethoven, est illustrée dans son premier âge d'or par Ortiz, Cabezon *(Diferencias)*,

1. *Revue de musicologie* n° 36, juillet 1954.

Byrd, Bull, puis par les grands organistes du XVIIe siècle. Les thèmes de l'un et l'autre type de variations sont souvent empruntés à un répertoire en vogue : tenors liturgiques, chansons populaires, danses.

Canzone C'est une forme essentiellement polyphonique, en style d'imitation, qui trouve son origine dans les chansons instrumentales du XVe siècle et les premières transcriptions de chansons françaises *(canzone francese)*, mais qui n'a aucun rapport avec la *canzone villanesca*.

Principaux représentants : les deux Cavazzoni (leurs *canzoni* pour orgue sont les premières du genre), les Gabrieli, Merulo, Banchieri, Ingegneri. Plus tard Frescobaldi écrira d'admirables *Canzoni francesi*, les unes pour instrument à clavier, d'autres « pouvant être jouées sur toutes sortes d'instruments ». Au XVIe siècle, la plupart des *canzoni* sont destinées au clavier. Parmi les exceptions figurent les *Canzoni e sonate* (1615) de Giovanni Gabrieli pour un ensemble instrumental, qui présentent un véritable caractère « symphonique », et les *Canzoni alla francese a 4 voci per sonar* (1595) de Banchieri : ces deux recueils annoncent la *sonata da chiesa*.

Ricercare On a d'abord désigné ainsi des préludes libres que les luthistes et les organistes improvisaient ou composaient pour ne pas limiter leur répertoire aux seules transcriptions de pièces vocales. Le mot apparaît pour la première fois, dans cette acception, dans un recueil de tablature de luth publié par Petrucci en 1507. Mais l'emploi habituel du style d'imitation fera bientôt du ricercare une forme très élaborée, presque toujours destinée aux instruments à clavier, qui annonce directement la fugue. Généralement en plusieurs sections sur des thèmes différents, le ricercare est alors une forme magnifique, la forme noble par excellence, souvent difficile et audacieuse [1]. Principaux représentants : Francesco da Milano et Girolamo Cavazzoni (premiers ricercari en style d'imitation fugué), les Gabrieli, Merulo, Willaert, Hofhaimer, les organistes et vihuelistes espagnols *(tientos)*, les virginalistes anglais *(fantasies* ou *fancies)*, et beaucoup d'autres. Le ricercare ne se distingue de la canzone que par un style plus sévère et une écriture plus stricte. Fantaisies et tientos peuvent lui être assimilés.

avec Giovanni); *Sonate a cinque instrumenti* (1586), *Canzoni alla francese per l'organo* (1571 et 1605), *Ricercari* (1595-1596).

œuvre de Giovanni Deux livres de *Sacrae Symphoniae* (1597-1615), *Concerti a 6-16 voci* (1587, avec Andrea), *Madrigali e Ricercari a 4* (1587), *Canzoni e Sonate* à 3-22 voix instrumentales (1615), *Intonazioni e Ricercari per l'organo* (1592-1595, avec des pièces d'Andrea).

---

1. Chez Giovanni Gabrieli, un thème prend une importance fondamentale, tandis que les autres l'accompagnent (comme des contre-sujets) ou forment des épisodes secondaires (germes des divertissements de fugue) : la fugue classique est ici presque formée.

A. Gabrieli, *Ricercare à 4 voix*

Danse Dans sa très précieuse *Orchésographie* (1588, réédé. 1888 et 1970), le chanoine Jehan Tabourot, dit Thoinot Arbeau, donne une description précise des danses en usage au XVIe siècle. Beaucoup d'entre elles datent du siècle précédent, mais elles ne sont apparues au répertoire purement instrumental que dans les premières tablatures imprimées. Les principales sont les suivantes (l'estampie médiévale disparaît vers le début du XVe siècle) :

○ basse danse Très en vogue du XIVe siècle au milieu du XVIe, c'est une danse noble à trois temps (exécutée sans sauter, d'où son nom), qui sera détrônée par la pavane. Dans les recueils de musique instrumentale, les basses danses sont généralement « garnies de recoupes et tordions » (Attaingnant, 1528, 1530) : autrement dit, elles se composent de l'air principal, d'une reprise variée et d'une sorte de courte gaillarde pour finir. Depuis la fin du XVe siècle, les basses danses sont généralement écrites sur une sorte de cantus firmus, analogue à la « basse obstinée ».

○ branles Danses françaises d'origine populaire, elles sont très en vogue aux XVIe et XVIIe siècles. Il en existe une grande variété que décrit Thoinot Arbeau : branles simples, doubles, de Bourgogne (les types principaux), de Champagne, de Poitou (ancêtres du menuet), gais, des lavandières, des pois, du chandelier, des sabots, etc. A l'exception du branle gai et du branle de Poitou, qui sont à trois temps, tous les autres sont de mesure binaire.

○ pavane La plus belle des danses nobles, en faveur de 1500 à 1650 environ (Louis XIV lui préférera la courante). De rythme binaire et de mouvement modéré, elle est généralement associée à une danse vive : le *saltarello* à 6/8 jusque vers 1530, puis la gaillarde. Thoinot Arbeau donne dans son traité un merveilleux exemple de pavane chantée : *Belle qui tiens ma vie* (exemple musical p. 344). On trouvera plus loin une belle pavane pour le luth (p. 415). Les *padoane* des tablatures italiennes (Petrucci 1508, par exemple), probablement originaires de Padoue, sont géné-

**Reuerence paſſa-
giere droicte**

Pieds largis obli-
que droict

*Air de la gaillarde appel-
lée la Milannoise.*

Arbeau.
*Mouuements que le danceur
doibt faire en dançant
la gaillarde.*

Pieds largis obli-
que gaulche

Pied en l'air droit, fans petit fault.
Pied en l'air gaulche, fans petit fault.
Greue droicte.

Fleuret.

Pied en l'air gaulche, fans petit fault.
Pied en l'air droit, fans petit fault.
Greue gaulche.

Fleuret.

CAPRIOLE

Pied en l'air droit, fans petit fault.
Pied en l'air droit, fans petit fault.
Greue droicte.

Fleuret.

Pied en l'air gaulche, fans petit fault.
Pied en l'air droit, fans petit fault.
Greue gaulche.

Fleuret.

Pied en l'air droit, fans petit fault.
Pied en l'air gaulche, fans petit fault.
Greue droicte.

Fleuret.

Pied croifé droit, fans petit fault.
Reuerence paffagiere droicte, ou en-
tretaille du droit caufant greue gaulche.
Sault majeur.
Pofture droicte.

Thoinot Arbeau, *Orchésographie*, 1589.

ralement dans un mouvement vif, à 12/8 : elles n'ont guère de rapport avec la pavane.

o gaillarde Danse « sautée » très ancienne, à trois temps dans un mouvement animé. Sous sa forme chorégraphique (tombée en désuétude au XVIIe siècle), elle fournissait au danseur l'occasion d'éblouir sa cavalière par une démonstration de force et d'agilité. Elle succède normalement à la pavane et peut en emprunter le thème, principe qui est retenu dans la musique instrumentale. Le premier sans doute, Attaingnant publie en 1529 *Six gaillardes et six pavannes* pour ensemble instrumental, puis en 1531 *Quatorze gaillardes*, *neuf pavannes*, *sept branles et deux basses danses* pour le clavier. Mais le couple pavane-gaillarde, souvent sur un même thème, sera une spécialité des Anglais : Byrd et Bull pour virginal, Dowland et Gibbons pour les violes.

o courante* Probablement d'origine italienne, c'était au XVIe siècle une danse sautée de rythme binaire et de mouvement vif : c'est ainsi que la décrit Thoinot Arbeau. Au début du XVIIe siècle elle est devenue ternaire et de mouvement modéré, assez noble (courante française) ou rapide (courante italienne). C'est sous ces formes qu'elle apparaîtra généralement dans la suite instrumentale.

o allemande* C'est une pièce assez simple, probablement très ancienne qui n'a pas dans la musique instrumentale du XVIe siècle l'importance qu'elle prendra comme premier mouvement de la suite classique. Elle est de rythme binaire et de mouvement très modéré selon la description de Thoinot Arbeau. William Byrd en a composé six pour virginal.

o gavotte* Danse française de la fin du XVIe siècle, qui dérive d'une forme de branle. Elle est de rythme binaire et de mouvement vif très gai. Elle n'intervient dans la musique instrumentale qu'à partir du XVIIe siècle.

o chaconne et sarabande* Danses espagnoles à trois temps, animées et licencieuses, sur lesquelles les contemporains ont écrit beaucoup de choses contradictoires. Elles ne sont entrées au répertoire de la musique instrumentale qu'au XVIIe siècle et sont devenues bientôt des danses lentes et nobles. La chaconne finira par se séparer complètement de son origine chorégraphique, en prenant la forme d'une série de variations sur basse obstinée, comme la « passacaille » (d'origine espagnole elle aussi). Cervantès cite encore un grand nombre de danses espagnoles, qui ne sont pas utilisées dans la composition instrumentale.

Dans leur forme chorégraphique, les danses sont généralement enchaînées dans un ordre déterminé, comme elles l'étaient au

---

Danses qui seront intégrées plus tard à la suite classique.

Moyen Age et comme elles le sont parfois aujourd'hui dans les bals populaires. Mais elles ne forment pas de suite homogène, n'étant associées que pour varier le plaisir de la danse, en dehors de toute idée préconçue et en l'absence de facteurs d'unité. En revanche, le quatrième livre d'*Intabolatura di lauto*, publié par Petrucci en 1508 et dû au luthiste Joan Ambrosio Dalza, contient des séquences de trois danses dans le même ton : pavane, saltarello, piva, présentant généralement des parentés thématiques (la piva est une ancienne danse italienne très vive, le plus souvent à 12/8).

En 1536, un recueil de tablatures de luth publié à Milan contient des danses d'un certain Pietro Paolo Borrono, formant des séquences de quatre ; A. Le Roy suivra cet exemple. Quant au mot « suite » *(Suyttes de branles)*, il apparaît pour la première fois dans le septième Livre de *Danceries* d'Attaingnant, sans désigner ici des séries cohérentes. Les « danceries » pour ensemble instrumen-

Les instruments
chez les grands amateurs

Chez les Médicis en 1456
(Lorenzo a sept ans)

1 orghano di canne a due mani (à deux claviers), 1 orghano fiammingho a una mano (portatif), 1 arpa doppia di Fiandra, 1 arpa nostrale (nostrale : de chez nous), 1 liuto di Fiandra, 1 liuto nostrale, 4 zufoli fiamminghi (zufolo : flûte à bec), 3 zufoli nostrali, 3 zufoli forniti d'ariento (garnis d'argent).

Chez le cardinal d'Este
en 1520

1 douçaine, 2 flûtes, 1 viola da brazzo, 7 violes de différents modèles, 1 contrebasse de viole, 1 clavecin, 1 grand luth, 3 flûtes contrebasses (!), 1 « torno da flauti » (?)

Chez Henry VIII
d'Angleterre,
à sa mort en 1547

78 flûtes traversières, 77 flûtes à bec, 30 chalemies et bombardes, 28 orgues (!), 25 cromornes, 21 cors de chasse, 5 cornets, 5 cornemuses ou musettes, 32 virginals ou clavecins (!), 26 luths, 25 violes, 21 guitares, 2 clavicordes, 3 combinaisons d'orgue et de virginal.

A l'orchestre de
la cour de Berlin en 1582

24 flûtes, 17 chalemies et bombardes, 9 cornets, 7 orgues, 3 trombones, 7 violes, 4 clavecins, 1 harpe.

tal sont au XVIe siècle une spécialité des éditeurs français, particulièrement Attaingnant qui consacre six volumes (vers 1545-1556) à Claude Gervaise. Ce compositeur dont on ignore à peu près tout (il a publié un recueil de chansons à Paris) doit exclusivement sa renommée à ces charmantes *Danceries*, dans lesquelles il n'a peut-être joué qu'un rôle d'arrangeur.

La musique instrumentale du XVIe siècle a fortement contribué à libérer le sentiment musical individuel, en offrant une alternative à l'imitation des maîtres flamands, menacée de pédantisme. Dans l'improvisation, dans la recherche d'un style spécifique à leur instrument, luthistes, clavecinistes et organistes ont entrevu des horizons nouveaux. Dès avant la naissance de Lassus et Palestrina, on voit germer les premiers modèles encore indécis des formes instrumentales classiques : fugue (ricercare, fantaisie), suite (séries de danses, couple pavane-gaillarde surtout), sonate d'église (canzone), variation... La Renaissance est bien le jardin foisonnant où s'est formé l'art moderne.

Pour la commodité de l'exposé historique, on est tenté de voir la monodie succéder à la polyphonie aux environs de 1600, comme dans un brusque changement de régime. La réalité est plus nuancée : les styles ne se succèdent pas strictement et les époques, une fois de plus, s'imbriquent au lieu de se juxtaposer. Des manifestations d'une tendance monodique, favorable à l'expression dramatique, peuvent être observées dès le début du XVIe siècle; mais la grande polyphonie vocale rayonne encore à la fin du XVIIe siècle, même au-delà (motets de Bach), et une bonne part de la musique instrumentale reste longtemps tributaire de l'écriture polyphonique du ricercare et de la canzone (sonate d'église, ouverture française, fugue).

Il faut se représenter que, jusqu'au XVIe siècle, les différentes « voix » d'une polyphonie n'étaient pas considérées comme les parties abstraites d'un tout (c'est ainsi que nous les concevons), mais comme des personnes concrètes exécutant chacune leur embellissement d'un thème ou cantus firmus donné. L'édition des plus riches compositions polyphoniques en parties séparées, sans « partition », montre bien que le développement de la technique contrapuntique ne change pas tout à fait cette conception [1]. Le lyrisme individuel trouve son compte dans la singularité même de chacune des voix.

1. La partition est la notation sur des portées superposées, le synchronisme des voix étant assuré par le repérage vertical exact. On en trouve le principe dans quelques manuscrits du Moyen Age (plusieurs parties sur une grande portée de 8 à 15 lignes). Mais les premières partitions imprimées datent du dernier quart du XVIe siècle (madrigaux de Rore en 1577 et *Ballet comique de la Royne*, véritable partition d'orchestre, en 1582). La partition ne sera d'usage absolument courant qu'au XVIIIe siècle.

Mais, lorsque le raffinement de l'écriture exigera un équilibre parfait, que la polyphonie sera devenue très complexe, et que les différentes voix n'auront de sens que par leur dissolution dans la réalité globale, alors l'individualisme trouvera une échappée inattendue : la transcription pour un seul instrument ou pour une voix accompagnée. Dès 1539, parmi les intermèdes composés pour les noces de Cosme Ier de Médicis et d'Eleonora de Tolède, figure un madrigal à 4 voix où seul le soprano est chanté tandis que toutes les voix sont exécutées par des violes. Les amateurs, de plus en plus nombreux et de plus en plus habiles, prennent le goût d'exécuter ainsi motets, chansons ou madrigaux publiés en tablature. On compose aussi des pièces « en forme d'air », caractérisées par la continuité d'une ligne mélodique : ainsi sont déjà toutes les chansons du recueil de 1552 de Pierre Certon, strophiques, homophoniques et syllabiques

Dans la perspective historique du prétendu « retour à la monodie », on a tendance à croire aussi que l'harmonie a succédé un beau jour au contrepoint*, vers 1600. Harmonie et contrepoint sont deux aspects d'une même réalité polyphonique : aspects que l'on peut qualifier de vertical et d'horizontal, et qui peuvent être favorisés à tour de rôle par le style, par l'écriture, ou même par l'analyse. Le besoin de simplifier la polyphonie au XVIe siècle a nettement favorisé une conception harmonique; mais cette conception se découvre parfois chez Machaut et, en revanche, les techniques d'écriture contrapuntiques resteront fécondes jusqu'à Boulez. Du XVIIe siècle à nos jours, les deux façons de concevoir et de composer la musique vont coexister : l'enchaînement dynamique de climats harmoniques et la progression simultanée d'un nombre déterminé de « voix » [1]. Quant à la substitution de la « tonalité » à la « modalité », il s'agit cette fois d'une transformation réelle, mais dont l'interprétation peut nous égarer. L'apparition des nouvelles fonctions tonales (attraction de la sensible, importance de la dominante, notes modulantes, etc.) a rendu archaïques les anciennes relations modales et superflue la diversité des modes. Mais l'harmonie tonale (donc l'abandon des conceptions modales) n'a-t-elle pas commencé à s'imposer au temps de l'Ars nova, ou même lorsque des altérations ont été introduites dans l'organum?

Les pionniers de l'opéra et les humanistes parisiens ou florentins n'ont pas changé la musique : ils en ont peut-être accéléré l'évolution, en découvrant dans certaines de ses tendances des perspectives nouvelles.

Chez sir Thomas Kytson en 1603 (patron de Wilbye à Hengrave Hall)

6 violons, 6 violes, 7 flûtes à bec, 2 flûtes traversières, 4 cornets et un serpent, 3 luths (dont une basse), 1 pandore, 1 cistre, 2 saquebutes (trombones), 3 hautbois, 1 bombarde, 2 virginals, 2 clavecins à double clavier, 3 orgues (dont 1 portatif).

---

1. La théorie du dodécaphonisme sériel illustre à merveille ce double aspect de la polyphonie. L'enseignement traditionnel en revanche isole fâcheusement harmonie et contrepoint en en faisant deux disciplines séparées; or l'harmonie manque d'autonomie, nombre de ses règles étant déduites de la science du contrepoint...

BALLET

Formation du mélodrame et du style concertant
L'âge baroque
du classicisme

Chanter un air en s'accompagnant au luth est une pratique habituelle autour de 1600... L'idée de « retour à la monodie » fait pendant à celle de « naissance de la polyphonie » : ce sont des schémas grossièrement incomplets. La nouveauté musicale des dernières années du XVIᵉ siècle n'est pas tant la « monodie accompagnée », présentée comme le contraire de la polyphonie, que la façon d'employer l'une et l'autre : recherche d'expression, adaptation à la fonction dramatique, primauté de la partie mélodique et de la basse, se distinguant par leur continuité, rapports concertants entre voix et instruments...

A mesure que s'affirmait la prépondérance de la voix supérieure, les artifices contrapuntiques perdaient leur validité. L'intérêt mélodique du solo ou des parties concertantes ne devait pas être éclipsé par l'accompagnement d'une polyphonie complexe. On s'avisa notamment de la nécessité d'une basse continue [1]. En effet, les croisements des parties graves, fréquents dans la musique polyphonique où elles pouvaient être identifiées par leurs timbres respectifs, n'avaient plus aucun sens dans la musique nouvelle lorsque les différentes parties accompagnantes étaient confiées à un seul instrument, luth, orgue ou clavecin. On prit l'habitude d'écrire une basse qui ne serait plus une voix libre comme les autres, obéissant aux seules règles du contrepoint, mais la simple succession des sons les plus graves, fondement harmonique de l'édifice. Le talent et l'expérience des instrumentistes rendirent inutile la notation de parties intermédiaires consistant désormais en un complément harmonique simple. Pour limiter toutefois l'initiative du musicien chargé de « réaliser » la basse, on imagina d'indiquer par des chiffres et des signes d'altération, placés au-dessus ou en dessous de la basse continue, la nature des harmonies prescrites [2] : c'est ce qu'on appelle le chiffrage. On ne sait qui a été l'inventeur de la basse continue (*basso continuo*, ou *continuo*, en italien; *thoroughbass* en anglais; *Generalbass* en allemand). Croce, Banchieri, Viadana, Cavalieri, Peri, Caccini l'utilisent entre 1594 et 1602; Viadana en donne la première théorie dans sa préface à l'édition de ses *Concerti ecclesiastici* (1602).

1. Dans les chansons polyphoniques de musiciens « modernes » comme Le Jeune, on remarque déjà la continuité de la partie de basse, qui ne croise pas.
2. A la fin du XVIIᵉ, le principe sera généralement le suivant :
– l'accord parfait sans altération ne se chiffre pas;
– chaque chiffre indique un degré en partant de la basse (3 pour la tierce, 4 pour la quarte, etc.). S'ils ne sont pas altérés, on ne chiffre pas les degrés complémentaires d'un accord de sixte (6) ou de septième (7).
– un signe d'altération à côté du chiffre affecte le son représenté par ce signe; seul, ou sous un chiffre, il affecte la tierce.
La « réalisation » de la basse continue est confiée à un instrument polyphonique (orgue, clavecin, théorbe), tandis qu'une viole de gambe exécute la basse proprement dite (C.P.E. Bach préconisera un violoncelle).

← *Ballet du Roy*
des Festes de Bacchus (1651).

Rebel, *Sonate « La Junon »*
(réalisation Geoffroy-Dechaume)

Apparue en Italie, puis adoptée en Allemagne (Praetorius vers 1615), en Angleterre (Deering, 1617) et en France (Boesset vers 1635), la basse continue devient l'indispensable accompagnement de toute la musique du XVIIᵉ siècle et du début du XVIIIᵉ. Elle joue un rôle fondamental dans la formation de styles et de genres nouveaux.

En effet, le principe du *continuo*, par sa vocation d'accompagnement continu, favorise le libre épanouissement du lyrisme individuel, dont procèdent le mélodrame et le style concertant *(stile concertato)*. A l'unité de l'ensemble polyphonique, dont l'harmonieux équilibre se fondait sur la rigueur du contrepoint, la musique nouvelle oppose le contraste, l'inattendu, la diversité d'individualités musicales (voix, instruments, groupes vocaux ou instrumentaux), qui concertent librement, soutenues par la basse continue.

Style concertant et mélodrame se développent simultanément par interactions mutuelles, à la faveur d'une conception nouvelle du sens musical, que reflète l'écriture. On entre, dit-on, dans l'âge « baroque ». Ce mot vague aux résonances péjoratives se trouve revalorisé de nos jours en recouvrant toute la musique

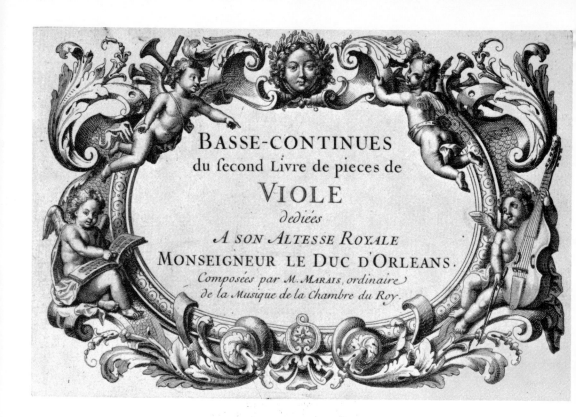

M. Marais,
Second livre de pièces de violes :
basse continue chiffrée.

préclassique, sous sa forme la plus authentique et la plus raffinée. A peu près inconnue du public avant 1950, la musique baroque est devenue le plus précieux objet de délectation de l'amateur éclairé : on y trouve des contrastes inattendus, des chœurs d'anges, des timbres rares, et l'industrie du disque y cherche des best-sellers.

Jadis, pour l'*Encyclopédie*, l'adjectif baroque qualifiait « une nuance du bizarre » en architecture. Selon J.-J. Rousseau, « une musique baroque est celle dont l'harmonie est confuse, chargée de modulations et dissonances, le chant dur et peu naturel ». D'abord, il semble que le mot se soit appliqué plus particulièrement à l'architecture dite jésuite, dont l'église du Gesù à Rome est le type achevé. Par extension, la peinture de l'époque sera qualifiée de baroque... du moins lorsque les sujets sont encombrés de draperies, d'angelots, de feuillages, de motifs architecturaux, car l'épithète baroque ne convient guère à Caravage ou à Rembrandt, à Le Nain ou à Georges de La Tour ! Puis l'époque entière devient baroque, opposée à la Renaissance comme celle-ci le fut au Moyen Age ; ce qui autorise finalement à parler de musique baroque.

Le baroque[1] en musique pourrait se définir comme une exubérance des formes et de l'inspiration, un goût raffiné du luxe
et du contraste, entre deux classicismes. L'imagination que
l'on déploie pour « passer la rampe » (un nouveau public attend
d'être étonné) va engendrer les principales formes classiques :
opéra, oratorio, cantate, sonate, symphonie, concerto apparaissent au cours de cet âge baroque du classicisme.

Naissance du mélodrame

Giovanni Bardi, comte de Vernio (1534-1612), chef d'une ancienne
et puissante famille florentine, est le type du mécène de la Renaissance. Philologue, mathématicien, helléniste imbu des idées
néo-platoniciennes, il réunissait chez lui depuis 1576 un petit
cénacle de philosophes, poètes et musiciens, tous hellénistes ou

1. Pour Émile Mâle, le baroque va du concile de Trente (1545-1563) au début
du XVIIIe siècle. Les musicologues allemands font commencer l'ère baroque à la
mort de Lassus et de Palestrina (1594).

se croyant tels. Comme beaucoup d'autres Académies de ce type, depuis l'Accademia de Marsilio Ficino au XVe siècle, la Camerata Bardi se persuadait de la supériorité des Anciens dans tous les domaines de l'art et de la pensée. Le même zèle humaniste dont est sortie l'idée de Renaissance avait animé Laurent de Médicis et son entourage, les poètes de la Pléiade, Antoine de Baïf et son Académie.

On attribue généralement la création du mélodrame [1] à l'influence des humanistes florentins — ce qui est en partie exact — et tout spécialement aux travaux de la Camerata Bardi, ce qui est faux. Les membres de cette assemblée, peu après Baïf, préconisent, comme d'autres humanistes, une association nouvelle de la musique et de la poésie, sur le modèle de ce qu'on croit être la récitation lyrique des Grecs et des Romains. Leur originalité est la revendication de l'expression, c'est-à-dire d'une certaine indépendance vis-à-vis des méthodes de composition en cours : le style dans la musique vocale doit être la conjonction du sens poétique et du sentiment individuel. Aux savantes constructions de la polyphonie, on veut substituer la libre expression musicale des passions.

Car il est sûr que le chant peut exprimer davantage que la signification conventionnelle des mots. Giulio Caccini, célèbre chanteur et le plus brillant novateur de la Camerata, affirme qu'il faut « *imitar con canto chi parla* ». Mais pour traduire tous les accents de la passion, le chanteur doit disposer d'une liberté souveraine, « *di una certa nobile sprezzatura di canto* », écrit Caccini (mélange de détachement superbe et de grâce hautaine). Giovanni Bardi est moins exigeant. Dans un *Discorso sopra la musica antica* (vers 1580-1585) qui reflète les idées de la Camerata vers la fin de son activité, il condamne le *stile madrigalesco*, mais préconise une réforme prudente qui ne rompe pas radicalement avec l'écriture polyphonique; il recherche seulement plus de simplicité, plus de respect de l'accentuation et de l'expression poétiques. La plupart des intermèdes de *la Pellegrina*, spectacle organisé par Bardi en 1589 pour les noces de Ferdinando de' Medici et de Christine de Lorraine (la Camerata a déjà cessé son activité), sont dans le style polyphonique traditionnel... notamment la seule contribution musicale de Bardi lui-même, dont la justesse de ton et la simplicité sont conformes toutefois aux idées du *Discorso*. Trois pièces seulement sont dans un style vraiment nouveau : elles sont de Caccini, de Cavalieri (voir exemple p. 374), et du jeune Peri, dont il va être question.

---

1. Je préfère utiliser le mot mélodrame pour désigner, au sens le plus large, des ouvrages dramatiques chantés. Le mot opéra évoque trop particulièrement le théâtre lyrique entre 1650 et 1850, genre plus musical que dramatique, qui se caractérise par la succession des récitatifs, des airs et des ensembles.

Quant au mélodrame proprement dit, la Camerata n'en a jamais fait le moindre essai. Le fameux *Dialogo...* (1581) de Galilei, déjà cité, n'y fait aucune allusion. L'association de la musique au théâtre est pourtant de plus en plus fréquente : intermèdes des nombreuses fêtes florentines, spectacles de « masques » en Angleterre, remarquable musique d'Andrea Gabrieli pour les chœurs d'*Œdipe roi* de Sophocle à Vicence (1585), *Balet comique de la Royne* au Louvre (1581), etc. Les influences humanistes sont importantes dans la plupart de ces réalisations, surtout dans l'adaptation d'*Œdipe roi*, due à l'initiative de l'Accademia Olimpica : le style des chœurs de Gabrieli est absolument différent de tout ce qu'on faisait à l'époque, réalisant dans une polyphonie note contre note une fusion exemplaire de la musique et du poème. Rien d'aussi audacieux n'a été tenté par la Camerata...

En 1587, Ferdinando de' Medici, un libéral, presque un progressiste, succède à son frère Francesco, conservateur et autocrate. Bardi était du parti de ce dernier, il avait encouragé sa liaison puis son mariage avec la fameuse Bianca Cappello que Ferdinando détestait. L'avènement du nouveau grand duc de Toscane est pour l'animateur de la Camerata le signe de la disgrâce. Fort de son expérience, il organise encore les fêtes de 1589, comme il a organisé celles de 1579, mais son rayonnement personnel a cessé, et il décide de quitter Florence pour Rome en 1592.

Le nouveau mécène influent est Jacopo Corsi (vers 1560-1604), compositeur et claveciniste amateur. C'est un esprit original, tourné vers l'avenir. A partir de 1590 environ, il organise chez lui des réunions poétiques et musicales, que fréquentent les poètes Rinuccini et Torquato Tasso [1], et le compositeur Emilio de' Cavalieri. Celui-ci, qui ne s'est jamais bien accordé esthétiquement et politiquement avec Bardi, vient d'être nommé surintendant des arts par le grand duc Ferdinando. De 1590 à 1595, il compose la musique d'une série de pastorales, malheureusement perdues. Se fondant sur les essais de Cavalieri, Rinuccini et Corsi font appel en 1594 à un musicien de la cour, Jacopo Peri (1561-1633), chanteur réputé et *gran maestro d'armonia*, et ils le chargent de mettre *entièrement* en musique la *Dafne* de Rinuccini. Il s'agit de faire l'expérience au théâtre du style nouveau, essentiellement dramatique, intermédiaire entre la déclamation et le chant; et l'on qualifiera bientôt ce style de *rappresentativo* ou *recitativo*. Cette *Dafne*, dont il ne subsiste que deux courts fragments, est présentée une première fois chez Corsi pendant le carnaval 1594-1595, puis reprise trois ans

---

1. Le Tasse, dont l'*Aminta* a remporté un très grand succès en 1573, a certainement exercé une influence personnelle sur le développement du mélodrame. Lui-même bon musicien, il surveillait les adaptations de ses pastorales.

Chronologie des débuts de l'opéra

Les premiers masques à la cour d'Angleterre (à partir de 1512), les pastorales dramatiques d'Alfonso Della Viola à Ferrare (à partir de 1541), les intermèdes florentins, et tous autres spectacles en musique de la Renaissance, ne peuvent pas être considérés comme des opéras primitifs, pas plus que les madrigaux dramatiques de Vecchi ou Banchieri. Ce sont des compositions polyphoniques de style madrigalesque, où la musique n'est pas, comme dans l'opéra, le mode d'expression des personnages du drame.

1581 et 1589 Quelques airs dramatiques à voix seule dans le *Balet comique de la Royne* (Paris) et dans les intermèdes de *la Pellegrina* (Florence).

1590-1595 Pastorales en musique de Cavalieri (perdues).

1597 *Dafne* de Peri (lib. Rinuccini) au Palazzo Corsi à Florence. En stile rappresentativo.

1599 *Arminia*, « egloga ossia tragedia », d'un certain G. B. Visconte, représenté à la cour de Milan (salone Margherita) en l'honneur de l'Infante d'Espagne, avec des scènes en stile recitativo.

1600 *Rappresentazione di Anima e di Corpo* de Cavalieri à Rome (oratoire de la Vallicella); *Euridice* de Peri à Florence (Palazzo Pitti), à l'occasion des noces d'Henri IV et de Marie de Médicis; *Il rapimento di Cefalo* de Caccini à Florence (Palazzo Vecchio).

L'EVRIDICE
D'OTTAVIO
RINVCCINI,
RAPPRESENTATA
NELLO SPONSALITIO
Della Chriftianiff.

REGINA
DI FRANCIA, E DI
NAVARRA.

IN FIORENZA, 1600.
Nella Stamperia di Cofimo Giunti.
Con licenza de' Superiori.

Livret de l'*Euridice* de Peri.

plus tard. C'est probablement le premier mélodrame entièrement chanté.

Il s'agit bien d'un nouveau genre de spectacle, qu'on ne peut confondre ni avec le madrigal dramatique, composé en style polyphonique et spécifiquement non représentatif, ni avec le drame ou la comédie entrecoupés d'intermèdes en style madrigalesque, ni avec le madrigal (essentiellement lyrique) chanté par une voix accompagnée. Ce seraient encore les chœurs d'*Œdipe roi* du vieux Gabrieli qui feraient le mieux pressentir le nouveau *stile rappresentativo*. Dans celui-ci les personnages s'expriment musicalement : la musique n'a pas d'autonomie, elle est essentielle à l'expression dramatique. C'est ce qu'avaient entrevu les auteurs anonymes du *Jeu de Daniel* au XIIe siècle.

L'année 1600 va être décisive pour la formation du futur opéra. En février, Cavalieri fait représenter à Rome, dans l'oratoire de la Vallicella, sa *Rappresentazione di Anima e di Corpo, nuovamente posta in musica per recitar cantando*. En dépit du lieu de création et de l'influence qu'on lui attribuera par la suite, cet ouvrage n'est pas un oratorio, mais un mélodrame religieux en stile rappresentativo, avec décors, costumes, jeux scéniques, monté à l'initiative des pères de l'Oratoire comme une pieuse alternative aux spectacles profanes qui se multipliaient en cette période de carnaval.

1602 *Euridice* de Caccini à Florence (Palais Pitti).

1607 *La Favola d'Orfeo* de Monteverdi à Mantoue (Accademia degli Invaghiti, puis Palais ducal).

1608 *Dafne* de Marco da Gagliano et *Arianna* de Monteverdi à la cour de Mantoue.

1609 *The Masque of the Queens* de Ben Jonson, musique de Ferrabosco, à Londres.

1610 *Alcine* de Guédron à Paris (premier d'une série de ballets dramatiques).

1619 *La Morte d'Orfeo* de Landi, probablement à Padoue; *Tancrède* de Guédron à Paris.

1620 *L'Aretusa*, « favola in musica » de Filippo Vitali à Rome (palais du cardinal Corsini). Premier mélodrame joué à Rome.

1624 *La Catena d'Adone* de Domenico Mazzocchi à Rome (inauguration du théâtre Barberini). *Il Combattimento di Tancredi e Clorinda* de Monteverdi à Venise (palais Mocenigo).

1627 *Dafne* de Schütz à Torgau (ouvrage perdu).

1632 *Il Sant'Alessio* de Landi à Rome (théâtre Barberini). Des épisodes bouffes sont intercalés dans le drame.

1634 *Comus* de Milton, musique de Lawes à Ludlow Castle.

1637 *Andromeda* de Manelli à Venise (inauguration du théâtre San Cassiano) : premier opéra représenté devant un public anonyme et payant.

1639 *Le Nozze di Teti e di Peleo* de Cavalli à Venise (San Cassiano), sans doute le premier ouvrage baptisé « opéra ». *Chi soffre speri* de Virgilio Mazzocchi et Marco Marazzoli à Rome (Théâtre Barberini) : premier opéra bouffe. Mazarin et Milton assistent au spectacle.

1641 *Il Ritorno d'Ulisse in patria* de Monteverdi à Venise (San Moisè).

1642 *L'Incoronazione di Poppea* de Monteverdi à Venise (Santi Giovanni e Paolo). *Il Palazzo d'Atlante incantato* de Rossi à Rome (Théâtre Barberini).

1647 *L'Orfeo* de Rossi à Paris. Dispositif scénique de Torelli.

1649 *Orontea* de Cesti à Venise (Santi Apostoli). *Giasone* de Cavalli à Venise (San Cassiano).

1651 Reprise de *l'Incoronazione di Poppea* à Naples (salle du Jeu de paume du Palais royal); *Calisto* de Cavalli à Venise (Sant' Apollinare). →

Cavalieri, *La Rappresentazione di Anima e di Corpo*

1653 *Ciro* de Provenzale à Naples (Palais royal). *Dal male il bene* de Marazzoli et Abbatini à Rome (théâtre Barberini).

1655 *Le Triomphe de l'Amour* de M. de La Guerre joué au Louvre : première pièce française entièrement chantée.

1656 *The siege of Rhodes* de Locke et Lawes à Londres. *Il Trionfo della pietà* de Marazzoli à Rome (Théâtre Barberini). *la Tancia* de Melani à Florence (inauguration de la Pergola).

1657 *Oronte* de Kerll à Munich.

1659 *Pastorale* de Cambert à Issy (dans la maison d'un orfèvre du roi).

1660 *Celos aun del ayre matan* de Calderon et Hidalgo à Madrid (palais de Buen Ritiro) : premier opéra espagnol.

1662 *Ercole amante* de Cavalli à Paris.

1664 *Il Martirio di San Gennaro*, tragédie sacrée en musique de Provenzale, représentée à Naples (Palais royal) par les élèves du conservatoire Santa Maria di Loreto.

1667 *Il Pomo d'oro* de Cesti à Vienne.

1671 *Pomone* de Cambert à Paris (inauguration de l'Académie royale de musique).

1672 *Les Fêtes de l'Amour* de Lully à Paris (Académie royale de musique, salle Vaugirard).

1673 *Cadmus et Hermione* de Lully à Paris (Académie royale de musique, salle du Palais-Royal).

1674 *Alceste* de Lully à Paris (id.).

1675 *Psyche* de Locke à Londres (Dorset Gardens).

1678 *La Forza dell'amor paterno* de Stradella à Gênes. *Adam und Eva* de Theile à Hambourg (inauguration du théâtre Am Gänsemarkt).

1679 *Gli equivoci nel sembiante* de Scarlatti à Rome (Capranica).

1681 Reprise d'*Alceste* de Lully à Hambourg.

1686 *Armide* de Lully à Paris (Académie royale de musique, « opéra »).

1689 *Dido and Æneas* de Purcell à Londres.

1690 Reprise d'*Armide* de Lully à Rome.

1697 *L'Europe galante* de Campra à Paris.

1709 *Patró Calienno de la Costa* d'Orefice à Naples (Fiorentini) : première *opera buffa* en langue napolitaine.

Le texte du père Agostino Manni est le développement d'une laude en faveur à la Vallicella, *Anima e Corpo*. L'essentiel de l'œuvre est constitué par les importantes scènes dialoguées dans le nouveau style récitatif, où l'on trouve les chromatismes, les subites modulations, les ornements expressifs qui seront utilisés par Monteverdi; les âmes des élus et des damnés forment des chœurs, dans un style polyphonique simple et expressif, avec des effets d'écho très réussis. La préface donne des indications précieuses pour le dispositif scénique, l'instrumentation, l'exécution des ornements et la réalisation de la basse chiffrée. C'est une œuvre historiquement isolée, dont l'originalité ne modifiera pas l'évolution tranquille de la laude à l'oratorio, dans les pieuses réunions de la Vallicella. Plus tard d'autres mélodrames religieux verront le jour, indépendamment des premiers oratorios.

En octobre de la même année 1600, une « tragédie » de Rinuccini, mise en musique par Peri, est représentée au palais Pitti, à l'occasion du mariage de Marie de Médicis, la nièce du grand duc, avec le roi de France Henri IV : c'est la fameuse *Euridice*. Corsi, l'ordonnateur du spectacle, est au clavecin; Peri chante le rôle d'Orphée. Ce mélodrame, le premier qui nous soit parvenu en entier, est un petit chef-d'œuvre, très supérieur à tout ce qui a été composé jusqu'alors en stile rappresentativo. La

Rubens, *Histoire de Marie de Médicis*, l'échange des deux princesses (1615).

Peri, *Euridice*

ORFEO

Fu_nes_te piag_ge om_bro_si, or_ridi cam_pi, che di stelle, o di so_le non vedes_te gia_mai scintil_la, o lam_____pi

justesse du rythme et de l'intonation, la variété de l'expression dramatique, la souplesse et la sobriété des ornements mélodiques, montrent comme le *recitar cantando* peut être profondément musical.

Un fac-similé de l'édition originale a été publié par l'Accademia d'Italia (Rome, 1934) et un excellent enregistrement a été réalisé vers 1965 (direction Ephrikian). Ces références permettent de se convaincre que l'*Euridice* de Peri n'est pas insipide et ennuyeuse, comme on le croit et comme on l'écrit souvent.

Le préjugé défavorable à l'encontre de l'œuvre de Peri date peut-être du temps de sa rivalité avec Caccini. Celui-ci réussit non seulement à faire insérer dans l'*Euridice* des airs de sa composition, sous le prétexte que plusieurs chanteurs « dépendent de lui », et à faire représenter trois jours plus tard au Palazzo Vecchio son premier mélodrame *Il rapimento di Cefalo;* mais encore, il met en musique à son tour la même *Euridice* et parvient à la publier avant celle de Peri. Il ne réussit pas toutefois à la faire représenter avant 1602. De son côté, Pietro Bardi, le fils de Giovanni, répand habilement l'opinion qui prévaudra jusqu'à nos jours : le mélodrame est le fruit des travaux de la Camerata et des expériences de Caccini! Peri, dans la préface d'*Euridice*, accorde cette priorité à Cavalieri.

Cette querelle n'a plus guère d'importance. Il reste qu'à l'aube de l'opéra, deux styles de chant, deux conceptions du théâtre lyrique se dessinent déjà chez les antagonistes :

1. Dans les *Nuove Musiche* de Caccini (1601 et 1614), qui rassemblent l'essentiel de sa production, son stile rappresentativo admet un lyrisme souvent exubérant. Il faut, selon la préface du premier recueil, *quasi in armonia favellare* (« presque parler en musique »); mais pour éviter l'austérité du discours musical et rendre le chant plus émouvant, on l'enrichit d'ornements et de « passages » et ces arabesques inouïes deviennent l'expression de la subjectivité dans ce qu'elle a d'irrationnel. Intégrés à la composition, les ornements vont en susciter d'autres, ouvrant une voie prestigieuse au *bel canto* (on disait alors *buon canto*), chant grisé de lui-même dont Alessandro Scarlatti représente l'apogée.

2. *Recitar cantando*, dans les mélodrames de Cavalieri et Peri, implique au contraire un style purement dramatique, qui renonce aux conventions de la musique vocale et à l'autonomie de l'inspiration mélodique, pour unir la musique au langage, formellement et spirituellement. Les principaux réformateurs du drame musical se rallieront à une esthétique semblable.

Cette alternative, assez franche au XVIIe siècle où elle représente un problème fondamental du théâtre lyrique naissant, devient artificielle et confuse au XVIIIe siècle, lorsque l'opéra, genre désormais conventionnel, est agité par des querelles de famille. L'alternative ne se pose pas pour le génie supérieur de Mozart. Elle n'aura plus de sens après *Tristan*.

Il convient de remarquer que la nouvelle monodie dramatique ne s'est pas imposée d'emblée comme un style universel. Beaucoup de compositeurs, et des plus grands, utilisent la basse continue, mais restent attachés à l'écriture polyphonique : Sweelinck, Vecchi, Viadana, Banchieri, Praetorius, même Monteverdi et Schütz dans une partie de leur œuvre.

Cependant le duc de Mantoue, qui avait assisté à la représentation d'*Euridice*, commandait à Claudio Monteverdi, musicien à sa cour, une pastorale dramatique dans le style nouveau. *La favola d'Orfeo* est représentée pendant le carnaval 1607, à l'Accademia degli Invaghiti puis au palais ducal, avec un magnifique succès. Cet étonnant chef-d'œuvre fait faire à l'opéra un progrès décisif.

La même année 1607, un grand compositeur florentin oublié, Marco da Gagliano (vers 1575-1642), fait représenter à Mantoue sa *Dafne*, qui reçoit le même accueil qu'*Orfeo* et lui vaut une réputation égale à celle de Monteverdi. Avec Peri et Francesca Caccini, il compose jusqu'en 1625 toute la musique des spectacles organisés au palais Pitti. Mais il aura été de ceux que l'histoire sacrifie à un génie supérieur. Après *Orfeo*, les mélodrames florentins cessent de paraître audacieux, bien qu'ils restent parfois expérimentaux. Ils échouent d'ailleurs auprès du nouveau public bourgeois, qui remplira bientôt les théâtres d'opéra de Venise. Monteverdi réussira d'emblée la conquête de ce public, parce qu'il tend à l'universel en faisant du mélodrame un genre musical et pas seulement une conception humaniste du théâtre.

Monteverdi II

Dans l'évolution du style de Monteverdi, rien n'est arbitraire ni superflu. Tout est éprouvé, réfléchi, efficace. Quels que soient les sujets littéraires (il n'a pas écrit de musique instrumentale pure), la mythologie et l'anecdote sont dépassées pour atteindre la réalité des passions. Si conventionnel qu'en soit souvent le style poétique, les sentiments exprimés deviennent actuels par le miracle d'un art sans précédent. Déjà les quatre premiers livres de madrigaux, dans le style polyphonique de la Renaissance, se signalaient par l'audace des dissonances, la liberté rythmique, les qualités expressives, une personnalité riche et originale. A partir du ve Livre (paru deux ans avant *Orfeo*), la série des publications illustre l'évolution d'un style si parfait dans chacun de ses aspects successifs qu'il semble que tout a été dit, que la musique est parvenue, grâce à l'un des plus grands génies de son histoire, à un sommet qu'elle ne pourra dépasser. Sans doute les siècles qui vont suivre seront-ils d'une exceptionnelle richesse; mais c'est parce que Monteverdi a légué aux musiciens qui lui succèdent les moyens de le dépasser et de se dépasser, moyens qui paraîtront longtemps inépuisables et que, pour l'essentiel, il ne sera pas nécessaire d'enrichir. Voici, à partir du Vᵉ Livre, la chronologie des publications de type madrigalesque ou assimilées. Les titres des recueils sont riches d'informations sur leur contenu.

1605 (Livre V) *Il quinto libro de madrigali a 5 voci, col basso continuo per il clavicembalo, chitarrone od altro simile istrumento...* La basse continue est indiquée comme nécessaire aux six dernières pièces et comme « facultative » *(a beneplacito)* pour les autres. Ce recueil contient deux pièces admirables et fameuses, où l'on voit le nouveau style (la *seconda prattica* annoncée dans la courte préface) se dégager d'une écriture encore polyphonique : *Cruda Amarilli* et *O Mirtillo, anima mia.* La dernière pièce du recueil, *Questi vaghi concenti,* est déjà une petite cantate en style concertant : elle est conçue pour 9 voix, divisées en deux groupes, et 5 parties d'instruments à cordes. La plupart des poèmes sont extraits de la tragi-comédie de Guarini, *Il Pastor fido.*

1607 *Scherzi musicali a 3 voci...,* publiés par Giulio Cesare Monteverdi, frère cadet de Claudio, avec une *dichiarazione* qui est une pièce maîtresse de la fameuse polémique avec Artusi. Des ritournelles instrumentales, écrites sur trois portées, doivent être jouées, selon les indications du compositeur, par trois violes avec un chitarrone ou un clavecin.

1614 (Livre VI) *Il sesto libro de madrigali a 5 voci con un dialogo a 7 con il suo basso continuo per poterli concertare nel clavicembalo ed altri stromenti.* Le dialogue à 7 annoncé dans le titre, *Presso un fiume tranquillo,* n'est pas la seule pièce « concertante » du recueil : cinq autres sont *a 5 voci concertato nel clavicembalo,* avec des passages en style de cantate (récitatif ou solo à vocalises). Paradoxalement, les pièces les plus belles et les plus émouvantes du recueil sont écrites a cappella, dans un style où l'expression lyrique est particulièrement intense : arrangement polyphonique du célèbre *Lamento d'Arianna* (voir exemple p. 437, 3ᵉ) et *Lagrime d'amante al sepolcro dell'amata,* suite de six pièces sublimes dédiées à la mémoire de la jeune chanteuse Caterina Martinelli, morte à dix-huit ans [1].

1. Caterina Martinelli (1590-1608) était déjà célèbre pour son talent et pour sa beauté lorsqu'elle chanta les rôles de Daphnis et de Cupidon dans la *Dafne* de Marco da Gagliano à la fin de janvier 1608. Elle devait chanter *Arianna* de Monteverdi en mai de la même année; mais elle est morte en février de la variole.

1619 (Livre VII) *Concerto. Settimo libro de madrigali a 1, 2, 3, 4 e 6 voci, con altri generi de canti.* Il s'agit cette fois de véritables cantates dans le style nouveau avec basse continue. Le volume s'ouvre par le célèbre diptyque, bouleversant dans sa simplicité : *Lettera amorosa* et *Partenza amorosa*, pour soprano solo et pour ténor solo, avec des courtes *sinfonie* pour cinq instruments à cordes. Suit un magnifique air de soprano, *Con che soavità*, accompagné d'un véritable orchestre à cordes, avec deux luths, épinette et clavecin. Deux autres pièces sont sous-titrées : *Canzonetta concertata da 2 violini chitarrone o spineta.* Une autre : *a 6 voci, concertato,* comprend en plus du continuo deux parties de violons et deux de flûtes. Le ballet *Tirsi e Clori,* représenté à Mantoue en 1616, est ajouté au recueil. Il est écrit pour soprano et tenor solo, chœur à 5 voix et continuo, à quoi Monteverdi ajoutait pour la représentation huit violes, une contrebasse, deux luths et une épinette.

1632 *Scherzi musicali cioè arie e madrigali in stile recitativo con una Ciaccona...* Ce recueil, que l'on baptise parfois aujourd'hui « Livre X » des madrigaux, réunit six airs pour soprano et basse continue, deux pour ténor et b.c., deux pour deux ténors et b.c. La « chaconne » annoncée est le très célèbre *Zefiro torna,* qui sera incorporé aussi au Livre IXe : les deux parties vocales sont soutenues par une « basse obstinée » (deux mesures qui se répètent soixante fois). Une autre pièce remarquable du recueil est l'importante chanson strophique : *Et è pur dunque vero,* où chacune des strophes est un chant différent composé sur la même basse.

1638 (Livre VIII) *Madrigali guerrieri e amorosi con alcuni opuscoli in genere rappresentativo...* comprenant deux parties : les *Canti guerrieri* et les *Canti amorosi.* Il faudrait tout citer dans cet extraordinaire recueil, sans équivalent dans l'histoire de la musique. Dans la préface, Monteverdi constate qu'il n'existait dans la musique de son temps que deux genres, correspondant à deux types de sentiments : le *molle* (doux) et le *temperato* (modéré). Il ne trouve nulle part le troisième type d'émotion, reconnu par « les meilleurs philosophes » : le *concitato* (véhément, agité), qu'il définit, en se référant au troisième livre de la République de Platon, comme l'imitation des mots et des accents d'un homme qui va courageusement au combat. Pour exprimer musicalement ce type d'émotion, il invente un *stile concitato,* dans lequel un équivalent du mètre pyrrhique (∪ ∪) est obtenu par des notes répétées rapides (divisions de la croche). Cette trouvaille n'est pas l'essentiel du VIIIe Livre, mais elle produit un effet prodigieux dans les séquences de combat du *Combattimento di Tancredi e Clorinda* [1].

1. Douzième chant (52-62 et 64-68) de *la Gerusalemme liberata* du Tasse.

Ce chef-d'œuvre est la pièce maîtresse d'un recueil où tout est de haute qualité. C'est une scène dramatique à deux personnages et un récitant, représentée pendant le carnaval 1624 au palais Mocenigo à Venise. Les parties instrumentales sont réduites à un quatuor de viole da brazzo et à la basse continue : une œuvre modeste en apparence. Mais la déclamation chantée est si juste, les effets descriptifs si sobres, l'intérêt dramatique si concentré, que l'auditeur a peine à reprendre son souffle après la mort de Clorinde sur quoi s'achève si simplement le drame :

Monteverdi, *Combattimento di Tancredi e Clorinda*

Un autre mélodrame en un acte figure dans ce VIIIe Livre; mais il est moins original et beaucoup moins émouvant que le *Combattimento*. C'est *Il ballo delle Ingrate*, représenté à Mantoue en 1608, un an après *Orfeo* et la même année qu'*Arianna*, puis à Vienne en 1628. Parmi les « madrigaux » du recueil il faut se souvenir de trois des plus belles compositions du genre : *Hor che 'l ciel e la terra* pour 6 voix, deux violons et basse continue où l'on trouve un bel exemple de *stile concitato*, le *Lamento della Ninfa* pour soprano, 2 ténors, basse et b.c. et *Mentre vaga angioletta* pour 2 ténors et b.c., d'un modernisme étonnant.

Posth. 1651 (Livre IX) *Madrigali e canzonette a 2 e 3 voci. Libro nono*. Comme le volume de 1632, c'est un recueil d'airs ou de cantates de styles variés. Rassemblés par l'éditeur avec beaucoup de goût, ils datent de différentes époques et ne sauraient être considérés comme un « chant du cygne ». La première pièce, *Bel pastor*, pour soprano, ténor et b.c., est une charmante scène pastorale dans un style d'opéra bouffe que Monteverdi a peut-être inauguré au théâtre en 1627 avec *La finta pazza Licori*, une des œuvres perdues.

Cinq ans avant la publication du Ve Livre, le chanoine bolonais Giovanni Maria Artusi (vers 1540-1613), savant théoricien et musicien conservateur, publie la première partie de *l'Artusi, ovvero Delle imperfettioni della musica moderna*, qui vise Monteverdi sans le nommer, car le propos est illustré par des extraits de ses madrigaux et *scherzi musicali* encore inédits, dont l'admirable *Cruda Amarilli*... En réponse à ce pamphlet, Monteverdi annonce, dans la préface au Ve Livre, la publication prochaine d'un traité théorique, qui doit être intitulé *Seconda prattica, ovvero perfettioni della moderna musica*. Ce projet ne sera jamais réalisé, mais, dans la *Dichiarazione* publiée en appendice aux *Scherzi musicali* de 1607, Giulio Cesare expose clairement les idées de son frère et analyse l'antithèse entre *prima* et *seconda prattica* : d'une part la polyphonie de la Renaissance qui consacre l'autonomie des règles de composition musicale, d'autre part le style moderne où l'expression poétique impose à la musique sa forme et son caractère.

Rien de bien nouveau en somme dans cette trop fameuse polémique : c'est l'habituelle dispute des Anciens et des Modernes. Mais le génie de Monteverdi résiste à tous les académismes, même d'avant-garde, ce qui déroutera toujours les Artusi : occupés à critiquer à la loupe des fragments privés de leur contexte, ils ne s'élèvent pas assez haut pour accéder à la perception globale d'une pensée musicale originale.

L'opéra   Sur les dix-huit « opéras » de Monteverdi que mentionne la chronique, six seulement ont été retrouvés. Plusieurs ont disparu dans l'incendie du palais ducal, pendant le sac de Mantoue en 1630. Parmi ceux qui nous restent, trois ont les proportions d'un acte (ballet, mélodrame ou cantate dramatique) et sont intégrés aux Livres VII et VIII des Madrigaux. Les trois autres sont de véritables opéras : *La favola d'Orfeo* (Mantoue, 1607), *Il Ritorno d'Ulisse in patria* (Venise, théâtre San Cassiano, 1641), *l'Incoronazione di Poppea* (Venise, théâtre Santi Giovanni e Paolo, 1642).

Orfeo est le plus ancien opéra dont on puisse faire aujourd'hui un spectacle : cinq actes précédés d'un prologue [1], d'une durée totale d'environ deux heures, avec des personnages émouvants qui dépassent la convention mythologique et ont une véritable grandeur tragique. A une « récitation chantée » modelée sur l'expression des sentiments, Monteverdi apporte des enrichissements importants : intervention dramatique des chœurs, interludes instrumentaux faisant office de leitmotive, nouveauté de l'aria da capo (air d'Orfeo au second acte : *Vi ricorda, o boschi ombrosi*), splendeur instrumentale héritée de la Renaissance.

La composition de l'orchestre est précisée dans l'édition originale : 2 clavecins, 2 contrebasses de violes, 10 *viole da brazzo* (famille complète), une harpe, 2 *violini piccoli alla francese* [2], 2 *chitarroni*, 2 orgues à tuyaux de bois, 3 basses de violes, 4 trombones, 1 régale (sorte de petit orgue à anches battantes), 2 cornets, une petite flûte « à la vingt-deuxième [3] », 1 trompette aiguë et 3 trompettes avec sourdines. Cependant, pour l'auditeur attentif, les plus belles pages ne sont pas toujours les plus éclatantes. Ainsi, le pathétique récit de Sylvia, compagne d'Eurydice et messagère de mort :

1. La brillante toccata initiale, qui doit être jouée trois fois par tout l'orchestre avant le lever du rideau, est étrangère au drame : c'est en quelque sorte la fanfare du duc de Mantoue. On la retrouve dans les Vêpres de 1610, se superposant au premier chœur comme un hommage à Vincent Gonzague.
2. Accordés une quarte au-dessus du *violino ordinario da brazzo* (notre violon) et une octave au-dessus du soprano *viola da brazzo* (notre alto). Sonnent à l'octave de la notation.
3. « *alla vigesima seconda* » : sans doute à la triple octave (intervalle de vingt-deuxième) d'un tuyau de 8' (registre de base), c'est-à-dire comme un tuyau de 1'... ce qui correspond à la tessiture de la flûte à bec soprano ou de notre piccolo.

ou le désespoir d'Orphée, au 5e acte, après avoir perdu Eurydice pour la seconde fois :

Comment ne pas évoquer aussi le plus célèbre de ces chants pathétiques, le *Lamento d'Arianna*, seul vestige du second opéra de Monteverdi, représenté un an après *Orfeo* :

En 1637 et 1639, les premiers théâtres publics d'opéra s'ouvraient à Venise. Le théâtre Santi Giovanni e Paolo est inauguré en 1639 avec la création d'*Adone* de Monteverdi, un des opéras perdus. Le San Cassiano monte, en 1641, *Il Ritorno d'Ulisse in patria*.

Pinturiccio, *Pénélope à Ithaque*.

Jusqu'alors les mélodrames étaient destinés à un public de cour cultivé, dont les réactions étaient contrôlées par la bienséance et la satisfaction d'avoir été invité. La confrontation à un nouveau public anonyme, qui achète le droit d'assister au spectacle et par conséquent celui d'être éventuellement mécontent, impose une importante évolution du théâtre lyrique. Il faut satisfaire ce « grand public », flatter son goût pour le spectacle, les effets, les machineries, pour le beau chant où les vedettes du jour pourront se surpasser, pour la satire et la bouffonnerie qu'exige le réalisme, même dans un drame mythologique. Dans *le Retour d'Ulysse*, il y a tout cela. Le compositeur y témoigne d'une extraordinaire faculté d'adaptation, d'un savoureux sens de l'humour et d'une intarissable invention.

L'année suivante, presque au terme de sa vie, Monteverdi
donne son chef-d'œuvre, *l'Incoronazione di Poppea*. L'excellent
livret de Gian Francesco Busenello s'inspire d'un sujet historique et non plus mythologique. C'est la première fois dans la
récente histoire du théâtre musical. C'est aussi le premier exemple
d'une grande tragédie lyrique classique. Les principaux éléments
qui caractérisent l'opéra se trouvent déjà réunis sous une forme
accomplie : récitatif, aria da capo, ensembles, emploi du leitmotiv, traduction musicale des oppositions de caractères et
des contrastes de situations. Le réalisme historique du drame
est accentué par le contrepoint d'épisodes bouffons, où Monteverdi excelle [1] : l'air du Page, amoureux de la *damigella*, annonce
l'opera buffa napolitaine et même Mozart (similitudes avec le
rôle de Chérubin). Ici la musique est souveraine : elle sert le
texte sans lui être soumise, elle éclaire l'humanité des personnages, leur universalité, elle est révélatrice du tragique. Désormais
dans l'opéra le musicien est maître d'œuvre, responsable des
émotions provoquées; c'est si vrai que le duo final entre Néron
et Poppée a été ajouté à la demande de Monteverdi.

Une autre grande page de la partition, le trio des disciples de
Sénèque, au moment où celui-ci s'apprête à mourir, montre
comment l'autonomie des moyens musicaux peut être essentielle
à la tragédie.

1. *La finta pazza Licori innamorata d'Aminta* (Mantoue, 1627), malheureusement
perdue, était peut-être le premier opéra bouffe. Le livret de Giulio Strozzi est lui
aussi perdu. Seul le titre permet donc cette hypothèse.

Monteverdi, *l'Incoronazione di Poppea* :
« Les disciples de Sénèque »

Il est remarquable que la situation tragique ne se dénoue pas dans l'accomplissement de la morale conventionnelle. Néron fait triompher son amour, sans qu'aucun dieu justicier n'intervienne pour rendre le bonheur aux victimes de sa passion.

Musique sacrée En dehors des œuvres de jeunesse dans le style de la Renaissance et de quelques pièces dispersées dans des collections, l'œuvre religieuse de Monteverdi consiste en trois recueils monumentaux :

– *Sanctissimae Virgini Missa senis vocibus... ac Vesperae pluribus decantandae cum nonnullis sacris concentibus* (1610), comprenant une messe polyphonique à 6 voix (sur un motet de Gombert) et les grandioses Vêpres suivies de deux versions du *Magnificat*. Le chef-d'œuvre révolutionnaire que constitue ce *Vespro della Beata Vergine da concerto* a été composé pour la chapelle ducale de Mantoue, puisque Monteverdi n'était pas encore à Venise au moment de sa publication.

– *Selva morale e spirituale* (1640). C'est une collection de pièces sacrées, de formes et de styles différents, mais appartenant toutes à la *seconda prattica* (la messe polyphonique de chacun des trois recueils comporte une basse continue).

– *Messa a quattro voci e Salmi* (posth. 1650). Ce recueil se présente aussi comme une anthologie. Le nombre de pièces en est moindre, mais les unes et les autres se situent au même niveau élevé de qualité.

Des compositions comme les Vêpres, comme le *Gloria a 7*
de la *Selva morale* ou le premier *Laetatus sum* du recueil de 1650
sont si grandioses et si belles qu'on se croit parvenu à une sorte
d'apogée de l'histoire de la musique. Et si l'on considère l'ensemble de cette œuvre religieuse, elle apparaît comme la somme
de toutes les connaissances musicales du temps et une ouverture prophétique sur l'évolution ultérieure. Monteverdi ne se
borne pas, comme beaucoup de ses devanciers et successeurs,
à transporter à l'église les formes et les styles de la musique
profane. Il crée un style d'église littéralement extraordinaire,
inouï, qui incorpore les principales richesses de l'histoire
musicale :

1. Le plain-chant « grégorien », omniprésent dans les Vêpres
et les *Magnificat*. Sous forme de cantus firmi ou de réminiscences fugitives, les vieilles mélodies inoubliables fécondent et
sanctifient l'œuvre entière, comme plus tard le choral luthérien
dans une partie de l'œuvre de Bach. Et la référence à ce répertoire consacré, loin d'apparaître comme une concession aux
traditions ecclésiastiques, est ressentie comme une audacieuse
confrontation à l'échelle du millénaire, un symbole d'universalité
et de pérennité de notre culture musicale.

2. L'organum fleuri (voir exemple p. 272), génialement amplifié
dans la *Sonata sopra Sancta Maria* (11e séquence des Vêpres) :
un fragment de litanie répété très librement à l'unisson par les
sopranos sert de teneur à une série de variations instrumentales
étonnantes, préfiguration du choral varié.

3. Le style polyphonique, tantôt traditionnel comme dans
les trois messes ou le beau *Laudate pueri* à 5 voix du recueil de
1650, tantôt étonnamment moderne comme dans le *Laudate
pueri* à deux chœurs des Vêpres (changements de rythmes, syncopes décalées, vocalises), parfois encore sous une forme naïve
à l'ornementation angélique *(Ave maris stella)*.

4. Le grand style vénitien à double chœur : *Nisi Dominus* et
Lauda Jerusalem des Vêpres, dernière séquence du *Magnificat*
avec instruments.

5. Le nouveau style concertant, principal facteur de renouveau
de la musique d'église. Dans le *Laetatus sum* et le *Dixit Dominus*
des Vêpres (2e séquence), le *Nisi Dominus* du recueil de 1650,
et surtout le *Gloria a 7* de la *Selva morale*, l'un des plus beaux
monuments de la musique religieuse de tous les temps, ce style
parvient à un degré de maîtrise qui ne sera pas égalé avant longtemps. Au style concertant se rattache encore le premier *Laetatus
sum* du recueil de 1650, sorte de grandiose chaconne sur une basse
obstinée de quatre notes; la pièce ne comporte qu'une seule
modulation (de sol à mi majeur, sans préparation, sur « Gloria »)
dont l'effet d'illumination est extraordinaire.

6. Le style d'opéra, particulièrement dans le *Nigra sum* pour ténor des Vêpres, le *Pulchra es* pour deux sopranos du même ouvrage, ou la première partie de l'*Audi Coelum* pour ténor.

A la distance où nous jugeons, cette musique nous étonne et nous séduit par une liberté de la forme et une diversité des styles que le classicisme abolira. Elle nous apparaît, au même titre que la musique religieuse de Ligeti ou Penderecki, comme une contestation des systèmes et des formes, qu'inspire l'universalité des grands mythes chrétiens soulignée par les constantes références au plain-chant.

1610... 1643, quelques repères

1610 A l'époque où Monteverdi publie ses Vêpres révolutionnaires, l'Europe est à peine sortie de la Renaissance. Henri IV à cinquante-sept ans régnerait peut-être encore longtemps grâce à la sagesse de Sully, malgré la révolte des paysans et l'agitation des extrémistes catholiques et protestants, si, quelques mois plus tôt, Ravaillac avait manqué son coup... En Toscane, où règne Cosimo II de' Medici, le cousin de Marie, Galileo Galilei (quarante-six ans) invente le télescope et découvre les satellites de Jupiter... Rubens (trente-trois ans) a quitté depuis deux ans la cour de Mantoue, cette pépinière de grands hommes... Cervantès (soixante-trois ans) travaille aux *Nouvelles exemplaires* et à la deuxième partie de *Don Quichotte*. Lope de Vega (quarante-huit ans) et Shakespeare (quarante-six ans) sont à l'apogée de leur carrière... Dans le monde musical, Costeley est mort depuis peu, Victoria mourra l'année suivante, don Carlo Gesualdo met la dernière main aux Ve et VIe Livres de ses Madrigaux, et l'école des madrigalistes et virginalistes anglais est à son apogée (Bull et Dowland n'ont pas cinquante ans, Wilbye n'en a pas quarante). Giovanni Gabrieli (cinquante-trois ans), organiste à San Marco, qui avait inauguré de façon magistrale l'ère du style concertant, n'a rien publié depuis treize ans; mais il prépare un recueil de *Canzoni e Sonate*. Le mélodrame poursuit sa carrière dans les cercles aristocratiques et cultivés, stimulé par l'édition récente de la *Dafne* de Gagliano et de l'*Orfeo* de Monteverdi... Mais rien d'équivalent aux fameuses Vêpres ne verra le jour avant longtemps. C'est véritablement un chef-d'œuvre unique.

1643 Trente-trois ans plus tard, à la mort de Monteverdi, survenue la même année que celle de Louis XIII, l'Angleterre est en pleine guerre civile; en France, où Mazarin gouverne désormais au côté de la régente, les premières remontrances du Parlement et les premières émeutes fiscales annoncent une période de troubles (la Fronde, 1648-1652); l'Allemagne est épuisée par une absurde guerre européenne de Trente Ans (1618-1648); l'Italie, où la puissance espagnole est prépondérante, a perdu son influence et beaucoup de son prestige. L'Europe ne reconnaît plus la primauté de l'esprit et elle est prête à adopter une idéologie politique nouvelle : le droit divin du roi. Lorsque meurt Monteverdi en 1643, un an après la création à Venise du *Couronnement de Poppée*, les derniers grands musiciens de la Renaissance sont morts depuis longtemps et beaucoup sont déjà oubliés. Shakespeare est mort depuis vingt-sept ans, Rubens depuis trois ans. Corneille (trente-sept ans) a déjà fait représenter *le Cid, Polyeucte, Cinna, Horace, le Menteur*. Jean-Baptiste Poquelin (vingt et un ans) fonde l'Illustre-Théâtre et devient Molière pour l'occasion : les débuts catastrophiques de l'entreprise lui vaudront d'être emprisonné pour dettes. La Fontaine (vingt-deux ans) n'est encore bon à rien. Pascal (vingt ans) s'est consacré aux sciences et vient de mettre au point une machine arithmétique. Vélasquez (quarante-quatre ans) peint *le Bouffon de don Juan d'Austria*. Rembrandt (trente-sept ans), très absorbé par ses recherches en matière de gravure, a déjà bon nombre de chefs-d'œuvre à son actif, dont *la Ronde de nuit* et la première *Leçon d'anatomie*...

Parmi les compositeurs, Frescobaldi vient de mourir à Rome, Schütz (cinquante-huit ans) est à peu près à la moitié de sa longue carrière. Cavalli (quarante et un ans), second organiste à San Marco, où il a débuté comme chanteur il y a vingt-six ans sous la direction de Monteverdi, vient de faire représenter au théâtre San Cassiano de Venise son septième opéra, *Egisto*. Carissimi a trente-huit ans, mais il n'a pas encore composé les oratorios et les cantates de chambre qui feront sa gloire. Legrenzi et Louis Couperin n'ont encore que dix-sept ans, Lully onze ans, Charpentier neuf ans et Buxtehude six ans...

Musique et société Depuis au moins une génération, l'âge d'or de la musique d'amateurs, de la musique vivante, est révolu. Au XVIIe siècle, les classes dirigeantes ne font plus de musique : elles en font faire pour leur divertissement par des professionnels. L'essentiel de la vie musicale dans les palais royaux, les châteaux, les maisons aristocratiques ou bourgeoises, est constitué par des « concerts » privés. Beaucoup de demoiselles caressent l'épinette et chantent de douces ariettes, quelques gentilshommes jouent du clavecin ou de la viole de gambe. C'est une façon distinguée de tromper l'oisiveté. Mais la pratique de la musique n'est plus indispensable à la vie en société; elle est marginale et futile.

Le développement de l'instruction favorise le progrès d'un

L'ouïe, par Abraham Bosse.

Musique de chambre : cistre, luth, violon, basse de viole.

savoir très diversifié à prédominance littéraire, celui de l' « honnête homme ». Très cultivé, celui-ci est investi d'une fonction de censure et de promotion. Le sentiment de la justice n'est pas son seul guide, mais il connaît bien ce qu'il juge. Et comme on se soumettra à l'autorité monarchique de droit divin, de même on acceptera l'arbitrage artistique de l'élite.

Sartre montre que le public de Corneille, de Pascal, de Descartes, c'est Madame de Sévigné, Madame de Rambouillet, Saint-Évremond... Au XVIIᵉ siècle, « on lit parce qu'on sait écrire; avec un peu de chance, on aurait pu écrire ce qu'on lit [1] ». D'ailleurs, en littérature, le talent et le savoir trouvent à s'exercer sans contact avec le public et sans compromission avec les marchands, dans la poésie et dans l'art épistolaire par exemple. La musique, au contraire, expose constamment l'artiste aux vicissitudes de la représentation. L'honnête homme n'a pas à se faire comédien ou musicien. Il écoute assez de musique à l'église,

1. J.-P. Sartre, *Qu'est-ce que la littérature?* Gallimard 1948.

dans les théâtres qui commencent à se multiplier et dans les salons, il en étudie suffisamment les règles et les méthodes, pour savoir comment elle se fait et pouvoir en contrôler le goût.

Un changement significatif s'est produit dans l'édition musicale. Au lieu de l'ancienne présentation en parties séparées, reflet d'une pratique collective où la participation de chacun est nécessaire au plaisir de tous, l'édition en partition répond aux besoins d'une culture plus ambitieuse, où l'on ne se satisfait pas d'être la partie d'un tout car chacun veut en être le témoin privilégié.

Si le prestige des grands virtuoses s'accroît, à mesure qu'ils repoussent les limites de l'impossible, les compositeurs, eux, deviennent des fournisseurs ou plus souvent des laquais. Au XVIe siècle, bien que dépendant matériellement de la générosité d'un patron, ils étaient généralement considérés avec respect et faisaient figure de personnages importants. Lassus traitait le duc de Bavière très cavalièrement et lorsque le duc de Ferrare, auquel il était allé offrir en 1567 son IVe Livre de Madrigaux, le

Concert en plein air : quatuor de viole da braccio (soprano, alto, ténor, basse) et clavecin.

reçut un peu froidement, l'ambassadeur florentin offrit ses bons offices pour éviter un incident diplomatique. A partir du XVIIe siècle, la subordination devient humiliante, comme en témoignent lettres et dédicaces, et le bon plaisir des puissants doit être considéré comme une règle esthétique.

Pourtant c'est au XVIIe siècle que se créeront non seulement les premiers théâtres d'opéra, mais aussi les premiers concerts publics *et payants*, offrant par conséquent à la création musicale des perspectives plus démocratiques. C'est le 30 décembre 1672, en effet, que le violoniste et compositeur John Banister (1630-1679) annonce la nouveauté d'une série d'auditions musicales publiques, dans sa maison de White Friars. L'initiative est bien accueillie et les auditions se poursuivent pendant six ans. Un marchand de charbon nommé Thomas Britton (1644-1714) prend la relève en fondant une association de concerts d'abonnement, qui sera prospère pendant trente-cinq ans, jusqu'à la mort de Britton (terrassé, dit-on, par la peur que lui fait un ventriloque). D'autres associations analogues seront créées au début du XVIIIe siècle en Allemagne *(Collegia Musica)*, en Angleterre *(Academy of ancient music)*, en France (Concert spirituel), en Italie, en Suède et bientôt dans toute l'Europe. Des compositeurs et des virtuoses organiseront eux-mêmes des auditions à leur propre bénéfice et peu à peu le concert s'imposera comme l'institution musicale par excellence, vouée à la glorification de la musique objet et du musicien vedette. L'idée ne s'en était pas imposée aux nombreuses générations pour qui la musique ne pouvait être que fonctionnelle ou domestique!

Le succès immédiat des théâtres d'opéra puis des concerts publics, témoigne d'une curiosité générale, par conséquent de l'existence préalable d'un public... non pas populaire (sauf exceptionnellement à l'opéra), mais étendu à des couches nouvelles de la bourgeoisie. D'emblée différentes classes apparaissent dans ce public, d'où certains comportements affectés. L'amateur de jadis était à la fois plus exigeant et plus ingénu. Si désormais on pratique moins la musique, on en parle davantage, souvent sans rigueur.

L'époque est aux théories confuses sur les arts et leurs correspondances, sur l'Antiquité, puisqu'elle est à la mode, et sur la musique moderne. On est étonné par exemple de la fragilité, parfois de l'incohérence, des théories de Nicolas Poussin[1] sur

---

1. N. Poussin : *Lettres et propos sur l'art* (textes réunis et commentés par A. Blunt), Paris, 1964. Les historiens d'art, depuis Delacroix, se sont souvent occupés de l'influence de la musique sur l'œuvre de Poussin et, de façon plus générale, des correspondances, au point de vue stylistique, entre la peinture et la musique. Mais on ne définit jamais clairement la nature de ces correspondances, qui sont probablement subjectives.

les modes grecs. Il copie de travers et traduit à l'aveuglette les *Istitutioni armoniche* de Zarlino et veut appliquer à la peinture ce qu'il comprend du caractère des modes. C'est certainement aussi incongru que de s'exclamer : « Il y a de la chromatique là-dedans » *(les Précieuses ridicules)*. L'Antiquité est à la mode, le « chromatisme » aussi. Mais tandis que celui-ci est une acquisition féconde de la musique moderne [1], l'imitation de la musique des Anciens est utopique, faute de modèles : on devrait le savoir au milieu du XVIIe siècle, depuis soixante-quinze ans qu'on en parle!

La musique a échappé toutefois à la grande querelle des Anciens et des Modernes, n'ayant pas de références gréco-latines suffisantes. La connaissance de ses origines ne fait d'ailleurs aucun progrès; on ne sait même pas ce que pouvait être la musique avant Palestrina. Au XVIIe et au début du XVIIIe siècle le succès dure une saison : la musique est toujours moderne par destination. Mais, comme au XIVe siècle (et comme plus tard au XXe), un *stile nuovo* et un *stile antico* restent en compétition, l'un et l'autre atteignant la perfection dans l'œuvre de Monteverdi.

L'opéra en Italie après Monteverdi

Venise Depuis 1637, date mémorable de l'inauguration du théâtre San Cassiano, le succès du drame musical ne faiblit pas à Venise, où trois cent cinquante-huit opéras nouveaux seront montés jusqu'à la fin du siècle. Dans la première moitié du XVIIIe siècle, la moyenne sera de dix créations par an! Vers 1700, la ville comptera dix-sept théâtres, dont sept au moins représenteront régulièrement des opéras. Ce genre de spectacle est devenu une spécialité vénitienne, lorsque les autres capitales musicales d'Europe ont l'idée d'ouvrir à leur tour des théâtres publics d'opéra (voir p. 448).

A la mort de Monteverdi, son disciple Francesco Cavalli (1602-1676), second organiste à San Marco, est le compositeur d'opéras le plus en vue. En 1642, l'année où le théâtre Santi Giovanni e Paolo monte *l'Incoronazione di Poppea*, sa réputation est telle que trois des quatre théâtres d'opéra fonctionnant alors à Venise assurent chacun la création d'un de ses ouvrages : *Amore innamorato* au San Moisè, *Narciso ed Ecco immortali* au Santi Giovanni e Paolo, *la Virtù de' strali d'amore* au San Cassiano. Il donne cinq ouvrages nouveaux en 1651 et, de 1639 à 1669, il fera représenter un total de quarante-deux opéras →

---

1. On qualifiait alors de « chromatique » un style aux modulations fréquentes, recherché pour son intensité dramatique.

Le théâtre de la Pergola
à Florence, en 1656.

Les premiers théâtres publics d'opéra

1637 Venise, San Cassiano.
Inauguration : création d'*Andromeda* de Francesco Manelli, musicien venu de Tivoli, qui exploite le théâtre à ses risques en association avec son librettiste, un célèbre joueur de théorbe, Benedetto Ferrari.
1639 Venise, SS Giovanni e Paolo.
Inauguration : création d'*Adone* de Monteverdi.
1639 Venise, San Moisè.
Inauguration : reprise d'*Arianna* de Monteverdi.
1651 Venise, Sant' Apollinare.
Inauguration : création d'*Eristeo* de Cavalli.

1654 Naples, San Bartolomeo (construit en 1620, mais n'accueille le théâtre musical qu'en 1654).
Premier opéra : création d'*Orontea regina d'Egitto* de Cirillo par la compagnie des Febi armonici.
1656 Florence, Teatro della Pergola.
Inauguration : création de *la Tancia* de Melani, l'une des premières comédies en musique.
1661 Londres, Lincoln's Inn Fields Theatre.
Inauguration : *The Siege of Rhodes* de Lawes et Locke (créé en 1656).
1671 Paris, Académie royale de musique (rue Mazarine).
Inauguration : création de *Pomone* de Cambert (146 représentations).
1671 Rome, Tor di Nona.
Inauguration : reprise de *Scipione Africano* de Cavalli.

Décor de Torelli pour
Teti e Peleo de Caproli.

1673 Paris, l'opéra se transporte dans la salle du Palais-Royal, d'où Lully a chassé la troupe de Molière : *Cadmus et Hermione*.

1675 Londres, Dorset gardens (au bord de la Tamise, près de Fleet street : existe depuis 1671 mais n'accueille le théâtre musical qu'en 1675).
Premier opéra : *Psyche* de Locke.

1677 Venise, Sant' Angelo.
Inauguration : *Elena rapita da Paride* de Freschi.

1678 Hambourg, Theater Am Gänsemarkt.
Inauguration : création d'*Adam und Eva* de Johann Theile.

1678 Venise, San Giovanni Grisostomo.
Inauguration : création de *Vespasiano* de Pallavicino. Goldoni en sera directeur de 1735 à 1741.

Devient en 1835 l'actuel Théâtre Malibran.

1679 Rome, Capranica (d'abord privé, n'ouvre au public qu'en 1695).
Inauguration : création de *Dov'è Amore e Pietà* de Pasquini.

1681 Naples, Fiorentini (existe depuis 1610 mais n'accueille le théâtre musical qu'en 1681).
Premier opéra : *Adamiro* de ? (probablement de Provenzale). Au XVIIIe siècle cette salle sera le principal foyer de l'*opera buffa* napolitaine.

1705 Londres, Queen's theater à Haymarket.
Inauguration : création de *Gli amori d'Ergasto* de Greber.

Francesco Cavalli

Crema 14 février 1602
Venise 14 janvier 1676

Fils du chef de chœurs de la cathédrale de Crema, Gian Battista Caletti-Bruni, il a pris le nom d'un riche patricien vénitien qui assuma les frais de son éducation musicale.

1617 Il est admis comme choriste à Saint-Marc de Venise, sous la direction de Monteverdi.
1639 Son premier opéra, *le Nozze di Teti e di Peleo*, est représenté au théâtre San Cassiano.
1640 Nommé second organiste à San Marco; il sera titulaire du premier orgue en 1665.
1660 Sur l'invitation de Mazarin, il se rend à Paris pour célébrer le mariage de Louis XIV et la paix des Pyrénées. On donnera *Serse* dans la grande galerie du Louvre. Lully en compose les ballets et récolte tous les applaudissements.
1662 Nouveau voyage à Paris pour la représentation d'*Ercole amante*. Tout le succès est allé aux machineries de Torelli et aux ballets de Lully!
1668 Maître de chapelle à San Marco.

œuvre Au moins quarante-deux opéras, une messe, des motets et psaumes, un *Requiem*, des *canzonette*, des sonates instrumentales.

dont le célèbre *Giasone* (1649). En 1660, à la demande de Mazarin, Cavalli se rend à Paris pour célébrer à la fois le traité des Pyrénées et le mariage de Louis XIV avec l'infante Marie-Thérèse. L'opéra composé pour la circonstance est *Ercole amante*. Mais le dispositif nécessité par sa mise en scène n'est pas prêt : à la place, le 22 novembre dans la grande galerie du Louvre, on joue l'opéra *Serse*, créé à Venise six ans plus tôt. Une grande partie du succès va à Lully qui s'est arrangé pour truffer l'œuvre d'entrées de ballet de son cru. En 1662, *Ercole amante* finit tout de même par être créé aux Tuileries, mais cette fois encore l'inévitable Lully impose ses ballets, en quantité telle que la durée de la représentation s'en trouve doublée! Cavalli pouvait apprécier par comparaison les théâtres de la Sérénissime République, malgré leurs publics bruyants et leurs problèmes de gestion.

Le style des opéras de Cavalli s'inscrit dans la perspective ouverte par *le Couronnement de Poppée*. La fécondité de son génie mélodique et la justesse de son intuition dramatique en font un musicien de théâtre de tout premier ordre, et le premier qui ait travaillé pour ce qu'on appelle aujourd'hui le « grand public ». Il consacre le principe de la distribution du texte en *recitativo* (passages dramatiques qui font avancer l'action) et en *arioso* (passages lyriques qui la commentent). Mais son récitatif est souple, musical, presque arioso, et son arioso sacrifie au bel canto dans des limites raisonnables. Le mouvement mélodique de la basse est agréable, prenant parfois la forme d'une basse obstinée (susceptible de tempérer l'imagination des chanteurs) :

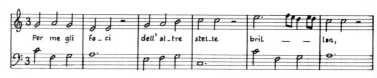

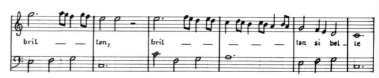

Deux autres compositeurs sont à distinguer parmi ceux qui ont fait la gloire de l'opéra vénitien au XVIIe siècle : Antonio Cesti (1623-1669) et Giovanni Legrenzi (1626-1690). Le premier a été l'élève de Carissimi à Rome : le style de ses cantates l'apparente à l'école romaine, celui de ses opéras à l'école vénitienne. Après un court séjour à la cour des Médicis, d'où il est congédié pour sa mauvaise conduite, Cesti est nommé maître de chapelle à la cour de Ferdinand d'Autriche à Innsbruck, puis à celle de Léopold Ier à Vienne. Mais ses fonctions lui laissent le loisir de voyager en Italie et ses opéras sont créés tant à Innsbruck et à Vienne qu'à Venise où, selon la correspondance de son ami Salvator Rosa, il semble avoir joui d'une énorme réputation. Sa musique a circulé dans toute l'Europe avec un succès qu'explique la beauté de sa mélodie, qui favorise l'épanouissement du buon canto. *Il Pomo d'oro* (Vienne, 1667) est le plus beau spécimen d'un art qui, par la conjugaison des traditions vénitienne et romaine, annonce l'opéra de Scarlatti et de Vivaldi. Cesti aurait composé près de cent cinquante opéras, mais seulement une quinzaine nous sont parvenus.

Giovanni Legrenzi brille davantage dans les domaines de la musique sacrée, de la cantate de chambre et de la sonate instrumentale. Pourtant ses opéras, où le beau chant accentue ses privilèges au préjudice de l'intérêt dramatique, prennent une importance historique particulière par la qualité d'une écriture instrumentale déjà « symphonique », au sens moderne du terme. L'orchestre, à plusieurs parties réelles, avec une base de cordes, un souci de l'équilibre sonore et un sens raffiné des timbres, intervient (au lieu de la seule basse continue) dans l'accompagnement de certaines arias, anticipant Scarlatti et Vivaldi. L'instrumentation de Legrenzi ne reflète pas un génie puissant, comme celle de Gabrieli ou de Monteverdi, mais sa maîtrise fait pressentir le classicisme.

Quant à l'esthétique générale du drame en musique, les théâtres publics de Venise ont beaucoup contribué à son évolution, en imposant l'obligation de satisfaire les goûts d'un public de plus en plus large. Dans cette fausse démocratie archaïque et paternaliste où le peuple a le devoir d'être heureux, sénateurs, gondoliers, pêcheurs, artisans, prêtres, marchands, courtisanes, se côtoient dans les théâtres où l'on donne la *commedia* ou le *dramma per musica...* le port du *tabarro* (grand manteau à col rabattu) et de la *bauta* (masque en vernis blanc), ou de quelque autre domino en période de carnaval, préservant l'incognito des patriciens et favorisant les soirs de fête une douce collaboration de classe. Le nombre incroyable de théâtres, pour une ville de moins de cent cinquante mille habitants, crée une concurrence sévère. Il faut surenchérir sur le goût du public pour le grand spectacle : multiplication des figurations inutiles, intrigues secondaires prétextes à coups de théâtre, machineries compliquées et dispositifs grandioses par lesquels on simule des naufrages, des éruptions de volcans, des apparitions de dieux sur des nuages, des combats... Plus il y a de sorciers, de revenants, d'imbroglios et surtout de travestis, plus le public est content, même si l'on ne comprend plus rien à l'intrigue. On a même vu, dans le *Serse* de Cavalli, un moine châtré, don Filippo Melani chanter le rôle de la reine Amnestris amoureuse du roi de Perse et déguisée en homme! Un autre prêtre paraît déguisé en nourrice. Il est reconnu par un spectateur ravi, qui s'écrie dans l'hilarité générale : « Ecco Pre Piero che fà la vecchia [1]! »

Dans le public, le bruit est perpétuel. A mesure que se développe l'art du buon canto, les chanteurs des premiers rôles deviennent des idoles et l'on acclame leurs prouesses vocales au beau milieu des arias. Les cantatrices sont les sujets de poèmes enflammés et les jeunes seigneurs des loges feignent de se jeter dans le vide pour les rejoindre... Mais, après Vittoria Archilei et Francesca Caccini, vedettes des mélodrames florentins, après Adriana Basile-Baroni, interprète favorite de Monteverdi, et quelques autres, les grandes cantatrices, les prime donne, se font plus rares. L'Église interdit aux femmes de paraître sur scène; puis, lorsqu'elle les y autorise de nouveau en 1671, un tel parfum de scandale reste attaché à la condition de chanteuse ou de comédienne qu'il paraît difficile à beaucoup de surmonter le préjugé.

C'est alors que les castrats envahissent les scènes lyriques. La mutilation volontaire des jeunes garçons n'est certes encouragée ni par la loi ni par la morale privée, mais on trouve suffisamment de parents cupides, de maîtres indignes, de médecins sans scrupule et de jolies voix d'enfants, pour que les castrations de complaisance se multiplient, sous le prétexte de malformations imaginaires... et avec la conscience de suivre une vieille tradition du chant d'église, qui remonterait, dit-on, aux prêtres de Cybèle [2]! Le premier rôle important qui ait été confié à un de ces *evirati* fut celui d'*Orfeo* dans l'œuvre de Monteverdi. Bientôt ils se disputent les premiers rôles : le public les adore et s'intéresse davantage à leurs prouesses qu'à celles des héros qu'ils incarnent.

L'art des vocalises et des ornements est pourtant pratiqué depuis l'Antiquité. Chez les Grecs, ce que nous appelons bel canto était la spécialité des professionnels; on retrouve cet art dans la première hymne chrétienne connue (voir p. 188), dans les *jubila* des graduels et des alléluias, dans les mélismes des chansons de troubadours, dans l'organum fleuri de Saint-Martial, chez Machaut et Landini... Plus tard Caccini fait des ornements et des « passages » un élément essentiel du solo vocal et Monteverdi en

---

1. L. de Saint-Didier, *La Ville et la République de Venise*, Paris, 1680.
2. Lorsque cette opération intervient avant la puberté, elle permet au sujet d'éviter la mue et de continuer à cultiver sa voix de soprano ou d'alto à l'âge adulte. Mais l'appareil respiratoire se développe normalement, offrant une capacité pulmonaire bien supérieure à ce qu'exige, pour une voix aiguë à fort tonus musculaire, l'établissement de la pression sous-glottique souhaitée. L'excédent de souffle permet l'exécution de sons filés prodigieux et d'interminables traits ou passages, d'une seule haleine.

utilise une grande variété, écrits en toutes notes, dans les VIIe et
VIIIe Livres, dans les Vêpres, dans les opéras [1]... Mais les grands
castrats feront de ce chant orné une sorte de prodige et cela
paraît leur donner tous les droits.

Les spectateurs, peu soucieux de la logique du drame, ne s'in-
quiètent pas de voir César ou Alexandre chaussés de souliers à
talons rouges et à boucles étincelantes, vêtus d'habits chamarrés,
de bas de soie, couverts de bijoux et de breloques et s'exprimant
avec la plus extraordinaire voix de soprano! Chacun admet que le
gran uomo (c'est ainsi qu'on le désigne) porte à son gré un casque
à plume, une lance et un bouclier, même si le personnage du rôle
n'a rien à faire de ces accessoires, ou qu'il ajoute à la pièce pour
la satisfaction de ses amis un de ses airs favoris, sans aucun
rapport littéraire ou musical avec le contexte. Lorsque Vivaldi
commence sa carrière d'homme de théâtre, au début du XVIIIe siècle,
rien n'aura changé, ainsi qu'en témoigne *Il Teatro alla moda* de
Benedetto Marcello (1720), excellente satire de l'opéra vénitien
du temps.

Les extravagantes prouesses des chanteurs n'ont d'égal que
les prodiges de la mise en scène. Les architectes et les machinistes
rivalisent d'ingéniosité et reçoivent plus d'applaudissements que
le poète ou le compositeur. L'un d'eux, Giacomo Torelli (1604-
1678), que l'on appelle à Paris « le Sorcier », prodigue des illusions
fabuleuses. On a déjà l'habitude de voir un personnage transporté
instantanément de la ville à la campagne, sans qu'il ait à quitter
la scène ni qu'on baisse le rideau, par le miracle de la scène « à
transformations », qui va imposer le style classique des décors en
perspective, avec leurs « coulisses » et leurs arrière-plans en
trompe-l'œil [2].

Rome A Rome, le premier théâtre public d'opéra n'est ouvert
qu'en 1671, à l'initiative de Giacomo d'Alibert, gentilhomme de la
suite de la reine Christine de Suède : c'est le théâtre Tor di Nona,
au fonctionnement assez irrégulier. Dans cette ville où un sens
infaillible du décor semble avoir fait l'unité des siècles d'architecture et où les merveilleux paysages urbains vont s'enrichir

1. L'organiste allemand Leonhard Kleber (vers 1490-1556) dit qu'une pièce est
colloratum ou *non colloratum*, selon qu'elle est ornée ou non. Le mot *coloratura*
est bien d'origine allemande et non italienne (en italien, ce serait *colorazione*).
Le *Traité* d'Yssandon en suggère l'explication : les passages ornés, les « diminutions » s'écrivent en notes coloriées, le texte ordinaire en notes blanches.
2. Au merveilleux théâtre du château royal de Drottningholm, près de Stockholm,
fonctionne encore une scène de ce type, où machineries, décors, costumes, accessoires datent du XVIIIe siècle... et sont en parfait état. La qualité des spectacles lyriques
y est irréprochable. C'est un enchantement qui mérite le voyage.
L'invention de la scène à transformations est due à Bernardo Buontalenti (1536-
1608), architecte florentin qui imposera pendant plus de deux siècles sa vision du
monde théâtral.

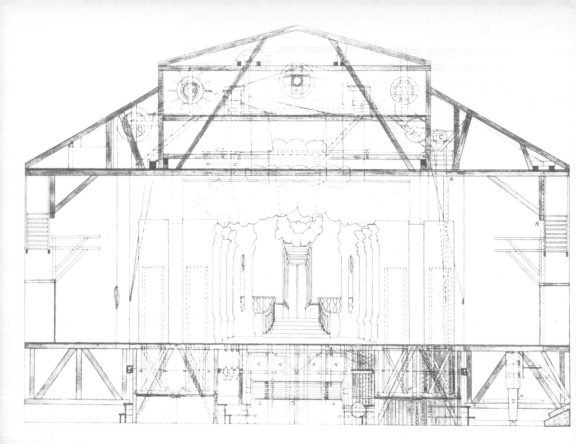

Le théâtre de Drottningholm :
coupe du théâtre,
la machinerie,
le Couronnement de Poppée.

d'effets théâtraux (colonnade du Bernin place Saint-Pierre, fontaines de la piazza Barberini et de la piazza Navona, fontaine de Trevi, escalier de la place d'Espagne), l'opéra est d'abord l'affaire de quelques fastueux prélats.

Dès 1620, le cardinal Ottavio Corsini fait jouer dans son palais devant une illustre assemblée une « favola in musica » du Florentin Filippo Vitali (vers 1590-1653), *l'Aretusa* : le principal intérêt de cet ouvrage, qui se réclame de Caccini et Peri, est d'être probablement le premier mélodrame représenté à Rome. L'exemple est suivi peu après, avec un luxe fantastique, par les cardinaux Francesco et Antonio Barberini, puis par le cardinal Rospigliosi, protecteur de Poussin et futur pape Clément IX. Ce dernier est aussi un librettiste fécond, comme le seront plus tard les cardinaux Ottoboni et Grimani. Les frères Barberini (deux éminences et un préfet de Rome), dont l'oncle Maffeo vient d'être élu pape sous le nom d'Urbain VIII, se font construire aux « quattro fontane », par le Bernin et Borromini, un palais somptueux avec un théâtre capable de recevoir trois mille spectateurs [1]! L'inaugu-

1. Après avoir été aménagée par le fameux Torelli en 1637, la salle du Palais-Royal à Paris n'en contiendra que quatorze cents.

Luigi Rossi

Torremaggiore (Foggia) 1597
Rome 19 février 1653

Élève de Giovanni de Macque à Naples. Il vient ensuite à Rome, comme chanteur, guitariste et claveciniste, au service de Marc' Antonio Borghese, neveu du pape Paul V.

1632 La mort de Gustave-Adolphe à Lützen lui inspire une cantate, *Un ferito cavaliere*, qui étend sa renommée à toute l'Europe.

1633 Il est nommé organiste à Saint-Louis des Français.

1635 Voyage à Florence chez les Médicis, avec sa femme la harpiste Costanza de Ponte.

1641 Entre au service du cardinal Antonio Barberini, neveu du pape Urbain VIII. Rossi a composé peu avant un oratorio, *Giuseppe, figlio di Giacobbe*, sur un livret de Francesco Buti, secrétaire du cardinal.

1642 *Il Palazzo d'Atlante incantato* représenté au théâtre Barberini. Le livret est du cardinal Giulio Rospigliosi.

1646 Rejoint à Paris les cardinaux Francesco et Antonio Barberini. Ceux-ci se sont mis sous la protection de leur ami Mazarin car le nouveau pape Innocent X a contre eux un dossier accablant et a décidé leur perte.

1647 *Orfeo*, sur un livret de Buti, est représenté à Paris devant le roi avec un immense succès.

1649 Part pour la Provence où s'est réfugié le cardinal Barberini, sous la pression des événements politiques (début de la Fronde).

œuvre Deux opéras, quelques oratorios et près de quatre cents cantates *(cantate, arie, canzoni, serenate)*.

---

ration, en 1624, donne lieu à la création de l'un des premiers opéras romains, *la Catena d'Adone* de Domenico Mazzocchi (1592-1665). La préface indique que des *mezz'arie*, réparties dans l'opéra, évitent au récitatif d'être lassant.

Pendant trente ans, le théâtre Barberini est le principal foyer de l'opéra romain. On y monte notamment le *Sant'Alessio* de Stefano Landi (vers 1590-1655), sur un livret du cardinal Rospigliosi : cette œuvre marque un progrès dans la voie de la fécondité mélodique, qui caractérise l'école romaine et particulièrement le premier opéra de Luigi Rossi (vers 1597 - 1653) *Il Palazzo d'Atlante incantato* (encore sur un livret de l'intarissable éminence). Napolitain établi à Rome, au service des Borghese puis des Barberini, Rossi est alors célèbre pour ses admirables cantates ; l'une d'elles, *Un ferito cavaliere*, sur la mort de Gustave Adolphe à Lützen (1632), a déjà fait le tour de l'Europe. En 1646, Rossi est invité à Paris par Mazarin, ami des Barberini, pour y donner un nouvel opéra, *Orfeo*, qui sera représenté le 2 mars 1647 devant la cour et rebaptisé pour la circonstance : « le Mariage d'Orphée et d'Eurydice ». Autant la musique est belle, autant le drame est ridicule (c'est l'œuvre d'un certain Buti, secrétaire du cardinal Barberini). De toute manière, c'est à la mise en scène somptueuse et aux machines de Torelli qu'est allé, comme de coutume, le succès. Malgré la délirante absurdité de son livret, cet ouvrage est un excellent spécimen de cet opéra romain, plus lyrique que dramatique, où la bonne musique foisonne dans les chœurs et dans les grandes arie qui ont acquis une forme musicale autonome. L'orchestre a généralement un rôle beaucoup plus effacé que dans l'opéra vénitien. Mais parfois une ouverture assez développée (lente et solennelle, puis en imitation dans le style *canzone*) annonce la forme de l' « ouverture française ». En adoptant cette forme à partir de 1658, Lully a peut-être pris pour modèle le *Sant'Alessio* de Landi ou l'*Erminia* de Michelangelo Rossi (compositeur romain, sans parenté avec Luigi)...

Cependant, la cour de France n'en est pas encore aux fastes de Versailles et, malgré l'enthousiasme de la reine pour l'opéra de Rossi, ce spectacle dispendieux est vivement critiqué. Revenu à Paris à la fin de 1647 ou au début de l'année suivante, Rossi trouve un climat politique hostile (on est à quelques mois de la journée des Barricades) et décide de rejoindre en Provence le cardinal Antonio Barberini. A la mort de leur oncle Urbain VIII (1644), les Barberini se sont en effet réfugiés en France pour échapper à la vindicte mobilisée contre eux par le nouveau pape Innocent X : on les accuse, entre autres malversations, d'avoir fait démolir des monuments antiques pour en utiliser les matériaux ! Le prestige du théâtre Barberini résiste au scandale et les représentations reprennent, au moins jusqu'en 1656, date à laquelle un opéra édifiant de Marazzoli (? - 1662), *Il Trionfo della pietà* (encore un livret de Rospigliosi), est représenté devant la reine Christine de Suède.

Le théâtre Barberini a été aussi le berceau de l'opéra bouffe ou opéra-comique [1] en faisant représenter deux excellentes comédies en musique dues à ... Monsignor Rospigliosi : *Chi soffre speri*, musique de Virgilio Mazzocchi (1597-1646) et Marazzoli, jouée le 27 février 1639 devant Mazarin et le poète Milton, et *Dal male il bene* de Marazzoli, jouée en 1653 pour le mariage de Maffeo Barberini et Olimpia Giustiniani. On y trouve l'un des premiers exemples de *recitativo secco*. En décembre 1656, un opéra bouffe de la même veine, justement célèbre, est créé à Florence pour l'inauguration du Teatro della Pergola : *la Tancia, ovvero il Podestà di Colognole* du Toscan Jacopo Melani (1623-1676). La vivacité des récitatifs et le charme des ensembles et des airs, dont quelques-uns sont composés sur une « basse obstinée », pourrait assurer aujourd'hui encore à *la Tancia* une large audience, d'autant plus que l'ouvrage fourmille d'idées burlesques [2].

Deux autres théâtres privés de Rome méritent d'être cités : celui de l'ambassadeur Mazarini, frère du ministre, où l'on représentait surtout des opéras vénitiens, et celui du marchese Capranica. Inauguré en janvier 1679 avec un opéra de Pasquini (1637-1710), *Dove amore è pietà*, le théâtre Capranica monte le mois suivant le premier opéra du jeune Alessandro Scarlatti, *Gli equivoci nel sembiante*. A partir de 1695, ce théâtre devient public : malgré des interruptions dans son activité, ce sera au XVIIIᵉ siècle un des plus importants théâtres d'Italie.

Naples Patrie de l'art lyrique et du bel canto, Naples n'a découvert l'opéra, c'est-à-dire le drame entièrement chanté, qu'en 1651, à l'occasion d'une représentation de *l'Incoronazione di Poppea* de Monteverdi par une compagnie romaine, l'Accademia dei Febi armonici. Cette compagnie, fondée sept ans plus tôt sous le patronage de Don Inigo Velez de Guevara y Tassis (ambassadeur espagnol près du Saint-Siège, devenu en 1648 vice-roi de Naples), compte parmi ses membres un chanteur et compositeur napolitain, Francesco Cirillo (1623-?), qui va fournir pendant quelques années la majorité des spectacles d'opéra au théâtre San Bartolomeo.

1. *Opera buffa* désigne un genre spécifiquement napolitain (en langue napolitaine); opéra-comique désigne un genre spécifiquement français. On manque de vocabulaire pour désigner les autres comédies en musique : j'opterai pour « opéra-bouffe ».
2. Melani était l'aîné de neuf frères musiciens : trois compositeurs et six chanteurs (tous sopranistes). L'un d'eux, don Filippo, est ce fameux prêtre qui chanta le rôle d'Amnestris dans le *Serse* de Cavalli; un autre, Atto, conseiller musical et homme de confiance de Mazarin, a chanté le rôle principal dans la création de *l'Orfeo* de Rossi.

Depuis le temps de Néron, Naples est célèbre pour ses chanteurs et son génie lyrique. A l'époque où fleurissait la *villanella*,
les musiciens participaient souvent à l'interprétation des comédies.
Ainsi, dans une comédie jouée en 1545 au palais Sanseverino,
les chanteurs Luigi et Fabrizio Dentice, Giulio Cesare Brancaccio
(théoricien de l'art militaire, fameux pour sa voix de basse) et
Scipione delle Palle (maître de Caccini) avaient des rôles importants. A l'époque des premières réunions de la Camerata Bardi
à Florence, les chanteurs napolitains auraient lancé un nouveau
style d'interprétation des *villanelle*, avec des ornements et des
« passaggi »; cette manière nouvelle se serait ensuite propagée à
Florence grâce à Caccini et à Vittoria Archilei.

Devant le succès de *l'Incoronazione di Poppea*, les Febi armonici décident de demeurer à Naples pour y donner une série de
spectacles musicaux et en 1654 Antonio Generoli, le directeur
de la compagnie, prend en location le fameux théâtre San Bartolomeo récemment reconstruit. *L'Orontea* de Cirillo inaugure la
première saison. Avec plusieurs interruptions, notamment après

Alessandro Scarlatti
(portrait anonyme, vers 1685).

la grande peste de 1656, les Febi armonici continuent de donner des opéras au San Bartolomeo jusque vers 1675. Ce théâtre, puis celui du Palais Royal seront les berceaux du bel canto napolitain.

Ici plus que partout ailleurs on sait chanter et les ouvrages les plus sérieux doivent se plier aux exigences de l'art vocal. Si certains airs ne leur plaisent pas, les grands virtuoses n'hésiteront pas à en chanter d'autres de leur répertoire. Les partitions prévoient même des moments réservés à l'improvisation : alors l'orchestre et les spectateurs, tantôt silencieux et éblouis, tantôt hurlant leur enthousiasme, attendent que le primo uomo (grand castrat qui sait varier le da capo) ou la prima donna aient cessé d'accomplir leurs prouesses. Les castrats aux voix incomparables sont honorés de tous. Ceux que formeront les écoles de chant napolitaines atteindront les cimes de la gloire, notamment Caffarelli et Farinelli, tous deux originaires des Pouilles et élèves de Porpora. En revanche, les chanteuses font scandale et troublent la paix des familles. Les ravages que ces pécheresses provoquent à Naples et l'irréversible évolution morale qui s'en est suivie, ont fait l'objet d'une très abondante et très savoureuse chronique [1]. Cependant l'école napolitaine doit beaucoup au charme intrépide de plusieurs d'entre elles : Giulia de Caro, ou « Ciulla », par exemple, qui rassemble les meilleures voix d'Italie pour former, en 1673, une nouvelle compagnie d'Armonici, ou Anna Maria Scarlatti (à moins que ce ne soit Melchiora), dont l'ascendant sur le secrétaire de justice du vice-roi permet d'imposer le génie de son frère Alessandro.

Quatre grandes institutions sont les berceaux de l'école napotaine, dont Alessandro Scarlatti, si grand soit-il, n'est ni le fondateur ni le « chef ». Ce sont les conservatoires de Santa Maria di Loreto (1566-1806), Sant' Onofrio a Capuana (1576-1797), dei Poveri di Gesù Cristo (1589-1743) et della Pietà dei Turchini (1670-1808); parmi les maîtres figurent Francesco Provenzale (1627-1704), Gaetano Greco (vers 1650-1728), Francesco Durante (1684-1755), Nicola Porpora (1686-1768), et presque tous les compositeurs napolitains y ont étudié. L'influence de Provenzale a été particulièrement importante et justifie qu'on le considère comme le fondateur de l'école napolitaine : directement ou indirectement, les meilleurs compositeurs du royaume ont été ses disciples. Il faisait représenter chaque année par ses élèves du conservatoire des Turchini des drames sacrés de sa composition. Mais l'œuvre séduisante de ce musicien, discret et modeste, —

1. Voir Benedetto Croce, *I Teatri di Napoli*, 5ᵉ éd. Bari, 1966; Salvatore Di Giacomo, *I quattro antichi Conservatori di Napoli*, Palerme, 1925; Ulisse Prota-Giurleo, *I Teatri di Napoli nel '600*, Naples 1962; F. de Filippis, *Il Teatro « Nuovo » di Napoli*, Naples, 1967.

Alessandro Scarlatti

Palerme 2 mai 1660
Naples 22 octobre 1725

De parents siciliens, peut-être d'origine toscane, il est l'aîné de sept enfants, dont Anna Maria (1661-1703) et Tommaso (v. 1672-1760) seront chanteurs, Francesco (1666-1741) compositeur.

1672 La famille quitte la Sicile. Alessandro et ses deux sœurs, Anna Maria et Melchiorra, ont sans doute été envoyés à Rome chez des parents, où ils ont passé leur jeunesse. Les maîtres d'Alessandro nous sont inconnus (Pasquini peut-être, plutôt que Carissimi, mort en 1674).

1678 Il épouse la Napolitaine Antonia Anzalone, qui lui donnera dix enfants, dont trois musiciens : Pietro (1679-1750) et Domenico (1685-1757) compositeurs, Flaminia (1683 - v.1725) chanteuse.

1679 Son premier opéra, *Gli equivoci nel sembiante*, est représenté sur le théâtre du Collegio Clementino sur l'initiative de Christine de Suède, qui engage le jeune musicien à son service.

1683 Il part pour Naples. Grâce à l'une de ses sœurs (Melchiorra, arrivée l'année précédente, ou Anna Maria qui vient en 1684), maîtresse du secrétaire de justice du vice-roi, il obtient la place de Maestro di Cappella de la chapelle royale.

1702-1708 Après un congé de quatre mois à Florence à la cour de Ferdinand de Médicis, il reste à Rome au service du cardinal Ottoboni. En 1707, il fait représenter deux opéras à Venise : *Mitridate Eupatore* et *Il Trionfo della Libertà*.

1708-1717 Rétabli dans ses fonctions napolitaines par le nouveau gouvernement du cardinal Grimani (contrôlé par l'Autriche). Sommet de sa carrière.

1717-1722 Séjour à Rome (avec un congé de six mois!).

1722-1725 Semi-retraite à Naples. Il reçoit quelques élèves privés, dont Johann-Adolph Hasse (1699-1783), mais il n'enseigne dans aucun conservatoire et n'est pas le chef d'école que l'on se représente ordinairement.

1725 Il est enseveli dans l'église de Montesanto à Naples, au pied du Vomero, sous l'autel dédié à Sainte-Cécile.

œuvre Cent quinze opéras (soixante-dix seulement sont connus, en entier, en fragment ou par le livret). Plus de six cents cantates de chambre, vingt et une sérénades ou cantates de circonstance. – Environ trente oratorios, soixante motets, dix messes. – Douze *Sinfonie di concerto grosso*, des *Sonate a quattro*, des suites et des sonates pour flûte. Quelques ouvrages théoriques.

A. Scarlatti, *Mitridate Eupatore*

Alessandro Stradella
Monfestino (Modène) 1642
Gênes 25 février 1682

Son père avait été « vice-marchese » et gouverneur de Vignola. On ne sait rien de son éducation, qui a dû être soignée, car il a composé des vers italiens et latins.

v. 1675 Il enseigne le chant à Venise, où il s'éprend d'une certaine Ortensia, fiancée du sénateur Alvise Contarini, avec laquelle il s'enfuit. La diplomatie française aurait été mêlée à cette affaire. Selon la légende, des tueurs à la solde du patricien offensé rejoignent le couple à Rome, mais renoncent à leur mission vengeresse après l'audition de l'oratorio *San Giovanni Battista* dans la basilique du Latran.
1677 Réfugié à Turin avec sa maîtresse, Stradella aurait échappé à une tentative d'assassinat, selon un témoignage contemporain. Il semble que Stradella soit entré au service de la cour de Savoie à Turin, sous la régence de Marie de Nemours.
1681 Il est à Gênes, où une de ses œuvres est exécutée.
1682 Il est assassiné à Gênes dans des conditions qui n'ont jamais été précisées. Il semble qu'il y ait eu autour de lui et pendant une vingtaine d'années après sa mort une conspiration du silence. Il est curieux qu'aucun de ses opéras n'ait été représenté dans un théâtre de Venise et qu'un aussi grand artiste ne soit jamais mentionné par ses contemporains. Pourtant, la dispersion de ses manuscrits dans toute l'Europe témoigne de sa notoriété. Bien plus tard, la légende s'empare de sa biographie obscure, inspirant deux opéras,

n'a jamais eu le retentissement qu'elle mérite. Lorsque le jeune Alessandro Scarlatti fut nommé Maestro di cappella de la chapelle royale, grâce à l'amant de sa sœur, le secrétaire de justice, la place revenait de droit à Provenzale, maître réputé et second Maestro de la chapelle royale : l'affaire fit scandale, le magistrat fut révoqué, mais Scarlatti conserva son poste.

Il est vrai que ce dernier allait être le plus glorieux musicien de l'école napolitaine, le maître du grand style lyrique, dont ses cantates de chambre et ses opéras fournissent les modèles accomplis. Son nom est illustre, mais son œuvre énorme est très mal connue. Le premier opéra de Scarlatti, représenté à Rome en 1679, *Gli equivoci nel sembiante*, sera suivi de cent quatorze autres. Certains sont des chefs-d'œuvre : *Mitridate Eupatore* (Venise, 1707), *Telemaco* (Rome 1718), *Il Trionfo dell'onore* (Naples, 1718, rare exemple de « commedia per musica »), *Griselda* (Rome, 1721) et surtout l'admirable *Tigrane* (Naples, 1715) mettant en œuvre l'orchestre classique (violons, altos, violoncelles, contrebasses, deux hautbois, deux bassons, deux cors). Grand musicien classique, Scarlatti met au point un style d'opéra dont héritera directement Mozart : *recitativo secco* d'une vivacité et d'une justesse de ton remarquables, modèle définitif du grand air à « da capo » *(aria da capo)* et de l'ouverture « italienne », généralement appelée *sinfonia*, sens de l'équilibre et de la mesure...

L'ouverture italienne, esquissée par Cesti *(Il pomo d'oro)*, doit à Scarlatti sa forme accomplie, qui sera celle des premières symphonies classiques : allégro (assez développé, souvent en style d'imitation), largo, vivace (en rythme ternaire). Mais ces acquisitions formelles et stylistiques sont encore peu de chose en regard de la grandeur tragique, de la grâce noble et de l'indicible tendresse qui rayonnent dans ses meilleurs ouvrages à partir de *Mitridate* (1707). Souvent on pense à Bach et même à Mozart [1]. Bien qu'il ait peu enseigné (on ne lui connaît qu'un petit nombre d'élèves privés, dont son fils Domenico, Hasse et Cotumacci), son influence et son prestige seront considérables.

Sans avoir le génie de Scarlatti, une pléiade de bons musiciens contribueront au prestige de l'opéra napolitain, dont la tradition se transmettra de maître à élève, sans discontinuité, jusqu'à Bellini. Alessandro Stradella (1642-1682) n'est pas napolitain et l'on sait très peu de choses de sa vie (dont s'est emparée la légende). Cependant il peut se rattacher par son style à l'école napolitaine, sur laquelle il semble avoir exercé une assez forte influence. Ses airs superbes, qui se recommandent pour leur lyrisme radieux, affirment la primauté de la musique sur le poème.

1. L'Allemand Johann Adolph Hasse (1699-1783), pur produit de l'école napolitaine, est le trait d'union entre Alessandro Scarlatti, son maître, et Mozart dont il fait la connaissance à Milan en 1771. Entre temps, il sera l'ami de Bach.

Opera buffa En 1708, le vieux théâtre des Fiorentini, spécialisé jadis dans la comédie espagnole, refait peau neuve pour se dédier à la comédie en musique et l'année suivante on y monte une comédie réaliste en langue napolitaine, *Patró Calienno de la Costa*, mise en musique par Antonio Orefice (vers 1690 – vers 1733) : c'est la première *opera buffa*. Ce genre spécifiquement napolitain prend sa source dans les scènes bouffonnes des opéras de Monteverdi et Cavalli et dans les comédies romaines. Déjà, dans *Lo Schiavo di sua moglie* (1671) de Provenzale — une merveille —, un des personnages (Sciarra) s'exprime en napolitain.

Mais c'est au début du XVIIIᵉ siècle seulement que l'opera buffa devient un genre bien déterminé, avec son style particulier. Plus de machines compliquées ni de mises en scène grandioses, plus de personnages mythologiques ni de héros antiques, plus de vers pompeux ni de vocalises insensées. Deux siècles avant Brecht et Weill, et quelques années avant le *Beggar's opera* (1728) de Pepusch, c'est un théâtre musical populaire qui est proposé aux Napolitains. Le décor représente les rues, les places, les bourgades voisines; les personnages sont ceux que l'on peut y rencontrer chaque jour; ils parlent une langue familière; l'intrigue s'inspire des sentiments et des aventures que chacun peut éprouver. Pendant un siècle, ce genre nouveau inspire à Giovanni Veneziano (1684-1716), Leonardo Vinci (1690-1730), Giuseppe di Majo (1697-1772), Pietro Guglielmi (1728-1804), Giovanni Battista Pergolesi (1710-1736) beaucoup de petits chefs-d'œuvre très savoureux. Pergolesi ne compose que deux opere buffe, mais ce sont des œuvres remarquables : *Lo frate 'nnammorato* (Fiorentini, 1732) et *Flaminio* (Teatro Nuovo, 1735)[1]. Le succès de ce répertoire fera la renommée de trois théâtres : dei Fiorentini, della Pace et le Teatro Nuovo (ou « de copp'a Toledo »).

L'opéra bouffe en langue napolitaine (appelé parfois *chélleta pe' mmuseca*) exercera, par son esprit, son naturel, la vivacité des ensembles, une influence importante sur le théâtre lyrique jusqu'à Mozart, en stimulant la « commedia per musica » en langue toscane, plus universelle. De celle-ci Alessandro Scarlatti donne un modèle presque parfait : *Il Trionfo dell'onore* (Fiorentini, 1718), qui annonce *les Noces de Figaro*.

A la fin du XVIIᵉ siècle, les trois grands centres lyriques d'Italie ont consacré pour longtemps un formalisme musical dont les plus beaux opéras s'accommoderont parfaitement. Malgré les professions de foi initiales sur la souveraineté du texte dramatique, malgré la pseudo-réforme de Gluck au XVIIIᵉ siècle, le découpage

l'un de Niedermeyer (1837), l'autre de Flotow (1844).

œuvre Plusieurs opéras (dont *la Forza dell'amor paterno*), prologues et intermezzi, un opéra bouffe *(Il trespolo tutore balordo)*, plus de deux cents cantates de chambre, six oratorios, vingt-deux motets, dix-huit *Sinfonie* (certaines en forme de concerto grosso).

---

1. La célèbre et spirituelle *Serva Padrona*, dont on sait l'insolente irruption dans les graves querelles de l'opéra français (voir page 582), n'est pas une *opera buffa* mais un *intermezzo* (en langue toscane), destiné à l'entracte d'un grand opéra de Pergolesi, *Il Prigioniero superbo* (1733).

en numéros (récitatifs, airs, ensembles, chœurs) va s'imposer
jusque dans un chef-d'œuvre comme *Don Giovanni*, où seuls les
deux grands finals illustrent l'idéal de continuité dramatique et
musicale prôné par Gluck. Le formalisme en question ne per-
dra sa primauté, au profit de la continuité, qu'à partir de *Tristan*.
Jusque-là, et dès le XVIIᵉ siècle, le modèle italien s'impose dans
toute l'Europe, particulièrement en Allemagne.

L'opéra en France

Le génie français se signale davantage dans la tragédie et la comédie
que dans l'opéra. Sous la pression de l'humanisme ambiant, une
même tendance à dégager l'expression lyrique des conventions du
style polyphonique se fait jour des deux côtés des Alpes. L'air de
cour devient monodique comme le madrigal, mais pas avant le
début du XVIIᵉ siècle (*Thesaurus harmonicus* de Bésard), et le
ballet de cour met à la mode les grands spectacles en musique,
avec le même retard sur l'Italie.

Ballets et airs de cour   Le *Balet comique de la Royne*, représenté
au Louvre le 15 octobre 1581, n'est pas comme on l'a dit parfois
l'ancêtre de l'opéra français. Une grande fête ayant été organisée
à la cour pour le mariage du duc de Joyeuse avec Mademoiselle
de Vaudémont, sœur de la reine, à grand renfort de poètes,
musiciens, décorateurs, inventeurs, un certain Baltasarini di
Belgioioso (ou de Beaujoyeulx) s'est vu confier par la reine la
responsabilité de ce ballet dramatique à personnages mythologiques, où sont mêlés la danse, les vers déclamés, les chants
(à 4, 5, 6 parties), les concerts instrumentaux... et seulement quelques
airs à voix seule. Les principaux collaborateurs du spectacle sont
Agrippa d'Aubigné, les musiciens du roi, Beaulieu et Salomon,
les poètes et musiciens de l'Académie de Baïf; les interprètes
sont, selon la coutume, des seigneurs et des familiers de la cour.
   Ce spectacle fameux est une expérience isolée, renouvelée
seulement beaucoup plus tard, à partir de 1608 environ, dans une
série de ballets mélodramatiques où s'emploie le talent du compositeur Pierre Guédron (1565 - v. 1620). La richesse des effectifs
musicaux rappelle davantage les fêtes de la Renaissance que les
mélodrames florentins : dans le *Ballet de la délivrance de Renaud*
(1617), il y a deux groupes de musiciens, l'un de vingt-huit chanteurs et trois instrumentistes, l'autre de soixante-quatre chanteurs
et quarante-deux instrumentistes (vingt-huit violes et quatorze
luths). A la mort de Guédron, son gendre Antoine Boesset (1586-
1643) lui succède, mettant son précieux talent mélodique au service

Entrée des Espagnols joueurs de guitare :
ballet *les Fées des forests de Saint-Germain*
donné au Louvre en 1625,
aquarelle italienne.

Concert dans la chapelle de Wurtemberg.

du « ballet à entrées », qui supplante le ballet dramatique. Le genre nouveau consiste en une succession d'entrées et de tableaux chorégraphiques, agrémentés d'airs de cour comme au temps de Guédron, sans autre lien organique qu'une allégorie flatteuse ou moralisatrice. Le *Ballet des Fées des forests de Saint-Germain* (1625), le *Ballet de la Douairière de Billebahaut* (1627), le *Ballet des Andouilles* (1628), le *Ballet de la Marine* (1635) et tant d'autres, ont ainsi renoncé au drame, que l'essor de la tragédie portait au niveau de perfection que l'on sait. Le 15 mars 1635, le roi lui-même offre à la cour un *Ballet de la Merlaison*, où il intervient comme auteur, compositeur, chorégraphe, décorateur et danseur. Bien doué pour la musique, Louis XIII a écrit une très populaire *Chanson d'Amaryllis* et c'est aux accents d'un *De profundis* de sa composition que son cercueil sera transporté à Saint-Denis en 1643.

Élément lyrique de ces ballets de cour, l'air de cour est une charmante et précieuse apothéose du lieu commun. De « doux martyrs » en « cruels tourments », les sentiments, qu'ils soient « rigueurs », « fureurs » ou « tendres soupirs », se trouvent transposés dans un rituel de bonnes manières. Délicatement raffinée, la musique est simple, avec parfois une certaine grandeur ; elle est généralement syllabique, et elle peut être chantée avec accompagnement vocal ou instrumental.

Guédron

Il faut que tous vous rendent hommage Grand Roy, merveille de nostre age

Tardivement, Boesset et Étienne Moulinié (? - vers 1670) introduisent dans l'air de cour un sentiment plus fort et plus vrai... au moment où Monteverdi donne *le Couronnement de Poppée*.

Le père Mersenne, dans son *Harmonie universelle* (1636), établit ce parallèle : « Les Italiens représentent tant qu'ils peuvent les passions et les affections de l'âme et de l'esprit, avec une violence étrange ; au lieu que nos Français se contentent de flatter l'oreille, et qu'ils usent d'une douceur perpétuelle dans leurs chants. » L'opposition nous paraît quelque peu outrée, mais l'impression d'un contemporain est précieuse ; on sait d'autre part que ce chant français avait assez de vertus pour susciter l'enthousiasme de Luigi Rossi.

Cependant, avant que Lully renoue avec le ballet dramatique, avant surtout qu'il compose ses premières tragédies lyriques, la régence de Marie de Médicis (1610-1620) et le gouvernement de Mazarin (1642-1661) favorisent la découverte de l'opéra italien. On donne devant la cour *la Finta pazza* de Sacrati (1645), une

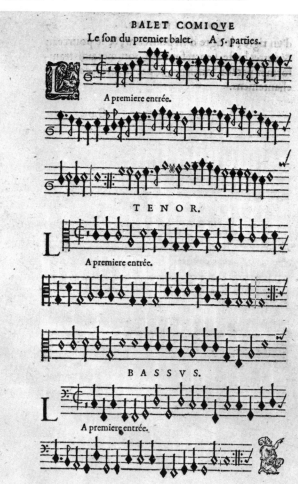

comédie en musique de Marazzoli, probablement *Chi soffre speri* (1645), l'*Egisto* de Cavalli (1646), l'*Orfeo* de Rossi (1647, création); puis, après la Fronde, *le Nozze di Peleo e di Teti* de Caproli (1654), *Serse* de Cavalli (1660) et *Ercole amante* du même compositeur (1662, création). Mais la Sorbonne condamne ces spectacles au nom de la morale, le Parlement au nom de l'économie (le « sorcier » Torelli est emprisonné et ruiné), et le public n'en retient que la scénographie ou quelque ariette plaisante.

Balet comique de la Royne :
Figure des Tritons,
Un monologue,
La musique du premier ballet
(à cinq parties).

Scène de ballet vers 1650.

Opéra français Entre temps, une « comédie de chansons »
de Michel de La Guerre (vers 1605-1679), *le Triomphe de l'Amour*,
est interprétée au Louvre devant le roi, le 22 janvier 1655 : c'est
la première pièce française entièrement chantée. Quatre ans plus
tard, Robert Cambert (vers 1628 - 1677), organiste de l'église
Saint-Honoré, fait représenter à Issy chez Monsieur de La Haye
orfèvre du roi une pastorale, qualifiée pour la circonstance de
« première comédie françoise en musique » (musique perdue).
Forts du succès de cette pièce qui est reprise à Vincennes devant le
roi, Cambert et son librettiste Perrin [1] restent en contact et tentent
de doter la France d'un théâtre musical équivalent de l'opéra
italien. Ils ne réussissent pas d'abord; mais grâce à la reine
mère (Cambert est surintendant de sa musique depuis 1666) et à

1. Poète médiocre et malchanceux, Pierre Perrin est passé à la postérité grâce
aux *Satires* de Boileau et à ce couplet de son cru que Molière fait chanter par déri-
sion à Monsieur Jourdain :

Je croyais Jeanneton   *Je croyais Jeanneton*
Aussi douce que belle,   *Plus douce qu'un mouton...*

Colbert, dont Perrin sait exploiter le chauvinisme, ils obtiennent en 1669 un « privilège pour l'établissement des Académies d'opéra, ou représentations en musique en vers français ».

Le premier théâtre d'opéra de Paris ouvre ses portes le 3 mars 1671, dans l'ancien jeu de paume de la Bouteille, rue du Fossé (plus tard rue Mazarine), avec *Pomone*, due à la collaboration des deux associés : l'ouvrage est représenté cent quarante-six fois. Au début de l'année suivante, ils donnent avec le même succès *les Peines et les Plaisirs de l'amour*. De ces œuvres charmantes le prologue et le premier acte nous sont seuls parvenus.

Molière et la musique

1659 *Les Précieuses ridicules* au théâtre du Petit-Bourbon : lever de rideau pour une représentation de *Cinna*. Mascarille (Molière) chante en faisant danser Madelon.

1661 *Les Fâcheux*, comédie-ballet, jouée devant le roi au château de Vaux. Premier essai de synthèse de la comédie, de la musique et de la danse. « C'est un mélange qui est nouveau pour nos théâtres, et dont on pourrait chercher quelques autorités dans l'Antiquité » (Avertissement des *Fâcheux*). La courante chantée par Lysandre au premier acte est de Lully. L'ouvrage fut écrit et monté en deux semaines. Le luxe entourant la représentation a été l'un des motifs de l'arrestation de Fouquet, quinze jours plus tard.

1663 La troupe de Molière achète un clavecin et emploie douze violons.

1664 *Le Mariage forcé* au Louvre : début de la collaboration avec Lully. Il y a huit entrées de ballet, des chansons, un concert espagnol. Le roi et Lully dansent, costumés en Égyptiens. – *La Princesse d'Élide*, « comédie galante mêlée de musique et d'entrées de ballet », à Versailles. La musique des six intermèdes est composée par Lully, comme celle de toutes les autres pièces de Molière jusqu'en 1672.

1665 *L'Amour médecin*, à Versailles. Prologue chanté, trois intermèdes intégrés à l'action, chanson de l'Opérateur à l'acte II.

1666 *Le Misanthrope* au théâtre du Palais-Royal, auquel s'ajoute deux mois plus tard sur l'affiche *le Médecin malgré lui*. Dans chacune des deux pièces, le rôle interprété par Molière comporte une chanson : celle d'Alceste (« Si le roi m'avait donné... ») et celle de Sganarelle (« Qu'ils sont doux, bouteille jolie... »). La chanson du *Médecin* est de Lully; celle du *Misanthrope* est un « timbre » populaire.

1667 *Le Sicilien ou l'Amour peintre*, à Saint-Germain. Chansons et danses des musiciens et des esclaves turcs. Le manuscrit de la partition musicale précise : « Molière chante » (rôle de Dom Pèdre, dans la scène avec les esclaves).

1668 *George Dandin*, à Versailles. Les joyeux et futiles intermèdes champêtres, chantés et dansés par une profusion de bergers, de bergères, de satyres, avec une bacchanale finale, donnèrent à la pièce l'éclairage d'une farce qui fut bien

Mignard, portrait de Molière.

appréciée par les trois mille invités au « Grand divertissement royal ». Au Palais-Royal, sans les intermèdes, cette âpre satire sociale réduite à elle-même n'eut pas de succès. La musique avait assuré le succès de la pièce à Versailles, mais en la trahissant.

1669 *Monsieur de Pourceaugnac*, comédie-ballet, à Chambord. Ouverture-sérénade chantée et dansée, chansons des médecins, des avocats, ballet des procureurs, mascarade finale. – Privilège accordé à Perrin et Cambert pour créer un théâtre d'opéra (qui n'ouvrira qu'en 1671).

1670 *Les Amants magnifiques*, à Saint-Germain. Le roi, qui a donné le sujet de la pièce, figure dans le premier et le dernier intermède en Neptune et en Apollon (son rôle a trente-quatre vers). Le troisième et le sixième intermèdes

sont des petites scènes d'opéra. – *Le Bourgeois gentilhomme*, comédie-ballet, à Chambord. Importante partition musicale, la plus célèbre de la collaboration Lully-Molière. Acte I : leçon de musique avec chanson de l'élève musicien (« Je languis nuit et jour... ») et chanson de M. Jourdain-Molière (« Je croyais Jeanneton... »), petite scène en musique des trois musiciens, présentation des quatre danseurs (intermède). Acte II : leçon de danse (célèbre menuet, emprunté aux *Amants magnifiques* où il était chanté à cinq voix) et petit ballet des garçons-tailleurs (2e intermède). Acte III : ballet des cuisiniers (3e intermède). Acte IV : chanson à boire des musiciens, cérémonie turque (4e intermède) où Lully joue le rôle de Muphti. Acte V : ballet final (« Ballet des Nations »), offert par M. Jourdain à la pseudo-altesse turque; y participent, en chantant dans leur langue, des Gascons, un Suisse, des Espagnols, des Italiens, des Poitevins, etc. – Molière prête 11 000 livres à Lully (à 5 %). Le musicien a fait une grosse fortune immobilière, mais il manque de liquidités pour construire son bel hôtel, au coin de la rue Sainte-Anne et de la rue des Petits-Champs.

1671 *Psyché*, « tragédie-ballet » en collaboration avec Corneille et Quinault. Grand spectacle de cour, aux Tuileries, avec chants, danses, interludes instrumentaux et machineries (celles qui ont servi aux opéras de Cavalli). Certaines scènes, notamment au dernier acte, annoncent l'opéra-ballet. Il en coûte au roi 256 000 livres (environ trois cent millions de nos centimes). – Ouverture de l'opéra de Perrin et Cambert, rue du Fossé près de l'hôtel Guénégaud (42-44 rue Mazarine), dans la salle du « Jeu de paume de la Bouteille ». Molière réagit en augmentant l'effectif de ses musiciens. A la demande du roi, il compose avec Lully le *Ballet des ballets*, pot-pourri de leurs ouvrages précédents.

1672 Trahison de Lully, qui rachète le privilège de Perrin (en faillite et en prison) et obtient pour lui seul, par ordonnance royale, un monopole des représentations en musique. Molière tente vainement de s'opposer à l'enregistrement du privilège, par l'intermédiaire du procureur Rollet (Boileau : « J'appelle un chat un chat et Rollet un fripon »). Brouillé avec Lully, le comédien demande à M. A. Charpentier une nouvelle musique pour la reprise du *Mariage forcé* et de *la Comtesse d'Escarbagnas*. Lully ouvre son Opéra au Jeu de paume du Bel-Air, rue de Vaugirard (à hauteur de la rue de Médicis).

1673 *Le Malade imaginaire* « comédie mêlée de musique et de danses », au théâtre du Palais-Royal (le spectacle n'est pas créé à la cour). Musique de Charpentier : « Eglogue » initiale avec chants et neuf entrées, intermèdes de Polichinelle et des violons, des Égyptiens, des médecins, chanson de la bergère, duo de Cléante et Angélique. Au cours de la quatrième représentation, Molière est pris de convulsions en scène; il meurt à 10 h du soir à son domicile, 40 rue de Richelieu. Le mois suivant, Lully obtient l'expulsion de la troupe de la salle du Palais-Royal, où il installe l'Opéra. La troupe de Molière absorbe celle du Marais et, sous la direction d'Armande et de La Grange, elle s'installe au Théâtre Guénégaud, l'ancienne salle exploitée par Perrin et Cambert.

1680 Par ordre du roi, les troupes de l'Hôtel de Bourgogne et du Théâtre Guénégaud fusionnent pour former la Comédie-Française. Charpentier reste le compositeur attitré de la compagnie jusqu'en 1685.

N.B. 1. Les ouvrages en collaboration avec Lully ont été créés à la cour, puis joués en public dans la salle du Palais-Royal. Cette salle fameuse était située entre la rue des Bons-Enfants et les jardins du Palais-Royal, à l'emplacement des 1 et 2 de l'actuelle rue de Valois. 2. Le *Registre* tenu par le comédien La Grange est une source précieuse de renseignements pour l'histoire de la troupe de Molière.

Molière et Lully L'entreprise de la rue du Fossé fait au moins deux mécontents : Molière et Lully. Le développement de leurs propres activités est en effet compromis par le privilège de Cambert et Perrin.

Lorsque Molière revient à Paris en 1658 après treize ans de vie provinciale, Jean-Baptiste Lully, jadis au service de Mademoiselle de Montpensier et maintenant membre des « Vingt-quatre violons », a renoué depuis cinq ans avec la vieille tradition du ballet dramatique. Il en donne un ou deux par an, au grand plaisir de la cour, et s'arrange même à en fourrer dans les œuvres des autres : ainsi dans *le Nozze di Peleo e di Teti* du romain Caproli, dans *Œdipe* de P. Corneille, dans les opéras déjà cités de Cavalli. Il sait tout faire, tire parti de tout, se rend indispensable au jeune roi et se révèle le plus formidable arriviste de l'histoire de la musique. En 1661, à l'occasion d'une fête au château de Vaux, offerte par Fouquet au roi et à la cour, Molière présente sa première comédie-ballet, *les Fâcheux*. Le genre nouveau répond à un projet auquel Molière tient beaucoup : introduire la musique et la danse dans la comédie, mais « en situation » comme on dit aujourd'hui, c'est-à-dire incorporées à l'action, justifiées par les situations. « C'est un mélange qui est nouveau pour nos théâtres et dont on pourrait chercher quelques autorités dans l'Antiquité » (Avertissement des *Fâcheux*).

La fête trop somptueuse de Vaux entraîne l'arrestation du surintendant des finances. Mais l'expérience réussie des *Fâcheux* suggère à Molière de s'assurer la collaboration du nouveau surintendant de la musique (qui a composé la courante du 1er acte). Pendant dix ans, Lully collabore à une série de spectacles où, selon le vœu de Molière, la musique joue dans l'intrigue le même rôle que dans la vie : *l'Impromptu de Versailles* (1663), *le Mariage forcé* (1664), *l'Amour médecin* (1665), *Georges Dandin* (1668), *Monsieur de Pourceaugnac* (Chambord, 1669) avec un beau divertissement en musique, *les Amants magnifiques* (1670) où le sixième intermède est une vraie scène d'opéra, *le Bourgeois gentilhomme* (Chambord, 1670) dont la cérémonie turque est une magnifique scène d'opéra bouffe... Aussitôt après avoir été jouées devant la cour, ces pièces sont présentées au public dans le théâtre du Palais-Royal. En 1671, la troupe de Molière donne aux Tuileries un spectacle singulier : ce n'est pas une comédie, mais une tragédie-ballet, *Psyché*, due à la collaboration de Molière, Corneille, Quinault et, pour la musique, Lully. Le caractère en est presque celui de l'opéra-ballet, surtout dans le dernier acte.

C'est alors que Cambert et Perrin ouvrent leur « Académie ». Molière réagit en augmentant l'effectif musical de sa troupe : douze danseurs, quatre petits danseurs, huit voix, douze violons. Mais au bout d'un an l'Académie de la rue du Fossé est menée à

Lully.

Jean-Baptiste Lully
Florence 28 novembre 1632
Paris 22 mars 1687

Son enfance est un tissu de légendes que l'on n'est pas parvenu à démêler. Il était probablement d'origine modeste, malgré ses dires. Il devait avoir treize ans et s'appliquait à l'étude de la guitare, lorsqu'il fut conduit à Paris par Roger de Guise, pour répondre au caprice de Mademoiselle de Montpensier qui cherchait « un joli petit Italien » avec qui elle pût converser dans sa langue. Il était laid, mais il ne fut pas relégué aux cuisines comme on l'a prétendu.

v. 1645-1652 Page de musique, garçon de chambre de Mademoiselle et membre de son orchestre privé. Michel Lambert complète son éducation musicale.

1652 Il s'est glissé dans l'entourage du jeune Louis XIV qui le fait engager aux « vingt-quatre violons ».

1653 Nommé « compositeur de la musique instrumentale du roi ». Il écrit ses premiers ballets.

→

la faillite par des commanditaires véreux; Perrin va en prison. Selon un contemporain, Bauderon de Sénecé [1], Molière et Lully étaient convenus, après le succès de *Psyché*, de demander au roi le privilège de l'opéra, conjointement, et ils avaient réglé ensemble les conditions de leur collaboration. Mais l'ambition de Lully ne cède ni à l'amitié ni à la parole donnée. Il veut que la musique commande à la poésie, il veut lui-même être le maître : il ne dépendra pas de Molière. C'est ainsi qu'il va chez le roi demander le privilège à son seul profit. Il le demande, écrit Perrault dans ses *Mémoires*, « avec tant de force et tant d'importunité que le Roi, craignant que de dépit il quittât tout, dit à M. Colbert qu'il ne pouvoit se passer de cet homme-là dans ses divertissements; il falloit lui accorder ce qu'il demandoit ».

Lully seul Le privilège est signé le 14 mars 1672; le théâtre de la rue Mazarine est fermé quinze jours plus tard et le Parlement enregistre le privilège le 27 juin, malgré l'opposition que tente d'introduire Molière par voie judiciaire. Le privilège comporte la création d'une Académie royale de musique, destinée au bon plaisir du roi, Lully conservant le droit de donner sous sa responsabilité des représentations publiques. Il est défendu à quiconque de faire chanter une pièce entière en musique, sauf permission écrite de Lully... ce qui revient à un monopole absolu. Enfin ce privilège est valable pour lui sa vie durant, ainsi que pour « celui de ses enfants qui sera reçu en survivance de la charge de surintendant ». La seule concession faite à Molière est une ordonnance royale accordant aux autres théâtres le droit d'employer six chanteurs et douze musiciens. Lully avait jadis soutenu que l'opéra était un spectacle particulier à l'Italie, qui ne pouvait se concevoir dans la langue française... Mais il sait prendre le vent; et, puisque l'expérience prouve que l'opéra français peut réussir, il en sera le fondateur!

1. *Lettre de Clément Marot sur l'arrivée de Lulli aux Champs Élysées*, 1688; voir Georges Mongrédien, « Molière et Lulli », *Revue du XVIIᵉ siècle*, 1973.

1661 Chargé de la direction des « petits violons », il est nommé surintendant et compositeur de la musique de la Chambre du roi. Il est naturalisé français.

1662 Mariage à Saint-Eustache avec la fille de Michel Lambert, Madeleine. Louis XIV, Anne d'Autriche, la reine Marie-Thérèse et Colbert signent le contrat!

1662-1671 Collaboration avec Molière : comédies-ballets.

1671 Il fait construire par Daniel Gittard un magnifique hôtel, 45

1687 Il meurt de la gangrène dans sa maison de la Ville-l'Évêque (emplacement du 28 ou 30 rue Boissy-d'Anglas) trois mois et demi après s'être blessé au pied avec le bâton de direction, en conduisant une exécution de son *Te Deum*. Il a été enterré à l'église des Petits-Pères (Notre-Dame des Victoires). Sa fortune était estimée à sa mort à plus de 800 000 livres, comprenant six maisons de rapport à Paris, plus des maisons de campagne à Puteaux et à Sèvres.

Costumes pour les opéras *Athys* (confident) et *Proserpine* (Cérès).

Frontispice pour l'*Armide* de Lully.

rue des Petits-Champs, où il habitera jusqu'en 1683. Il fera bâtir aussi une maison de rapport au 47 de la même rue.

1672-1686 Collaboration avec Quinault : les opéras ou tragédies-lyriques, représentés d'abord à la cour, puis dans la salle du Palais-Royal où Lully installe l'Opéra en 1673.

1681 Le roi lui accorde des lettres de noblesse et le titre de « conseiller-secrétaire ».

Le musicologue Jules Ecorcheville évaluait cette fortune à plus de sept millions de francs d'avant 1914! Lully laissait six enfants, dont trois fils musiciens : Louis (1664-1734), Jean-Baptiste (1665-1743) et Jean-Louis (1667-1688).

œuvre Trente-deux ballets, onze comédies-ballets ou pastorales (avec Molière), quatorze tragédies lyriques, des grands motets.

ACADEMIE ROYA LE DE MUSYQUE

ARMIDE

Irréversiblement brouillé avec Lully, Molière compose une nouvelle « comédie meslée de musique et de danse », *le Malade imaginaire* [1], avec le concours d'un très grand musicien que la gloire du surintendant a rejeté dans l'ombre, Marc-Antoine Charpentier. Mais le 17 février 1673, pendant la quatrième représentation, Molière est pris de malaises et meurt dans la nuit... Débarrassé providentiellement du seul adversaire gênant, Lully fait aussitôt expulser la troupe de Molière de la salle du Palais-Royal pour y installer la sienne, et il obtient du roi une ordonnance limitant désormais à deux voix et six violons l'effectif musical autorisé dans les théâtres. Boileau le traite de « cœur bas », de « coquin ténébreux », de « bouffon odieux ». « Si Molière eût vécu, écrit Romain Rolland, il eût été amené à doter la France d'une sorte d'épopée bouffe, rappelant la comédie aristophanesque. » Molière disparu, Lully anéantit cette conception du théâtre musical, au profit de la tragédie lyrique; et il a certainement contribué au déclin de la tragédie qui, après l'échec de *Phèdre*, est pratiquement condamnée. « Ses airs tant répétés dans le monde, écrit Bossuet *(Maximes sur les comédies)*, ne servent qu'à insinuer les passions les plus déréglées. »

De *Cadmus et Hermione* (1673) à *Achille et Polyxène* (1687), Lully donne quinze opéras ou « tragédies lyriques ». Le succès en est assuré dans une société où le goût général se forme d'après le goût du roi. Seul l'excellent *Alceste* (1674) se heurte à une cabale montée contre Quinault par les comédiens du Marais. Mais les hommes de lettres dans l'ensemble se montrent très réticents, notamment La Fontaine, Boileau, La Bruyère, Saint-Évremond... tandis que les femmes de lettres (Sévigné, La Fayette) se pâment d'aise!

Les chefs-d'œuvre sont *Roland* (1685) et *Armide* (1686), où les principales qualités de l'opéra lulliste sont à leur apogée. C'est la musique, comme plus tard chez Wagner, qui donne vie aux personnages et crée les situations; c'est elle, et non le poème, qui forme les sentiments. Les airs ont l'humaine et tragique beauté de monologues raciniens, et un récitatif accompagné, cantabile, d'une rare justesse de ton, se substitue au recitativo secco [2].

Ordonnance royale confirmant le privilège de 1672 et accentuant sa rigueur.

---

1. La musique est toujours en situation, comme le veut Molière. Ainsi, le deuxième intermède est annoncé par Beralde à la fin de l'acte II : « Je vous amène ici un divertissement que j'ai rencontré. »
2. Le récitatif de Lully, comme il l'a déclaré lui-même, est inspiré de la déclamation exemplaire de la Champmeslé. Or on sait, par le témoignage de Louis Racine, avec quel soin minutieux Racine réglait cette déclamation avec son interprète : il en notait pour elle les moindres inflexions. Ainsi c'est au goût de Racine que se référait Lully lorsqu'il allait prendre modèle sur la Champmeslé!

Reprise du *Malade imaginaire* en 1676 à Versailles. Dans la fosse, un orchestre comme jamais Molière n'en eût rêvé!

Lully, monologue d'*Armide*

Est-ce ainsi que je dois me venger aujour-d'huy Ma colè-re s'é-teint quand j'appro-che de luy. Plus je le vois, plus ma vengeance est vai-ne, Mon bras tremblant se refuse à ma hai-ne.

André Campra

Aix-en-Provence 4 décembre 1660
Versailles 29 juin 1744

Fils d'un chirurgien d'origine pié-
montaise, il fait son apprentissage
à la cathédrale Saint-Sauveur, sous
la direction de Guillaume Poite-
vin.
1681-1694 Maître de chapelle à
la cathédrale d'Arles, puis de Toulouse.
1694-1700 Maître de chapelle à
Notre-Dame de Paris.
1697 *L'Europe galante*, opéra-
ballet représenté à l'Opéra.
1703 « Conducteur » à l'Opéra.
1722 Directeur de la musique du
prince de Conti.
1723 Maître de la chapelle royale.
1730 Directeur de l'Opéra.

œuvre Douze opéras ou tragédies
lyriques (dont *Tancrède*), huit
opéras-ballets (dont *l'Europe galante* et *le Carnaval de Venise*),
intermèdes, divertissements, pastiches, etc. – Cinq livres de
motets, deux livres de psaumes,
Messe à 4 voix, *Requiem*. Trois
livres de *Cantates françoises*, des
airs.

Avec un orchestre riche (aux « vingt-quatre violons » s'ajoutent
une douzaine d'instruments à vent) et une écriture véritablement
symphonique, Lully développe la forme d'ouverture dite « française » qu'il a utilisée pour la première fois en 1658 dans *Alcidiane* : un premier mouvement lent et majestueux, de rythme
pointé, suivi d'un allégro généralement fugué, puis d'une reprise
du mouvement lent. Bach en donnera les plus magnifiques
exemples dans ses quatre Suites pour orchestre, dont le titre original
est *Ouvertüren* (indiquant la prééminence de l'ouverture initiale).

Contrairement à Cavalli ou Scarlatti qui, pour vivre, doivent
satisfaire le goût d'un public aux réactions inattendues, Lully
fait ce qu'il veut pourvu qu'il plaise au roi, en flattant son goût
pour la pompe et les sujets héroïques. La tragédie lyrique est
un pur produit de la dictature de Louis XIV, qui a imposé à
l'opéra français une orientation assez peu conforme au goût du
public. « Mais que voulez-vous? C'est une harmonie. Ces gens-
là se croyaient un monde complet, et ignoraient le reste... » Et
Michelet ajoute ce jugement littéraire applicable à la musique :
« Ces très grands écrivains achèvent plutôt qu'ils ne commencent.
Leur originalité (pour la plupart du moins) est d'amener à une
forme exquise des choses infiniment plus grandioses de l'Antiquité et de la Renaissance... Louis XIV enterre un monde. Comme
son palais de Versailles, il regarde le couchant [1]. »

La contribution de Marc-Antoine Charpentier à l'opéra français
est fatalement plus modeste. Après la mort de Molière il continue
pendant plus de dix ans à travailler pour la célèbre troupe, réfugiée
au théâtre Guénégaud, puis fusionnant avec la troupe de l'Hôtel
de Bourgogne pour former en 1680 la Comédie-Française. Il
compose trois drames sacrés pour le collège des Jésuites (Louis-
le-Grand), dont un seul, *David et Jonathas* (1688) subsiste. Une
tragédie lyrique, *Médée*, en collaboration avec Thomas Corneille,
est représentée en 1693 par l'Académie royale de musique...
six ans après la mort de Lully. Quelques autres œuvres de théâtre
ont été données sur des scènes privées. Certains auteurs men-
tionnent sans donner de date ni de lieu de représentation un
opéra, *Philomèle*, qui aurait été composé en collaboration avec le
duc d'Orléans, futur régent.

Le type de tragédie lyrique institué par Lully subsistera jusqu'à
Rameau. L'influence italienne, toutefois, s'y manifestera davantage. Lully avait adapté à la langue et au génie tragique français
une forme de théâtre musical héritée de Cavalli. Ses successeurs
accroissent l'autonomie de la création musicale vis-à-vis du drame,
enrichissent l'écriture harmonique et s'abandonnent avec pru-

Scènes de zarzuelas.

1. Michelet, *Richelieu et la Fronde* (préface).

dence aux sortilèges du beau chant émancipé que pratiquent Caldara et Gasparini à Venise, Bononcini à Rome, Alessandro Scarlatti à Naples. André Campra (1660-1744), le plus grand musicien de l'interrègne Lully-Rameau, créera un genre nouveau, l'opéra-ballet, pressenti par Molière et esquissé par un élève de Lully, Pascal Colasse (1649-1709).

L'opéra en Espagne, en Allemagne et en Angleterre

Espagne Trois grands écrivains espagnols sont à l'origine du théâtre musical dans leur pays : Lope de Vega, Calderon de la Barca et Tirso de Molina. Lope de Vega est l'auteur de ce qui a probablement été le premier opéra espagnol, *Selva sin amor* (1629) : la musique est perdue, le compositeur inconnu, mais on sait que la pièce était entièrement chantée. Calderon, lui, est le créateur d'un genre spécifiquement espagnol, la *zarzuela*[1], sorte d'opéra bouffe où alternent, comme plus tard dans l'opéra-comique français, les airs et les dialogues parlés. Le principal compositeur, collaborateur de Calderon, est Juan Hidalgo : leur *Celos aun del ayre matan* (Madrid, 1660) est le premier opéra espagnol dont la musique nous soit partiellement parvenue. Cette musique archaïque ne s'est pas affranchie de l'influence du madrigal italien, qui ne s'est répandu en Espagne qu'au XVIIe siècle.

Après l'avènement de Philippe V, petit-fils de Louis XIV, l'influence de la musique italienne devient prépondérante à Madrid. Antonio Caldara y débarque en pleine guerre de Succession; d'autres compositeurs moins fameux le suivront, et pendant vingt-cinq ans l'illustre castrat Farinelli sera le maître de la musique à la cour. Beaucoup d'opéras italiens sont traduits en castillan et représentés par des troupes espagnoles : à cette occasion, on remplace les récitatifs par des textes parlés, créant des confusions entre l'opéra italien et la *zarzuela*.

Allemagne En Allemagne, le XVIIe siècle est une grande époque du lied, dont la forme simple et le caractère familier vont donner à l'opéra baroque allemand son originalité. Après Lechner (élève

---

1. La Zarzuela (de *zarza*, ronce) était une résidence de la cour d'Espagne dans la campagne madrilène. Philippe IV s'y faisait donner ces comédies en musique que l'on appela *zarzuelas*. Au XVIIIe siècle, le genre prend un caractère populaire, sans échapper pourtant à l'influence italienne. Après une période d'oubli, il renaît avec un énorme succès au milieu du XIXe siècle (Albeniz et Falla y débuteront).

de Lassus) et Hassler (élève de Gabrieli), le lied subit davantage
l'influence de la villanella et du balletto, que du stile rappresentativo. Les plus grands maîtres du lied au xviie siècle sont
Heinrich Albert (1604-1651) et Adam Krieger (1634-1666),
l'un et l'autre élèves de Schütz, qui était l'oncle d'Albert. Mais
on oublie généralement un poète-musicien obscur qui avait une
forme de génie, Gabriel Voigtländer (vers 1596 - 1643). Son
important recueil d'*Oden und Lieder*, publié au Danemark en
1642, consiste en mélodies des meilleurs compositeurs européens
du temps, adaptées avec une grande habileté aux poèmes à la
fois graves, tendres et ironiques de Voigtländer [1]. Il parvient à
donner à cet ensemble disparate un style homogène qui aura une
influence bienfaisante sur le lied et l'opéra.

Jusqu'à la fin de la guerre de Trente Ans (1648), le développement d'un opéra allemand est impossible. Les essais isolés,
comme la *Dafne* de Schütz (Torgau, 1627), ont un caractère
occasionnel et privé. Après la guerre, la construction de plusieurs
théâtres de cour est le signal d'une invasion italienne. Les jésuites
arrivent les premiers : ils introduisent en Bavière un type d'opéra
italien (ou latin) pompeux et vide, composé par des musiciens
obscurs, quelquefois membres de leur Compagnie, sur les plus
mauvais et les plus édifiants sujets allégoriques. Mais bientôt
d'excellents musiciens italiens occupent les postes importants
de Kapellmeister : Antonio Draghi (1635-1700) et Cesti à Vienne;
Giovanni Andrea Bontempi (1624-1705), assistant de Schütz, et
Carlo Pallavicino (vers 1630-1688) à Dresde; Agostino Steffani
(1654-1728) à Munich et Hanovre. Des musiciens allemands eux-
mêmes composent des opéras italiens et l'italomanie gagne toutes
les classes sociales.

Foyer de résistance à cet engouement, Hambourg devient le
berceau et la capitale de l'opéra allemand. Un théâtre public
s'ouvre au Gänsemarkt le 2 janvier 1678, sous le patronage du
duc Christian Albert de Holstein et sous la direction du futur
bourgmestre Gerhard Schott. Le spectacle inaugural est *Adam
und Eva* de Johann Theile (1646-1724), dont seul le livret nous
est parvenu. Pour ne pas heurter les piétistes, résolument hostiles
au théâtre musical, les tout premiers opéras allemands traitent
de préférence de sujets bibliques, religieux ou moralisateurs. Malgré quelques théologiens sectaires, d'excellents musiciens réussissent cependant à faire de Hambourg le foyer d'un opéra national,
où concourent harmonieusement les richesses du lied, de l'aria
italienne et de l'air de danse français. Johann Sigismund Kusser
(1660-1727), élève de Lully, Johann Philipp Krieger (1649-1725),

---

1. Un siècle plus tard, le Suédois Carl Mikael Bellman (1740-1795) constituera
d'une façon analogue un admirable répertoire de chansons.

dont le tempérament lyrique s'est formé en Italie, et surtout l'admirable Reinhard Keiser (1674-1739) en sont les principaux créateurs.

Keiser est l'auteur d'une centaine d'opéras, dont seulement une vingtaine ont été conservés, en totalité ou en partie. Ils se distinguent par une excellente utilisation du lied, où le *Singspiel* va puiser l'essentiel de son originalité. La liberté de son génie fait de lui, après A. Scarlatti, l'un des plus authentiques précurseurs de Mozart. Souvent utilisé comme synonyme d'opéra allemand, à partir des dernières années du XVIIᵉ siècle, le mot *Singspiel* désignera plus particulièrement une composition lyrique où des dialogues parlés alternent avec des scènes chantées. Keiser et Georg Philipp Telemann (1681-1767) sont parmi les premiers à en illustrer le genre... Mozart et Beethoven le porteront à des sommets qu'il n'aura jamais approchés *(l'Enlèvement au sérail, la Flûte enchantée, Fidelio)*. Mais entre temps les meilleurs compositeurs allemands consacreront leur talent à l'opéra italien triomphant. Seul Hændel aurait pu sauver l'opéra baroque allemand du déclin, s'il n'avait pas quitté Hambourg en 1706 pour l'Italie.

Une représentation
de *Il Pomo d'Oro* de Cesti
à Vienne, à l'occasion du mariage
de l'empereur.

Angleterre Depuis le début du règne d'Henri VIII, la cour d'Angleterre faisait ses délices d'un genre de spectacle musical, appelé « masque », comparable au ballet de cour français et aux autres fêtes de la Renaissance. Des chars magnifiquement décorés figuraient des scènes allégoriques dont les protagonistes chantaient, dansaient, récitaient ou se contentaient de montrer leurs beaux costumes. Jusqu'au XVIIe siècle, les masques de la cour n'ont guère d'intérêt dramatique ou musical : ce sont généralement des hommages au roi, à la reine ou à quelque grand personnage, exécutés par des membres de la famille royale et par des seigneurs et dames de la cour. Mais l'éblouissante floraison du théâtre élisabéthain impose des critères artistiques d'un haut niveau et le public qui s'est pressé dans les nouveaux théâtres de Londres et de la banlieue pour applaudir les pièces de Marlowe et de Shakespeare est devenu exigeant [1]. A partir de 1612, la collaboration du poète dramatique Ben Jonson, de l'architecte Inigo Jones, des compositeurs Alfonso Ferrabosco (vers 1575 - 1628)

Chanson à boire, accompagnée d'une pochette (petit violon des maîtres à danser), d'un luth, d'un clavecin.

1. Les meilleurs musiciens du temps ont écrit des chansons et des interludes pour les œuvres de Shakespeare, notamment Thomas Morley.

et Nicholas Lanier (1588-1666) fait du masque un genre lyrique de qualité, un véritable spectacle en musique, où le centre d'intérêt n'est plus le roi, mais la fiction imaginée par le poète et embellie par le musicien. Les chars disparaissent et sont remplacés par une estrade à étages avec des lieux scéniques ou *mansions* préparés pour les différentes scènes.

En 1617, le masque *Lovers made men* de Ben Jonson, entièrement mis en musique par Nicholas Lanier, utilise le nouveau stile recitativo italien. C'est un exemple intéressant, mais isolé d'un style de mélodrame, qui ne correspond pas toutefois à ce que sera l'opéra anglais. Celui-ci ne prend forme qu'assez lentement à partir de 1650, non pas à l'imitation des Français ou des Italiens, mais dans un style original, où la féerie et l'humour sont exploités avec art. Le plus souvent, les personnages principaux ne chantent pas, ce qui les distingue des comparses et des personnages surnaturels. Une curieuse particularité des masques, qui assurent après 1650 la transition vers l'opéra (certains se proclament « opera »), est la collaboration de plusieurs musiciens, qui se partagent les airs ou les actes. C'est le cas de l'excellent *Cupid and Death* (1653), l'un des premiers masques de l'âge républicain, ou du *Siege of Rhodes* (1656) sorte d'opéra en style récitatif dont la musique est perdue.

C'est aussi le cas d'une adaptation de *la Tempête* de Shakespeare « *made into an opera* » (1673) et d'une *Psyche* adaptée de Molière (1675).

Parmi les musiciens qui ont collaboré à ces masques après la guerre civile, les plus intéressants ont été Henry Lawes (1596-1662) et Matthew Locke (vers 1630-1677). Mais c'est à John Blow (1649-1708), le maître de Purcell, que l'on doit le premier opéra anglais véritable, *Venus and Adonis*. Ce « masque pour le divertissement du roi » est représenté vers 1682 devant la cour, avec Mary Davies, la maîtresse du roi Charles II, dans le rôle de Vénus et sa fille âgée d'une dizaine d'années dans le rôle d'un Cupidon espiègle, exerçant son ironie sur les mœurs de la cour. Après une belle ouverture à la française, le prologue et les deux premiers actes sont dans le caractère d'une délicieuse pastorale où l'on parle d'amour avec tendresse et malice. Le troisième acte, au contraire, consacré à la mort d'Adonis le plus sobre et le plus émouvant sentiment tragique.

Purcell Un peu plus tard, en 1689, Henry Purcell fait représenter par les jeunes filles d'un collège de Chelsea un magnifique chef-d'œuvre, *Dido and Æneas*. Le caractère privé de la représentation a permis au musicien de réaliser son idéal dramatique sans avoir à tenir compte des exigences de la mode. Malgré la médiocrité du livret d'un certain Nahum Tate, quelques pages sont parmi

Composition retraçant la vie d'un noble amateur (anonyme anglais, vers 1596).

Dessin d'Inigo Jones pour un masque.

Dessin d'Inigo Jones : costumes pour un masque.

Henry Purcell
Londres 1659
Londres 21 novembre 1695

Il eut un père, un oncle, deux frères, un fils et un petit-fils musiciens et manifesta lui-même des dons très précoces.

v. 1667 Apprentissage dans le chœur d'enfants de la Chapel Royal, que dirigent Henry Cooke, puis Pelham Humfrey (influencé par Lully). Premières compositions à l'âge de onze ans.

v. 1675 Devient l'élève de John Blow.

1679 Il succède à son maître à l'orgue de Westminster Abbey (Blow reprendra ce poste à la mort de Purcell).

1682 Nommé organiste de la Chapel Royal. Pendant les dix années qui suivent, il compose la plus grande partie de son œuvre considérable.

les plus belles de l'histoire de l'opéra, notamment la scène sublime des adieux de Didon mourante.

La qualité mélodique et expressive de ces deux brèves citations (récit et air) montre assez le génie dramatique de ce musicien qui, dans sa brève carrière, a excellé dans tous les genres : la musique de théâtre, la musique religieuse, l'ode, la cantate de chambre, la sonate italienne, le vieux *consort of viols* polyphonique. Purcell, mort à trente-six ans, a égalé ou dépassé les plus grands maîtres de son temps, dans les genres mêmes où chacun d'eux passe pour exemplaire...

Dido and Æneas est le seul véritable opéra de Purcell. Mais on lui doit de l'admirable musique pour un genre hybride qui allie le théâtre dramatique au masque, avec ballets et machines, et que les Anglais appelaient alors « opera ». Les scènes chantées y sont des sortes d'intermèdes, dont les personnages sont distincts de ceux du drame (ceux-ci ne chantent pas). A ce genre, qui joue en Angleterre le rôle de la comédie-ballet ou du divertissement royal en France, appartiennent *The History of Dioclesian* d'après Beaumont et Fletcher (Londres, Dorset Gardens, 1690), *King Arthur* de Dryden (Dorset Gardens, 1691), poétiquement et musicalement de tout premier ordre, *The Fairy Queen* d'après Shakespeare (Dorset Gardens, 1692), *The Indian Queen* de Dryden (Drury Lane, 1695) et *The Tempest* d'après Shakespeare.

La langue et le génie poétique des Anglais promettaient à leur théâtre musical un développement original et un rayonnement durable. Pourtant l'opéra anglais n'a pas survécu à Purcell. Quinze ans après sa mort, lorsque Hændel arrive à Londres, les théâtres de la ville sont des bastions de l'opéra italien.

Oratorios et cantates

Les dénominations d'oratorio et de cantate ont été souvent confondues. Bach lui-même baptise *Oratorio de Noël* une suite de cantates. Pourtant ces mots désignent deux genres de composition vocale non scénique, normalement bien distincts. L'oratorio est essentiellement narratif et dramatique : il raconte, sans la montrer, une action de caractère sacré ou moraliste. La cantate est lyrique : elle exprime des sentiments, qui peuvent être aussi bien religieux que profanes. Mais si l'oratorio devient profane ou lyrique et si la cantate devient dramatique ou narrative, la confusion des genres est inévitable... Dès la fin du XVIIe siècle, la même dénomination recouvre des genres différents selon les pays. La *cantata* italienne et la cantate française sont profanes; la première est plus lyrique, la seconde plus narrative. La *Kantate* allemande est une composition religieuse, pour soli, chœurs et instruments, sans élément narratif, ce qui, en Italie, en France et en Angleterre, se nomme *sinfonia sacra, motet, concert spirituel,* ou *anthem*.

Oratorio romain L'*oratorio* est né à Rome, à l'oratoire de la Vallicella. Son apparition ne constitue pas une mutation de la *Sacra rappresentazione*, comme on le croit communément, mais un développement de la *laude*. Depuis qu'un trope dialogué avait institué, au Xe siècle, la tradition du drame liturgique, le théâtre religieux accompagné de chants et de danses avait connu un succès populaire considérable. Mais l'esprit puritain de la Contre-Réforme s'éleva contre ce qu'il considérait comme une profanation des mystères chrétiens et de l'Histoire sainte : au moment où Cavalieri lui ouvrait des horizons nouveaux (*Rappresentazione*

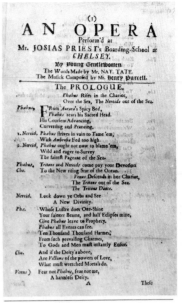

1689 Représentation de *Dido and Æneas* au collège de jeunes filles de Josias Priest, à Chelsea.
1695 Mort à trente-six ans. Enterré le 26 novembre au pied de l'orgue de Westminster Abbey; pendant la cérémonie, on exécute le magnifique anthem *Thou knowest, Lord, the secret of our hearts*.
œuvre Un opéra (*Dido and Æneas*), cinq pseudo-opéras, des chansons et compositions instrumentales pour près de cinquante pièces de théâtre. – Soixante *anthems; Morning and Evening Service* pour soli, chœur et orgue; *Te Deum and Jubilate* pour soli, chœur, trompettes, cordes et orgue; des hymnes, psaumes, cantiques, etc. – Vingt-cinq odes de circonstance (dont quatre pour le festival de sainte Cécile), des cantates profanes, des « catches », cent-cinquante chansons à 1 et 2 voix et basse continue. – Quinze *Fantasias* pour violes, vingt-deux sonates en trio, de nombreuses pièces pour clavecin, trois *Voluntaries* pour orgue.

di Anima e di Corpo, 1600), la « représentation sacrée » était condamnée par l'Inquisition [1].

Dans les communautés de fidèles, le chant des *laudi* offrait une ressource compensatrice, car beaucoup évoquaient des scènes bibliques, se prêtant à l'interprétation dialoguée et même à l'expression corporelle. Le principe n'était pas nouveau : la lecture dialoguée des Évangiles, ponctuée par le chœur des fidèles, était une très ancienne tradition, d'où découlait la représentation des drames de la Passion, de la Résurrection et de la Nativité. Mais les circonstances firent de la laude narrative et dramatique sur des thèmes bibliques une sorte d'art clandestin, dans les réunions de la Vallicella : quelques fidèles figuraient les personnages principaux et l'on chantait en les mimant la scène de Jésus découvert au Temple, le dialogue du Christ et de la Samaritaine ou le retour de l'enfant prodigue.

Le nouveau stile rappresentativo, introduit à Rome par Cavalieri, aurait transformé la laude en mélodrame sacré et l'oratorio n'aurait jamais existé sans la crainte de l'Inquisition. L'obligation de renoncer au jeu scénique rendait nécessaire le récit de l'action par le chœur ou par un narrateur, qu'on appellera *historicus*, *storico*, *testo*, ou plus tard « récitant » (l'évangéliste des Passions) : l'importance de cette fonction est un des caractères distinctifs de l'oratorio.

G. de la Tour, sainte Irène découvrant le corps de saint Sébastien.

Le genre nouveau qui prend forme dans les oratoires, par une évolution continue de la laude, sous l'influence de la « réaction catholique » est, on le voit, parfaitement original et bien distinct de la rappresentazione ou du mélodrame religieux. En aucun cas un spectacle comme la *Rappresentazione di Anima e di Corpo* ne peut être considéré comme « le premier oratorio ». En revanche, la forme évoluée de la laude narrative et dialoguée a déjà les caractères de l'oratorio, sans en porter le nom. Ce type de composition est souvent qualifié de *dialogo*. Le récit de l'action, confié soit au chœur, soit à une voix seule en style récitatif, introduit comme entre guillemets les interventions des personnages principaux, également en style récitatif. Bientôt le narrateur deviendra le protagoniste conventionnel que nous connaissons et le chœur prendra ses importantes fonctions traditionnelles : s'identifier au public pour commenter les péripéties de l'action, exprimer les

1. La *Sacra rappresentazione* était la mise en scène d'une série de *laudi* polyphoniques, autrefois soumises à l'influence de la frottola. Laurent de Médicis avait composé jadis l'un de ces spectacles : *la Rappresentazione di santi Giovanni e Paolo* (1489). L'œuvre de Cavalieri est une allégorie moraliste dans l'esprit des représentations sacrées, et dans le nouveau style florentin. Sa représentation à la Vallicella est un événement isolé, extérieur au programme habituel. La laude dialoguée reste la spécialité de l'Oratoire et poursuit son évolution normale, jouant dans la formation de l'oratorio le rôle du *Quem quaeritis* dans celle du drame liturgique (voir p. 238 s.). •

sentiments de toute la collectivité, représenter la foule. A la basse continue, destinée à l'orgue, s'ajoutent quelquefois des instruments. Dans le *Dialogo del Figliuol prodigo* de Giovanni Francesco Anerio (1567-1630) exécuté à l'Oratoire en 1619, un violon, deux cornets, un théorbe, un luth et l'orgue jouent une symphonie et doublent les parties vocales dans le chœur final.

Pendant qu'à la Vallicella la laude se transformait peu à peu en oratorio italien, dans un autre oratoire, celui de l'Archiconfraternità del Santo Crocifisso très influencé par les maisons filippines, le motet, que l'on chantait avant et après le sermon au lieu de la laude, évoluait d'une manière analogue et donnait naissance à l'oratorio latin. Vers 1630, Giacomo Carissimi (1605-1674) devient le compositeur attitré de l'Oratorio del Crocifisso. Ce très grand compositeur, universellement admiré par ses contemporains, est le véritable créateur du genre, auquel il donne une forme si parfaite qu'il en représente l'apogée. Le sens dramatique, la variété des moyens d'expression qui vont du recitativo secco à l'arioso en passant par la déclamation mélodique de Monteverdi, la tendresse et la grandeur de l'inspiration, le sentiment moderne de la tonalité, font d'un chef-d'œuvre comme *Jefte* (vers 1650), le modèle de l'oratorio latin, dont s'inspireront disciples et successeurs.

Le plus illustre élève de Carissimi a été Marc-Antoine Charpentier, dont les admirables *Histoires sacrées* sur des textes bibliques en latin ne se distinguent de celles de son maître que par une plus grande intensité dramatique. Alessandro Scarlatti n'a pas quatorze ans à la mort de Carissimi : il est peu probable qu'il en ait été l'élève, comme le veut une tradition obstinée. Les oratorios de Scarlatti sont italiens et non latins : ce sont plus souvent des mélodrames sacrés (sans récitant, parfois sans chœurs) ou des cantates d'église, que de véritables oratorios. L'une des rares exceptions est un oratorio latin d'une très grande beauté, *Davidis pugna et victoria*, qui a été exécuté à l'Oratorio del Crocifisso le premier vendredi de carême de l'année 1700. Le chœur des Hébreux en fuite, le double chœur des Philistins vaincus et des Hébreux victorieux et presque toutes les interventions de David comptent parmi les plus grandes pages de l'œuvre de Scarlatti.

L'oratorio biblique en latin n'aura malheureusement qu'une brève carrière. Après les *Histoires sacrées* de Charpentier et le *David* de Scarlatti, la seule œuvre majeure du genre sera la magnifique *Juditha triumphans* de Vivaldi exécutée à la Pietà en 1716. Les rares oratorios composés sur des textes latins, du XVIIIe siècle à nos jours, ont peu de rapports avec la noble et naïve piété du genre créé par Carissimi. En revanche, l'oratorio italien est longtemps prospère : son succès s'est étendu rapidement grâce aux nombreuses maisons filiales qu'ouvre la congrégation de l'Oratoire

Giacomo Carissimi
Marino (Rome) 18 avril 1605
Rome 12 janvier 1674

1623-1627 Chanteur puis organiste au Duomo de Tivoli. On ignore qui ont été ses maîtres.
1628-1629 Maître de chapelle à la cathédrale San Rufino d'Assise.
1629-1674 Maître de chapelle (jusqu'à sa mort) à l'église Sant'Apollinare, qui dépendait du Collegium Germanicum de Rome.
v. 1640 Début de ses relations avec l'Oratorio del Crocifisso, berceau de l'oratorio latin. C'est probablement là qu'il a fait jouer une bonne partie de ses œuvres, notamment *Jefte* (v. 1650).
1656 *Historia di Abramo*, jouée au Collegium Germanicum à l'occasion du premier séjour de Christine de Suède.
Entre 1645 et 1675 il a eu de nombreux élèves, parmi lesquels J. C. von Kerll, Marc-Antoine Charpentier et peut-être J. Ph. Krieger.

œuvre Au moins seize « histoires bibliques » en latin, de très nombreuses cantates de chambre, des messes, des motets.

Marc-Antoine Charpentier
Paris 1634
Paris 24 février 1704

D'une famille d'artistes qui le destinaient à la peinture, il partit jeune pour l'Italie, où se décida sa vocation musicale. Il fut alors l'élève de Carissimi pendant quelques années.
1672-1685 Collaborateur de Molière, puis, à la mort de celui-ci, de sa troupe, qui devient en 1680 la Comédie-Française.

→

1679 Compositeur de la chapelle du Dauphin.

1683 Concours pour l'emploi de sous-maître à la chapelle royale. Malade, Charpentier ne peut se présenter à l'épreuve finale : le roi l'en dédommage par une pension.

1683-1688 Maître de la musique de Mademoiselle de Guise.

1684-1695 Maître de musique du collège des jésuites (Louis-le-Grand), pour lequel il compose de la musique religieuse et des tragédies lyriques.

1692 Le duc de Chartres (plus tard duc d'Orléans, futur Régent) devient son élève. Charpentier compose pour ce prince deux brefs traités, l'un de composition, l'autre d'accompagnement.

1693 Représentation de *Médée* (livret de Thomas Corneille) à l'Académie royale de musique : c'est la seule œuvre importante de Charpentier publiée de son vivant.

1698-1704 Maître de musique à la Sainte-Chapelle.

œuvre Des opéras (*Médée, les Amours d'Acis et de Galathée, Philomèle*, tragédies spirituelles pour les jésuites, pastorales), de la musique de scène. – Plus de cent motets, douze messes, vingt-huit Leçons des Ténèbres, vingt-quatre Histoires sacrées et beaucoup d'autres compositions religieuses. – Cantates profanes, airs de cour, divertissements. Ballets, ouvertures, sérénades.

en Italie puis à l'étranger. Le genre lui-même reçoit la dénomination d'*oratorio* à partir de 1640 environ, tandis que l'oratorio latin est plus souvent qualifié d'*histoire sacrée* ou de *dramma sacrum*.

Avant de devenir au XVIIIᵉ siècle une spécialité de l'école napolitaine (Scarlatti, Porpora, Leo, Pergolesi, Jommelli, Piccini, Paisiello...), l'oratorio est illustré par la plupart des grands compositeurs italiens. L'un des plus séduisants est Alessandro Stradella, dont le beau *San Giovanni Battista* ouvre la voie à un type d'oratorio plus lyrique, plus « mondain » si on veut, où le bel canto retrouve ses droits et où le sentiment religieux se pare d'une grâce émue qu'il conservera longtemps.

Stradella, *San Giovanni Battista*

Oratorio allemand En Allemagne, le récit de la Passion et de la Résurrection est à la fois la source et le thème principal de l'oratorio. Ce récit avait suscité une floraison de drames liturgiques

depuis le xᵉ siècle, et avait inspiré de nombreux musiciens de la
Renaissance, qui en ont exploité, assez audacieusement pour
l'époque, les possibilités dramatiques : le pseudo-Obrecht (premier modèle du genre, la Passion qui lui est attribuée n'est pas
d'Obrecht), Walther, Scandello, Lassus, Guerrero, Victoria,
Byrd, etc. Heinrich Schütz ne connaissait peut-être pas les œuvres
de tous ces vieux maîtres, où se trouve en germe le style narratif
de ses propres Passions. Mais il ne pouvait pas ignorer la *Passion
selon saint Matthieu* de Walther, ni surtout deux œuvres importantes d'Antonio Scandello (1517-1580), musicien italien établi
à Dresde : une *Passion selon saint Jean* et une *Histoire de la
Résurrection*, toutes deux célèbres encore en Allemagne au xviiᵉ siècle, puisqu'on en connaît une édition datée de 1621 à Breslau.

Élève de Giovanni Gabrieli et admirateur de Monteverdi,
qu'il fréquentera en 1628 à Venise, Schütz introduit en Allemagne
le nouveau style italien et l'adapte au genre de composition
narrative d'après les récits évangéliques, qui semble avoir été
depuis Scandello d'un usage courant en Saxe. En 1623, il publie
à Dresde une *Histoire de la Résurrection* (N.B. Je n'infligerai pas
au lecteur les titres originaux, qui sont interminables). Dans ce
premier oratorio, Schütz conserve le plan de Scandello et reste
en partie fidèle à la convention qui permettait de représenter un
personnage par une écriture à deux voix. Mais il adopte pour le
récit de l'évangéliste une déclamation souple, où les tournures
mélodiques du plain-chant se composent avec le stile recitativo,
et il le fait accompagner par quatre violes de gambe, au lieu du
seul orgue qui soutient toutes les autres parties. L'écriture à
plusieurs voix (dialogue de Jésus et Marie-Madeleine, les trois
Maries, les grands prêtres, les disciples) est une merveilleuse
combinaison du grand style polyphonique et de la tendresse des
tierces et sixtes parallèles, à l'italienne.

Schütz, *Historia der Auferstehung*

Après cet essai magistral, Schütz ne composera plus d'oratorio
avant quarante ans, exception faite des *Sept paroles du Christ en
croix* (vers 1645), émouvante et intime méditation sur la Passion,
qui s'apparente aux *Kleine Geistliche Concerten*. Le récitatif mélodique très simple est soutenu par le continuo; seules les paroles
de Jésus mobilisent des instruments, selon une manière qui sera
reprise par Bach dans la *Passion selon saint Matthieu*. Les plus →

Première édition des *Psalmen Davids*
de Schütz (1619).

Heinrich Schütz

Köstritz (Saxe) 4 octobre 1585
Dresde 6 novembre 1672

1591 Son père, qui gérait l'hôtellerie de la Grue d'or, à Köstritz, s'installe à Weissenfels où il prend une autre hôtellerie : *Zum Schützen* (« A l'archer »). Il devient bourgmestre. Heinrich reçoit une éducation générale très soignée.

1599 Le landgrave Maurice de Hesse-Cassel emmène le jeune Schütz à Cassel comme choriste, et le fait entrer au Collegium Mauritanium.

1608-1609 Études de droit à l'université de Marburg.

1609-1612 Études musicales à Venise, sous la direction de Giovanni Gabrieli.

1613-1617 Au service du landgrave de Hesse-Cassel.

1617-1672 Kapellmeister de l'électeur de Saxe à Dresde. Ces fonctions, qu'il conserve jusqu'à sa mort, lui laissent la liberté de très nombreux voyages.

1627 Représentation de *Dafne* (perdue) au château de Hartenfels près de Torgau, à l'occasion du mariage de Sophie-Éléonore, fille de l'électeur, avec le margrave de Hesse-Darmstadt.

1628-1629 Second voyage à Venise pour y approfondir le style de Monteverdi.

1633-1644 Trois voyages à Copenhague, sur l'invitation du prince héritier.

1656 S'installe à Weissenfels, berceau de son enfance, mais conserve ses fonctions à la cour électorale.

1672 Il meurt à l'âge de quatre-vingt-sept ans. Il est inhumé sous le porche de l'ancienne Frauenkirche.

Heinrich Schütz (portrait anonyme).

œuvre Un livre de madrigaux italiens (1611). Vingt-six *Psalmen Davids...* (1619), *Auferstehung Jesu Christi* (1623) (oratorio de Pâques), *Cantiones sacrae quatuor vocum* (1625), *Symphoniae sacrae...* (1629, 1647, 1650) (cantates), *Musikalische Exequien...* (1636) (trois cantates funèbres), *Kleine geistlichen Concerten* (1636-1639) (quarante-huit petites cantates allemandes), *Die sieben Worte... Jesu Christi* (v. 1645), *Geistliche Chor-Musik* (1648) (motets allemands), quatre Passions (*Historia des Leidens und Sterbens unsers Herrens Jesu Christi*) (1665-1666), *Weihnachtshistorie* (1644) (oratorio de Noël).

importants oratorios de Schütz datent des années 1661-1666 :
Histoire de la Nativité et quatre *Passions* (dont une, selon Marc,
est d'attribution douteuse). La simplicité de ces dernières est
remarquable : un récit arioso sublime, nourri des tournures
mélodiques du plain-chant, pas d'arias ni de duos brillants, pas
d'instruments concertants, mais des chœurs magnifiques qui per-
sonnifient la foule *(turba)* annonçant directement ceux de Bach.
Quant à l'*Histoire de la Nativité*, c'est une des œuvres les plus
brillantes de Schütz et celle qui préfigure le plus nettement le
style d'oratorio allemand du XVIIIᵉ siècle. Les instruments y jouent
un rôle intéressant : chaque personnage (ou groupe de personnages) est accompagné d'un ou plusieurs instruments caractéristiques qui facilitent son identification et soulignent sa personnalité. Premières compositions de grande envergure de l'histoire de la musique allemande, ces chefs-d'œuvre sont des modèles
que le génie de Bach enrichira sans avoir besoin de les transformer. Avant lui, de nombreux musiciens, principalement
Keiser, Kuhnau et Telemann, que nous retrouverons au cha-

La Hofkapelle de Dresde
sous la direction de Schütz.

pitre prochain, entretiendront la tradition de l'oratorio allemand
sur les thèmes de la Passion, de la Résurrection, de la Nativité.
Ils y introduiront des éléments lyriques (arias, duos), méditatifs
(chorals), une plus grande variété d'instruments concertants...
Mais seul Bach pourra faire mieux que Schütz.

Schütz, *Passion selon saint Matthieu*

Cantate Contrairement à l'oratorio, la cantate est un genre
indécis, dont la définition se heurte à la diversité des compositions qui ont reçu cette dénomination depuis le XVIIᵉ siècle. La
plupart se distinguent par le caractère lyrique, le style concertant
et une forme composite où alternent récitatifs et airs ou soli et
chœurs. Beaucoup ont l'aspect d'une scène d'opéra de chambre;
plus exactement, c'est en annexant la cantate que l'opéra italien
évolue vers sa forme conventionnelle, caractérisée par une prédominance de l'élément lyrique sur le dramatique.

Pratiquement, la cantate se substitue au madrigal et au motet
polyphonique, lorsque le nouveau style monodique et concertant fait son apparition; et l'on peut reconnaître les premiers
spécimens du genre dans les *Nuove Musiche* de Caccini (1601),
les *Concerti ecclesiastici* de Viadana (1602), les *Varie Musiche*
de Peri (1609), les splendides *Musiche* de M. da Gagliano (1615),
les *Geistliche Concerten* de Schein (1618) ou certains madrigaux
des VIᵉ et VIIᵉ Livres de Monteverdi (1614 et 1619). Mais la
dénomination apparaît pour la première fois en 1620 dans le
premier livre de *Cantade et Arie* (sic) d'Alessandro Grandi
(? - 1630) : il désigne ici des pièces monodiques en plusieurs
strophes variées, sur une même basse.

En Italie, où la cantate a donc pris naissance, en même temps
que le chant expressif, que la basse continue et que le style concertant, c'est essentiellement un genre profane « de chambre ».
Quatre compositeurs ont contribué plus que tous les autres à

en fixer le modèle exquis, où le plaisir du beau chant ne connaît d'autre limite que l'élégance du style et les proportions réduites : Luigi Rossi, Giacomo Carissimi, Alessandro Stradella et surtout Alessandro Scarlatti (plus de cinq cents cantates). L'influence des cantates de Stradella et Scarlatti sera considérable, non seulement sur le genre lui-même, mais sur l'opéra, qui annexe ce type accompli de musique lyrique. L'art de ces deux musiciens s'oppose à celui de Lully, comme l'art de Mozart à celui de Gluck : liberté de la phrase musicale qui retrouve sa fonction spécifique, celle de suggérer l'inexprimable « en contrepoint » avec l'expression verbale, et souveraineté de l'inspiration mélodique... Hændel, dans *le Messie* et surtout dans *Israel*, « empruntera » des phrases entières à Stradella.

La plupart des compositeurs italiens ou italianisants du XVIIe et de la première moitié du XVIIIe siècle, ont été inspirés par ce genre séduisant, notamment Legrenzi, Vivaldi, Hændel (une centaine) et Pergolesi (admirable *Orfeo*). En France, où les œuvres de Rossi ont connu beaucoup de succès, André Campra (1660-1744) et Nicolas Bernier (1664-1734) adaptent le modèle italien au génie de leur langue et, dans la première moitié du XVIIIe siècle, on assiste à une floraison de cantates et de cantatilles françaises, qui prennent généralement la tournure de petits opéras de salon d'inspiration mythologique ou pastorale. Dans la musique allemande au contraire, la cantate profane, connue depuis 1621, est un genre mineur, où les plus grands compositeurs, Keiser, Mattheson, Telemann et même Bach ne donneront jamais le meilleur d'eux-mêmes. La *Kantate* est, en Allemagne, un genre essentiellement religieux, fondé sur le choral luthérien. Le créateur de ce type de cantate, où le génie de Bach sera inégalable, semble avoir été Franz Tunder (1614-1667), élève de Frescobaldi et prédécesseur de Buxtehude à la Marienkirche de Lübeck.

Aspects de la musique d'église après Monteverdi

La splendeur de la musique religieuse de Monteverdi ne sera égalée que par Vivaldi et Bach. Mais le siècle qui les sépare verra se former et s'épanouir à l'église un grand style de musique spirituelle où convergent toutes les techniques de composition, toutes les nouvelles formes de l'art vocal et de l'art instrumental.

Allemagne Ici, Heinrich Schütz, dont la longue carrière couvre plus d'un demi-siècle, domine son temps. Il a été le Monteverdi allemand, le génie tutélaire vers qui tout a convergé et par qui tout a commencé. Son œuvre est entièrement vocale et d'inspiration religieuse, à l'exception d'un recueil de madrigaux italiens, publié à Venise en 1611. Elle est une synthèse magistrale des traditions de la musique polyphonique allemande et du nouveau chant expressif italien, du plain-chant et du choral luthérien, du grand style polychoral hérité de Gabrieli et du nouveau style concertant.

Lorsque paraissent en 1619 ses Psaumes allemands à plusieurs chœurs et différents groupes instrumentaux, prolongement du grand art vénitien mêlé de stile recitativo, l'Église allemande est encore fidèle au répertoire polyphonique. Schütz ne va pas surenchérir sur l'audace et la diversité de ces premiers chefs-d'œuvre. C'est un homme de réflexion, continuellement à l'étude. Il s'informe attentivement de tout ce qui se fait de nouveau, se rend à Venise en 1628 (il a quarante-trois ans) pour s'initier aux nouvelles techniques de Monteverdi; mais il ne supportera pas les excès du beau chant italien et reviendra souvent à l'écriture polyphonique. Ses œuvres sont relativement peu nombreuses et ses publications souvent très espacées. Mais ce sont des modèles dans les différents genres : madrigaux sacrés en latin *(Cantiones sacræ)*, motets allemands dans le style de Praetorius *(Musikalische Exequien* et *Geistliche Chormusik)*, cantates d'église en style concertant *(Symphoniæ sacræ)*, petites cantates intimistes pour soli et basse continue *(Kleine Geistliche Concerten)*. Il semble que les malheurs qui ont accablé son pays, la Saxe, pendant la guerre de Trente Ans ont contribué à la grandeur de son œuvre : les interruptions imposées à la vie musicale ont favorisé les lentes maturations et un certain dépouillement était imposé par les sévères restrictions d'effectifs que durent s'imposer pendant une dizaine d'années (1636-1646) les chapelles ruinées.

Avec les Passions et la Nativité, déjà citées, le troisième livre de *Symphoniæ sacræ* (1650) et le deuxième livre de *Petits Concerts spirituels* (1639) sont les sommets de l'œuvre de Schütz. Cet homme sage et modeste, à la sérénité rayonnante, a joué un rôle de premier plan : en adaptant à la culture germanique les plus précieuses acquisitions de la musique italienne, il a institué une tradition spécifiquement allemande qui favorisera l'éclosion des Passions et des Cantates de Bach.

La cantate d'église, qui doit l'essentiel de son style à Schütz et à Tunder, devient dans la seconde moitié du siècle la forme la plus importante de musique luthérienne. Parmi les musiciens qui en ont maintenu la tradition à l'abri des influences de l'opéra italien, deux surtout ont préparé le modèle de cantate qu'héritera Bach : Diderik Buxtehude (1637-1707) et Johann Pachelbel (1653-1706).

Les anciennes cantates allemandes comprennent uniquement des chœurs, des récitatifs *arioso* très souples sur des versets bibliques et des strophes de chorals ayant la fonction de méditations sur le sujet du récit. On n'y trouve ni recitativo secco, ni aria da capo. Bach ne suivra strictement ce modèle que dans ses cinq ou six premières cantates (parmi lesquelles figure l'*Actus tragicus*); dès 1715, il adopte le récitatif sec, l'air à ritournelles avec instruments concertants et d'autres séductions de la musique profane. Mais on verra qu'il conserve toujours au choral son importance primordiale. Dans une trentaine de cantates composées entre 1735 et 1740 environ, il utilise non seulement la mélodie mais aussi le texte d'un choral dont il fait le thème central de toute la composition, suivant en cela les exemples donnés par Tunder et Pachelbel. Bach épuisera les ressources du genre : l'histoire de la cantate allemande n'aura pas duré un siècle.

France L'Église de France est conservatrice : à l'époque de Monteverdi elle reste attachée à la polyphonie de l'âge précédent. La belle *Missa pro defunctis* à 5 voix de Du Caurroy, dans le style de la Renaissance, est jouée aux funérailles d'Henri IV en 1610 et elle sera longtemps la messe des obsèques royales. Les *Preces ecclesiasticæ* (1609) du même compositeur et les pièces religieuses de ses *Meslanges de musique* (posth. 1610) sont des motets traditionnels à 4, 5 et 6 voix, souvent d'une grande beauté. L'art nouveau ne fait son apparition que vers le milieu du siècle dans les messes et les motets de Guillaume Bouzignac, excellent musicien dont on ne sait presque rien. Sa musique serait dans l'ensemble assez traditionnelle (écriture polyphonique, sans basse continue) s'il n'y faisait alterner avec le grand chœur, soit un petit chœur, soit des soli dans un style récitatif « arioso » de caractère dramatique, apparenté à la déclamation mélodique de Monteverdi. Plus importants cependant sont les *Meslanges de sujets chrétiens... de 2 à 5 parties, avec la basse continue* (1658), du maître de chapelle de Gaston d'Orléans, Étienne Moulinié (? - vers 1670) : ce sont des petites cantates ou des motets en style concertant à la manière italienne.

Sous Louis XIV, les cérémonies religieuses jouent un rôle très important à la cour (messe tous les matins) et dans la vie publique. Sur ordre du roi, la musique d'église est enrichie d'instruments, notamment pour l'exécution des nombreux *Te Deum* que l'on chante dans les grandes occasions. Cette initiative constitue une réforme artistique importante dans un pays où, traditionnellement, la musique religieuse se chante a cappella ou avec l'accompagnement d'un orgue, à moins de circonstances exceptionnelles. Cette réforme, jointe au goût du souverain pour la musique moderne, favorise grandement l'introduction à l'église du nouveau style expressif et concertant. La pompe qui caractérise le règne du Roi Soleil, et fait le bonheur des courtisans, insuffle à la musique de l'école de Versailles un air de majesté qui impressionne l'auditeur et le fait augurer favorablement de l'avenir de la nation. L'importance nouvelle que prend ainsi la musique sacrée en France, par le bon plaisir du roi, va susciter la formation d'un « public », que la beauté des cérémonies attire en plus grand nombre à l'église. Dans une société où la musique profane est le privilège d'un petit nombre, les couvents et les paroisses deviennent les meilleurs centres de diffusion de la musique nouvelle, celle qu'encourage le souverain. Quelques abbayes et institutions religieuses ont le privilège de la faveur du roi et des visites de la cour : la musique y est plus belle qu'ailleurs et fournit le prétexte des promenades à la mode.

M. R. Delalande.

Mais rien n'égale en magnificence les offices de la chapelle royale. On y chante presque exclusivement des « motets », même pendant la messe [1]. L'histoire du motet polyphonique ayant désormais pris fin, on appelle ainsi au temps de Louis XIV une cantate sacrée dans le style concertant sur des textes latins (souvent empruntés aux psaumes). On en compose de deux sortes : les uns sont pour une ou plusieurs voix solistes avec basse continue, à la façon des cantates italiennes ou des *Petits Concerts spirituels* de Schütz; les autres, appelés « motets à grand chœur », sont des grandes cantates pour soli, chœur (généralement double) et orchestre. Henry Du Mont (1610-1684) s'est illustré dans l'un et l'autre genre, mais il n'est connu aujourd'hui que par ses cinq *Messes royales en plain-chant musical*, chantées dans toutes les paroisses catholiques jusqu'en 1965... mais jamais à la chapelle du roi, en dépit de leur titre. Du Mont n'a pas un grand génie, mais il fait figure de précurseur, d'une part en composant (à la même époque que Moulinié) des motets pour soli et basse continue, d'autre part en introduisant dans ses *Motets à deux chœurs* un véritable orchestre, dont le rôle sera de plus en plus important. Ce dernier genre devient une spécialité de l'école française : il sera la base du répertoire au Concert spirituel pendant tout le XVIIIe siècle.

Lully nous a laissé onze grands motets à deux chœurs, dont le plus fameux est le *Te Deum*, composé pour le baptême de son fils, dont Louis XIV était le parrain (1677), rejoué deux ans plus tard au mariage de Mademoiselle d'Orléans, puis encore le 8 janvier 1687 pour remercier Dieu d'une guérison du roi. Dans cette dernière occasion, Lully dirigeait trois cents exécu-

---

1. Les chants de l'Ordinaire *(Kyrie, Gloria, Credo, Sanctus, Agnus Dei)* sont exclus de la chapelle royale sous Louis XIV et ses successeurs.

tants, avec une telle fougue qu'il se donna un coup de bâton sur le pied et en mourut. C'est peut-être à cet accident que l'on doit le fameux *Te Deum* de Charpentier, exécuté pour célébrer cette même guérison du roi, au cours des cérémonies qu'organisèrent l'Académie française et l'Académie royale de peinture. Pour les nombreux musiciens, dont Charpentier lui-même, qu'étouffait la dictature de Lully, cette nouvelle hymne d'action de grâces a dû évoquer la fin des humiliations et des injustices, plutôt que le rétablissement d'un roi qui venait de révoquer l'édit de Nantes, de ravager les vallées vaudoises et qui s'apprêtait à déporter les huguenots non convertis !

On connaît bien d'autres compositions solennelles de Charpentier, dont un *Grand Magnificat à 8 voix*. Cependant, la partie la plus précieuse de son œuvre religieuse, abstraction faite des *Histoires sacrées*, est constituée par ses admirables messes, dans les genres les plus divers : *Messe pour Port-Royal* à voix seule et basse continue; *Messe de minuit* à 4 voix (soli et chœur), flûtes et cordes, sur des noëls populaires; *Messe pour les trépassés* à double chœur et orchestre; messe à quatre chœurs et basse continue; *Messe pour les instruments au lieu des orgues*, purement instrumentale, etc. La musique religieuse de Charpentier ne manque pas de cette majestueuse grandeur où triomphe Lully, mais l'inspiration mélodique est plus généreuse, le style moins raide, le sentiment plus chaleureux. L'influence de Carissimi est évidente, non seulement dans les *Histoires sacrées*, mais dans les nombreux motets concertants pour un ou plusieurs soli, genre qui atteindra en France sa maturité classique avec Campra et surtout François Couperin.

Pour le « motet à grand chœur », le classicisme est incarné par Michel-Richard Delalande (1657-1726). Ses nombreuses compositions dans le genre, dont quarante-deux ont été publiées après sa mort aux frais du roi, ont eu un retentissement considérable au XVIIIe siècle; leur exécution au Concert spirituel deviendra rituelle, comme plus tard l'exécution des symphonies de Beethoven à la Société des concerts du Conservatoire. Ces grands motets, qui mobilisent souvent plus de cent exécutants, comprennent des récitatifs, airs, ensembles, chœurs (généralement petit et grand chœur selon la tradition) et un orchestre comprenant un orgue, un clavecin, les « violons » (c'est-à-dire le groupe des cordes) et une agréable variété d'instruments concertants. Leur forme et leur caractère les rapprochent des *anthems* de Hændel, qu'ils ont certainement influencé, et d'une grande partie des cantates de Bach.

Les motets et « élévations » de Couperin comptent parmi les sommets de son œuvre (les *Trois Leçons de ténèbres* notamment). Bien qu'ils soient destinés à la chapelle royale, ils ne s'apparentent

Michel Richard Delalande
Paris 15 décembre 1657
Versailles 18 juin 1726

Quinzième fils d'un tailleur.
v. 1666-1672 Choriste à Saint-Germain l'Auxerrois. Il étudie seul le violon et le clavecin.
1672 Il passe une audition devant Lully qui recrute des violonistes. Refusé, il renonce définitivement au violon.
v. 1678 Organiste des Grands-Jésuites. Maître de clavecin de Mademoiselle de Noailles et des princesses royales.
1679-1685 Organiste de Saint-Gervais par intérim, avant que François Couperin soit d'âge à succéder à son père. En 1682 il est nommé organiste à Saint-Jean en Grève.
1683 Il commence sa carrière officielle comme sous-maître de la chapelle royale. Il va cumuler peu à peu les charges et en 1704 il sera surintendant de la musique de la Chambre, maître de la chapelle et compositeur de l'une et de l'autre.
1684 Épouse la sœur du compositeur J. F. Rebel, excellente chanteuse (v. 1664-1722). Il se remariera en 1723 avec Marie-Louise de Cury, fille d'un chirurgien de la princesse de Conti.

œuvre Un grand nombre de motets pour soli, chœurs et orchestre, *Trois Leçons de ténèbres*, une vingtaine de ballets et divertissements pour la cour, quatre *Symphonies de Noël*, des *Symphonies pour les soupers du roi*.

pas au style monumental de Lully et Delalande, mais plutôt à celui, plus intime et délicatement lyrique, des *Histoires sacrées* de Carissimi et Charpentier. Couperin se contente le plus souvent de voix solistes et de la basse continue, avec parfois deux violons concertants, ou deux flûtes, exceptionnellement de discrètes interventions du chœur *(Motet de sainte Suzanne)*. C'est un art d'équilibre et de pudeur où l'esprit et le cœur conservent chacun leurs droits et où l'émotion la plus intense s'exprime avec une spirituelle innocence.

Angleterre Réagissant à l'austérité de la république de Cromwell, la cour de Charles II s'est mise à l'heure de Versailles. L'exemple de la cour de France montrait ce que la musique pouvait ajouter à la splendeur des cérémonies. Le roi d'Angleterre décide d'avoir ses *twenty-four violins*, puisque le roi de France a les siens, et il fait réorganiser la Chapel Royal sur un grand pied. La guerre, les persécutions, l'étroitesse des conceptions puritaines, puis la peste (1665) et l'incendie de Londres (1666) ont frappé de stérilité la musique anglaise. Mais la chapelle royale est depuis la Restauration un véritable conservatoire placé sous la responsabilité de Henry Cooke (vers 1616-1672). Cet excellent pédagogue, ancien combattant des armées du roi (d'où son surnom de Captain Cooke) a pour mission de réquisitionner les meilleures voix du royaume, de découvrir les jeunes talents et d'en assurer la formation. Il parvient rapidement à créer un chœur de premier ordre, où entreront tout jeunes les deux seuls grands musiciens que connaîtra l'Angleterre avant longtemps : Blow et Purcell.

L'Église anglicane a suscité trois types de musique :

– des cantiques austères, qui sont un médiocre équivalent des psaumes huguenots et des chorals luthériens. Le modèle reste le *Booke of Common praier noted* de Marbeck (1550), dans une sorte de plain-chant adapté à la nouvelle liturgie.

– des *services* : ensemble des versets et répons, psaumes, cantiques, litanies, hymnes, correspondant à chacune des trois liturgies : celles du matin, du soir et de l'Eucharistie. Comme la messe, le *service* donne lieu à des compositions très élaborées.

– des *anthems*, compositions non liturgiques équivalant au motet ou à la cantate. L'ancienne forme polyphonique de la Renaissance est appelée *full anthem*, par opposition à la forme concertante, appelée *verse anthem*, où les versets confiés aux solistes alternent avec les répons du chœur.

L'âge d'or de la musique anglicane a été l'époque de Byrd, Morley, Weelkes et Gibbons. Mais dans le style concertant, où Gibbons a fait figure de pionnier avec ses vingt-cinq *verse anthems*, Blow et surtout Purcell ont atteint les sommets. La vaste production de John Blow est inégale, mais quelques chefs-d'œuvre sont dignes de son élève Purcell, notamment parmi ses odes.

Tout est admirable chez Purcell, à qui on doit soixante *anthems*, quatre *services* et vingt-cinq odes de circonstances, ces dernières n'étant pas destinées à l'église, mais se rattachant par leur style à la cantate ou au motet. Alliant harmonieusement la science à la grâce, aussi naturel dans la grandeur que dans l'intime tendresse, tour à tour grave et primesautier, classique et romantique, précis et fantasque, il est décidément partout l'égal des meilleurs, quand il n'est pas le meilleur. Un siècle avant Mozart, il anticipe le miracle mozartien. Il réussit sa lumineuse et brève carrière (environ quinze années) en se bornant à écrire ce qu'on lui demande : la musique religieuse raffinée qui plaît au roi, des odes de circonstance, un opéra pour une institution de jeunes filles sur un mauvais livret, des pseudo-opéras au goût du jour et des musiques de scène pour un théâtre en décadence, un peu de musique instrumentale dans les styles ancien et moderne... Il a créé un style de musique baroque spécifiquement anglais, dont Hændel sera le principal bénéficiaire. La rigueur des basses obstinées, dont se souviendra Hændel, y fait mieux ressortir la fraîcheur et la spontanéité de l'invention mélodique, l'exubérance des ritournelles instrumentales.

Éclosion des formes instrumentales classiques

L'émancipation de la musique instrumentale, commencée au xvᵉ siècle, se réalise pleinement à l'âge baroque. A l'exemple des protagonistes vocaux, les instruments du « concert » découvrent leur individualité. Ils concertent librement, sans s'obliger toujours à assumer la continuité des différentes parties. Mais ils commencent aussi à s'assembler en familles, pour former des orchestres bien équilibrés, où dominent les instruments à archet. C'est ainsi qu'à la cour de France les « 24 violons » sont la base de la musique royale et le modèle auquel chacun se réfère. S'y joignent selon les circonstances des éléments de la « Grande Ecurie [1] ».

Sauf en Allemagne, le pittoresque instrumental est de moins en moins recherché. Déjà dans *Orfeo*, où ce pittoresque est suggéré par la nomenclature des instruments (voir p. 436), on trouve des exemples d'une écriture de cordes remarquablement « classique ».

1. Cinq groupes aux fonctions bien déterminées qui ne sont réunis que pour les grandes occasions : les trompettes (12), les fifres et tambours (8), les grands hautxbois (12, comprenant sacquebutes, trombones, cornets, bassons, hautbois, flûtes), les cromornes (6), les hautxbois et musettes du Poitou (6).

Ritournelle d'*Orfeo*

Le vacarme pompeux de certaines musiques de circonstance est un phénomène marginal [1]. Certes à l'église, le volume et la majesté des édifices mobilisent de vastes ensembles de voix et d'instruments, souvent à double chœur. Mais dans la musique instrumentale pure, la qualité prime sur la quantité; on recherche la finesse des timbres, l'homogénéité des ensembles, la virtuosité des solistes et naturellement, à l'exemple de la musique vocale, l'expression.

Les innovations de Du Caurroy, Gabrieli, Monteverdi, Praetorius, Gibbons sont à l'origine d'un tournant décisif de la musique instrumentale, illustré par la *sinfonia* italienne qu'annonce la « ritournelle » d'*Orfeo*, par le *consort* anglais, par le développement extraordinaire de la musique de clavier. Dans son *Syntagma musicum* (1614-1620), importante encyclopédie de la musique, Michael Praetorius donne une étude très complète des instruments connus de son temps, qui constitue le premier véritable traité d'instrumentation. On y retrouve l'habituelle indifférence à la nature des timbres, mais avec un très grand souci de leur qualité : cornets ou violons, peu importe, pourvu qu'ils soient employés dans leurs bonnes tessitures.

Lutherie   Le développement de la lutherie à la fin du XVIe siècle a été remarquable. Le violon notamment est pratiquement parfait dès 1600. Jadis relégué dans les tavernes, parce qu'on le trouvait vulgaire et criard, cet instrument a été l'objet de recherches minutieuses sur la qualité des bois, leur séchage, leur façonnage à la gouge, la composition des vernis et des colles, les proportions

L'Homme au luth, école flamande, XVIIe siècle (Musée de Troyes).

1. En 1671 à Dunkerque, on exécuta devant Louis XIV des extraits de la musique de Lully pour *Psyché*, avec sept cents fifres, hautbois, trompettes, tambours... et quatre-vingts canons!

des divers éléments. Les fondateurs des deux grandes écoles de lutherie italiennes ont été Gasparo da Salò (1542-1609 : école de Brescia) et Andrea Amati (1535-1612 : école de Crémone). Le plus illustre élève du premier, Maggini, était un artisan génial qui pourrait être considéré comme le père du violon moderne. Après lui, l'école de Brescia est éclipsée par celle de Crémone où les principaux successeurs d'Amati sont Nicolo Amati (1596-1684) son petit-fils, l'élève de celui-ci Antonio Stradivari (1644-1737), dit Stradivarius, le plus célèbre luthier de tous les temps, et Giuseppe Guarneri « del Gesù » (1698-1744). Les Gabrieli ont sans doute été les premiers à écrire sans équivoque pour les violons (*Concerti a 6-16 voci,* 1587); Monteverdi utilise déjà une technique très évoluée; mais c'est dans la seconde moitié du XVIIe siècle qu'apparaissent les premiers maîtres de la musique de violon, qui consacrent le triomphe de cette famille d'instruments, Giovanni Legrenzi (1626-1690), Franz von Biber (1644-1704), G. B. Vitali (vers 1644-1692), Arcangelo Corelli (1653-1713).

Devenues archaïques, les violes n'en conservent pas moins, en France et en Angleterre surtout, une place éminente dans la vie musicale, presque jusqu'au milieu du XVIIIe siècle. La basse de viole devient l'interprète traditionnelle des basses continues, conjointement à un instrument polyphonique, en même temps qu'elle se révèle un admirable instrument soliste. Et la famille s'enrichit même, vers le milieu du XVIIe siècle, d'un curieux instrument appelé « viole d'amour », très apprécié en solo pour sa belle sonorité voilée. C'est une sorte de viole alto *da braccio* (se tenant sous le menton) munie de six ou sept cordes principales et d'un certain nombre de cordes vibrant par résonance; ces dernières sont tendues sous la touche et passent à travers le chevalet.

L'orgue reçoit un quatrième clavier, des mixtures plus riches et quelques jeux nouveaux; le clavecin est muni de pédales au lieu des tirettes pour choisir les registres, il s'augmente d'un jeu de luth et d'un seize pieds. Mais bien plus que ces agrandissements, d'ailleurs inégalement répandus, c'est par la remarquable qualité de leur facture que se recommandent les instruments baroques. C'est l'époque des délicieux positifs, richement décorés; celle surtout des chefs-d'œuvre des premiers Thierry, des premiers Clicquot, de Arp Schnitger, Casparini, etc. C'est aussi l'époque des grands clavecins de la famille Ruckers, d'Anvers, les plus beaux qui aient jamais été construits : qualité sonore, précision du mécanisme, splendides décorations dues aux meilleurs peintres flamands et étrangers.

Les progrès de la lutherie agissent naturellement sur les techniques d'exécution, qui induisent à leur tour de nouvelles conceptions de l'écriture et des formes instrumentales. L'évolution est continue, elle prend appui sur les acquisitions de la Renaissance;

mais la forme tend à devenir conceptuelle, à se définir comme un cadre intellectuel préconçu [1]. Certaines formes devront leur développement à la famille du violon, qui sera bientôt prépondérante dans la musique concertante; d'autres aux instruments à clavier, dont la récente perfection assurera le triomphe, dans un répertoire qui est d'abord analogue à celui du luth. Cet instrument, symbole musical de la Renaissance, atteint son apogée dans la première moitié du XVIIe siècle. Jusque vers 1680, en France surtout, il est pour le clavecin un concurrent sérieux.

Mais une forme musicale n'est pas une institution, qui prend effet dès le dépôt des statuts; elle est une expérience collective qui se définit et impose ses règles après coup. La conscience en est d'abord confuse et la terminologie imprécise. Jusqu'en 1650 au moins, on appelle indifféremment *sonata*, *toccata*, *canzone*, *sinfonia*, des pièces instrumentales de tout genre. On trouve des *sinfonie* pour un instrument, des *concerti di sonate*, des *concerti ecclesiastici* pour voix et instruments... Néanmoins, la plupart des grandes formes instrumentales classiques, quel que soit le vocabulaire, se sont développées à l'âge baroque.

Suite Forme favorite des luthistes et des clavecinistes, la suite est une juxtaposition de danses contrastées, qui trouve son origine dans les *puncta* successifs de l'estampie médiévale et dans le couple pavane-gaillarde de la Renaissance. Elle s'impose comme forme instrumentale en perdant sa fonction chorégraphique vers la fin du XVIe siècle. Dans la première moitié du XVIIe siècle, la suite est souvent composée d'un prélude en style d'improvisation, suivi d'une pavane, d'une gaillarde, d'une allemande et d'une courante (voir p. 412 s. la description de ces danses). On trouve cette disposition dans les suites à cinq instruments du *Banchetto Musicale* de Schein (1617). Frescobaldi fait suivre une pièce initiale assez développée (canzone par exemple) d'une courante et d'une passacaille.

Longtemps la composition de la suite est aussi variable que sa dénomination *(sonata, balletto, partita, lesson, ordre)*. Dans la seconde moitié du siècle, notamment dans les *sonate da camera*, le schéma le plus répandu est le suivant : prélude, allemande, courante, sarabande, gigue (ou gavotte). Ce schéma est important : c'est celui de la suite classique et souvent aussi de la sonate de

1. Le concept de forme est ambigu, car il confond deux notions complémentaires que Riemann appelait « forme concrète » et « forme abstraite ». La forme concrète, le *Gestalt* allemand, est la configuration globale de l'œuvre, l'expression de son identité, ce qui définit une suite, une sonate, une cantate, un opéra... La forme abstraite est la structure interne d'une composition : fugue, variation ou rondo (couplets-refrain) par exemple. On voit qu'une forme concrète peut utiliser plusieurs formes abstraites dans ses différentes parties, ou bien se confondre avec l'une d'elles.

chambre. Entre la sarabande et la gigue pourront se placer des danses supplémentaires : gavottes, bourrées, rigaudons, menuets, etc. Les virginalistes anglais et surtout les clavecinistes français introduisent aussi dans la suite des pièces descriptives ou évocatrices. Ces tableaux sonores aux titres suggestifs, seront une spécialité de François Couperin : *la Lutine, les Nonnettes, le Bavolet flottant, les Vieux Galans et les Trésorières surannées, les Petites Crémières de Bagnolet*, etc.

Au XVIIe et au début du XVIIIe siècle, la suite n'est pas une forme fixe. Pour la plupart des compositeurs français et italiens, c'est un répertoire de pièces variées, de même tonalité, proposées au choix des interprètes, pour former une suite à leur goût. Une suite de Chambonnières (vers 1650) comprend vingt-cinq danses, dont dix courantes successives : elle n'est évidemment pas destinée à être jouée intégralement. Les vingt-sept suites de pièces pour clavecin de Couperin, qu'il appelle « ordres », proposent également un choix dans la majorité des cas[1].

Variations Déjà très répandue au temps de la Renaissance, la variation exploite les ressources du style d'imitation, celles de l'harmonie, de l'instrumentation, du rythme. Elle joue un rôle capital dans le répertoire des organistes et des clavecinistes, particulièrement sous les formes de chaconne ou de passacaille et celle de choral varié. La chaconne et la passacaille étaient, à l'origine, des danses populaires espagnoles assez vives, la première passant pour être licencieuse. Introduites en France au XVIIe siècle, elles deviennent des danses de cour et apparaissent dans le finale des opéras-ballets. Dans la musique instrumentale, elles perdent leur caractère chorégraphique et se présentent en général comme une série de variations ornementales sur un cantus firmus court, plusieurs fois répété : c'est le principe des organa et des motets du XIIIe siècle. On ne s'est jamais mis d'accord sur ce qui permet de distinguer les deux formes l'une de l'autre. Mattheson dit que la chaconne est plus lente; pour d'Alembert, c'est au contraire la passacaille. En général le cantus firmus est à la basse (basse obstinée) dans la chaconne; tandis que dans la passacaille il circule librement, se perd dans la polyphonie et peut même se transformer... Mais trop d'œuvres échappent à cette distinction pour qu'on en fasse une règle. Avant l'apogée que constitue la grande *Passacaille* de Bach, les chefs-d'œuvre du genre sont la *Passacaille en sol mineur* à trente-neuf variations de Louis Couperin (vers 1626-1661) et les deux *Chaconnes* de Buxtehude.

Le choral est l'âme de la musique d'orgue allemande; mais le premier organiste à en faire des variations est sans doute le

1. La mode actuelle des Intégrales incite les clavecinistes à enregistrer sur disque les « ordres » de Couperin, *in extenso*.

Néerlandais Jan Peterszoon Sweelinck (1562-1621) : sur les trente-six séries de variations qu'il nous a laissées (sommet de son œuvre), vingt-quatre utilisent des thèmes de chorals et douze des chansons. Après lui, Samuel Scheidt son élève (1587-1654), Michael Praetorius, J. A. Reinken (1623-1722), Buxtehude et surtout Johann Pachelbel composent des chorals variés qui annoncent ceux de Bach. L'inévitable basse continue ayant été adaptée au choral luthérien, il s'agissait à l'origine d'improviser sur cette basse un accompagnement au chant communautaire. Les 112 chorals harmonisés à quatre parties du *Tabulatur Buch* de Scheidt n'ont pas d'autre ambition et les grandes paraphrases qu'inventera le génie des organistes allemands conserveront le plus souvent le modeste propos de servir de préludes aux chorals *(Choralvorspiele)*. Tantôt le thème liturgique est entouré de contrepoints fleuris (choral « figuré »), tantôt il est traité en variations canoniques ou même en fugue.

Fugue En passant de la polyphonie vocale à la musique instrumentale, le style d'imitation* a donné naissance, dès le XVIᵉ siècle, à des formes exceptionnellement fécondes, dont le plus haut stade d'évolution sera la fugue classique [1]. Jusqu'au temps de Bach ou de ses prédécesseurs immédiats, on confond comme toujours les dénominations : *canzone, capriccio, toccata, fantasia, ricercare, fuga* désignent souvent la même chose, c'est-à-dire une pièce en imitation libre, souvent ébauche de fugue, se distinguant du canon régulier par sa liberté même. Les fantaisies de Sweelinck (pour orgue ou clavecin) sont déjà de véritables fugues, les premières que l'on connaisse, et ses toccatas s'apparentent aux inventions de Bach. Dans la génération suivante, l'œuvre d'orgue de Frescobaldi offre les modèles accomplis de toutes les formes d'imitation. Frescobaldi est le grand pionnier, le promoteur d'une tradition qui fera de la fugue la pierre de touche de la musique d'orgue classique.

Johann Jakob Froberger (1616-1667) son élève, François Roberday (1624-1680), Johann Krieger (1651-1735), Buxtehude, Böhm, François Couperin, lui sont tous plus ou moins redevables. En un temps où le style concertant et l'air expressif tournent le dos résolument aux anciennes techniques polyphoniques, les grands organistes, à l'exemple de Frescobaldi, trouvent des richesses nouvelles dans le vieux principe d'imitation et réussissent à faire de la fugue une forme actuelle et originale.

---

1. La forme la plus stricte d'imitation est le canon : tout manquement à la règle d'identité des parties y introduit un développement et donne naissance à une autre forme d'imitation, fantaisie, ricercare ou fugue.

Jan Peterszoon Sweelinck
Deventer 1562
Amsterdam 16 octobre 1621

Élève de son père, Peter Swybertszoon (mort en 1573), organiste de l'Oude Kerk d'Amsterdam (« vieille église », de rite catholique). Toute son existence se passe à Amsterdam, d'où il ne s'éloigne jamais plus de quelques jours pour des expertises d'orgues ou des achats de clavecins dans différentes villes des Pays-Bas.

1577 Nommé organiste de l'Oude Kerk, poste qu'il occupera jusqu'à sa mort.

1590 Épouse la fille d'un marchand, Claesgen Puyner, dont il aura six enfants. L'aîné, Dirck (1591-1652), lui succédera à l'Oude Kerk.

après 1613 Entretient des relations amicales avec John Bull, réfugié aux Pays-Bas. Sa renommée s'est étendue à toute l'Europe comme en témoignent ses manuscrits retrouvés en Angleterre, en France, en Suède, en Italie, en Hongrie, etc. Samuel Scheidt a été l'un de ses nombreux élèves.

Un portrait de Sweelinck, conservé au Musée de la Haye, est attribué à son frère Gerrit, peintre de talent et maître de Lastman, dont Rembrandt sera le disciple.

œuvre Chansons françaises, madrigaux italiens, canons latins. *Cantiones Sacrae* (trente-sept motets avec basse continue), cent cinquante-trois psaumes (en style polyphonique). Œuvres pour orgue ou clavecin : dix-neuf fantaisies, treize *toccate*, vingt-quatre chorals variés, douze séries de variations sur des thèmes populaires.

Diderik Buxtehude
Oldesloe (Holstein) 1637
Lübeck 9 mai 1707

Fils de Hans Jensen Buxtehude (1602-1674), organiste à Elseneur pendant trente-deux ans, il a probablement été l'élève de son père.

1668 Organiste de la Marienkirche à Lübeck, poste qu'il conserve jusqu'à sa mort. La qualité de son jeu lui vaut une immense réputation.

1673 Crée les fameuses *Abendmusiken*, qui se perpétueront jusqu'au XIXe siècle. Ces soirées musicales ont lieu les cinq dimanches précédant Noël, après l'office de l'après-midi. Elles comprennent des pièces religieuses en style concertant pour chœur et instruments et de la musique d'orgue exécutée par Buxtehude.

1703 Voyage à Lübeck de Haendel et Mattheson. Ils briguent la succession de l'illustre organiste, désireux de prendre sa retraite; mais, apprenant que Buxtehude impose à son successeur d'épouser sa fille Anna-Margreta (comme il avait épousé lui-même la fille de son prédécesseur Tunder), les deux jeunes musiciens renoncent.

1705 J. S. Bach vient d'Arnstadt (à pied, dit-on) pour entendre Buxtehude et se porter candidat à la succession. Mais il renonce lui aussi aux charmes d'Anna Margreta, son aînée de dix ans.

œuvre Une messe, de nombreuses cantates, vingt sonates pour violon et basse continue, des pièces pour clavecin, une importante œuvre d'orgue comprenant des compositions sur des chorals, des toccatas fugées, des préludes et fugues, deux chaconnes, une magnifique Passacaille.

Frescobaldi, *Toccata*

Elle est bien moderne, en effet, en dépit de ses origines, dans la mesure où les méthodes imposées par sa structure sont les prémices du système musical classique. La fugue se distingue en effet des autres formes d'imitation, par sa structure tonale et par l'importance du développement. L'essence du canon est dans l'identité, celle de la fugue est dans les différences et les oppositions : « mutations » sauvegardant l'unité tonale entre sujet et réponse, en évitant les fausses relations de triton, oppositions de caractère entre sujet et contre-sujet, variations thématiques, modulations, artifices propres au style d'imitation (renversements) et de façon générale tous éléments de contraste et de renouvellement qui, sans compromettre l'unité de la composition, lui assurent un développement linéaire, plus fertile que la structure circulaire des imitations canoniques.

Bach épuisera toutes les ressources de ce mode de composition : il parviendra en quelque sorte au comble de la fugue, interdisant tout espoir de progrès, marquant d'un point d'exclamation le terme d'une longue évolution. C'est alors seulement que la fugue deviendra archaïque et qu'on en fera un exercice d'école...

Sonate A l'origine la sonate est une pièce « sonnée » sur des instruments par opposition à la cantate ou pièce chantée. Au XVIᵉ siècle, les *sonate* ou *canzoni da sonar* ne sont généralement que des adaptations instrumentales du style de la polyphonie vocale, et les dénominations restent longtemps indécises. Cependant, la nouveauté du style concertant suscite dès le début du XVIIᵉ siècle, au moment où se forme la cantate italienne, une floraison de compositions pour instruments solistes et basse continue. Ces sonates primitives n'ont pas de forme définie; leur trait commun est d'accuser l'individualité des instruments, de consacrer leur

Girolamo Frescobaldi

Ferrare 13 septembre 1583
Rome mars 1643

Élève de Luzzasco Luzzaschi, organiste de la cathédrale de Ferrare, il est d'abord aussi célèbre comme chanteur que comme organiste.

1607 Organiste de Santa Maria in Trastevere à Rome, en janvier-février.

1607-1608 Voyage aux Pays-Bas avec le cardinal Guido Bentivoglio, nonce apostolique.

1608-1628 Organiste à Saint-Pierre de Rome, où ses débuts auraient attiré un public de trente mille personnes.

Paysage aux environs de Rome, dessin de Poussin.

1628-1634 Organiste à la cour de Ferdinando II de' Medici, à Florence.

1634-1643 De nouveau organiste à Saint-Pierre de Rome. Froberger est parmi ses élèves.

œuvre Deux livres de madrigaux, deux livres d'*Arie musicali* (avec accompagnement de clavecin), quelques pièces religieuses. – Œuvres pour orgue ou clavecin (indistinctement sauf indication contraire) : *Toccate... e partite d'intavolatura* (1614-1627), *Fantasie a 4* pour orgue (1608), *Ricercari e Canzoni francesi* (1615), *Canzoni a 1-4 voci* (1623-6128), *Fiori musicali* op. 12 (1635) consistant en trois messes pour orgue sur des motifs du plain-chant.

émancipation. Le violon prend une place prépondérante que justifie le progrès remarquable de sa facture ; il la conservera pendant un siècle et demi. Mais on n'ose pas encore l'utiliser seul et la formule la plus répandue restera longtemps celle de la « Sonate à trois » : deux violons concertants (pouvant être remplacés par d'autres instruments), plus une basse (basse de viole ou autre instrument grave)... ce qui fait en réalité quatre instruments avec le clavecin chargé de « réaliser » la basse continue [1]. Parmi les créateurs de la sonate figurent Giovanni Gabrieli (*Canzoni e Sonate* posthumes de 1615) et Frescobaldi (magnifiques *Canzoni* en trois ou quatre sections de 1628), ainsi que trois pionniers remarquables, injustement oubliés par les non-violonistes : Salomone Rossi (vers 1570 vers 1630), Biaggio Marini (?-1665) et Marco Uccellini (1603-1680).

A la même époque, la suite de danses connaît un tel succès qu'elle impose son caractère à la sonate naissante. Or celle-ci a trouvé sa place à l'église dans les intervalles de la liturgie et il paraîtrait indécent d'y faire entendre des airs de danse. On composera donc des « sonates d'église », conformes aux exigences de la piété, tandis qu'on appellera « sonate de chambre » la forme profane. Pour la première fois cette terminologie apparaît en 1637 dans les *Canzoni ovvero Sonate concertate per chiesa e camera* de Tarquinio Merula et dans l'*Opus 4* d'Uccellini on trouve les deux types de sonates clairement distinguées. La *sonata da chiesa* comporte de trois à six sections contrastées, le plus souvent quatre (lent - vif - lent – vif), généralement dans le style d'imitation de la canzone, sauf le troisième mouvement. La *sonata da camera* se confond avec une suite de trois à six danses, précédées d'un prélude, la succession la plus fréquente restant toujours : prélude, allemande, courante, sarabande, gigue.

Dans le dernier quart du XVIIᵉ siècle seulement, commencent à paraître les chefs-d'œuvre de cette sonate baroque ou préclassique : ceux de Franz von Biber, l'un des principaux créateurs de la technique de violon moderne — admirables sonates « du Rosaire » pour violon et basse continue —, de Giovanni Battista Vitali et Antonio Veracini (vers 1650-?), dont les *Sonate a 3* ont certainement servi de modèle à Corelli, de Johann Kuhnau (1660-1722), prédécesseur de Bach à Saint-Thomas, qui le premier adapte au clavecin le type de la sonate d'église (huit sonates ; les six fameuses *Biblische Historien* sont des suites) et surtout de Purcell et Corelli, les deux plus grands maîtres de la sonate baroque, à la fin du XVIIᵉ siècle. Les vingt-deux sonates en trio du premier

---

1. De la même façon une sonate *a violino solo* comporte une basse continue sauf indication contraire : elle exige donc trois exécutants. Souvent les titres peuvent être ainsi une source de confusion.

exploitent le modèle *da chiesa* avec une fraîcheur d'invention mélodique, une fantaisie et parfois une audace harmonique saisissante, comme dans le bref et dramatique adagio qui précède le finale dans la neuvième sonate de 1683 :

Purcell, Sonate n° 9

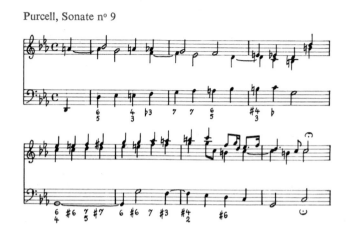

Mais la place la plus importante revient à Corelli. Son œuvre est une sorte de bible de la musique instrumentale et de la technique du violon : toute l'évolution ultérieure part de lui, il a fondé le classicisme. Peu de compositeurs dans l'histoire ont été aussi spécialisés. En quarante ans de carrière il n'a produit que cinq livres de sonates et un de concertos, où tout est parfait, à la fois sur le plan de la forme, du style et de l'écriture.

Les recueils op. 1 et op. 3 contiennent chacun douze sonates en trio (deux violons et basse, soit quatre exécutants) du type *da chiesa*. L'op. 2 et l'op. 4 chacun douze sonates en trio du type *da camera*. L'op. 5, douze sonates pour violon et basse, dont six *da chiesa*, cinq *da camera* et une suite de variations sur la *Folia*, qui constitueront le modèle absolu de la sonate jusqu'au milieu du XVIIIe siècle. Les témoignages du temps et les rééditions nous renseignent sur la riche ornementation qu'impliquait cette musique, particulièrement dans les mouvements lents. En voici un exemple, tiré d'une réédition de l'op. 5 parue à Amsterdam du vivant de Corelli : la version ornée y est superposée à la notation originale.

(Ed. d'Amsterdam)

Le souci constant de la qualité sonore exclut la virtuosité inutile, notamment les doubles cordes qui fascinaient les prédécesseurs de Corelli. L'instrument est utilisé dans les meilleures tessitures, en dépassant rarement la troisième position. Les audaces harmoniques sont rares, mais la tonalité moderne, majeure et mineure, s'affirme sans ambiguïté.

Concerto et sinfonia Corelli institue le classicisme d'une forme nouvelle par la publication posthume des douze *Concerti grossi* de l'op. 6. Le mot concerto était à prendre jusqu'alors au pied de la lettre : il désignait, depuis Gabrieli et Banchieri, un « concert » de voix et d'instruments, sans spécification particulière [1]. Le concerto grosso, dont les premiers exemples connus sont deux *sinfonie* de Stradella (vers 1675), se définit par l'opposition de deux groupes instrumentaux : une petite formation de sonate appelée *concertino* et un ensemble plus important, le *concerto grosso*. On peut en voir l'origine dans l'écriture à double chœur, dont Gabrieli avait étendu le principe à certaines de ses *Canzoni e Sonate;* mais, de toute façon, le goût du contraste, qu'illustre à merveille l'esprit du concerto, est l'essence même du style concertant et l'un des principaux caractères de l'âge baroque.

Corelli ne peut pas être considéré comme l' « inventeur » du concerto grosso. Cependant, les œuvres les plus anciennes de son op. 6, composées dès 1682, ne paraissent se réclamer d'aucun modèle, qu'elles soient antérieures ou non aux concertos publiés de 1692 à 1709 dans les op. 5, 6 et 8 de Giuseppe Torelli (1658-1709). Les *Concerti grossi* de Corelli (huit *da chiesa*, quatre *da camera*) resteront longtemps, comme les sonates pour violon de l'op. 5, les modèles du genre.

Bien qu'il soit apparu très peu de temps après le concerto grosso, le concerto de soliste n'a pas les mêmes racines : il s'est entièrement formé au XVIIIe siècle, il se rattache aux conceptions artistiques et à la sociologie musicale de la période dite « classique ». Transportant dans la musique instrumentale le lyrisme de l'opéra, l'étonnante personnalité de Vivaldi en fera ce qu'il est resté jusqu'à nos jours... En se référant aux dates des publications connues, on estime qu'il a été précédé par Torelli (six derniers

1. En revanche ces deux compositeurs ont écrit des canzoni instrumentales dont certaines sont des ancêtres du concerto grosso.

Arcangelo Corelli

Fusignano (Ravenne) 17 février 1653
Rome 8 janvier 1713

Il appartenait à une très ancienne famille de Fusignano et la descendance de son frère Giacinto s'est poursuivie jusqu'à nos jours.

1666-1670 Étudie le violon à Bologne avec le Bolonais G. Benvenuti et le Vénitien L. Brugnoli.
1670-1675 Membre de l'illustre Accademia Filarmonica, fondée en 1666.
1675 Il s'établit à Rome où il vivra jusqu'à la fin de ses jours au milieu de ses violons et de sa magnifique collection de tableaux. Il bénéficie de la protection de Christine de Suède et du cardinal Ottoboni et se lie d'amitié avec les grandes familles romaines. Les hypothèses de voyages à Paris et en Allemagne sont extrêmement fragiles. Son agréable caractère lui vaut la sympathie générale et, en dépit de sa modestie, sa réputation s'étend à toute l'Europe. Parmi ses nombreux élèves figurent Geminiani et Locatelli et l'on peut considérer comme ses disciples spirituels la plupart des grands violonistes italiens du xviiie siècle.
1713 Il est enseveli au Panthéon de Rome, où le cardinal Ottoboni fait ériger un monument sur sa tombe.

œuvre Vingt-quatre sonates d'église en trio, op. 1 (1681) et op. 3 (1689); vingt-quatre sonates de chambre en trio, op. 2 (1685) et op. 4 (1694); douze sonates pour violon et b. c. op. 5 (1700), douze concertos grossos op. 6 (posth. 1714).

concertos de l'op. 8, 1709) et par Albinoni (op. 5, 1707); mais, comme on verra au chapitre suivant, la priorité de Vivaldi reste une hypothèse acceptable, dans l'ignorance où nous sommes des dates de composition.

Parmi les nombreux successeurs de Corelli, qui ont été influencés par son œuvre exemplaire, il ne faut pas oublier François Couperin. Les deux *Apothéoses* (1725) et les quatre « sonades » des *Nations* (accompagnées chacune d'une suite de danses), publiées en 1726 mais composées une trentaine d'années plus tôt, sont des sonates en trio de la plus grande beauté. Au genre de la sonate de chambre se rattachent aussi les *Concerts royaux*, dont on ne connaît pas l'instrumentation.

A l'époque baroque, le mot *sinfonia* désigne toute sorte de compositions, particulièrement les préludes et interludes instrumentaux des œuvres vocales. Le style homophone de la sinfonia est ce qui la distingue d'abord de la sonata en style d'imitation. La forme en est indéterminée jusqu'à ce qu'Alessandro Scarlatti établisse le modèle de l'ouverture italienne en trois mouvements (vif – lent – vif) dont procède la symphonie classique. La formation de celle-ci sera liée à l'évolution de la sonate (c'est une sonate pour orchestre) et au développement des concerts publics. Mais jusqu'au milieu du xviiie siècle, la confusion des genres subsiste et Vivaldi qualifiera parfois de concertos des sinfonie pour cordes et des sonates [1].

Écoles nationales L'émancipation de la musique instrumentale au xviie siècle a fait apparaître dans les différents pays des caractères nationaux, que l'on ne peut pas attribuer, comme pour la musique vocale, aux particularités linguistiques. Le système musical et les ressources instrumentales étant les mêmes dans toute l'Europe, les différences de style et la formation d'écoles nationales sont dues aux traditions éthiques et esthétiques des différentes bourgeoisies, dont l'influence culturelle a succédé à celle des cours cosmopolites.

Les Italiens ont recherché dans la monodie une nouvelle expression dramatique. Mais s'ils ont rejeté la polyphonie vocale, ils sont restés fidèles au style d'imitation dans la musique instrumentale. Leur génie a été de concilier lyrisme et raffinement de l'écriture. Conscients de la nouveauté d'une musique « pure », sans fonction directrice, et de la nécessité de lui donner des cadres originaux, ils ont créé les principales formes instrumentales classiques. Frescobaldi et Corelli sont les deux sources complémentaires dont procède toute la musique instrumentale italienne.

---

1. Les *Sinfonie a 4* op. 3 pour cordes de Torelli (1687) sont des œuvres de pionnier. Mais la forme est encore celle de la *sonata da chiesa*.

Les Allemands sont élèves des Italiens. Mais ils ont préservé les racines populaires de leur culture musicale en privilégiant les mélodies de chorals. Fidèles à l'écriture polyphonique, ils ont porté à leur plus haut degré de perfection et de complexité deux techniques traditionnelles : le contrepoint fleuri sur un cantus firmus (choral varié) et l'imitation (fugue). La musique d'orgue domine et, depuis Scheidt, l'évolution converge vers Bach. Pachelbel joue un rôle central dans ce processus, mais le plus grand précurseur de Bach est Buxtehude.

Les Anglais ont conservé jusqu'à l'avènement de Charles II (1660) la tradition des *consorts of viols*, pour lesquels des musiciens aussi audacieux que Gibbons composent des variations, fantaisies, « in nomine », dans le vieux style polyphonique. En 1680, Purcell rendra un ultime hommage à la tradition disparue. Cependant la plus précieuse contribution de l'Angleterre à l'histoire de la musique instrumentale est un merveilleux répertoire pour les instruments à clavier (orgue et surtout virginal ou clavecin) : variations, danses, portraits musicaux, tout y est d'une fraîcheur, d'une intelligence, d'une adresse dont on ne trouve l'équivalent que chez Couperin et D. Scarlatti. Mais, à l'exception de Giles Farnaby (vers 1595-1640), fantasque et romantique, les virginalistes se rattachent davantage à la période élisabéthaine qu'à l'ère nouvelle. Après la mort du plus grand d'entre eux, John Bull, l'Angleterre sera plus d'un demi-siècle sans musique instrumentale notable, jusqu'à Purcell; ensuite, au XVIIIe siècle, elle sera entièrement vouée à la musique italienne.

Les Français ont excellé dans l'orgue et le clavecin. Jacques Champion de Chambonnières (1602-1672) est le fondateur d'une école de clavecin extrêmement originale. Il hérite des luthistes un style polyphonique très aéré, dont l'archaïsme est compensé par une riche ornementation baroque [1]. Au faîte de sa carrière, il s'émerveille du talent singulier d'un jeune musicien, Louis Couperin (vers 1626-1661) : il lui obtient le poste d'organiste de l'église Saint-Gervais, qui sera occupé par la famille Couperin jusqu'en 1830. Complémentaire de celle, élégante et raffinée, de Chambonnières, la musique pour orgue et clavecin de Louis Couperin se distingue par sa vigueur et son audace : chromatismes, modulations hardies, inspiration inquiète et romantique.

A l'apogée de cette école française, les deux cent trente-trois pièces pour clavecin de François Couperin, neveu de Louis, dénotent une imagination débordante, une fraîcheur, un humour, et la maîtrise des différents styles. Qu'il s'agisse de danses *(Premier Livre)*, d'évocations galantes *(le Bavolet flottant)*, de pas-

---

1. Le succès du luth est tel que le clavecin est pourvu d'un « jeu de luth », dont le son court et le timbre voilé s'obtiennent en faisant attaquer les cordes d'un 8′ ou d'un 4′ tout près des sillets.

François Couperin

Paris 10 novembre 1668
Paris 12 septembre 1733

Élève de son père, de son oncle et d'un organiste ami de la famille, Jacques Thomelin.

1679 A la mort de son père, il hérite la charge d'organiste de Saint-Gervais. Delalande assure l'intérim jusqu'à ce que l'enfant ait dix-sept ans.

1685-1723 Organiste à Saint-Gervais. Son cousin Nicolas lui succède.

1689 Épouse Marie-Anne Ansault, dont il aura quatre enfants (deux filles musiciennes).

1690 Diffuse en copies manuscrites ses deux messes d'orgue.

1693 Organiste de la chapelle royale, chargé surtout de composer la musique religieuse, car l'orgue de Versailles ne sera terminé qu'en 1736.

1694 Maître de clavecin des Enfants de France, dont le précepteur est alors Fénelon.

1713 Privilège royal pour l'édition de ses œuvres. Premier livre des pièces pour clavecin.

1714-1715 Il donne ses *Concerts royaux* devant Louis XIV, aux « Concerts du dimanche ». Mort du roi le 1er septembre 1715.

1717 Ordinaire de la Musique, fonction qu'il exerçait en fait depuis un certain nombre d'années.

1730 Sa santé chancelante le contraint à se faire remplacer par sa fille Marguerite-Antoinette, claveciniste, dans ses fonctions à la cour.

œuvre Six *Élévations* et neuf *Leçons de ténèbres* (dont six sont perdues) pour voix et basse conti-

sacailles ou chaconnes (*les Folies françaises*, un chef-d'œuvre), qu'elle soit inspirée de la musique populaire *(Fastes de la Grande Menestrandise)*, qu'elle soit burlesque *(la Pantomime)* ou sérieuse *(la Couperin)*, cette œuvre éblouissante est un des sommets de tout le répertoire de clavecin. L'œuvre d'orgue de Couperin, peu abondante (deux messes), est de la même classe. Elle n'est égalée que par l'admirable *Livre d'orgue* de Nicolas de Grigny (1671-1703).

Écriture instrumentale La tendance à la complexité croissante, qui caractérisait depuis le Xe siècle environ la musique occidentale, a cessé au XVIIe siècle de se manifester dans le sens de la polyphonie, au bénéfice d'un enrichissement de la dimension mélodique par toute sorte de raffinements ou d'embellissements, que l'écriture, formée pour la rigueur du contrepoint, est inapte à fixer : ornements mélodiques, retards et appoggiatures, irrégularité des valeurs rythmiques.

Les innombrables ornements dont use la musique baroque sont improvisés ou bien sont indiqués par des signes conventionnels :

ces signes non explicites s'adressent à des chanteurs, violonistes, clavecinistes et organistes qui connaissent déjà la nature et le style des ornements usuels. Il en existe une énorme quantité, dont l'emploi, variable selon les écoles, est prescrit dans les traités. Ces mêmes traités enseignent à lire la notation rythmique, nécessairement schématique, en fonction du « bon goût » et des conventions. La notation est « proportionnelle », mais les valeurs rythmiques ne le sont pas toujours dans l'exécution; et là où l'on écrit des successions de brèves semblables, il est généralement d'usage d'allonger la première au détriment de la seconde [1].

Cet assouplissement du rythme comme de la mélodie, ce recours apparent à l'irrationnel, ou du moins à l'instinctif, est en contradiction avec d'autres aspects de l'évolution musicale, qui sont des facteurs de rigidité. Sur le plan du rythme, par exemple, le développement des formes instrumentales introduit un isochronisme tyrannique (égalité des mesures). D'autre part, le problème de l'accord des instruments à son fixe est résolu de la pire façon du point de vue de l'expression mélodique : l'artifice bancal du « tempérament inégal », puis la solution monstrueuse du « tempérament égal » qui divise mathématiquement l'octave en douze demi-tons identiques. En nivelant systématiquement la subtile variété des intervalles, cette solution rend l'expression musicale purement conventionnelle. L'adoption du tempérament égal aura une influence déterminante sur l'évolution des instruments à clavier et l'avènement du piano; les techniques de composition vont aussi se trouver modifiées, par l'importance nouvelle du développement modulant dans le cadre du système « tonal »; et surtout la perception musicale sera peu à peu transformée par l'uniformité des échelles et les stéréotypes de l'harmonie classique (voir p. 520 la théorie du tempérament).

Autour de 1700, la musique occidentale arrive au terme de l'évolution vers son classicisme. On est entré imperceptiblement dans un âge nouveau que caractérisent à la fois son goût de la mesure et sa vocation au plaisir. Alessandro Scarlatti est plus près de Mozart que de Monteverdi, et Couperin est bien un musicien de la Régence, aussi éloigné des fastes de l'école de Versailles que de l'austérité de Madame de Maintenon... Clé de voûte entre deux mondes, Bach léguera aux siècles suivants une synthèse si parfaite qu'on fera de lui une sorte de génie tutélaire, origine et modèle de la seule « grande musique ».

nue. Des motets (dans le style italien), des airs. – Sonates en trio (dont *Apothéose de Lully* et *Apothéose de Corelli*), quatorze *Concerts royaux* (les dix derniers formant le recueil *les Goûts réunis*) *les Nations* (quatre sonates en trio, suivies chacune d'une suite de danses). – Deux Messes pour orgue. Deux cent trente-trois pièces pour clavecin, groupées par tonalité en vingt-sept suites ou « ordres ». – Un important traité : *L'Art de toucher le clavecin.*

---

1. Cette théorie, qui a soulevé de nos jours d'ardentes polémiques, est exposée clairement dans un petit livre se référant aux meilleurs traités des XVIᵉ, XVIIᵉ, et XVIIIᵉ siècle : A. Geoffroy-Dechaume, *Les Secrets de la musique ancienne*, Fasquelle, 1964. Loys Bourgeois, le premier qui nous parle de cette inégalité rythmique, en donne une justification : « à cause que la première est un accord, et que la seconde est le plus souvent un discord », *Le Droict Chemin de musique*, Genève 1550.

François Couperin.

COMPOSITEURS XVIIᵉ ET DÉBUT DU XVIIIᵉ SIÈCLE PAR ORDRE CHRONOLOGIQUE	CHŒUR A CAPPELLA	CHANSON, AIR DE COUR, MADRIGAL	OPÉRA, MÉLODRAME, BALLETS	ORATORIO	CANTATE PROFANE	CANTATE D'ÉGLISE, MOTET, MESSE	ORGUE, CLAVECIN	LUTH, VIOLES	SUITE DE DANSES	OUVERTURE, SINFONIA	SONATA DA CAMERA	SONATA DA CHIESA	CONCERTO GROSSO	CONCERTO DE SOLISTES
Sweelinck	*	*				*	*		*					
Monteverdi	*	*	*		*	*				*				
Praetorius	*				*		*							
Frescobaldi	*	*				*	*		*					
Schütz	*	*	*	*		*				*				
Luigi Rossi			*	*	*									
Cavalli			*			*					*			
Carissimi				*	*	*								
Louis Couperin							*	*	*	*				
Lully			*			*			*	*				
Charpentier			*	*	*	*		*		*				
Buxtehude						*	*					*		
Stradella	*		*	*	*	*							*	
Blow			*		*	*	*							
Corelli											*	*	*	
Pachelbel						*	*				*			
Delalande			*			*				*				
Purcell	*	*	*		*	*	*	*	*	*	*	*		
Campra	*	*	*			*								
Al. Scarlatti		*	*	*	*	*	*			*	*	*	*	
Böhm				*		*	*		*					
Fr. Couperin						*	*		*		*			
Albinoni			*							*	*	*	*	*
Vivaldi			*	*	*	*				*	*	*	*	*
Telemann		*	*	*	*	*	*		*	*	*	*	*	*
Rameau			*		*	*	*		*	*	*			
J.-S. Bach	*			*	*	*	*		*	*	*	*	*	*
Hændel	*	*	*	*	*	*	*		*	*	*	*	*	*
Dom. Scarlatti			*	*	*	*	*				*			
Marcello			*	*	*	*				*				*

Une leçon de musique, par Metsu.

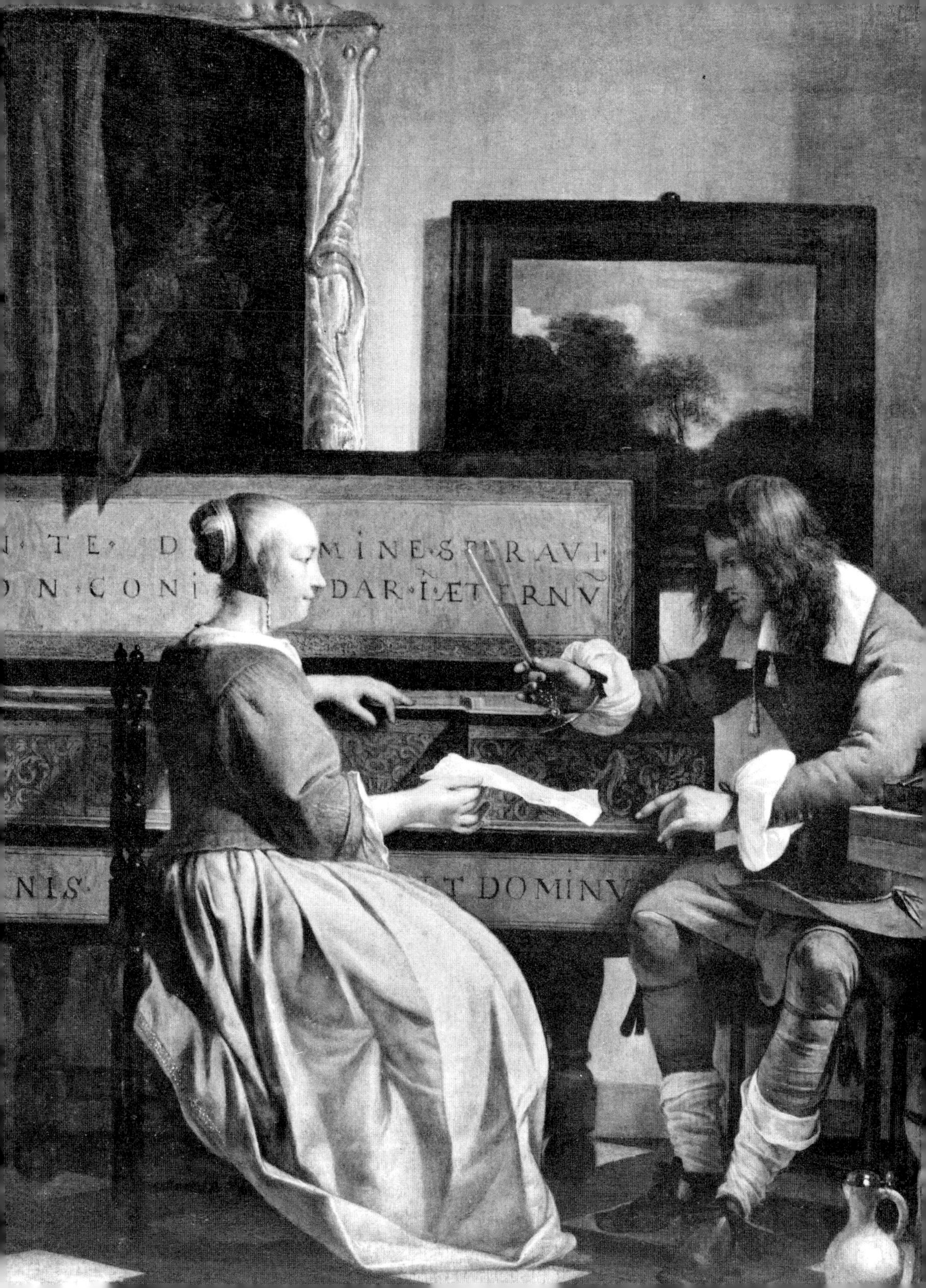
TE D MINE SPERAVI
N CONI DAR IÆTERNV
NIS
T DOMINV

Qu'est-ce que
le tempérament égal?

Les tempéraments sont des méthodes proposées pour résoudre les
différences qui apparaissent dans
les principaux intervalles, lorsque
l'on change de tonalité ou de son
de référence. Dans la modulation,
les chanteurs ou les violonistes
exécutent naturellement dans la
nouvelle tonalité les intervalles
qui la caractérisent; ils font la
différence entre tons majeurs et
mineurs, ne jouent pas un do
dièse comme un ré bémol et
peuvent donner à une même note
des valeurs différentes selon sa
fonction tonale. Un claveciniste
ne dispose que de douze notes
par octave, et l'accord délicat de
son instrument ne peut pas être
modifié en cours d'exécution.
Chaque note n'a donc qu'une
valeur possible, difficile à déterminer si l'on ne veut pas dénaturer les gammes.
On a vu qu'à la fin du XVIᵉ siècle

les musiciens se sont résignés à
une solution peu satisfaisante,
dite « tempérament inégal », qui
respecte la gamme naturelle de
do majeur, choisissant une valeur
moyenne pour les notes altérées
voisines (do♯ et ré♭, ré♯ et mi♭,
etc.). Mais un siècle plus tard,
le développement de l'harmonie
et le succès des instruments à
clavier rendent le problème du
tempérament de plus en plus aigu.
On veut accorder les clavecins
de façon à pouvoir jouer dans tous
les tons et moduler à sa convenance.
De nombreuses solutions sont
proposées. Christiaan Huyghens,
hollandais de Paris qui a collaboré
à la fondation de l'Académie des
sciences, est partisan d'une division de l'octave en trente et un
intervalles : l'unité de la division
est assez voisine de la *diesis*, dont
diffèrent les deux sortes de demi-
tons. Son échelle « tricesimo-
primale » est très intéressante, car
elle donne une bonne approximation des intervalles usuels :

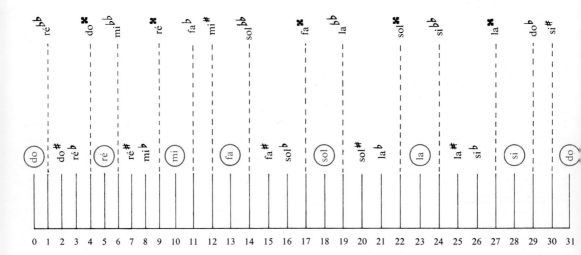

Le demi-ton majeur vaut ici trois dièsis, le demi-ton mineur deux. La plupart des échelles extra-européennes pourraient être définies également par ce système. La même année 1691, l'organiste allemand Andreas Werckmeister publie son *Musikalische Tempe-ratur*, où est exposée la théorie du tempérament égal par douze et la manière d'accorder selon ce sys-tème les instruments à clavier. Ses idées ont un grand retentisse-ment parmi les contemporains; elles finiront par s'imposer par-tout, en se référant à Bach et Ra-meau. La solution de Werckmeis-ter est purement arithmétique : elle consiste à diviser l'octave en douze demi-tons rigoureusement égaux. Le rapport des fréquences de deux sons en relation d'octave étant 2, le rapport de demi-ton sera théo-riquement $\sqrt[12]{2}$ et les différents intervalles tempérés s'exprimeront par des puissances de cette gran-deur abstraite, totalement inappré-ciable par notre système de percep-tion. Il est évidemment impossible d'accorder un instrument en don-nant directement aux quintes leur valeur tempérée exacte, soit $(\sqrt[12]{2})^7$! Dans la pratique, elles doivent être faussées pour que 12 quintes recouvrent exactement 7 octaves. Or, dans la gamme naturelle (non tempérée), les 12 quintes sont excessives (un comma de plus que 7 octaves) : elles seront donc bais-sées chacune d'un douzième de comma. En comptant les batte-ments, ce résultat peut être obtenu avec une précision suffisante. Ce tempérament égal a bien sûr l'avantage de créer l'enharmonie (c'est-à-dire l'identité) entre les sons très voisins, tels que do♯ et ré♭, ré♯ et mi♭... si♯ et do.

Dans la nomenclature et la nota-tion, on ne continue à distinguer ces notes que pour affirmer leur fonction dans le système tonal : la sensible de fa♯ est mi♯ et non fa ♮. Avec les douze notes par octave des instruments à clavier usuels, on peut désormais jouer dans tous les tons majeurs et mineurs, sans qu'apparaisse d'intervalle défectueux : c'est ce que Bach illustrera par son *Wohltempe-rierte Klavier*. Mais on n'insiste pas assez sur les inconvénients du tempérament égal, dont voici les principaux : – Les échelles sont déterminées par des séries arithmétiques non harmoniques, fruit d'un calcul théorique sans fondement physi-que ou physiologique. Tous les intervalles sont impurs, sauf l'oc-tave. Dans la perception de ces intervalles, un mécanisme incons-cient de *feedback* nous permet de les assimiler aux *patterns* de l'échelle naturelle; mais ce méca-nisme consomme de l'énergie cérébrale, au préjudice de l'activité émotionnelle. De plus les accords sont dénaturés, notamment l'ac-cord parfait avec sa tierce cor-rompue; et les consonances per-dent leur caractère spécifique, par l'apparition de battements entre des harmoniques communs dont l'unisson est imparfait. – Les intervalles tempérés sont inexpressifs : c'est par une réaction instinctive à ce défaut que les pianistes font tant de contorsions inutiles lorsqu'ils veulent faire chanter un thème, surtout dans les mouvements lents et pathétiques. Dans le jeu expressif, un violo-niste, comme un chanteur, retrouve la variété des intervalles natu-rels.

– La modulation devient une transposition stricte : son intérêt n'est qu'un dynamisme transi-toire, un effet de surprise. Une fois installé dans la nouvelle tonalité, tout se passe comme si on avait changé de diapason : on ne change pas de sentiment, de couleur, puisque les tonalités sont identiques, au diapason près. Ra-meau redoutait cet inconvénient. – Le tempérament égal ne convient pas à l'orchestre, où les instru-ments à vent donnent des séries harmoniques et où les instruments à archet s'accordent par quintes justes.

– Le tempérament égal est né de ce que nous croyons nécessaire pour la modulation de pouvoir construire des gammes *identiques* sur tous les degrés de l'échelle. Ne suffisait-il pas qu'elles fussent analogues? Chaque tonalité au-rait eu alors un caractère objec-tivement distinct. L'échelle de douze sons formée dans le sys-tème cyclique, en prenant les six premières quintes ascendantes et les cinq premières quintes des-cendantes (voir p. 176) est une excellente approximation du tem-pérament, très favorable aux modu-lations (quintes justes et une seule sorte de ton) et permettant de for-mer sur ses différents degrés des gammes tout à fait satisfaisantes, dont les très légères différences donnent à chacune son caractère. En outre, l'accord des instruments à son fixe dans une telle échelle serait facile... et conforme à l'échelle employée naturellement par l'orchestre.

(Une interessante communication de F. Michelin sur ces problèmes a été présentée à l'Académie des Sciences le 26 avril 1976).

La musique classique
et le siècle des lumières

Concert public de nuit
en Allemagne.

← Carmontelle, violoniste
et luthiste.

Pour Kant, le siècle des lumières est celui « où l'être humain arrive à l'âge adulte ». On est accoutumé, dans l'histoire de la musique, à y voir un âge « classique ». Mais la notion de classicisme n'est pas assez claire pour qu'on reconnaisse à coup sûr ses limites historiques.

Il y a classicisme, écrit Sartre, « lorsqu'une société a pris une forme relativement stable et qu'elle s'est pénétrée du mythe de sa pérennité ». *(Qu'est-ce que la littérature ?)* Cette analyse s'applique bien au règne de Louis XIV, auquel se rattache la littérature classique, et à une grande partie de celui de Louis XV (jusqu'aux émeutes de 1750 et à la montée de l'esprit nouveau chez les écrivains). On serait donc tenté de situer le classicisme musical entre 1660 et 1750, de Lully à Bach inclus...

Mais le classicisme est un état de culture dans lequel la liberté de l'artiste est limitée par la tradition, l'artiste étant intégré à une société qui a décidé pour lui du sens de son œuvre et du style convenable. Privé d'une partie de sa responsabilité, dispensé de choisir les moyens de la composition, il ne connaît « ni l'orgueil ni l'angoisse de la singularité », dit encore Sartre. En musique, c'est davantage le sort des compositeurs du XVIIIe siècle que de ceux du XVIIe. La société bourgeoise, tolérante et naturaliste, n'a pas suscité de révolution musicale. De Bach à Beethoven, le « langage » musical reste pour l'essentiel le même, sans que le système tonal ou les formes « classiques » soient remis en cause. Les musiciens de l'âge baroque au contraire se sont montrés constamment soucieux de transformer l'héritage, de se séparer du passé, de promouvoir des styles et des formes modernes.

Face au baroque, le classique se distingue par la rigueur de l'imagination et la précision du langage. Les modèles de forme, de structure, d'écriture, qui se précisent au début du XVIIIe siècle, seront adoptés par des générations de musiciens, jusqu'à ce que les romantiques commencent à les faire éclater en retrouvant le goût de la singularité. Jugés exemplaires, ces modèles durables seront enseignés jusqu'à nos jours, comme les modèles littéraires de l'Antiquité ou (parce qu'ils imitent les Anciens) ceux du XVIIe siècle. Promue « classique », la musique du siècle des lumières se trouve désignée arbitrairement pour être la base de notre culture musicale. Elle l'est si bien que la plupart des analyses de musique plus ancienne ou plus récente se réfèrent encore implicitement à ses schémas, et que son système harmonique se retrouve aujourd'hui (méconnu et simplifié à l'extrême) dans la majeure partie d'une musique de consommation qui se croit moderne !

S'il fallait absolument assigner un commencement à cette période classique de l'histoire de la musique, je penserais à Vivaldi et à son *Estro armonico* (1711) pour la musique instrumentale, à *Mitridate Eupatore* de Scarlatti (1707) pour l'opéra... Quelques années plus tard, en 1715, la mort de Louis XIV marque la fin d'un monde. On ne s'en est peut-être pas avisé tout de suite : il faut attendre 1750 (l'année de la mort de Bach) pour que l'esprit d'Ancien Régime soit dominé par les idées nouvelles... et pour que la musique classique prenne conscience de son universalité.

1715 Lorsque Louis XIV meurt en 1715, à l'âge de soixante-dix-sept ans, son arrière-petit-fils âgé de cinq ans lui succède. C'est moins un changement de régime qu'un écart de trois générations. Cependant l'opinion publique apprend à se faire entendre et un esprit *nouveau* se développe, au-dedans et au-dehors, sous l'influence prépondérante d'une riche bourgeoisie libérale et cultivée. Musicalement, la Régence s'annonce sous les meilleurs auspices, puisque le régent Philippe d'Orléans, ancien élève de Marc-Antoine Charpentier, a composé deux opéras et en donnera un troisième un an après son arrivée au pouvoir.

En 1715, Jean-Sébastien Bach a trente ans; il est organiste et Konzertmeister à la cour de Weimar, il compose ses plus belles œuvres d'orgue (Passacaille, Orgelbüchlein, fugues); Maria Barbara lui a déjà donné six enfants — des jumeaux morts en bas âge, une fille de sept ans et trois garçons, Wilhelm Friedmann (cinq ans), Carl Philipp Emanuel (un an) et Johann Gottfried Bernard le nouveau-né; ils seront tous trois des compositeurs... Delalande (cinquante-huit ans), confirmé dans ses fonctions officielles, continuera de composer pour la chapelle royale ses beaux motets versaillais... Alessandro Scarlatti (cinquante-cinq ans) a fait représenter cette année-là à Naples pour le carnaval son 106e opéra *Il Tigrane*, qui restera son chef-d'œuvre... François Couperin (quarante-sept ans) donnait chaque dimanche depuis un an un concert à la cour, pour distraire la mélancolie du vieux roi *(Concerts royaux)*; il a publié récemment (1713) son premier livre de clavecin... Albinoni (quarante-quatre ans) a déjà fait paraître six volumes de musique instrumentale, mais il est surtout célèbre pour les opéras qu'il donne chaque année à Venise et ailleurs... Le célèbre abbé Vivaldi (trente-sept ans), dont *la Stravaganza* op. 4 vient de sortir des presses de E. Roger d'Amsterdam, après l'*Estro armonico*, s'est tourné lui aussi vers l'opéra et consacre désormais au théâtre Sant'Angelo une grande part de son activité... Rameau (trente-deux ans) est organiste de la cathédrale de Clermont-Ferrand; il vit à l'écart du monde musical, dans le travail et la méditation, se consacrant à ses recherches théoriques (il n'a composé qu'une suite de pièces de clavecin et une petite cantate)... Hændel et Domenico Scarlatti (trente ans) sont exactement contemporains de Bach. Le premier s'est depuis trois ans établi à Londres, où il gagne la faveur du nouveau roi, George Ier de Hanovre, par des pièces de circonstance, et celle du public par des opéras italiens ; il est célèbre dans toute l'Europe depuis son séjour en Italie, où il rencontra Corelli et les Scarlatti. Son ami Domenico Scarlatti (les deux jeunes musiciens se sont liés d'amitié en 1705 à Venise) fait représenter à Rome son onzième opéra ; il n'est pas encore connu comme claveciniste et vient d'être nommé maestro de la Cappella Giulia (Saint-Pierre de Rome)... Marivaux a vingt-sept ans, Voltaire vingt et un : ils n'ont encore rien écrit d'important. Watteau (trente et un ans) ne s'est pas encore décidé à produire son ouvrage de réception à l'Académie : ce sera *l'Embarquement pour Cythère* (1717).

On trouve dans cette nomenclature beaucoup de noms illustres et leur nombre augmentera dans les générations successives jusqu'au milieu de notre siècle. Je chercherai à montrer que la notoriété posthume est un phénomène relativement récent en musique, qui intéresse particulièrement le XVIIIe, le XIXe et la première moitié du XXe siècle. Dans la perspective historique de ce livre, il est inutile de faire écho à cette gloire. Mon propos est de continuer à tracer les grandes lignes de l'histoire de la musique, en cherchant à reconnaître les singularités de son évolution, la contribution originale des grands artistes et les transformations que la société fait subir à la pratique et à la fonction musicales. Aucune proportion ne sera recherchée entre la gloire individuelle et le nombre des lignes !

Bach, le grand témoin

Le plus illustre des grands musiciens est sans doute Bach. Or, c'est paradoxalement un des derniers compositeurs qui ont travaillé au jour le jour, sans penser à la pérennité de leur œuvre. Il ne se soucie guère de faire jouer sa musique après l'occasion qui en a suscité la composition. Une seule de ses cantates (n° 71) est éditée de son vivant, à Mühlhausen, et il ne publiera ses œuvres instrumentales qu'à partir de 1726. Jamais un compositeur de cette taille n'a été aussi peu concerné par la vie musicale de son temps. C'est au théâtre que l'on se fait alors une réputation : or Bach aborde tous les genres sauf celui-là ! C'est dans le lyrisme individuel, dans la glorification du soliste, que ses contemporains trouvent le succès : mais Bach ne démord pas de la primauté du contrepoint, il privilégie la fugue et le choral, il fait aux chœurs la part du lion...

Portrait de Bach jeune.

Pourtant, un génie monumental se trouve sur le chemin de l'historien, au point de lui boucher la vue. C'est que l'œuvre de Bach résume toute l'histoire de la musique telle qu'elle pouvait être considérée de son temps : elle est une somme impressionnante des ressources de l'imitation polyphonique, du style concertant, du chant dramatique, débarrassées de leurs scories et portées au plus haut niveau de perfection. Selon une belle formule d'André Pirro (*Encyclopédie de la musique*, Paris, 1914), Bach « a redit, mieux que les plus grands, ce que chacun d'eux avait pensé de meilleur ». Mais ce n'est pas un épigone : pas une de ses œuvres ne ressemble à un pastiche. Il est plutôt un grand témoin, à l'horizon prodigieusement étendu, qui n'a jamais cessé d'enrichir son expérience, l'assimilant de façon si géniale que le passé comme le futur semblent sortir de lui.

Bach est le suprême aboutissement d'une tradition. Il n'est ni prophétique, ni archaïque : il est hors du temps et n'est représentatif que de lui-même. Indépendant des modes et des poncifs, il a un sens aigu de ce qui est essentiel dans la tradition, et se moque du reste. Ainsi, dès la période de Weimar (en 1714), il commence la cantate *Nun komm der Heiden Heiland* (nº 61) en la mineur et la finit en sol majeur et, dans l'ouverture française initiale, il introduit les chœurs. Ou encore la cantate nº 54 pour alto commence sur cette harmonie peu conformiste :

Lorsqu'il prend un parti, il sait admettre les rencontres ou les enchaînements « défendus » pourvu que soient sauvegardées la pureté de l'écriture et l'intégrité du projet.

Cette liberté souveraine, qui se manifeste aussi bien dans la fugue que dans le style concertant, justifie la réputation d'audace souvent faite à son œuvre, expliquant que cette œuvre ait été revendiquée par différentes avant-gardes depuis le XIXe siècle. Malheureusement, les premiers exégètes de Bach n'ont pas reconnu son universalité, ni la vraie nature de sa liberté. Pour Johann Nikolaus Forkel [1], il représente l'art allemand par excellence, la *vraie* musique, pure de tout élément *welsch* (latin), par opposition aux musiques italianisantes comme celle des Viennois! Le nationalisme allemand soutiendra longtemps cette thèse, parvenant à l'insinuer partout avec l'idée d'une infériorité de la musique italienne. Philipp Spitta [2], trois quarts de siècle plus tard, conserve le même point de vue; il admet des apports *welsch* dans l'œuvre de Bach, mais ils sont purifiés par l'écriture contra-

1. *Über J. S. Bachs Leben, Kunst und Kunstwerke*, Leipzig 1802 : la première étude d'ensemble sur la vie et l'œuvre de Bach (traduction anglaise, Londres, 1920).
2. *J. S. Bach*, Leipzig, vol. 1, 1873, vol. 2, 1880.

puntique, considérée comme spécifiquement allemande... Les romantiques découvrent en Bach l'anti-classique, le libérateur, qui délivre la vraie musique du formalisme des classiques. Mais pour le XXᵉ siècle, il est au contraire le musicien classique par excellence, pôle d'attraction des « retours à », modèle de rigueur, de mesure et d'ordre. Les uns et les autres refusent de considérer la multiplicité du génie de Bach, et notamment le lyrisme sensuel, la rayonnante santé physique et intellectuelle qu'exprime son œuvre [1].

Les professeurs d'université se rendant en cortège à l'église.

La personnalité du « père » Bach, du « cantor de Leipzig » (curieux prestige attaché à ce titre), de l'artisan modeste et pieux travaillant sans répit et sans gloire dans une maison grouillante d'enfants, d'élèves, de parents, de serviteurs, cette personnalité forte est suffisamment connue pour qu'il soit superflu d'en reprendre l'évocation anecdotique. Sa conception de la fonction créatrice est particulièrement intéressante, parce qu'elle se rattache à une longue tradition de musique vécue, sans culte de l'œuvre objet ni glorification du génie.

Bach n'aura pas été aussi modeste qu'on le dit. Il est conscient de sa maîtrise et de la qualité de son travail, il exige le salaire et le respect dus à son talent; mais il ne se sent pas concerné par la gloire posthume. Pour lui, la musique importante est celle qui se fait. La composition est la préparation d'un acte musical; aussitôt celui-ci accompli, il faut en préparer un nouveau, sans souci de la postérité! Bach ne croit pas plus au génie qu'au chef-d'œuvre impérissable : la maîtrise qui fait croire au génie s'obtient par le travail et la méditation, et la beauté de la composition n'est que le fruit d'un effort attentif qui révèle toutes les ressources du monde sonore.

1. Le premier qui se soit dégagé de l'idéologie conventionnelle fut André Pirro, dans son beau livre, *L'Esthétique de Jean-Sébastien Bach*, Paris, 1907.

Frontispice du *Dictionnaire de musique* de J. G. Walter (Leipzig 1732).

Jean-Sébastien Bach
Eisenach (Thuringe) 21 mars 1685
Leipzig 28 juillet 1750

Depuis son trisaïeul Veit Bach
(? -1619), ses ascendants directs
sont tous musiciens, ainsi qu'un
grand nombre de collatéraux. Son
père, Johann Ambrosius (1645-
1695), musicien de ville à Eisenach,
épouse en 1668 Elisabeth Läm-
merhirt (1644-1694), qui lui donne
six enfants, dont trois fils musiciens : le dernier est Johann
Sebastian, qui apprend tout jeune
le violon avec son père.

1693 Il entre à l'école de latin
d'Eisenach : absences fréquentes.
1695 Devenu orphelin, son éducation est confiée à son frère aîné
Johann Christoph (1671-1721),
élève de Pachelbel, organiste à
Ohrdruf. Climat austère et généreux. Il va avoir quinze ans lorsqu'il quitte Ohrdruf à pied pour
Lüneburg, où l'on recrute des
choristes.
1700-1703 Choriste et accompagnateur (il mue) à l'église Saint-
Michel de Lüneburg; élève au
Gymnasium. Böhm est alors organiste à l'église Saint-Jean. Découvre la musique française à la
cour de Celle (la duchesse est
française) : il copie les œuvres de
Couperin, Grigny, Marchand. Ses
études terminées, il fait le voyage
de Hambourg pour entendre le
vieux Reinken, dont il est émerveillé; Keiser dirige l'Opéra.
1703-1707 Organiste de la nouvelle église Saint-Boniface d'Arnstadt (aujourd'hui Bach-Kirche).
Sa première cantate *(Denn du
wirst meine Seele)* est jouée le
jour de Pâques 1704. Il se rend à
pied à Lübeck (environ 350 km)
pour entendre Buxtehude; il re-

nonce, après Hændel et Mattheson, à épouser Anna Margreta Buxtehude pour s'assurer le poste d'organiste à la Marienkirche. A son retour, il indispose la congrégation par son caractère intransigeant et ses improvisations peu orthodoxes, qui embrouillent les fidèles, peut-être aussi par son attachement à sa cousine Maria Barbara, qu'il invite à chanter à la tribune.

1707-1708 Organiste de la ville de Mühlhausen : comme à Arnstadt, il est admis sans concours. Mariage avec Maria Barbara : elle lui donnera sept enfants. Il se montre excellent mari et père·

1708-1717 Hoforganist et Kammermusikus, puis Konzertmeister, à la cour de Weimar. Période des plus grandes œuvres d'orgue et d'une importante série de cantates. Il copie la musique des grands Italiens, de Frescobaldi à Vivaldi. Il voyage souvent pour des expertises d'orgues.

1717-1723 Après une démission tumultueuse à Weimar (le duc, furieux, le met aux arrêts pendant un mois, mais son neveu Ernst-August, ami de Bach, est le beau-frère du prince Leopold d'Anhalt-Cöthen...), Bach est Kapellmeister à la cour de Cöthen. C'est la période des grandes œuvres instrumentales; le prince joue de la viole de gambe dans l'orchestre. Mort de Maria Barbara (1720); Bach épouse en 1721 Anna Magdalena Wülken (1701-1760), cantatrice à la cour, qui lui donnera treize enfants. En 1721, le prince épouse « eine amusa » qui le détourne de son art favori : Bach songe au départ, d'autant qu'il s'inquiète de l'éducation de ses enfants dans la

Weimar au XVIIIe siècle.

Cöthen calviniste. En 1722, après six mois de réflexion, il pose sa candidature au cantorat de Leipzig, devenu vacant à la mort de Kuhnau. Il est élu à contrecœur le 22 avril 1723 (le Conseil voulait Telemann).

1723-1750 Cantor de Saint-Thomas et « director musices » de la ville de Leipzig. Il doit enseigner la musique, le latin et le catéchisme à l'école Saint-Thomas, exécuter une cantate chaque dimanche, alternativement à Saint-Thomas et Saint-Nicolas, ne pas s'absenter sans la permission du Burgmeister... Malgré de déplorables conditions de travail, c'est la période de création de la plupart des cantates, des Passions, de la *Messe en si*, des chorals « du Dogme » et des fugues pour orgue... En 1735, il compose son *Ursprung der musicalisch-Bachischen Familie*, un important travail généalogique, qui remonte au début du XVIe siècle. Après une

douzaine d'années de lutte contre un Conseil hostile et borné, il relâche peu à peu son activité à Leipzig, fait des expertises (bien payées), fréquente la cour de Dresde, s'occupe de placer ses enfants, est reçu à Potsdam en 1747 par le roi de Prusse (fameuse rencontre d'où est née *l'Offrande musicale*).

1750 Ses yeux fatigués ne voyant presque plus, il tente de se faire opérer par le chirurgien du roi d'Angleterre, John Taylor (qui fera perdre la vue deux ans plus tard à Hændel) : mais il est atteint de paralysie oculaire (Taylor dixit) et meurt d'une infection consécutive à l'intervention.

œuvre Trois Passions (dont une perdue, selon saint Marc), une grande *Messe en si mineur*, quatre messes luthériennes (*Kyrie* et *Gloria*), *Oratorio de Noël* (suite de six cantates), *Magnificat;* cinq cycles annuels de cantates d'église

(soit deux cent quatre-vingt-quinze, dont il subsiste environ deux cents), vingt-cinq cantates profanes. – Des œuvres d'orgue : cent quarante-quatre chorals, six sonates, six concertos, des préludes, toccatas, fantaisies et fugues, une grande *Passacaglia*. – Des œuvres pour clavecin (ou clavicorde?) : *Das wohltemperierte Klavier*, six *Suites anglaises*, six *Suites françaises*, partitas, inventions, variations, fantaisies, etc. – Quatre *Ouvertüren* (ou Suites) pour orchestre, six *Concertos brandebourgeois*, des concertos (deux pour violon, un pour 2 violons, sept pour clavecin, trois pour 2 clavecins, deux pour 3 clavecins, un pour 4 clavecins, un pour clavecin, flûte et violon, y compris les transcriptions), six *Sonates pour violon solo*, six *Suites pour violoncelle solo*, une vingtaine de sonates diverses, *Das musikalische Opfer* pour flûte, violon et basse continue, *Die Kunst der Fuge*.

Mais quel prodigieux métier, et quelle puissance de travail peu commune! On pense qu'il a composé au moins cinq cycles de cantates pour les dimanches et fêtes de l'année, soit un total d'environ trois cents. Souvent la cantate du dimanche doit être préparée dans la semaine, au moins dans les premiers temps de ses fonctions à Leipzig : composition, copie des parties, répétitions avec un petit chœur d'amateurs et de médiocres instrumentistes. Le cantor est également responsable de la musique dans les autres églises de la ville (avec délégation de pouvoir à des « préfets »), il doit enseigner la musique, le latin et le catéchisme à l'école Saint-Thomas et y exercer la surveillance une semaine sur cinq; à quoi s'ajoutent les obligations familiales (Anna Magdalena lui donne un enfant par an les sept premières années de Leipzig), les élèves privés, les expertises d'orgues... D'autres ont produit plus que lui; mais personne n'a composé aussi vite, aussi facilement, des œuvres d'une telle densité. Personne n'a manifesté tant de régularité, tant de tranquillité dans la création, avec un bonheur d'écrire évident, qui dément à chaque page le stéréotype absurde du musicien sévère et un peu raide.

Clavierübung, 1739.

Le triomphe de l'anapeste chez Bach a inspiré des interprétations lourdement mécaniques, qui dénaturent le dynamisme calme attribué à ce rythme dans l'Antiquité. Le dynamisme n'implique pas de raideur, ni le calme de lenteur; force et plénitude ne doivent pas se traduire par lourdeur. La souplesse est bien une des qualités dominantes de cette musique. On le reconnaît au premier coup d'œil dans le graphisme aux belles courbes appuyées, souples et sensuelles arabesques par où la main prolonge les mouvements du cœur. « Dans la musique de Bach, ce n'est pas le caractère de la mélodie qui émeut, c'est la courbe », remarque en connaisseur Claude Debussy.

D'autre part, la prédominance de l'écriture contrapuntique et des formes d'imitation dans l'œuvre de Bach est un signe de santé, non de sévérité. A son époque déjà, l'art polyphonique, fondé sur la science du contrepoint, était considéré comme une discipline austère et démodée, à laquelle devaient se soumettre docilement les cantors des petites villes pour exorciser le démon de l'opéra et donner ainsi des gages de piété au clergé. Plus tard, le contrepoint et la fugue deviendront de fastidieux exercices

Potsdam : salon bleu
du château de Sans-Souci.

d'école, dont la rigueur a malheureusement créé un préjugé défavorable à l'égard des formes qui s'en réclament.

Chez Bach, ces disciplines ne sont pas des contraintes. Elles lui sont tellement naturelles qu'il lui arrive d'ajouter après coup à une composition des parties non prévues (les deux flûtes dans l'*Esurientes* du *Magnificat* par exemple). Toute sa vie la fugue lui est apparue comme une forme privilégiée. Loin de brider son imagination, elle la stimule; et plus il avance dans sa carrière, plus il donne priorité à l'écriture contrapuntique. Il n'écrit plus de concertos après 1736 et les œuvres des dix dernières années sont comme le testament d'un grand polyphoniste : cantates-chorals, *Variations Goldberg*, *Nouveaux préludes et fugues* (dont nous avons fait le second livre du *Clavecin bien tempéré*), l'*Offrande musicale*, l'*Art de la fugue*. Ce dernier ouvrage est le suprême aboutissement d'une longue et féconde tradition, désormais révolue. Bach est mort sans avoir pu l'achever. La dernière fugue [1] s'interrompt brusquement au moment où l'on attend le quatrième sujet : il s'ensuit un silence vertigineux, comme la fin d'un monde. Cette série de variations contrapuntiques est d'une telle splendeur, les lignes admirables s'enchevêtrent dans une lumière spirituelle si claire qu'on oublie le propos didactique et le timbre des instruments dont la désignation ne nous est pas

1. Il y a tout lieu de penser que la fugue inachevée devait être la dernière : quatre sujets, dimensions impressionnantes, le troisième sujet est le thème B.A.C.H. Nottebohm a montré que le thème principal aurait été certainement le quatrième sujet, car il s'adapte parfaitement aux trois autres.

Bach, *Art de la fugue*

donnée : cette eau-forte irréprochable n'a pas besoin de couleurs. A vrai dire, Bach se méfie des formes nouvelles qui n'ont pas été longuement éprouvées. Il n'a pas une vocation de pionnier et son génie est plus libre dans la fugue ou dans la variation de choral que dans la sonate et le concerto. Bien qu'il ait donné d'innombrables témoignages de son génie mélodique (jusque dans les sujets de fugue), sa foi chrétienne et sa fidélité à la tradi- →

Quelques chorals célèbres

choral	texte original	mélodie	œuvre de J. S. Bach
Allein Gott in der Höh' sei Ehr	*Gloria* (trad. Decius)	Kugelmann (d'après *Gloria* liturgique) (1540)	Dogme (3, 4, 5)
An Wasserflüssen Babylon	Dachstein (d'après Ps. 137)	W. Dachstein (1526)	« 18 chorals » (3)
Aus tiefer Not schrei ich zu dir	Luther (Ps. 130)	*De Profundis* (adapt. Walther)	Dogme (14, 15) et cantate 38
Christ ist erstanden (Pâques)	J. Klug	cantique populaire (XIIe siècle) (adapt. Klug)	Orgelbüchlein (29)
Christ lag in Todesbanden (Pâques)	Luther	*Victimae Paschali laudes* (adapt. Senfl)	Orgelbüchlein (27) et cantate 4
Christ unser Herr zum Jordan kamm	Luther	cantique populaire (adapt. Walther)	Dogme (12, 13) et cantate 7
Christum wir sollen loben schon	*A solus ortus* (trad. médiévale)	hymne *A solus ortus cardine*	cantate 121
Ein feste Burg ist unser Gott	Luther (Ps. 46)	Luther (?) ou Klug (?)	cantate 80
Erhalt' uns Herr bei deinem Wort	Luther	hymne *Sit laus, honor et gloria* (adapt. Klug)	cantate 126
Es ist das Heil uns kommen her	Luther	Walther (1524)	cantate 9
Es ist genug, Herr	J. Rist	J. R. Ahle (1657-1665)	cantate 60
Gelobet seist du, Jesu Christ (Noël)	Luther	cantique de Noël (adapt. Walther)	Orgelbüchlein (6) et cantate 91
Herr Gott dich loben wir	*Te Deum* (trad. médiévale)	*Te Deum laudamus*	cantate 16
Herzliebster Jesu	P. Gerhardt	J. Crüger (1649)	Saint Matthieu (3)
In dulci jubilo, nun singet (Noël)	cantique de Noël (XVe siècle)	cantique (XVe siècle) (adapt. Klug)	Orgelbüchlein (10)
Jesus Christus unser Heiland (Passion)	Luther	Cantique de Hus (v. 1410)	Dogme (16, 17) et Orgelbüchlein (28)
Jesu meine Freude	J. Franck	Johann Crüger (1644)	Orgelbüchlein (12) et motet
Komm, heiliger Geist	*Veni Sancte Spiritus* (trad. médiévale)	*Veni Sancte Spiritus* (adapt. Walther)	« 18 chorals » (1, 2) et cantate 59

choral	texte original	mélodie	œuvre de J. S. Bach
Liebster Jesu, wir sind hier	?	J. R. Ahle (1657-1665)	Kirnberger (17, 18), Orgel-büchlein (35, 36)
Lobt Gott ihr Christen	Hermann	Hermann (1560)	Orgelbüchlein (11)
Mit Fried' und Freud'	Luther (d'après Cantique de Siméon)	Walther (1524)	Orgelbüchlein (18) et cantates 106 et 125
Nun danket alle Gott	M. Rinkart	J. Crüger (1644)	« 18 chorals » (7) et cantate 119
Nun komm der Heiden Heiland	*Veni Redemptor* (trad. médiévale)	*Veni Redemptor* (adapt. Walther)	Orgelbüchlein (1), « 18 chorals » (9, 10, 11), cantates 61 et 62
O Haupt voll Blut	P. Gerhardt	Hassler : chanson *Mein G'müt ist mir verwirret* (1601)	Saint Matthieu (21, 23, 53, 63, 72), Oratorio de Noël, cantates 82 et 159
O Lamm Gottes unschuldig	Decius (d'après *Agnus Dei*)	Decius (1531)	Orgelbüchlein (20) et Saint Matthieu (sop. « ripieni » du premier chœur)
O Mensch bewein'	M. Greiter	M. Greiter (1537)	Saint Matthieu (35)
O Welt ich muss dich lassen	?	Isaac : chanson *Inspruck ich muss dich lassen* (1490)	Saint Matthieu (16, 44), Saint Jean (15)
Schmücke dich, O liebe Seele	J. Franck	J. Crüger (1644)	« 18 chorals » (4), cantate 180
Vater unser im Himmelreich	*Pater* (Luther)	Luther (?)	Dogme (10, 11), Orgelbüchlein (38) et Saint Jean (9)
Von Himmel hoch, da komm ich her (Noël)	Luther	chanson *Aus fremden Landen komm ich her*	Orgelbüchlein (8), Oratorio de Noël
Wachet auf, ruft uns die Stimme	Ph. Nicolaï	Ph. Nicolaï (1599)	Schübler (1) et cantate 140
Was mein Gott will	J. Magdeburg	chanson *Il me suffit de tous mes maulx* (Attaingnant 1529)	cantates 72, 111 ; Saint Matthieu (31)
Wie schön leuch't uns der Morgenstern	Ph. Nicolaï	Ph. Nicolaï (1599)	cantate 1

Dogme	recueil de 1739, dit « le dogme en musique » (vol. III du *Clavierübung*).
« 18 chorals »	le dernier recueil de chorals (1747-1750).
Kirnberger	élève de Bach, qui a conservé une collection de 25 chorals pour orgue.
Schübler	éditeur à Zeila, chez qui Bach fit paraître 6 chorals vers 1747.

tion l'attachent aux beaux cantiques luthériens, patinés par le temps. Traits d'union entre la terre et le ciel, ces mélodies populaires sont l'âme des cantates et des Passions et elles ont inspiré les plus belles œuvres d'orgue. C'est au choral et à la fugue (parfois unis) que l'œuvre de Bach doit son universalité... et sa sérénité.

Élevé à l'ombre de l'église dans une très pieuse famille d'organistes, le jeune musicien luthérien assimile très tôt ces vieilles mélodies de chorals, dont beaucoup constituent alors un véritable folklore. Lorsqu'il se trouve à son tour titulaire d'un orgue, son premier devoir est de préluder au chant communautaire et de l'accompagner. Tout naturellement, les cantiques du jour inspirent ses improvisations. Malgré la diversité de leurs origines (voir le tableau p. 536), ces mélodies dont la pratique a égalisé les valeurs rythmiques forment un répertoire populaire homogène; Bach achève d'en sceller l'unité. Il les traite de toutes les façons possibles, enrichissant considérablement les techniques de ses devanciers :

○ Harmonisation note contre note à 4 voix : simples prières dont sont ponctuées les cantates et les Passions. Sous cette forme, les chorals étaient destinés à être chantés par les fidèles, accompagnés par l'orgue et les instruments. Le choix judicieux des mélodies, la beauté simple de la polyphonie et l'efficacité de leur fonction méditative ont transfiguré ces vieux cantiques et en ont si bien unifié le répertoire qu'on les désigne généralement comme « chorals de Bach ».

○ En valeurs longues (cantus firmus) avec une importante « figuration » en contrepoint libre : cantates n° 61, 140, 2 (chanté aux altos sur une fugue des trois autres voix), *Passion selon saint Matthieu* (le choral *O Lamm Gottes* plane au-dessus du double chœur initial à partir de la 30e mesure)... Parfois la mélodie est confiée à un soliste : cantates n°s 37, 93, 122, 137, 185...

○ Aux instruments avec figuration vocale : cantates n°s 48, 70, 77, 156, 159, 163.

○ Cantates-chorals, se présentant comme une série de variations sur les versets de l'hymne originale : cantates n° 4 *(Christ lag in Todesbanden)*, 7 *(Christ unser Herr)*, 91 *(Gelobet seist du)*, 125 *(Mit Fried' und Freud')*, etc.

○ *Choralvorspiele.* Cette dénomination (« Préludes de chorals ») correspond à la modeste fonction des magnifiques chorals pour orgue : style fugué (influence de Pachelbel); ou paraphrases ornées, figurées, en contrepoint libre, sur basse obstinée (influence de Böhm et Buxtehude); ou fantaisies de chorals dont la mélodie est fragmentée aux différentes voix avec des motifs secondaires (influence de Buxtehude).

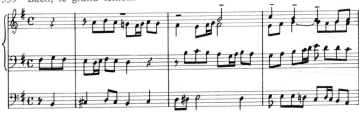

Bach, dernières mesures du choral *Vor deinen Throne tret'ich*

Si on énumère toutes les œuvres de Bach sauf une, on est accusé de sacrilège. S'il fallait inversement n'en citer qu'une, je pense qu'il n'y aurait pas de sacrilège à choisir la *Passion selon saint Matthieu*. Mieux que la grande *Messe en si mineur* (plus souvent en ré majeur qu'en si mineur) où Bach déploie ses sortilèges les plus éblouissants, mieux que le magnifique recueil de chorals de 1739 (« Dogme en musique ») qui commence par le grand prélude en mi bémol, se termine par la triple fugue du même ton et contient le clair et sublime *Jesus Christus unser Heiland*, mieux que les plus belles cantates où son art se montre le plus librement original, mieux que l'inépuisable *Clavecin bien tempéré* où tous les problèmes sont posés et résolus avec une incroyable imagination..., la *Passion selon saint Matthieu* nous découvre la plus haute expression du génie de Bach. Sa première Passion, selon saint Jean, est plus dramatique, plus violente, plus « objective ». Elle a la force expressive d'un opéra sacré. La seconde, en dépit de ses dimensions et de son effectif, est une méditation et une confidence. L'unité de cette immense composition est assurée par des rappels thématiques, au symbolisme naïf, par l'omni-présence du choral, enfin par un récitatif arioso d'une grande beauté, qui annonce Wagner.

On sait que Bach a longuement étudié les œuvres de ses con-temporains et de ses devanciers. Il découvre la musique des Français en 1701 à Celle, résidence du duc de Brunswick-Lune-bourg qui a épousé une Française et possède une riche biblio-thèque musicale : Couperin, avec qui Bach entretiendra une correspondance (malheureusement perdue) ; Grigny, dont il

Bach par Haussmann, 1746. →

copie le livre d'orgue; Marchand, qu'il rencontrera à Dresde en 1707... A la cour italianisante de Weimar, il copie entièrement les *Fiori musicali* de Frescobaldi, emprunte des thèmes de fugue à Corelli, Legrenzi et Albinoni, copie de nombreuses sonates et concertos italiens, et surtout il a la révélation des concertos de Vivaldi, qui représentent alors le stade le plus avancé de la musique instrumentale. Il ne se contente pas de copier ceux-ci, il en arrange quelques-uns pour les instruments à clavier : sept au moins pour clavecin seul, un pour quatre clavecins et cordes (original pour quatre violons), trois pour orgue [1]. Il copie aussi les maîtres du chant, de Palestrina à Caldara, et fait de longs voyages (souvent à pied) pour entendre les grands organistes allemands : Reinken, Buxtehude, Bœhm.

L'intérêt que Bach porte à ces musiques très diverses, qui s'échelonnent sur un siècle, n'est pas d'ordre musicologique. Il ne considère pas leurs différents styles comme des étapes historiques, mais comme un matériau actuel et disponible dont il assimile les particularités essentielles pour la formation de son propre style...

A sa mort en 1750, Bach le virtuose allemand est une gloire nationale; son renom a même passé les frontières, bien qu'il n'ait pas effectué de tournées à l'étranger. Mais son œuvre, en majeure partie inédite, est presque inconnue : personne n'a copié sa musique comme il a copié celle des autres. Devenu directeur de la musique à Hambourg en 1767, Carl Philipp Emanuel peut faire entendre des œuvres de son père, notamment la *Messe en si*. Mais, jusqu'au XIXe siècle, seuls les musiciens allemands auront pu soupçonner le génie de Bach compositeur, que Vivaldi, Rameau, D. Scarlatti ont ignoré. Telemann entretenait avec lui des relations suivies : il était le parrain de Carl Philipp Emanuel. Mais il semble qu'il ait apprécié davantage le virtuose que le compositeur. Hændel avait de l'estime pour Bach et regrettait de n'avoir pu faire sa connaissance; mais c'est Bach seul qui a essayé de provoquer la rencontre [2]... et qui a copié la musique de son confrère. Hasse et sa femme, Faustina Bordoni, étaient de ses amis. Bach les recevait chez lui à Leipzig et les voyait à Dresde quand il allait s'y faire entendre sur l'orgue de Sainte-Sophie. Mais si Faustina, la plus célèbre chanteuse

← Bach : manuscrit autographe de la sonate n° 1 en sol mineur pour violon solo.

1. Bach nous a laissé au total vingt-deux transcriptions de ce genre, dont seize pour clavecin seul, cinq pour orgue et le concerto pour quatre clavecins. Longtemps les originaux furent tous attribués à Vivaldi (la Bach-Gesellschaft les présente comme tels). Or plusieurs sont du jeune Johann Ernst, neveu du duc de Weimar, d'autres sont d'Alessandro et de Benedetto Marcello, un de Telemann, et quelques-uns n'ont pas encore pu être identifiés.
2. Il s'est rendu lui-même une première fois à Halle en 1719, mais Hændel venait de repartir pour l'Angleterre. En 1729, Hændel est de nouveau à Halle : Bach lui envoie son fils W. Friedmann porteur d'une invitation à Leipzig, mais sans succès.

du moment, avait chanté une seule page de Bach, cela se serait su... Si ces contemporains connaissaient la musique de Bach, ils la trouvaient probablement savante et démodée!

Mais Haydn se procure *le Clavecin bien tempéré*, les *Motets* et la *Messe en si*, dont on peut voir l'influence dans ses dernières messes. Mozart copie et arrange des fugues de Bach et, en 1789 à Leipzig, il est émerveillé par la découverte des *Motets*. Beethoven étudie *le Clavecin bien tempéré*, dont il joue de larges extraits par cœur quand il arrive à Vienne en 1792...

Un monde nouveau

Beaucoup d'historiens de la musique voient en 1750 une grande rupture. Certes la mort de Bach marque la fin d'un monde musical. Mais déjà, depuis A. Scarlatti, Couperin, Albinoni et surtout Vivaldi, un âge nouveau a commencé, dans une transformation continue. En 1750, Telemann (soixante-neuf ans), Musikdirektor des cinq principales églises de Hambourg, continue d'enrichir son œuvre gigantesque, largement ouverte aux influences italienne et française. Rameau (soixante-sept ans) a composé toutes ses œuvres importantes, théoriques et musicales, et ne se doute pas que dans deux ans il sera engagé malgré lui dans la « Querelle des Bouffons ». Hændel (soixante-cinq ans), riche et célèbre, compose des oratorios anglais (cette année-là *Theodora*) après avoir été le maître de l'opéra italien; son *Messie* remplit régulièrement les salles. Domenico Scarlatti (soixante-cinq ans) est maître de chapelle de l'infante d'Espagne; mais il se consacre alors presque exclusivement à son œuvre pour clavecin et à sa passion du jeu. Pergolesi aurait quarante ans s'il n'était pas mort en 1736; son succès posthume est considérable. Haydn (dix-huit ans) vient d'être chassé du chœur de Saint-Étienne à Vienne; il étudie les sonates de C.P.E. Bach (trente-six ans) et compose de la musique alimentaire.

Voltaire a cinquante-six ans, Rousseau trente-huit ans, Kant vingt-six ans et Beaumarchais dix-huit... Louis XV fomente les révolutions européennes et veut instituer dans son royaume l'égalité devant l'impôt. Il provoque des émeutes à Paris et une tentative de marche sur Versailles : le peuple se méfie moins d'un parlement conservateur que d'un roi intelligent, timide et subversif. Voltaire écrit *le Siècle de Louis XIV*, les Encyclopédistes sont au travail (le premier volume sortira dans un an), Rousseau publie son *Discours sur les sciences et les arts* et songe à celui *Sur l'origine de l'inégalité* : les lumières du siècle sont à leur zénith...

Le public L'évolution de la musique depuis le début du XVIIIe siè-cle et le développement des formes nouvelles (sonate, symphonie, concerto) sont la conséquence des changements survenus dans la société. A l'époque précédente, les cours royales et princières monopolisaient les meilleurs musiciens pour donner des auditions que l'on allait appeler « concerts » (et dont on instituait le rituel). La noblesse et les grands commis de l'État cherchaient à égaler les fastes musicaux de la cour, en s'attachant des artistes pro-fessionnels. La musique dite « pure », celle qui n'avait de fonc-tion ni au théâtre ni à l'église, était un luxe de privilégiés.

Au siècle des lumières, une bourgeoisie riche et cultivée se fait un honneur de promouvoir les qualités intellectuelles, l'esprit critique, la liberté de pensée, la tolérance religieuse. La musique est pour elle un signe de distinction : elle la cultive par ostenta-tion. Mais cette nouvelle bourgeoisie est prosélyte; elle pratique un mécénat actif et intelligent, sachant qu'elle s'illustrera elle-même par la gloire des artistes qu'elle protège. Elle développe son réseau de « relations publiques » et contribue à la formation d'une nouvelle classe d'amateurs qui ne fait plus de musique mais en consomme de plus en plus.

Le nouveau « public » entend la musique non seulement à l'église et à l'opéra, mais dans les concerts ou « académies », notamment ceux que compositeurs et virtuoses organisent eux-mêmes à leur propre bénéfice. Institué seulement à la fin du XVIIe siècle, le concert public se développe partout avec succès. Une vingtaine de salles de concert fonctionneront à Paris au temps de Mozart, les associations de musique se multiplient en Angleterre après les premiers essais de Banister et Britton, et depuis 1700, des *Collegia musica* se fondent dans toute l'Alle-magne, particulièrement sous l'impulsion de Telemann.

A Venise, Antonio Vivaldi donne à l'Ospedale della Pietà des auditions prestigieuses que les visiteurs étrangers se gardent bien de manquer : sous sa direction, les jeunes filles de cette institution forment un chœur et un orchestre dont la réputation s'étend à l'Europe. L'Academy of Ancient Music, fondée en 1710, est jusqu'à la fin du siècle un des principaux foyers de la vie musicale londonienne; Hændel et Geminiani lui apportent leur soutien. En 1725, Anne Philidor, le demi-frère du célèbre joueur d'échecs et compositeur d'opéras-comiques [1], fonde le Concert spirituel qui jouera un rôle permanent jusqu'en 1791 dans la vie musicale française; il fera connaître à son public les œuvres de Corelli, Vivaldi, Delalande, Mouret, Rameau,

---

1. Les Danican-Philidor sont une importante dynastie de musiciens, dont douze au moins se sont illustrés. Anne et François-André avaient quarante-cinq ans de différence, ce dont on est moins surpris lorsqu'on sait que leur père, André « l'Aîné » eut vingt et un enfants de ses deux femmes successives!

Leclair, Pergolesi, Haydn, J. C. Bach, Mozart. Ces concerts ont lieu dans la salle des Suisses aux Tuileries, tandis qu'à l'hôtel Soubise, à partir de 1769, le Concert des amateurs leur fait une sérieuse concurrence : c'est pour cette association, transférée à la Loge olympique, que Haydn écrira les six symphonies « parisiennes ». La Tonkünstler Societät de Vienne est fondée en 1772, les concerts Felix Meritis d'Amsterdam en 1777, ceux du Gewandhaus de Leipzig en 1781. Mais c'est probablement à Londres que les associations musicales et les salles de concert se sont multipliées le plus régulièrement depuis le début du siècle, à l'initiative de musiciens aussi fameux que Geminiani ou Jean-Chrétien Bach.

Constitués en « publics », les nouveaux amateurs sont bien plus passifs dans l'ensemble que leurs devanciers. Ils n'ont plus d'action directe sur l'évolution de la musique, puisqu'ils la pratiquent de moins en moins. Le *star system* qui gouverne l'opéra s'introduit dans les nouvelles salles de concert et suscite des sonates et des concertos à la mesure des grands virtuoses du violon et du clavier. Face au débordement du lyrisme individuel, le classicisme se donne, par compensation ou par auto-défense, des formes rigoureuses et des règles sévères. Avec l'abandon progressif de la basse continue et l'habitude de plus en plus fréquente de noter les ornements et autres « manières », le respect du texte va s'imposer comme exigence supérieure. D'autre part,

Concert dans un salon au XVIIIe siècle (eau-forte de G. de Saint-Aubin).

l'orchestre s'adapte aux grandes salles de concert et trouve un équilibre durable : on l'agrandira plus tard, mais on ne modifiera pas sa structure fondamentale. Pour cet orchestre, on écrit de grandes sonates en plusieurs mouvements que l'on baptise du vieux nom de symphonie.

La profession Les nouveaux débouchés (opéra et concert), en permettant aux musiciens d'échapper au service de l'église et des princes, introduisent un changement important dans la profession musicale : celle-ci devient « libérale ». Les droits du génie sont proclamés, le créateur exige d'être respecté pour ce qu'il représente et ne se soumet plus aux caprices d'un patron; les dédicaces éperdues d'humilité devant les qualités du dédicataire disparaissent, ou bien ressortissent à un conformisme ironique (c'était peut-être déjà le cas chez Bach, trop lucide et trop fier pour s'agenouiller devant un margrave de Brandebourg, ou même un roi de Prusse).

Mozart sera un des premiers compositeurs à choisir l'indépendance. Mais cette situation est financièrement incertaine, car le compositeur a encore peu de moyens de se réserver le profit de son œuvre : dès lors que la partition est copiée ou imprimée, le possesseur d'un exemplaire peut en organiser l'audition à son propre bénéfice. Mozart fait venir son copiste dans sa chambre, pour s'assurer qu'il ne copie rien en double. Il sait ce qu'il vaut et ne se contente pas de patronages illustres : « Si l'Empereur veut m'avoir, il faut qu'il me paie..., écrit-il à son père en 1782; car le seul honneur d'être à l'Empereur ne me suffit pas ». Mais s'il demande la juste rémunération de son travail, il pressent, avec une remarquable clairvoyance, le caractère incessible de ce que nous appelons le droit d'auteur [1] : « Je serais bien fâché si mon talent pouvait être payé *en une seule fois* (c'est Mozart qui souligne)... surtout avec cent ducats. » Beethoven apportera une contribution décisive à l'émancipation de l'artiste, à la reconnaissance de sa noblesse et de son autonomie, en affichant brutalement son indépendance et en s'adressant dans son œuvre à toute l'humanité.

Cependant, la position sociale du musicien ne peut pas être définie globalement à l'échelon d'une civilisation. C'est une réalité concrète, variant d'un pays à l'autre et d'une période à l'autre selon les types de société. Comme celle d'autres travailleurs spécialisés, sa situation économique et sociale dépendra des concep-

---

1. La première législation du droit d'auteur date de la Révolution française (décret du 19 janvier 1791 et loi du 24 juillet 1793). Elle sera précisée et complétée peu à peu jusqu'à nos jours; la perception des droits ne s'organisera efficacement que dans la seconde moitié du XIXe siècle. Mais la notion de propriété artistique existe, sous des formes variables, depuis l'Antiquité (résumé chronologique p. 630).

tions que se fait la société de la valeur du travail musical. Ce ne sont pas les grands courants philosophiques, ni les théories esthétiques, ni les perspectives idéalistes sur la « mission de l'artiste », qui détermineront son classement social, mais la hiérarchie de valeurs qui a cours dans le groupe social où il travaille.

Les formes instrumentales de Vivaldi à Beethoven

L'étude des formes musicales est décevante si on espère découvrir dans les structures fines des chefs-d'œuvre l'essence de leur beauté : les rébus de la forme A B A' C A'' B' A ne livrent pas le secret du plaisir esthétique. Mais l'histoire des « formes concrètes » (terminologie de Riemann, voir la note p. 505) nous intéresse parce qu'elles sont l'expression d'une culture collective et du comportement esthétique général : l'apparition du motet, du madrigal, de l'opéra, du concerto, répond bien au goût, aux habitudes et aux mécanismes mentaux d'une société. En revanche, les « formes abstraites », c'est-à-dire les structures de ces diverses formes de compositions, sont rarement déterminées par des facteurs socioculturels : on peut dire qu'elles évoluent en dépit de la société. Ces structures résultent, soit d'une lente transformation de l'héritage, imposée par sa nature même, soit de l'esprit inventif de quelques chefs d'école, qui ont tenté de renouveler, de propos délibéré, les techniques de composition. C'est pourquoi l'analyse structurale des formes musicales paraît moins révélatrice du génie des différentes époques, donc plus rébarbative dans une perspective historique.

Cependant, les structures que se sont données les formes classiques au stade décisif de leur évolution ont dominé les deux siècles les mieux connus de l'histoire de la musique. Elles sont inséparables d'un système auquel on croit toujours nécessaire de se référer, soit qu'on l'adopte, soit qu'on le conteste.

Concerto De toutes les formes classiques qui ont survécu jusqu'à nos jours, c'est le concerto qui s'est imposé le plus vite, avec le plus de force, grâce au génie de Vivaldi tout particulièrement. A l'époque baroque, le concerto est apparu comme une adaptation progressive du vieux principe du « double chœur » aux formes concertantes du moment. On a vu qu'un « petit concert » ou *concertino*, formé le plus souvent des protagonistes de la sonate à trois — deux violons et une basse continue —, s'oppose à un « grand concert » ou *concerto grosso* qui donne son nom à l'ensemble et s'apparente à la sinfonia, tant par la formation instrumentale que par l'écriture. Le classicisme du genre était représenté par l'admirable op. 6 de Corelli, publié en 1714 mais composé à partir de 1682.

Malgré les chefs-d'œuvre que lui consacreront J. S. Bach (*Concertos brandebourgeois*, 1721) et Hændel (op. 3 et op. 6, 1734-1739), malgré l'enrichissement que ces grands musiciens lui apportent en variant le concertino, la forme du concerto grosso ne résiste pas longtemps au succès du concerto de soliste [1]. Cette forme nouvelle se distingue du concerto grosso principalement par son caractère spectaculaire, par l'intérêt qu'il donne au lyrisme individuel et à la virtuosité instrumentale. Ordinairement, il oppose un seul soliste à l'orchestre : le violon sera, jusqu'au dernier tiers du XVIIIe siècle, l'instrument soliste de prédilection, jusqu'à ce que le piano lui enlève ce privilège. Mais la singularité du virtuose n'est pas essentielle : le concerto pour flûte et harpe et les deux symphonies concertantes de Mozart, comme le triple concerto de Beethoven ou le double concerto de Brahms, ne sont pas des concertos grossos, mais bien des concertos à plusieurs solistes individualisés qui ne forment pas des unités organiques de type concertino.

Le concerto de soliste est apparu assez subitement autour de 1700 et sa forme s'est précisée très rapidement. Plusieurs compositeurs s'en disputent l'initiative par la voix de leurs exégètes. Mais la seule chronologie que l'on puisse établir est celle des *publications*, qui ne permet pas à coup sûr d'attribuer une priorité dans la *composition* : les œuvres réunies pour l'édition pouvaient être des compositions anciennes, ayant déjà circulé en copies manuscrites.

vers 1695 Albinoni, *Sinfonie e Concerti a 5* op. 2. Ce sont six *sonate* (type da chiesa) en quatre mouvements, de style polyphonique, et six *concerti*. Ceux-ci ont dans l'ensemble le style et l'écriture polyphonique du concerto grosso, mais (dans le troisième surtout) un violon solo se détache de temps en temps de l'ensemble. Les concertos n° 1, 3, 4, 5 sont en trois mouvements.
1698 Torelli, *Concerti musicali a 4*, op. 6. Les soli sont plus développés, mais moins virtuoses et moins expressifs que dans l'op. 2 d'Albinoni.
vers 1705 Vivaldi, *?*. Selon Remo Giazotto, les concertos connus sous le titre *Estro armonico* (édition d'Amsterdam, 1711) auraient été publiés une première fois à Venise, aussitôt après l'op. 1.
1707 Albinoni, *Concerti a 5*, op. 5. Beaucoup plus modernes que les concertos de l'op. 2, ce sont de vrais concertos de soliste, particulièrement les numéros 5 et 11, aux interventions animées

---

1. Quelques musiciens de notre temps ont illustré la vieille forme du concerto grosso, en désuétude depuis le milieu du XVIIIe siècle, notamment Stravinsky *(Concerto pour cordes)* et Bartók *(Concerto pour orchestre)*.

du violon solo et aux beaux adagios lyriques. Huit concertos sont de coupe classique, en trois mouvements [1].

1708 B. Marcello, *Concerti a 5* op. 1. Dans le même style que l'op. 2 d'Albinoni.

1709 Torelli, *Concerti grossi*, op. 8 (posth.). Leur écriture est traditionnelle. Mais, tandis que les six premiers sont des concertos grossos, les six derniers sont des concertos de violon en trois mouvements...

1711 Vivaldi, *Estro armonico*, op. 3. Que ce recueil soit une réédition ou non, c'est de toute façon la première fois que l'esprit du concerto s'impose avec tant d'évidence et de brio. C'est un échantillonnage de ce qu'on peut faire de mieux :

– trois concertos grossos, avec un concertino emprunté à la traditionnelle sonate à trois (n° 2, 8, 11);

– quatre concertos grossos avec un concertino de quatre violons (n° 1, 4, 7, 10) : ce sont ceux dont l'*estro* — l'imagination, le génie créateur — est le plus libre. Vers 1715, Bach transcrira pour quatre clavecins le n° 10.

– cinq concertos de solistes, délibérément modernes, qui deviennent pour longtemps les modèles du genre (le n° 9 surtout) : n° 3, 6, 9, 12, pour un violon, n° 5 pour deux violons (deux solistes indépendants, qui ne forment pas un concertino).

Beaucoup de ces concertos étaient connus bien avant d'être publiés : les compositeurs-violonistes tenaient à s'en garder quelque temps l'exclusivité, avant de les livrer au domaine public. Faute de connaître les dates de composition ou de première audition, il est impossible de désigner le « créateur du concerto de soliste ». Torelli et Albinoni ont été les premiers sans doute à faire jaillir un violon solo de la masse des cordes et à étendre au concerto (voué jusqu'alors à la forme de la sonate d'église) la division tripartite de l'ouverture italienne. Mais leurs œuvres paraissent encore bien traditionnelles comparées à celles que l'on entend à la Pietà depuis 1705 environ, et dont certaines figurent dans l'*Estro armonico*. Vivaldi, dont le talent de violoniste est exceptionnel, s'y réserve une partie de soliste à sa mesure et trouve d'emblée la forme et le caractère qui vont assurer au concerto un succès durable.

Quelques années après l'*Estro armonico*, les douze concertos de l'op. 4, *la Stravaganza*, sont tous des concertos pour violon solo, du type auquel Vivaldi restera fidèle pour ses publications ultérieures, et qu'il imposera comme modèle classique. Il a donné à la partie de soliste l'autonomie, le lyrisme et la virtuosité qu'Albinoni et Torelli ont timidement pressentis; il a développé

1. Dans l'op. 2 et l'op. 5 d'Albinoni, les passages où interviennent les soli sont écrits à sept parties réelles, au lieu des cinq annoncées : violino I, violino II, violini da concerto, viola alto, viola tenore, violoncello, basso continuo.

Vivaldi, caricature de Ghezzi.

Antonio Vivaldi
Venise 4 mars 1678
Vienne 28 juillet 1741

Fils de Giovanni Battista Vivaldi
(1655 - ?), violoniste à la chapelle
ducale de San Marco, il a probablement été l'élève de son père,
mais on ne sait rien de son enfance,
si ce n'est qu'on le destine à la
prêtrise et qu'il reçoit les ordres
mineurs de 1693 à 1698. Il est
roux : on l'appellera « il Prete
rosso ».
1703 Il est ordonné prêtre,
mais un mal mystérieux, sans
doute d'origine psychosomatique
(asthme?), l'empêchera d'exercer
son ministère. La même année, il
est *Maestro di violino* à l'Ospedale
della Pietà.

considérablement le mouvement lent, où le soliste a l'occasion
de chanter de longues phrases expressives; il a donné aux allégros
l'impétuosité rythmique et l'éclat sonore qui nous font reconnaître de prime abord cette musique libre et sensuelle, vécue plus
que pensée.

Tandis que Bach oblige les instruments à se plier aux exigences
d'une pensée musicale rigoureuse, Vivaldi compose pour les
instruments, leur assurant le meilleur rendement, avec une conscience intime du geste musical.

Bach, *Sonate n° 3* (fugue)

Vivaldi, *Concerto M.P. 227* (2ᵉ mouvement)

Tout ce qu'écrit Vivaldi « sonne » admirablement. A cet égard
la Pietà constituait un merveilleux banc d'essai : disposant en
permanence d'un groupe de parfaites musiciennes, le *maestro de'*

1705 Publication à Venise de son op. 1 : *Sonate da camera a tre*.

1708 Concert de musique sacrée à la Pietà en l'honneur du roi de Danemark. Vivaldi y porte le titre de *Maestro de' concerti* et bientôt il cumulera toutes les fonctions dans le célèbre conservatoire pour jeunes filles, jusqu'en 1740. Ses concertos circulent déjà en manuscrits dans toute l'Europe. Presque toute sa vie se passera à Venise.

1711 Publication à Amsterdam de l'op. 3 : *l'Estro armonico* (douze concertos).

1713 Représentation à Vicenza d'*Ottone in villa*, premier opéra de Vivaldi. Celui-ci devient impresario du théâtre Sant' Angelo. Les conditions d'exploitation du théâtre reposent sur un abus de confiance au préjudice des propriétaires (les familles Marcello et Cappello). Bien que personne n'ignore son activité, le révérend s'abrite derrière des prête-noms.

1716 L'oratorio *Juditha triumphans* est exécuté à la Pietà.

1718-1720 Séjour à Mantoue, en qualité de maître de chapelle du Landgrave. Il est accompagné de son élève, la toute jeune cantatrice Anna Giraud.

1723-1724 Séjour à Rome, où il donne trois opéras nouveaux (dont l'excellent *Giustino*). Publication à Amsterdam de l'op. 8, qui contient les *Quattro stagioni*.

1729-1733 Période de voyages : sûrement à Vienne, à Prague, à Vérone, peut-être à Dresde, à Amsterdam, à Rome...

1735 Collaboration avec Goldoni, qui a laissé un récit savoureux de leur première rencontre. Le jeune écrivain est chargé de l'adaptation de *Griselda* et du livret d'*Aristide*.

1737 Le cardinal Ruffo, archevêque de Ferrare, interdit à Vivaldi l'accès de la ville, où il doit monter un opéra, sous prétexte qu'il ne dit pas la messe, vit avec une chanteuse et fait l'impresario.

1738 Voyage à Amsterdam pour y célébrer le centenaire du théâtre.

1739 Rencontres avec le président De Brosses.

1740 Grand concert à la Pietà en l'honneur de l'électeur de Saxe. A l'automne, Vivaldi quitte Venise pour une destination inconnue.

1741 Il meurt pauvre et déjà oublié à Vienne, dans la maison d'un inconnu.

œuvre Quarante et un opéras connus (mais Vivaldi en déclare quatre-vingt-quatorze), trois oratorios, une cinquantaine de pièces religieuses (dont un *Magnificat*, deux grands *Gloria* et des psaumes à double chœur), une cinquantaine de cantates profanes, quatre-vingt-treize sonates... et plus de cinq cents concertos et sinfonie, dont deux cent trente-cinq avec violon solo). Les recueils les plus célèbres sont *l'Estro armonico* op. 3 (diverses formations de cordes), *la Stravaganza* op. 4 (violon), *Il Cimento dell'Armonia e dell'Invenzione* op. 8 (violon), *la Cetra* op. 9 (violon), l'*Opus* 10 (flûte).

La visite au couvent, par Longhi.

Georg Philipp Telemann
Magdebourg 14 mars 1681
Hambourg 25 juin 1767

Petit-fils et fils de pasteurs. Il apprend seul la musique, en étudiant les œuvres des maîtres (particulièrement Lully et Campra).

1700 Entre à l'université de Leipzig (droit, langues, sciences). En 1704, il est nommé organiste de la Neue Kirche et fonde avec des condisciples un Collegium musicum, le « Telemann-Verein », qui donne les premiers concerts publics en Allemagne et servira de modèle à d'autres institutions semblables.
1708-1712 Kapellmeister à Eisenach, la ville de naissance de Bach.
1712-1721 Kapellmeister du margrave de Bayreuth.
1721-1767 Cantor du Johanneum de Hambourg et Musikdirektor des cinq principales églises de la ville pendant quarante-six ans... conservant de surcroît plusieurs charges extérieures. Son filleul, C.P.E. Bach lui succède à Hambourg. Son activité est fantastique jusqu'à sa mort (à quatre-vingt-six ans). En dehors de la création d'une œuvre énorme, il voyage, fonde le premier journal musical d'Allemagne, le *Getreue Musikmeister* (1728), écrit une importante autobiographie, élève des plantes rares... En 1737, il passe plusieurs mois à Paris, où il a déjà séjourné en 1707 : ses œuvres sont jouées au Concert spirituel et il est profondément influencé par le style français.

œuvre Au moins douze séries complètes de services religieux pour tous les dimanches et fêtes (soit sept cent huit au total!),

concerti pouvait contrôler à son gré les représentations de son imagination, soit qu'il voulût exploiter à fond les possibilités d'instruments traditionnels, ou qu'il cherchât un enrichissement dans les timbres d'instruments peu usités, soit encore qu'il tentât d'assembler les uns et les autres en des mélanges rares et séduisants[1].

Si Bach s'est proposé de rendre compte de ses modèles, ses transcriptions de Vivaldi sont de géniales trahisons (notamment le concerto pour quatre clavecins) : il méconnaît l'essence violonistique des originaux, en considérant l'invention musicale comme transcendante à l'instrumentation. Mais on peut supposer plutôt que Bach a jugé ces concertos si parfaitement écrits pour le violon, qu'une transcription fidèle sur le clavier les aurait dénaturés : il a préféré assimiler les enseignements de son aîné pour en faire du Bach[2]. Une partie de ses concertos pour clavecin sont d'ailleurs des arrangements de ses propres concertos pour violon et du quatrième *Concerto brandebourgeois*. Ici encore il repense l'œuvre en fonction de l'instrument à clavier; mais le travail est plus simple, car la même pensée gouverne l'instrumentation, dans le modèle et dans la transcription.

L'*estro* vivaldien a touché de sa grâce la musique de son temps, parce qu'il s'est préservé des rites académiques. En s'élevant du particulier (la suite, la sonate d'église) au général (la symphonie, le concerto), il a fait quelques acquisitions fondamentales, dont est tributaire le classicisme jusqu'à Beethoven :
– forme tripartite, avec une importance nouvelle du mouvement lent (souvent dans le caractère de l'aria cantabile),
– qualité dramatique (en quelque sorte romantique) de l'opposition tutti-soli; individualisme lyrique du solo, hérité de l'opéra,
– insistance tonale et rythmique, libératrice d'énergie musicale euphorisante,
– qualité lumineuse de l'écriture des cordes, avec un sens orchestral moderne.

Bach le premier, particulièrement dans les *Concertos brandebourgeois* et les concertos pour violon, est tributaire de cette musique : son imagination et sa curiosité ne l'ont pas laissé insensible à la liberté des soli, à la soie chaude et légère de l'orchestre à cordes, à la saveur du superflu, toutes qualités méditerranéennes qu'il a merveilleusement adaptées à son propre génie. De Telemann à Haydn, beaucoup d'autres musiciens d'Allemagne et d'Europe centrale sont plus ou moins redevables au génie de Vivaldi, notamment František Benda (1709-1786), Josef Mysliveček (1737-1781), C.P.E. Bach (1714-1788), musicien à la

1. Sur l'allure très caractéristique de la musique de Vivaldi, et sur l'extraordinaire variété des concertos, voir *Vivaldi*, le Seuil 1967.
2. Parmi les onze concertos de Vivaldi transcrits par Bach, six figurent dans l'*Estro armonico* (où ils portent les numéros 3, 8, 9, 10, 11, 12).

cour de Frédéric II de Prusse en même temps que le flûtiste
J. J. Quantz (1697-1773), dont les concertos sont souvent cal-
qués sur ceux de Vivaldi. Pincherle et Kirkpatrick ont même
découvert des vivaldismes dans les sonates de Scarlatti (K. 37 et
265 par exemple). Hændel, par contre, ne semble guère avoir
subi l'attrait de la musique vénitienne : ses œuvres instrumentales
portent davantage la marque de Corelli, ses opéras celle des
Napolitains.

En France, où la vogue des *Quattro Stagioni* se poursuit jusqu'à la Révolution, le style de cette musique a rejailli principalement sur l'œuvre de trois compositeurs : Bodin de Boismor-
tier (1689-1755), le premier Français qui ait adopté la forme du
concerto en trois mouvements (1727), Jacques Aubert (1689-
1753) dont les dix concertos op. 17 trahissent le modèle vivaldien,
et surtout Jean-Marie Leclair (1697-1764), le plus grand maître
français du violon, qui séduit de prime abord par son brio, son
lyrisme et la superbe transparence de l'orchestre à cordes.

Mais c'est en Italie, bien sûr, que l'influence de Vivaldi a été
la plus remarquable. On la reconnaît surtout chez les violonistes :
Francesco Geminiani (1687-1762), auteur de dix-huit concertos
pour violon; Pietro Locatelli (1695-1764), qui insère d'extrava-
gants *Caprices* pour violon solo dans les concertos grossos de
son *Arte del violino*; Francesco Maria Veracini (1690-1750);
Giovanni Battista Sammartini (1698-1775); et surtout Giuseppe
Tartini (1692-1770), remarquable violoniste et pédagogue, à qui
l'on doit une œuvre innombrable et d'importants perfectionne-
ments dans la technique du violon.

Sonate Tandis que dans le domaine de la sonate à trois, Corelli,
Purcell et Torelli pouvaient se disputer la priorité (publications
entre 1681 et 1686), l'*Opus 5* de Corelli est bien le modèle absolu
de la sonate pour violon (voir p. 513). Tout ce qui s'est composé
dans le genre, jusqu'au milieu du xviiie siècle au moins, est nourri
des principes illustrés par ce recueil. Albinoni, Vivaldi, Bach,
Hændel, Tartini, Geminiani, Locatelli, Veracini, Leclair, lui
ont été directement redevables. Et jusqu'à la fin du siècle, la
plupart des maîtres du violon forment leurs élèves par l'étude du
fameux *Opus 5*. Bien qu'on ait continué pendant deux générations
à composer de temps en temps des sonates en trio, le genre à la
mode depuis 1700 est, avec le concerto, la sonate pour violon et
basse continue, du moins jusqu'à la disparition de la basse continue (progressive, de 1730 à 1750) et la revanche triomphale de
l'instrument à clavier (clavecin ou piano) à partir de 1740 environ.

La sonate conservera plus longtemps que le concerto les dispositions de la sonata da chiesa et de la sonata da camera; même

quarante-quatre Passions, de nombreux oratorios, plus de mille cantates diverses, quarante opéras,
une innombrable œuvre instrumentale.

Vivaldi, à de rares exceptions près, reste fidèle à ces anciens modèles. Mais peu à peu les danses disparaissent (du moins elles sont plus stylisées et perdent leurs dénominations) et l'écriture polyphonique de la sonate d'église est abandonnée. Les deux modèles se fondent et le premier mouvement lent et solennel finit par être abandonné : il ne correspond ni à l'esprit du temps, ni à la technique du clavecin. Ainsi s'impose dans la sonate la disposition tripartite du concerto : *allegro* rapide ou modéré, *adagio* ou *largo* lent et lyrique, *presto* ou *vivace* très rapide [1].

Quant à l'organisation interne du mouvement de sonate, elle adopte successivement les structures suivantes .

1. Binaire AA'. C'est la forme habituelle des danses de la suite et de la sonate de chambre primitive. Une première section expose le thème et module vers un ton voisin; après une double barre de reprise, une seconde section commence dans ce ton voisin sur

1. En 1744, Veracini publie des sonates en 4 ou 5 mouvements. Mais il précise que 2 ou 3 mouvements au choix « suffisent à composer une sonate de justes proportions ». Vers la même époque Locatelli a tout à fait adopté la forme tripartite.

une imitation du thème et retourne au ton principal. Le thème A n'est pas réexposé pour finir.

2. Monothématique ternaire AA′A. Dérivée de l'aria da capo, c'est la forme classique du mouvement de sonate dans la première moitié du XVIIIe siècle, de Vivaldi à Leclair, en passant par Bach et Scarlatti : exposition du thème unique, développement avec d'éventuels divertissements virtuoses et la modulation à un ton voisin puis, après la double barre de reprise, retour au ton initial où est réexposé le thème. Cette forme continuera d'être utilisée fréquemment dans les mouvements lents (sonate en si mineur de Chopin par exemple).

3. Di-thématique AA′BB′AB. On trouve l'esquisse d'un second thème dans quelques œuvres de J. S. Bach (sonates pour clavecin et violon, vers 1720), D. Scarlatti, J. M. Leclair; mais c'est dans les sonates de C.P.E. Bach (recueil de 1742) que, pour la première fois, son emploi est systématique. Le schéma est le suivant : thème A – développement modulant à un ton voisin – thème B à ce ton voisin – double barre de reprise – développement modulant vers le ton principal – réexposition de

Musique classique
(aquatinte de M. Aertmann).

A et B au ton principal ou, plus rarement, chacun dans le ton de l'autre (A au ton voisin, B au ton principal). Vers 1760 environ, cette forme est devenue caractéristique du premier mouvement de la sonate et de la symphonie classiques : on l'enseignera longtemps sous le nom de « forme sonate ».

4. « Forme sonate ». C'est donc la structure di-thématique de C.P.E. Bach, mais considérablement agrandie : non seulement le développement central devient beaucoup plus important — les thèmes sont découpés, analysés, variés — mais l'exposition et la réexposition sont elles-mêmes l'occasion de divertissements, de présentations variées des thèmes et de courts épisodes modulants. Beethoven donnera sa vraie signification au di-thématisme, en exploitant le contraste dramatique entre un thème A de caractère rythmique et un thème B de caractère mélodique, qui prend une importance extraordinaire. Il ne s'agit pas seulement de deux thèmes mais de deux « idées », entre lesquelles s'établit une dialectique sans précédent en musique. Beethoven qualifie la première idée de « principe opposant » et la seconde de « principe implorant».

La forme sonate est théoriquement caractéristique du premier mouvement. Mais les exemples ne manquent pas d'autres mouvements en forme-sonate et de premiers mouvements qui ne le sont pas. La forme lied (AA′A décrite plus haut) est une des plus fréquemment utilisées dans le mouvement lent, avec la variation. La forme rondo (ABACA), consistant en couplets et refrains comme dans beaucoup de chansons populaires, est caractéristique du dernier mouvement à partir de Haydn. Albinoni, dans les six *Sinfonie a 4* manuscrites (vers 1735) inaugure d'introduire un menuet avec trio [1] entre le mouvement lent et le finale, comme il était d'usage dans la suite, entre la sarabande et la gigue. Mais ce mouvement supplémentaire ne deviendra habituel qu'après 1745, à l'initiative de Johann Stamitz (1717-1757), Konzertmeister à la cour de Mannheim. Le menuet est introduit d'abord dans la symphonie, puis dans la sonate.

En résumé, le plan de la sonate classique, telle que Haydn l'héritera, la portera à maturité et la transmettra à ses successeurs, est désormais le suivant :

I. Mouvement modéré ou assez rapide, dont l'origine est l'*allemande* de la suite ou de la sonate de chambre; adopte généralement une structure complexe appelée forme sonate, à deux thèmes.

II. Mouvement lent, dont l'origine est la *sarabande* de la suite. Mais tandis que celle-ci est de structure binaire, l'adagio de

---

1. Dans la suite, le menuet (comme les autres danses occupant cette avant-dernière place) est une danse double : un premier menuet alterne avec un second. Celui-ci est habituellement écrit à trois voix et porte alors l'indication « trio ». Dans la sonate, ce terme abusif désigne, quelle qu'en soit l'écriture, l'épisode central remplaçant le deuxième menuet.

sonate est généralement de structure ternaire (forme lied). C'est une pièce lyrique, d'inspiration libre. Haydn emploie souvent à cette place un thème varié.

III. Menuet avec « trio », dont l'origine est la danse ou la succession de danses (menuets, gavottes, bourrées, rigaudons, passepieds) qui étaient dans la suite une agréable concession au goût du public. Toujours à trois temps, le menuet est naïf et joyeux chez Haydn (presque une danse populaire), noble chez Mozart, conformément à son origine. Beethoven, dès la période de jeunesse, le remplace par une pièce vive, fantastique, inquiétante, parfois tragique, curieusement appelée « scherzo » ; il lui arrivera de placer ce mouvement avant le mouvement lent et souvent il le supprimera.

IV. Mouvement très rapide qui, dans la suite, était presque toujours une *gigue*. La structure la plus courante est celle du rondo ; Beethoven l'amplifiera en y introduisant le type de développement de la forme sonate.

Le clavecin La suprématie du violon dans les formes instrumentales semblait établie par la profusion de concertos et de sonates qui voyaient le jour dans la première moitié du XVIIIe siècle. Cependant quelques compositeurs s'avisent de remplacer la basse continue, destinée à être « réalisée » au clavecin, par une partie de clavecin écrite entièrement... et si bien, qu'elle tend à devenir la partie principale. Entre 1717 et 1723, J.-S. Bach compose ainsi des sonates « pour clavier et violon ». Joseph de Mondonville (1711-1772), violoniste et futur directeur du Concert spirituel, publie en 1735 des *Pièces de clavecin en sonates avec accompagnement de violon;* et Rameau, en 1741, ses fameuses *Pièces de clavecin en concerts*, sortes de suites ou de sonates de chambre en trio, pour clavecin principal « avec violon ou une flûte et une viole ou un deuxième violon ». Bientôt on écrira de véritables sonates pour clavier, sans « accompagnement » de violon, ce que ni Couperin, ni Rameau ne songent encore à faire, ni même Bach qui s'est pourtant risqué dès 1721 à écrire un véritable concerto pour clavecin, le cinquième *Brandebourgeois*.

Dès 1695, Kuhnau avait adapté au clavecin la forme de la sonate d'église. Mais on ne l'a pas suivi. Les *Sonate di cembalo* op. 2 (1710) de B. Marcello font exception. Couperin a préféré doter son instrument d'un admirable répertoire de pièces de caractère ou de danses, groupées en suites ou « ordres ». Et dans son *Art de toucher le clavecin*, méthode indispensable à quiconque veut exécuter comme il faut cette musique incomparable, il regrette que les amateurs de son temps veuillent absolument jouer des « sonades » (entendez pour violon, ou en trio), en abusant de formules d'accompagnement mal adaptées aux ressources

Domenico Scarlatti
Naples 26 octobre 1685
Madrid 23 juillet 1757

Il a été principalement l'élève de son père, Alessandro, et plus tard (1708) de Gasparini à Venise.

1701-1709 Organista e compositore di musica à la chapelle royale de Naples, où Alessandro est Maestro di cappella.
1702 Séjour à la cour de Toscane avec son père.
1703-1704 Débuts au théâtre, à Naples : trois opéras en un an au San Bartolomeo et au Palais royal *(opéras d'Ottavia, Giustino, Irene).*
1705-1708 Séjourne brièvement à Rome et à Florence, avant de s'installer plus longuement à Venise. Il y rencontre Hændel, avec lequel il noue des relations ami-

cales. L'histoire ne dit pas s'ils sont allés entendre Vivaldi à la Pietà ; en revanche, ils sont partis ensemble pour Rome, où le cardinal Ottoboni a organisé une sorte de compétition entre les deux jeunes virtuoses.
1709-1714 Compositeur de la reine Maria Casimira de Pologne à Rome. Il compose sept opéras pour son théâtre privé du palais Zuccari.
1715-1719 Maestro di cappella de l'ambassadeur portugais et de la chapelle pontificale. Voyage hypothétique en Angleterre (où s'est établi son oncle Francesco) à la fin de 1719.
1720-1729 Plusieurs séjours à Lisbonne, comme Maestro di cappella de la chapelle royale, entrecoupés de séjours à Rome (où il se marie en 1728) et à Naples (1725). Mais sa nomination offi-

cielle à Lisbonne ne date que de 1728.
1729-1757 Passe les vingt-huit dernières années de sa vie à la cour de Madrid, comme maître de chapelle de son élève Maria Barbara, ex-infante de Portugal, infante puis reine d'Espagne, par son mariage en 1729 avec le prince des Asturies. C'est la période de composition de la grande majorité des sonates pour clavecin. Quinze volumes manuscrits non autographes, ayant appartenu à Maria Barbara, sont conservés à la Biblioteca Marciana à Venise (quatre cent quatre-vingt-seize sonates).

œuvres Cinq cent cinquante-cinq sonates pour clavecin ; douze opéras et un intermezzo ; une messe, quelques motets, oratorios, sérénades, environ cinquante cantates de chambre.

de l'instrument à clavier. Couperin recommande la pratique des pièces de clavecin, non seulement parce qu'on en tire plus de satisfaction d'amour-propre, mais parce que c'est par là seulement qu'on peut apprendre à bien jouer, et par conséquent à bien accompagner les sonates. Les pièces de clavecin de Rameau, pour superbes qu'elles soient et riches de nouveautés harmoniques et rythmiques, sont elles aussi des danses ou des pièces de caractère.

Domenico Scarlatti, en revanche, qualifie de *sonata* chacune de ses cinq cent cinquante-cinq pièces pour clavecin. En fait ce ne sont pas des sonates, mais des mouvements de sonate. Le claveciniste et musicologue américain Ralph Kirkpatrick[1] a montré que ces pièces ont été associées par paires, plus rarement par triptyques (K. 490-491-492), dans les deux principaux manuscrits, constituant ainsi des sonates en deux mouvements. Scarlatti est, dans une large mesure, le créateur de la technique moderne du clavier : son influence s'étend jusqu'à Liszt. La forme généralement adoptée est très simple : deux parties, qui peuvent être

1. R. Kirkpatrick, *Domenico Scarlatti*, Princeton 1953 ; ouvrage fondamental. Pour désigner les sonates, j'emprunterai la numérotation de Kirkpatrick (K.) beaucoup plus logique que celle de Longo puisqu'elle reconstitue approximativement l'ordre chronologique et met en évidence les associations par paires.

semblables ou symétriques, ou au contraire présenter une asymétrie marquée, soit qu'un nouvel élément thématique apparaisse dans la seconde partie, soit que l'idée initiale y subisse des variations ou un développement inattendu.

Mais, comme celui de Couperin, le génie de Scarlatti ne se réduit pas à la mesure de ce cadre minuscule. Avec une inépuisable fantaisie et une audace admirable, cet exact contemporain de Bach et Hændel réussit à introduire dans le microcosme de ses « sonates » une incroyable diversité de styles et de techniques, de couleurs et de sentiments. Un grand nombre de sonates évoquent la musique populaire de l'Italie méridionale, avec des échos de mandoline et de zampogna (K. 211, 298, 421, 435, 513...), ou de l'Espagne, avec ses guitares et ses castagnettes (K. 24, 105, 119, 208, 209, 215...). L'harmonie est parfois si surprenante que des éditions modernes ont cru devoir la corriger : l'emploi de l'*acciacatura*, ou de longues séries d'appogiatures suspendues se résolvant l'une dans l'autre, introduisent des dissonances savoureuses allant jusqu'à donner une impression de polytonalité.

D. Scarlatti, *Sonate K. 119*

La technique instrumentale, extrêmement variée, dépasse en richesse et en complexité tout ce qui s'écrivait à l'époque pour le clavier : notes répétées rapides (K. 141, 211, 298, 421), trilles intérieurs (K. 119, 357), croisements de mains périlleux (K. 120), sauts importants des deux mains (K. 299), etc.

D. Scarlatti, *Sonate K. 299*

Dans ses deux premiers recueils de sonates (1742 et 1745), Carl Philipp Emanuel Bach, que Mozart considérera comme le père de la sonate pour clavier, est manifestement tributaire de l'exemple de Scarlatti. Les six livres qu'il publie de 1779 à 1786 (mais dont une bonne partie était composée avant 1767) serviront de modèle à Haydn et Mozart.

Et son *Versuch über die wahre Art das Klavier zu spielen* (1753-1762 ; trad. anglaise, Londres, 1949) est le plus important ouvrage sur la technique du clavier, depuis celui de Couperin. Il instaure un style d'interprétation classique. Son frère Wilhelm Friedmann, beaucoup moins connu malheureusement, a fait preuve dans sa musique pour clavier d'un talent véritablement prophétique, qui allie la science du contrepoint (c'est le principal héritier de son père) à une inspiration romantique et même impressionniste *(Fantaisies)*.

W. Friedmann Bach
(sanguine de P. Gülle, 1782).

Les fils de Bach

Wilhelm Friedmann
Weimar 22 novembre 1710
Berlin 1er juillet 1784

Deuxième enfant de Maria Barbara. Son père, qui l'estimait le plus musicien de ses fils, composa pour son instruction le *Clavierbüchlein* et les premiers préludes et fugues du *Clavecin bien tempéré*. Il a été successivement organiste à Dresde (1733) et cantor à Halle (1746). Mais à partir de 1764, il semble qu'il ait mené une vie indépendante, d'abord à Halle, puis à Brunswick et à Berlin. Remarquable organiste, compositeur d'un talent prophétique. La bizarrerie de son caractère lui attira beaucoup de malveillance, au préjudice de sa réputation.

œuvre Une *Deutsche Messe*, vingt et une cantates, neuf sinfonie, des œuvres pour orgue et pour clavecin ou clavicorde dont douze sonates, une dizaine de concertos, de très audacieuses fantaisies, etc.

Carl Philipp Emanuel
Weimar 8 mars 1714
Hambourg 15 décembre 1788

Cinquième enfant de Maria Bar-bara, filleul de Telemann. Paral-lèlement à de très sérieuses études générales et juridiques, il est lui aussi l'élève de son père. Kammer-cembalist de Frédéric II de 1738 (celui-ci n'est encore que prince héritier) à 1767, puis Musikdirektor à Hambourg, succédant à Tele-mann. Il y fait entendre la *Messe en si* de son père, le *Messie* de Hændel, le *Stabat Mater* de Haydn. Son plus jeune fils Johann Sebastian (1748-1778) est peintre.

œuvre Deux oratorios, deux Pas-sions, un *Magnificat*, quelques can-tates, un grand nombre de lieder et surtout une très importante œuvre instrumentale (notamment pour clavier : environ soixante-dix sonates, une cinquantaine de concertos, etc.), plus un important ouvrage théorique sur l'art du clavier *(Versuch...).*

Johann Christoph
Leipzig 21 juin 1732
Bückeburg 26 janvier 1795

Neuvième enfant d'Anna Magda-lena. Élève de son père; études générales à l'Université. Toute sa vie, il est au service du comte Wilhelm de Schaumburg-Lippe à Bückeburg (1750-1795) : il réussit à faire de cette résidence un cen-tre musical important.

œuvre Oratorios, cantates, mo-tets; quatorze symphonies (dont certaines sont dignes de Haydn), huit concertos pour clavier, de la musique de chambre.

Johann Christian
Leipzig 5 septembre 1735
Londres 1er janvier 1782

Dernier fils d'Anna Magdalena. Élève de son demi-frère Carl Phi-lipp Emanuel à Berlin, puis du père Martini à Bologne. Il vit en Italie de 1757 à 1762, est nommé organiste de la cathédrale de Milan et fait jouer ses opéras à Turin, Florence et Naples. En 1762, il s'installe définitivement à Lon-dres : il y fonde une association de concerts et en 1764 il reçoit chaleureusement le petit Mozart. Lorsqu'ils se rencontreront de nouveau à Paris en 1778, une ami-tié admirative se nouera entre eux. Il a épousé la chanteuse Cecilia Grassi.

œuvre Une vingtaine d'opéras et pasticcios (italiens, sauf un opéra français), des cantates profanes et des airs (italiens et anglais); de la musique d'église. Quarante-neuf symphonies, treize ouvertures, trente et une *Sinfonie concertanti*, trente-sept concertos pour clavier, cent vingt-cinq compositions de musique de chambre en forme de sonate, de nombreuses composi-tions pour clavecin ou pianoforte.

Johann Christoph Bach
(pastel de G. D. Matthieu)
et, à droite :
Portrait de Johann Christian Bach
(par Th. Gainsborough).

Le piano Cependant, un instrument nouveau, le pianoforte, est mis au point dans la première moitié du siècle [1]. L'inventeur en est Bartolomeo Cristofori, qui construit, en 1709 à Florence, son premier *gravecembalo col piano e forte* : ses instruments utilisent un mécanisme à échappement, qui les apparente au piano actuel et non au clavicorde. Des inventions analogues sont présentées par Marius en France (1716) et Schröter en Allemagne (1717). Tous ont pour objectif principal de favoriser le jeu expressif en permettant d'exécuter à volonté les nuances *piano* et *forte*, chose impossible sur le clavecin et incertaine sur le clavicorde. Mais ces premiers instruments ne sont guère diffusés.

C'est au facteur d'orgues saxon Gottfried Silbermann (1683-1753) que revient le mérite d'avoir développé et propagé, à partir de 1720 environ, la facture du nouvel instrument, qu'il appelle *Hammerclavier*. En 1736, il présente deux de ses instruments à J. S. Bach, qui n'en est pas satisfait, mais lui donne des conseils pour en égaliser la sonorité. Bach, cependant, n'écrira jamais pour le nouvel instrument et n'en possédera un qu'à la fin de sa vie : lorsque Frédéric II à Potsdam lui offrira un instrument à clavier de son choix, il optera pour un pianoforte. Son fils Carl Philipp Emanuel possédera, pendant près de cinquante ans, un clavicorde de Silbermann : il garde une préférence pour cet instrument, qu'il trouve très supérieur au pianoforte du point de vue pédagogique. Quant à Domenico Scarlatti, il connaît le pianoforte que l'on utilise à la cour d'Espagne — notamment pour accompagner Farinelli, le célèbre castrat — mais il destine ses sonates au clavecin, à de rares exceptions près (Kirkpatrick pense que les sonates K. 148 à 153 sont des essais de composition pour le pianoforte).

Pratiquement, l'ère du piano ne commence que vers 1765-1770, époque des premières sonates de Haydn et de Clementi [2]. Mais ces œuvres, malgré leur qualité, n'ajoutent rien d'essentiel qui ne se trouve déjà chez Scarlatti et C. P. E. Bach. C'est aux admirables concertos de Mozart (plus représentatifs de son génie que les sonates) et surtout aux sonates de Beethoven que l'on devra le grand bond en avant de la technique du piano.

La dénomination de sonate est désormais réservée au piano triomphant et par extension aux compositions pour piano et

1. Le clavecin (cordes pincées) et le clavicorde (cordes frappées), dont l'ancêtre commun est le psalterion médiéval (voir p. 224), sont apparus probablement au xive siècle, mais les premiers spécimens connus datent respectivement de 1521 et 1543. Malgré l'invention du piano, le clavicorde est resté en usage jusqu'à la fin du xixe siècle. Le clavecin est tombé en désuétude à la fin du xviiie siècle, mais une renaissance de cet instrument se manifestera brillamment au xxe siècle.
2. En 1732, un certain Lodovico Giustini « di Pistoja » dédie à l'Infant de Portugal un recueil de *Sonate da Cimbalo di piano e forte detto volgarmente di martelletti*, où sont accumulées les indications de nuances dynamiques. C'est probablement la première publication pour le piano, mais elle reste un cas isolé.

un instrument. Les sonates pour plusieurs instruments sont baptisées « trio », « quatuor », « quintette », etc. C'est l'époque où s'impose la formation exemplaire du quatuor à cordes : deux violons, un alto, un violoncelle. Cette manière d'écrire à quatre parties (2 sopranos, alto, basse, sans ténor) remonte au XVIIe siècle. Mais l'écriture des anciennes sonates en quatuor ne se distingue pas de celle des symphonies pour cordes, plusieurs instruments pouvant être affectés à chaque partie. Les premiers véritables quatuors, écrits pour quatre solistes, sont les six quatuors op. 1 de Haydn (1755-1760). Son génie, celui de Boccherini [1] et celui de Mozart ont fait éclore une longue série de chefs-d'œuvre, dans ce genre rigoureux et difficile qui concentre sur l'essentiel l'imagination du créateur et l'attention de l'auditeur. Mais, comme dans le domaine de la sonate pour piano, c'est Beethoven qui portera la musique de chambre classique à son apogée, ouvrant une voie royale aux musiciens romantiques : ses dix-sept quatuors représenteront la quintessence de son génie dans ses aspects successifs.

Symphonie Telle que nous la concevons depuis le milieu du XVIIIe siècle, la symphonie est une sonate pour orchestre. Elle a sa source dans les deux types d'ouverture d'opéra qui prennent forme au XVIIe siècle :

– L'ouverture française que Lully crée dès 1658 (ballet *Alcidiane*) et qu'il utilise plus tard dans ses tragédies lyriques. Bach a rendu ce genre fameux par ses quatre Suites pour orchestre (*Ouvertüren*).

– L'ouverture italienne, essayée fortuitement par Cesti en 1667 (*Il Pomo d'oro*), mais façonnée consciemment et généralisée par le talent d'Alessandro Scarlatti à partir de 1697 (cantate *Olimpiade*).

Le premier type donne à l'orchestre de théâtre des dimensions symphoniques, dont Rameau a génialement exploité les ressources pittoresques et dynamiques. L'ouverture française est formée d'un mouvement lent et majestueux en valeurs rythmiques inégales (croche pointée, double croche), suivi d'un allégro de style fugué, puis d'une reprise abrégée du premier mouvement.

L'ouverture italienne comporte normalement trois mouvements : un premier allégro bien rythmé et un finale très vif sur un rythme de danse, séparés par un mouvement lent de dimension modeste [2]. Dans ses premières œuvres, Scarlatti adopte la sonata

Luigi Boccherini
Lucques 19 février 1743
Madrid 28 mai 1805

Élève de son père (contrebassiste) et du maître de chapelle de l'archevêché de Lucques. Il devient rapidement l'un des plus grands violoncellistes de son temps.
1757-1759 Débuts à Rome, tout en complétant sa formation.
1759-1767 Membre de l'orchestre du théâtre de Lucques.
1767-1768 Tournée triomphale en Italie et en France.
1769-1787 Il s'installe à Madrid, avec le titre de compositeur de l'infant don Luis. Il ne semble pas que le succès ait répondu à ses espérances.
1787-1797 Kammerkomponist du roi de Prusse à Berlin.
1797-1805 Il finit ses jours à Madrid, pauvre et oublié, malgré la protection de Lucien Bonaparte, nommé ambassadeur de la République française à Madrid en 1800.

œuvre Deux opéras, deux oratorios, une messe, des cantates, motets, airs, etc.; vingt symphonies, quatre concertos pour violoncelle, cent vingt-cinq quintettes à cordes, cent deux quatuors à cordes, soixante trios, vingt-sept sonates pour violon, six pour violoncelle et de nombreuses œuvres pour diverses formations instrumentales.

---

1. Luigi Boccherini (1743-1805) est un grand compositeur, dont l'œuvre immense est presque inconnue. On a dénombré 467 compositions instrumentales de lui, dont 102 quatuors et 125 quintettes à cordes.
2. A l'exemple de Scarlatti, le type d'ouverture tripartite est resté pendant tout le XVIIIe siècle une spécialité de l'école napolitaine. Comme l'ouverture française, elle est sans relation avec le drame qui se prépare sur scène. Gluck sera le premier à comprendre l'importance dramatique de l'ouverture.

da chiesa comme ouverture de ses opéras, oratorios et cantates, sous le nom de *sinfonia*; mais il en étoffe l'instrumentation, abandonne peu à peu le style d'imitation traditionnel et renonce, à partir de 1697, au premier mouvement lent.

Son orchestre est fondé sur le groupe des cordes, divisé en trois, quatre ou cinq parties; les instruments à vent soulignent des accents, renforcent des accords massifs, apportent ici ou là une note pittoresque, jouant rarement un rôle concertant. Détachées des opéras ou des oratorios pour être exécutées séparément, les *sinfonie* trouveront dans la nouvelle institution du concert public le cadre le plus favorable à leur développement.

L'importance de Vivaldi est ici encore prépondérante. Dans ses quelque soixante compositions pour orchestre à cordes sans soliste (baptisées *sinfonia* ou *concerto ripieno* ou *concerto a 4*), tout à fait semblables aux *sinfonie* de ses opéras, il équilibre la construction tripartite en donnant plus d'ampleur au deuxième mouvement, il impose comme modèle universel la division des cordes en quatre groupes (violons I et II, altos, basses), enfin il donne à cet ensemble une transparence, une homogénéité, une qualité sonore encore inconnues : emploi des bonnes tessitures, technique d'archet souple et naturelle, déplacements réduits de la main gauche, assurent à la masse des cordes cette élégante et fine sonorité qui nous est devenue familière. C'est réduire le rôle historique de Vivaldi que d'en faire seulement le « créateur du concerto de soliste » et de la forme tripartite. Il est aussi le père de la symphonie classique (à partir de 1715 environ) et l'un des artisans de l'orchestration moderne : l'instrumentation ne donne plus l'impression d'être ajoutée à la composition, la composition est instrumentale, le timbre devient un élément formel essentiel. Il est plus que probable que l'exemple de Vivaldi a inspiré les *Concertos brandebourgeois* n° 3 et 6, qui ressortissent à ce type de *concerto ripieno*.

Parmi les pionniers de la symphonie, on ne peut raisonnablement retenir ni Torelli dont les *Sinfonie a quattro* op. 3 (1687) ont le style et la forme de la sonata da chiesa, ni Delalande dont les fameuses *Symphonies pour les soupers du roy* (1703) sont des suites. En revanche, Albinoni est sans doute le premier qui ait composé des symphonies avec un menuet entre le mouvement lent et le finale (*Sinfonie a 4* inédites vers 1735). Le modèle de *sinfonia* italienne a été enrichi et amplifié par Giovanni Battista Sammartini (1698-1775), grand musicien méconnu à qui l'on doit près de 3 000 œuvres qui n'ont jamais été répertoriées; par Wilhelm Friedmann et Carl Philipp Emanuel Bach qui adaptent la forme sonate à l'allégro de la symphonie; enfin par Johann Stamitz (1717-1757), qui a formé le prestigieux orchestre de Mannheim et a fait figure de chef d'école par l'influence qu'il a exercée sur ses successeurs, principalement Karl Stamitz son fils (1745-1801) et Christian Cannabich son élève (1731-1798), le premier grand chef d'orchestre au sens moderne du terme [1].

Selon la plupart des sources littéraires, la réputation de l'école de Mannheim était fondée, non sur des compositions, mais sur un nouveau style d'interprétation « symphonique », sur la qualité du travail de l'orchestre, considéré comme un grand corps homogène (uniformité des coups d'archet, perfection du phrasé, exactitude des attaques, ampleur des nuances dynamiques). Stamitz et ses disciples n'ont pas créé la symphonie, ils ont contribué à en organiser la pratique et à en préciser le caractère :

– Tendance à généraliser la forme en quatre mouvements. Ceux-ci ont la même tonalité, sauf le mouvement lent (souvent au ton relatif). Le menuet avec trio est à la troisième place.

– Emploi régulier de la forme-sonate dans le premier allégro, avec deux thèmes contrastés, l'un dynamique, l'autre lyrique.

– Abandon définitif de l'écriture contrapuntique.

– Mobilité de la basse, qui n'est plus astreinte à la continuité (abandon définitif de la basse continue).

– Enrichissement de l'instrumentation : Stamitz introduit les clarinettes dans l'orchestre, un peu après Vivaldi (concertos P. 73 et 74) et un peu avant Rameau (*Zoroastre*, 1749). La partition est précise et disposée méthodiquement, sans ambiguïté ni possibilité de choix, en fonction d'un orchestre dont la formation va devenir classique [2] : 2 flûtes, 2 hautbois, 2 clarinettes, 2 bassons, 2 ou 4 cors, 2 trompettes, une paire de timbales et les cordes (12 à 16 violons, 4 altos, 4 violoncelles, 2 contrebasses, en général).

Haydn à partir de 1765 (symphonie nᵒ 31 en ré majeur) et Mozart à partir de 1773 (symphonie K. 201 en la majeur) adoptent la coupe classique en quatre mouvements; leurs premières symphonies suivaient le modèle tripartite des Italiens. Ils écrivent le plus souvent pour des orchestres plus modestes que celui de Mannheim; les parties de flûte n'apparaissent qu'assez tardivement et l'emploi des clarinettes est rare (les six dernières

1. Ni Sammartini, ni Stamitz n'ont inauguré le crescendo d'orchestre, comme on le dit quelquefois : Vivaldi l'a employé avant eux.
2. Cette formation est à peu près celle de l'orchestre de Londres au moment du voyage de Haydn et de celui de l'Opéra de Vienne en 1781. L'orchestre Esterhazy comporte seulement, à l'arrivée de Haydn, 1 flûte, 2 hautbois, 2 bassons, 2 cors et 7 instruments à cordes (ce dernier nombre sera porté à 14 vers 1766) : c'est pour ce petit ensemble que Haydn composera la plupart de ses symphonies (quatre-vingts sur cent quatre). En revanche, l'orchestre du Concert spirituel est très important. Vers 1780, il comprend 44 cordes, 2 flûtes, 3 hautbois, 2 clarinettes, 4 bassons, 2 cors, 2 trompettes, timbales, auxquels peuvent s'ajouter onze chanteurs solistes et quarante-quatre choristes.

Composition des orchestres au XVIIIᵉ et au XIXᵉ siècle

2.2.2.2./2.2.0.0./T.Pc.H.Cl./22 cordes (6.6.4.3.3.)
signifie :
2 flûtes, 2 hautbois (y compris cor anglais), 2 clarinettes, 2 bassons (y compris contrebasson) / 2 cors, 2 trompettes, pas de trombone, pas de tuba/ une paire de timbales, percussion, harpe, clavier (clavecin ou piano) / 22 cordes (dont 6 premiers violons, 6 seconds, 4 altos, 3 violoncelles, 3 contrebasses).

Orchestre de Leipzig (Bach), 1730	2.2.0.1./0.2.0.0./11 cordes (3.3.2.2.1.)
Opéra de Berlin, 1741	4.4.0.2./2.2.0.0./T.H.2 Clv./23 cordes (6.6.4.4.3.)
Orchestre de Dresde (Hesse), 1750	2.5.0.5./2.1.0.0./T.2 Clv/25 cordes (8.7.4.3.3.)
Orchestre de Mannheim, 1756	1.1.0.0./0.4.0.0./T./30 cordes (10.10.4.4.2.)
Esterhaz (Haydn), 1766	1.2.0.2./2.0.0.0./14 cordes
Gewandhaus de Leipzig, 1781	2.2.0.3./2.2.0.3./T./19 cordes (6.6.3.2.2.)
Concert spirituel, v. 1780	2.3.2.4./2.2.0.0./T./44 cordes (12.12.4.12.4.)
Orchestre Londres (Haydn), 1791	2.2.0.2./2.2.0.0./T./27 cordes (8.8.4.3.4.)
San Carlo de Naples, 1818	2.2.2.2./4.2.3.0./T./42 cordes (12.11.6.6.7.)
Scala de Milan, 1825	2.2.2.2./4.2.3.0./T./48 cordes (14.14.6.6.8.)
Opéra de Vienne, 1842	3.3.3.3./6.4.4.0./T.Pc./32 cordes (9.9.4.5.5.)
Opéra de Berlin, 1843	4.4.4.4./4.4.4.0./T.Pc.2 H./54 cordes (14.14.8.10.8.)
Covent Garden, 1848	2.2.2.2./4.2.3.0./T.Pc.2 H./61 cordes (16.15.10.10.10.)
Opéra de Paris, 1855	3.3.3.4./5.4.4.0./T.Pc.2 H./48 cordes (11.11.8.10.8.)
Concerts du Conservatoire, 1856	4.2.2.4./4.2.3.2.,2 cornets/T.Pc.2 H./61 cordes (16.14.10.12.9.)
Bayreuth, 1876	4.4.4.4./4.4.5.1. + 4 wagner tuben/2 T.Pc.6 H./64 cordes (16.16.12.12.8.)

symphonies « de Londres » de Haydn; les symphonies K. 297 « Paris », K. 385 « Haffner », K. 543 en mi ♭ et K. 550 en sol min. de Mozart). Mais leurs dernières symphonies, chefs-d'œuvre accomplis, sont les modèles que Beethoven suivra ou transcendera et auxquels les grands symphonistes du XIXᵉ siècle seront tous plus ou moins redevables. Chez ces derniers classiques, la maîtrise de la forme préserve du formalisme, l'ampleur de l'imagination suscite des développements thématiques inouïs, même dans le mouvement lent; une science de l'orchestre déjà presque infaillible offre des moyens d'expression nouveaux et permet de réaliser un splendide équilibre sonore. La symphonie nᵒ 103 (dite « Roulement de timbale ») de Haydn (1795) ou la symphonie en sol mineur de Mozart (1788) semblent révéler déjà l'esprit romantique, qui apparaît chez Beethoven à partir de la *Troisième Symphonie*.

Universalité de l'harmonie Le développement des formes classiques est indissociable de l'évolution corrélative du système musical et des techniques de composition. Le système musical classique n'est pas le fruit d'une brusque mutation, mais de la prise de conscience et de l'organisation théorique de méthodes empiriques en constante évolution. On est parvenu vers le milieu du XVIIIe siècle à un état d'organisation cohérent et provisoirement stable de l'édifice théorique, appelé « système tonal » :

1. La primauté absolue du mode de do a entraîné la disparition des vieux modes. Les deux aspects de l'octave, auxquels correspondent les deux types de gammes sont le *majeur* et le *mineur*. Ils se distinguent principalement par la nature de la tierce, qui prend une importance nouvelle : « il n'y a pas d'harmonie sans tierce » écrivait déjà Charpentier. Le « mode mineur » présente des similitudes avec l'octave ré-ré (premier ton ecclésiastique) ou avec l'octave la-la. Mais, dans l'harmonie classique, il est davantage apparenté au « mode majeur », soit comme son contraire, soit comme la face complémentaire d'une même réalité ambiguë. Des relations harmoniques particulières s'établissent entre les tons majeurs et mineurs « relatifs » : ceux qui ont deux par deux les mêmes altérations à la clé.

2. L'*harmonie*, aspect vertical de la polyphonie, triomphe du *contrepoint*, aspect horizontal. La basse continue est abandonnée : libérée des stéréotypes, l'écriture harmonique s'enrichit, devenant un élément fondamental de la composition.

3. Le sens d'un accord est défini par une « fonction tonale » : tonique (degré 1), dominante (degré 5) ou sous-dominante (degré 4). Ces fonctions prennent une importance considérable en instituant des rapports dynamiques, sur lesquels se fondent les règles générales de la formation et de l'enchaînement des accords.

4. L'adoption du tempérament autorise la modulation dans tous les tons et par conséquent des développements harmoniques aussi importants qu'on le désire. C'est l'origine d'un *nouveau processus de complexité croissante*, non plus dans l'ordre contrapuntique, mais dans l'ordre harmonique. Le déplacement des fonctions tonales, qui caractérise la modulation, est favorisé par l'instabilité des accords dissonants.

5. La dissonance est donc transitoire dans l'harmonie classique. Elle se définit davantage par un défaut de consonance que par ses caractères positifs; l'état de tension, d'instabilité, qu'elle suggère lui impose de se résoudre (de « se sauver », comme on disait au XVIIIe siècle) sur une consonance. Mais si les compositeurs s'avisent d'utiliser les dissonances pour leurs qualités propres, un processus de dissolution des fonctions tonales se met en route : la progressive émancipation de la dissonance provoquera ainsi la faillite du système tonal.

Théorie de Rameau Rameau a joué un rôle de premier plan dans l'édification du système harmonique. Le rationalisme ambiant exigeait que l'on donne au nouveau public des explications sur l'art. Un des grands mérites de Rameau a été de fonder la théorie de la musique sur des bases scientifiques et non plus métaphysiques. Certes il était plus grand artiste que savant et ses postulats sont parfois fragiles; mais on lui sait gré d'un effort de rigueur grâce auquel ses principes ont été remarquablement féconds. Si l'on ouvre aujourd'hui un traité d'harmonie, une grande partie de ce qu'on y trouve est redevable à l'intuition et à l'intelligence du grand musicien français.

Rameau part d'un des postulats les plus contestables, celui de la perfection de la nature [1] : l'art doit imiter cette perfection. Or on distingue dans la résonance d'un corps sonore, « harmonieux de sa nature », l'octave, la quinte et la tierce majeure du son fondamental (plus exactement l'octave, la 12e et la 17e, soit les harmoniques 2, 3 et 5), qui forment ensemble « l'accord parfait [2] ». Comme on ne distingue que ces trois sons (selon Rameau, bien sûr), la qualité de consonance qu'on leur attribue s'explique « naturellement ». Pour trouver les autres sons de la gamme de Zarlino, Rameau considère chacun des harmoniques comme un nouveau son fondamental qui contient à son tour sa tierce et sa quinte, et ainsi de suite... ce qui revient à construire une série de quintes sur chacun des termes d'une série de tierces.

Sur cette base, que Rameau s'obstine à croire irrécusable (il a qualifié son système de « démonstration »), s'échafaude une théorie cohérente de l'harmonie, avec un ensemble de règles pour la modulation et pour la composition en général. La méthode a l'intérêt d'être « sans égard pour les habitudes et les règles reçues » : aux vieilles recettes empiriques, se substituent un nombre limité de lois fondées sur l'expérience et le raisonnement. Pour représenter la succession des harmonies, Rameau introduit la notion de « basse fondamentale », série virtuelle, sans forme graphique, des fondamentales des accords : c'est « l'unique boussole de l'oreille », écrit-il [3]. Par ce principe, il semble avoir été le premier à réaliser la parenté d'un accord avec ses renversements, parenté qui est devenue pour nous évidente. La multitude des accords possibles est réduite à un petit nombre d'accords fondamentaux,

---

1. Rousseau tiendra pour « incontestable que les premiers mouvements de la nature sont toujours droits ».
2. Depuis Mersenne (1636), on connaissait l'existence des harmoniques et l'on savait que tout corps sonore en faisait entendre un certain nombre, mêlés au son fondamental; mais on n'en déduira la théorie des timbres qu'au xixe siècle (Ohm, Fourier, Helmholtz).
3. Par exemple, la note de la basse fondamentale correspondant aux accords mi.sol.do ou sol.do.mi (construits sur un mi ou un sol de la basse continue) sera do.

construits sur une tonique, sur la dominante d'une tonique, ou sur la dominante d'une dominante, plus rarement sur une sous-dominante ou une sensible. Leur formation procède par super-position de tierces; leur enchaînement est fonction des parentés naturelles. Le tempérament, « pierre de touche d'un système de musique », permet d'étendre les règles de l'harmonie à toutes les « tonalités ».

Mais tout ceci a suscité d'ardentes polémiques. Rameau n'a pas manqué de relever les erreurs dans les articles sur la musique de l'*Encyclopédie*. De leur côté, les Encyclopédistes, acharnés à démontrer, d'après les modèles italiens, la primauté de la mélodie, sont violemment hostiles à l'idée que l'harmonie contenue dans la résonance puisse engendrer la mélodie, ce que Rameau s'est appliqué à démontrer et qui est suggéré par ses observations préliminaires : « Le son musical est un composé, contenant une sorte de chant intérieur. » Rousseau voit, au contraire, dans la mélodie un « pur ouvrage de la nature », dont la primauté se fonde sur une conception historique et non scientifique de la nature, une conception morale aussi qui lui fait préférer le senti-ment « naturel » à la connaissance rationnelle.

Malgré la fragilité de ses bases scientifiques, la doctrine de Rameau est la meilleure justification du système musical clas-sique. Pour la première fois, la musique occidentale dispose d'un système universel et collectif, fondé sur des principes logiques, des règles claires, des méthodes rationnelles. C.P.E. Bach, Haydn, Mozart ne s'imitent pas (comme faisaient les musiciens du XVIIᵉ siècle) : ils parlent la même langue... la langue de Vivaldi, qui a évolué et qui évoluera encore jusqu'à la fin du XIXᵉ siècle. Si artificielle que puisse paraître la science de l'harmonie, elle garantit cette universalité par l'immuabilité des relations tonales [1].

L'opéra, de Scarlatti à Mozart

Lorsque Rameau, à l'âge de cinquante ans, se décide à composer pour le théâtre, donnant enfin la pleine mesure de son génie, trois types de spectacle musical se disputent la faveur du public :

1. L'opéra italien, domaine du bel canto, où la musique entre-tient avec le poème les relations d'une sorte de contrepoint libre. Alessandro Scarlatti a réalisé, dans ses dernières œuvres, la plus

---

1. La fonction tonale définit l'harmonie et réciproquement. Ainsi l'accord parfait se place sur une tonique, l'accord de septième mineure avec tierce majeure (sep-tième de dominante) sur la dominante d'une tonique, les autres accords de septième sur la dominante d'une dominante, l'accord avec sixte ajoutée (dit « grande sixte ») sur une sous-dominante, l'accord de septième diminuée sur une sensible.

1700 *Omphale* de Destouches à Paris (Opéra).
1702 *Tancrède* de Campra à Paris (Opéra).
1707 *Mitridate Eupatore* de Scarlatti à Venise (San Giovanni Grisostomo).
1709 *Agrippina* de Hændel à Venise (San Giovanni Grisostomo).
—   *Patro Calienno de la Costa* d'Orefice, premier opéra bouffe napolitain.
1710 *Les Fêtes vénitiennes* de Campra à Paris (Opéra).
1715 *Tigrane* de Scarlatti à Naples (San Bartolomeo).
1718 *Il Trionfo dell'onore* de Scarlatti à Naples (Fiorentini).
1720 *La Verità in cimento* de Vivaldi à Venise (Sant' Angelo).
1722 *Ulysses* de Keiser à Copenhague.
1724 *Giulio Cesare* de Hændel à Londres (King's Theatre).
1728 *The Beggar's Opera* de Gay et Pepusch à Londres (Lincoln's Inn Fields).
1731 *Demetrio* de Caldara à Vienne.
1732 *Sosarme* de Hændel à Londres (King's Theatre).
—   *Lo Frate 'nnammorato* de Pergolesi à Naples (Fiorentini).
1733 *Hippolyte et Aricie* de Rameau à Paris (Opéra).
—   *La Serva Padrona* de Pergolesi à Naples (San Bartolomeo).
1734 *L'Olimpiade* de Vivaldi à Venise (Sant' Angelo).
1735 *Flaminio* de Pergolesi à Naples (Teatro Nuovo).
—   *Les Indes galantes* de Rameau à Paris (Opéra).
—   *Alcina* de Hændel à Londres (Covent Garden).
1737 *Castor et Pollux* de Rameau à Paris (Opéra).
1745 *Platée* de Rameau à Versailles.
1750 *Il Mondo della luna* de Galuppi à Venise.
1752 *Le Devin du village* de Rousseau à Fontainebleau.
1759 *Blaise le savetier* de Philidor à Paris (Foire Saint-Germain).
1760 *La Buona Figliuola* de Piccini à Rome (Teatro delle Dame).
1762 *Orfeo ed Euridice* de Gluck à Vienne (Burgtheater).
1763 *Ifigenia in Tauride* de Traetta à Vienne (palais de Schönbrunn).
1765 *Tom Jones* de Philidor à Paris (Comédie-Italienne).
1767 *Alceste* de Gluck à Vienne (Burgtheater).
1768 *Ifigenia in Tauride* de Galuppi à Saint-Pétersbourg.
1769 *Lucile* de Grétry à Paris (Comédie-Italienne).
—   *Le Déserteur* de Monsigny à Paris (Comédie-Italienne).
—   *La Finta Semplice* de Mozart à Salzbourg.
1773 *L'Infedeltà delusa* de Haydn à Esterhaz.
1774 *Iphigénie en Aulide* de Gluck à Paris (Opéra).
1777 *Armide* de Gluck à Paris (Opéra).
1778 *Roland* de Piccini à Paris (Opéra).
—   *Il Cavaliere errante* de Traetta à Venise (San Moisè).
1781 *Idomeneo* de Mozart à Munich.
—   *La Serva Padrona* de Paisiello à Saint-Pétersbourg.
1782 *Die Entführung auf dem Serail* de Mozart à Vienne (Burgtheater).
—   *Il Barbiere di Siviglia* de Paisiello à Saint-Pétersbourg.
1784 *Richard Cœur de Lion* de Grétry à Paris (Comédie Italienne).
1786 *Le Nozze di Figaro* de Mozart à Vienne (Burgtheater).
1787 *Don Giovanni* de Mozart à Prague (Nostic).
1790 *Cosi fan tutte* de Mozart à Vienne (Burgtheater).
1791 *Die Zauberflöte* de Mozart à Vienne (Auf der Wieden).
1792 *Il Matrimonio Segreto* de Cimarosa à Vienne (Burgtheater).
1797 *Médée* de Cherubini à Paris (Théâtre Feydeau).
—   *Le Jeune Henri* de Méhul à Paris (Théâtre Favart).
1799 *Le Cantatrici villane* de Fioravanti à Naples.
1800 *Les Deux Journées* de Cherubini à Paris (Théâtre Feydeau).
—   *Le Calife de Bagdad* de Boieldieu à Paris (Théâtre Favart).

Types mélodiques
dans les opéras de Vivaldi

Gondoles à Venise,
gravé d'après Canaletto.

haute perfection du genre. Toutes les classes sociales sont passionnées par ce type de spectacle dont les foyers ne sont plus seulement Naples, Rome et Venise, mais les principales capitales d'Europe, notamment Londres et Vienne.

2. L'opéra français, spectacle aristocratique dont Lully a été le promoteur. La musique y est au service du poème dont elle doit enrichir le sens dramatique. Cette recherche de vérité dans l'expression musicale nous semble aujourd'hui en contradiction avec les sujets mythologiques, l'anachronisme des costumes, le luxe des mises en scène et les inévitables ballets. Mais le nouveau genre à la mode est l'opéra-ballet, dont Campra a donné le premier modèle (*l'Europe galante*, 1697). C'est un spectacle total, où se mêlent le chant et la danse, et qui représente autant d'actions différentes qu'il y a d'actes ou *entrées*. Le seul fil conducteur est une idée générale, relative à l'amour ou à l'actualité.

3. La comédie en musique, où le réalisme, l'esprit satirique, la simplicité mélodique des airs et la vivacité des ensembles opposent la plus saine alternative aux conventions de tous les grands opéras. Le caractère en est variable d'un pays à l'autre, mais la terminologie imprécise distingue souvent ce qui doit être confondu et confond ce qui doit être distingué.

– *L'opera buffa*, type de comédie musicale spécifiquement napolitain, en deux ou trois actes (voir p. 463), conserve son style, son esprit et parfois son nom en devenant italienne et universelle (on l'appelle aussi *dramma giocoso* ou *commedia per musica*). L'*intermezzo* est un opéra bouffe en un acte, à peu de personnages, destiné à prendre place entre deux actes d'un opéra : la *Serva padrona* de Pergolesi en est un parfait exemple.

– *L'opéra-comique*, qui se joue à Paris depuis 1715 au Théâtre de la Foire et même au Nouveau Théâtre Italien, est une pièce bouffonne où les dialogues parlés alternent avec des chansons populaires et des vaudevilles. Son équivalent allemand est le *Singspiel*. L'un et l'autre utiliseront des sujets sérieux *(Fidelio)*.

– En Angleterre, la *ballad-opera* est une sorte d'opéra-comique où se mêlent les dialogues parlés, les chansons populaires et les airs fameux des vieux maîtres. Le *Beggar's Opera* de Pepusch et Gay, premier spécimen du genre (1728), est une double satire féroce de l'opéra italien et des mœurs politiques anglaises. Le succès en est tel qu'il provoque l'effondrement de la Royal Academy of Music, empire de Hændel, et que les dames de Londres mettent à la mode la robe que portait Lavinia Fenton, créatrice du rôle de Polly [1]!

John Pepusch, le compositeur du *Beggar's Opera*.

1. Les nombreuses reprises de cet ouvrage jusqu'à nos jours en confirment le succès. Le *Dreigroschen Oper* de Brecht et Weill (1928) en est directement inspiré.

Une représentation
du *Beggar's Opera*
(acte III).

Domenico Cimarosa
Aversa (Naples) 17 décembre 1749
Venise 11 janvier 1801

Fils de Gennaro Cimarosa, maçon, et d'Anna Di Francesco, lavandière.

1661-1671 Élève du Conservatorio di Santa Maria di Loreto. Il compose ses premières œuvres (religieuses).

1772 Débute à Naples au théâtre dei Fiorentini, avec *le Stravaganze del Conte*, suivi un an plus tard par *la Finta Parigina* au Teatro Nuovo. Jusqu'en 1780 il partagera son activité entre Rome et Naples.

1777-1787 Considéré comme le rival du célèbre Paisiello, il est joué avec un succès énorme à Naples, Rome, Venise, Milan, Turin, Florence, Paris, Londres, Vienne, Dresde, etc.

1787-1791 Appelé à Saint-Petersbourg par Catherine II, il est compositeur de la chambre de l'impératrice et du théâtre impérial.

1791-1792 Kapellmeister de Leopold II à Vienne. Création au Burgtheater de son chef-d'œuvre, *Il Matrimonio segreto*, deux mois après la mort de Mozart. L'ouvrage est repris ensuite, plus de cent fois consécutives, au Teatro dei Fiorentini à Naples.

1799 Pendant l'éphémère « République parthénopéenne », Cimarosa est membre de la commission des théâtres et dirige un hymne patriotique dans une cérémonie organisée par les Français. Trois mois plus tard, le cardinal Ruffo reprend la ville et Cimarosa fait quatre mois de prison, bien qu'il se fût empressé d'écrire une cantate pour le retour du roi.

L'opéra italien L'opéra italien, après la mort de Scarlatti, est devenu une institution européenne immuable. Ce qui a déjà été dit des singularités de ce genre de spectacle s'applique aussi bien aux opéras du Vénitien Vivaldi qu'à ceux d'Antonio Caldara (1670-1736), Vénitien de Vienne, ou du grand Hændel, Saxon de Londres, ou de Johann Adolph Hasse (1699-1783), Napolitain et Vénitien d'adoption, ou des Napolitains Nicola Porpora (1686-1768), Leonardo Vinci (vers 1696 - 1730), Giovanni Battista Pergolesi (1710-1736), Niccolo Piccini (1728-1800), Tommaso Traetta (1727-1779), encore que ce dernier ait manifesté le génie dramatique d'un réformateur, que la célébrité de Gluck a malheureusement éclipsé [1].

L'action dramatique est sacrifiée, en faveur du beau chant, des caprices des vedettes et des goûts du public, sans que l'unité musicale soit elle-même sauvegardée. Il est convenu de s'attarder longuement sur certains mots clés (*farfaletta, mossolino, rossignuolo, navicella, onda, fiamma, schiavo,* ...), de distribuer les airs selon un protocole rigoureux, avec d'autant plus de vocalises que le héros est plus puissant et téméraire, d'ajouter ou de retrancher des scènes au gré des chanteurs ou des machinistes, de séparer les strophes par des ritournelles, sans égard à la signification du texte, d'alléger le plus possible l'accompagnement des airs et d'y faire entendre de préférence les notes de la mélodie pour faciliter la juste intonation!... et d'autres extravagances stigmatisées par le *Teatro alla moda*. C'est l'art le moins dramatique, le moins fonctionnel qui soit. Bien sûr les personnalités musicales de premier plan marquent de leur sceau cet art dédié à notre plaisir plutôt qu'à la vérité dramatique.

Chez Vivaldi, par exemple, les qualités de sa musique instrumentale se retrouvent dans sa musique de théâtre : impétuosité rythmique, perfection et diversité de l'écriture instrumentale, clarté du dessin mélodique. L'intérêt est constamment renouvelé par des trouvailles inattendues : intervention d'une viole d'amour, d'un « flautino » ou des cordes en sourdine, excellent effet des instruments sur la scène, bref choeur de bergers sur le thème du Printemps, airs de caractères très variés, qui évitent toujours l'emphase et ont souvent le dynamisme léger des premiers mouvements de concertos, ariosos dramatiques (folie d'Orlando), ensembles admirables, comme le quintette de *la Verità in cimento* (voir p. 575).

Les opéras de Hændel se recommandent aussi par la splendide variété des airs, ainsi que par l'emploi des chœurs (rare chez les Vénitiens et les Napolitains) et d'un type de récitatif arioso,

---

1. La splendide *Ifigenia in Tauride* de Traetta (Vienne, 1763) est digne de celle de Gluck (ms. au Conservatoire de Naples). A signaler, du même compositeur, *Il cavaliere errante* (Venise, 1778), désopilante satire de l'opera seria, où l'*Orphée* de Gluck est joyeusement pastiché.

1800-1801 Jugeant prudent de quitter Naples, il s'installe à Venise. Il est mort dans le palais Duodo, campo Sant' Angelo. La rumeur selon laquelle il avait été empoisonné a été ensuite démentie par le médecin chargé de l'autopsie.

œuvre Environ soixante-dix œuvres de théâtre (opéras bouffes pour la plupart); six oratorios, quelques œuvres religieuses; trente-deux sonates pour clavecin, un concerto pour piano, un concerto pour hautbois.

accompagné par l'orchestre, dont la force dramatique n'avait pas été égalée depuis Monteverdi. Type du musicien cosmopolite, cet Allemand naturalisé Anglais, composant de la musique italienne et anglaise et correspondant en français avec ses anciens compatriotes, a obtenu un succès exceptionnellement durable. Sa renommée n'a pratiquement connu aucune éclipse jusqu'à nos jours et, grâce à la vogue qu'il a créée, un opéra italien a fonctionné à Londres jusqu'en 1914.

Mais le répertoire lyrique était alors extraordinairement éphémère; ou plus exactement le seul répertoire permanent était celui des libretti, dont on composait de nombreux « remakes ». Il était rare qu'un opéra fût représenté plus d'une saison et la partition, dont la fonction provisoire ne suscitait aucun respect, était fréquemment modifiée : substitutions, coupures, interpolations ne surprenaient personne. C'est surtout à l'influence des chanteurs que l'opéra italien doit la continuité de son style, la pérennité de ses conventions : le succès de ces virtuoses est durable (surtout celui des castrats dont la longévité vocale est surprenante) et leur objectif constant est d'atteindre les limites qu'impose la physiologie de la voix.

Si l'opera seria, art essentiellement conventionnel, a pu échapper à une sclérose mortelle, c'est grâce à la vitalité de l'école napolitaine, premier conservatoire du bel canto, à l'action vivifiante de l'opéra bouffe qui incite le théâtre lyrique à plus de vérité dans l'expression, enfin à l'intelligence artistique de l'excellent poète Metastasio[1] (1698-1782) qui a imposé à l'opéra italien

1. De son vrai nom Pietro Trapassi. Le pseudonyme est tiré du grec *metastasis*, dont l'italien *trapasso* est l'équivalent : passage, transfert. Metastasio défendait la suprématie du drame, mais non l'étroite subordination de la musique : il faut que celle-ci traduise la « tragédie intérieure », comme disait Romain Rolland.

sa forme traditionnelle. En dépit des réformateurs, cette forme est assez satisfaisante pour que Mozart y coule son génie : chaque scène se compose d'un dialogue animé recitativo secco, chargé de la substance dramatique, et d'un air ou d'un ensemble qui en forme le commentaire lyrique. La qualité des livrets de Metastasio leur a valu d'être réutilisés sans cesse par des compositeurs différents. L'un des plus beaux, l'*Olimpiade*, a été mis en musique au moins trente-cinq fois, notamment par Caldara (1733), Vivaldi (1734), Pergolesi (1735), Leo (1737), Galuppi (1747), Hasse (1756), Traetta (1758), Piccini (deux versions,

Longhi, dame à l'épinette.

1768 et 1774), Cimarosa (1784), Paisiello (1786), Mozart (canzonetta, 1788), Donizetti (1817).

Les deux opéras bouffes napolitains de Pergolesi marquent l'apogée d'un genre qui approche de son déclin (voir p. 463), tandis que la commedia per musica en langue toscane, baptisée opéra bouffe, trouve sa plus éclatante illustration dans les œuvres de Baldassare Galuppi (livrets de Goldoni), Tommaso Traetta, Giovanni Paisiello, Domenico Cimarosa (*I Traci Amanti* et *Il Matrimonio segreto* sont des chefs-d'œuvre) ... et surtout Mozart.

Le théâtre de la Fenice (F. Guardi, dessin rehaussé de lavis, 1793, Musée Correr).

L'opéra français L'opéra français est tout aussi conventionnel, sans avoir l'universalité de l'opéra italien. Depuis Lully il est marqué par Versailles, il est le symbole d'un régime, et ses conventions s'usent parce qu'elles sont littéraires et idéologiques plutôt que musicales. Mais un préjugé persistant voudrait que les compositeurs eux-mêmes fussent les conservateurs de traditions périmées. Il n'en est rien. La cantate française, ouverte à l'influence italienne, est un banc d'essai de la musique dramatique. Et l'opéra-ballet, quoi qu'on puisse penser de son défaut d'unité, est une revue à grand spectacle, originale et variée, où Campra, Destouches et Mouret ont dispensé une invention mélodique et harmonique moderne : la création musicale y est d'autant plus libre que les exigences dramatiques sont moins ambitieuses.

Né au temps de Lully et mort au temps de Mozart, Jean-Philippe Rameau domine de haut l'opéra français du XVIIIe siècle, toujours tributaire de l'esthétique de Lully et de la tradition fastueuse des fêtes royales. Les lacunes de sa culture générale ne le disposant pas à réformer le théâtre lyrique, il se sent plus libre de couler ses ors dans un genre éprouvé. D'emblée, la tragédie d'*Hippolyte et Aricie*, son premier essai au théâtre (1733), est un chef-d'œuvre, peut-être son chef-d'œuvre, et marque un progrès considérable sur tous ses devanciers : richesse et audace de l'harmonie, splendeur inouïe de l'orchestre et des chœurs qui prennent une importance dramatique nouvelle, élégance et variété de la mélodie, puissance expressive du récitatif... Surpris par le génie singulier de Rameau — « La toile fut à peine levée qu'il se forma un bruit sourd », rapporte un contemporain —, les conservateurs l'accusent d'italianisme, comme ils accuseront plus tard Debussy de wagnérisme, et lui opposent le classicisme français de Lully. Ensuite, il sera enrôlé malgré lui par les partisans de cette même tradition, contre l'Italie !

En fait ses conceptions musicales le placent au-dessus du débat. Elles dépassent l'entendement des antagonistes et même parfois de ses propres interprètes. Il s'en plaint lui-même au chapitre 14 de sa *Génération harmonique*, à propos des enchaînements enharmoniques du trio des Parques d'*Hippolyte et Aricie* :

« Ce qui peut être de la plus grande beauté dans la plus parfaite exécution, devenant insupportable quand cette exécution manque, nous avons été obligés de le changer pour le théâtre. »

La justesse de la déclamation est souvent admirable chez Rameau, mais la musique reste souveraine et la richesse de la composition l'emporte sur la vérité dramatique et la pureté du sentiment tragique. Pour être d'une tout autre nature que dans l'opéra italien, la profusion musicale n'en est pas moins contraire aux exigences du théâtre classique [1]. Lorsqu'apparaît sur scène le « monstre horrible » qui engloutira Hippolyte dans les flots, peu après l'épisode dansé de la Chasse, on est loin du récit de Théramène! Dans l'opéra de Rameau, l'émotion est spécifiquement musicale.

L'amateur d'opéra laisse sa raison au vestiaire, dès lors qu'il accepte le principe que des personnages chantent au plus fort de la passion. Il entre dans un monde onirique, où le spectaculaire et le fantastique, incompatibles avec la tragédie, favorisent ici l'opération prépondérante de la musique : c'est à celle-ci qu'il appartient d'exprimer l'essence des vieux mythes, le sentiment tragique, les conflits passionnels ou les situations comiques. La société cultivée du temps ne s'y trompait pas : elle ne cherchait pas le même plaisir à l'opéra qu'à la tragédie et ne se faisait pas d'illusion sur le réalisme du théâtre musical.

En faisant un triomphe à la musique de Rameau, après un siècle d'ignorance respectueuse, le public d'aujourd'hui en a consacré l'originalité, la richesse et le pouvoir d'émotion. Les chefs-d'œuvre sont : *Hippolyte et Aricie* (1733), *Castor et Pollux* (1737) et *Dardanus* (1739), tragédies; *les Indes galantes* (1735), éblouissant opéra-ballet; enfin *Platée* (1745), « ballet bouffon », et *les Paladins* (1760), « comédie-ballet », deux comédies débordantes d'inventions inattendues.

L'incompréhension et les malentendus sont venus maintes fois de la croyance en une vérité monolithique, en un modèle unique de théâtre lyrique. Or l'opéra versaillais relève d'une dramaturgie tout à fait distincte de celle de l'opéra italien et des autres types de drames ou de comédies en musique : son propos, son public, ses moyens diffèrent. Sa faiblesse est dans ses liens trop étroits avec Versailles : il est peu exportable et succombe avec le régime qui l'a fait naître.

Du point de vue de l'efficacité dramatique de la musique, il n'est ni meilleur ni moins bon que l'opéra italien : ce sont des spectacles différents qui ne peuvent être comparés que d'un point de vue purement musical. Ici comme ailleurs, l'éternel débat sur les rapports de la musique au drame n'a produit que des idées confuses, parce qu'il y a toujours à l'origine du débat le même →

1. Dans son excellent *Rameau* (le Seuil, 1960), Jean Malignon montre avec une clarté chaleureuse en quoi consiste le génie de ce musicien et pourquoi son opéra est aux antipodes de la tragédie classique. Pulvérisant les vieux clichés, il nous rend un Rameau tout neuf.

Chasseur indien,
(tapisserie des Gobelins,
d'après Desportes).
Rameau par Carmontelle —
(Musée Condé, Chantilly).

Costumes pour les entrées de ballets
des *Indes galantes*.

Jean-Philippe Rameau
Dijon 25 septembre 1683
Paris 12 septembre 1764

Fils de Jean Rameau, organiste, et de Claudine Martinecourt. Sa sœur Catherine est claveciniste, son frère Claude organiste. Il reçoit une éducation générale sommaire, qui explique un certain « amateurisme » scientifique, en dépit d'une intelligence très vive. Il étudie la musique avec son père et en autodidacte.

1701 Part pour l'Italie, mais ne dépasse pas Milan et revient en France avec une troupe de comédiens dont il est violoniste.

1702-1705 Organiste à la cathédrale d'Avignon (quelques mois), puis à celle de Clermont-Ferrand.

1706-1707 Séjour à Paris : publication du premier livre pour clavecin et rencontre avec Marchand. Il cherche en vain à se fixer.

1708-1713 Remplace son père à l'orgue de Notre-Dame de Dijon.

1713 Organiste à Lyon.

1715-1722 De nouveau organiste à la cathédrale de Clermont.

1722 S'établit définitivement à Paris, où vient de paraître son *Traité d'harmonie*, qui lui confère une grande réputation de savant. Il compose des opéras-comiques pour le Théâtre de la Foire.

1726 Il épouse Marie-Louise Mangot (1709- ?), qui lui donne quatre enfants.

1728 Devient directeur de la musique du fermier général La Pouplinière, qui lui fera connaître Voltaire et lui ouvrira les portes de l'Opéra.

1733 Débuts à l'Opéra : *Hippolyte et Aricie*.

1737 Le succès de *Castor et Pollux* excite la jalousie de Mouret, au point qu'il devient fou et qu'on est

obligé de l'enfermer à Charenton.

1752 Arrivée des « Bouffons » et début de la fameuse querelle. Le caractère intransigeant, raide, orgueilleux de Rameau lui fait de plus en plus d'ennemis. Il a la réputation d'être vindicatif, « exact et ennuyeux » (Voltaire dixit), avare, sec; mais il brûle d'un feu intérieur.

1764 Il meurt de la typhoïde, compliquée de scorbut.

œuvre Trente-deux œuvres de théâtre (tragédies lyriques, opéras-ballets, opéras-comiques), cinq grands motets, sept cantates profanes, cinq suites de *Pièces de clavecin en concerts*, soixante-deux pièces de clavecin, une vingtaine d'écrits théoriques ou critiques.

malentendu sur l'expression musicale, dont on refuse de reconnaître le caractère spécifique, non conceptuel. Il n'a jamais été démontré que la musique doive servir la poésie, comme on l'exige périodiquement au nom d'une prétendue réforme. Il n'est pas du tout sûr d'ailleurs qu'elle le fasse chez Rameau, qu'on a voulu considérer comme le champion de la vérité dramatique face aux sortilèges du bel canto... Enfin l'opéra français et l'opéra italien sont également conventionnels, et le *Don Juan* de Mozart, chef-d'œuvre absolu, l'est aussi. En définitive, on juge sincèrement un opéra à l'intensité des émotions que la musique éveille *directement* en nous, avec ses moyens propres, et non à son application à seconder le poème.

Querelle des Bouffons A Paris, cependant, au milieu du XVIIIe siècle, on ne juge pas selon son plaisir, mais selon les préjugés du parti qu'on a choisi. En février 1752, l'insupportable baron Melchior de Grimm produit un dernier petit remous dans le débat incohérent des « lullistes » et des « ramistes » en publiant sa *Lettre sur Omphale*. Protestant contre la reprise d'*Omphale* de Destouches (représentée avec succès depuis sa création en 1701), il affirme que dans ce genre d'opéra français, hérité de Lully, il n'y a « ni savoir, ni richesse, ni harmonie » : il est pour les Italiens (qu'il connaît aussi mal que les Français)... et pour Rameau « l'auteur de *Platée*, ouvrage sublime » (l'épithète est inattendue!)

Le 1er août de la même année 1752 commence à l'opéra une série de représentations de comédies musicales napolitaines, par une petite troupe qui n'a que trois chanteurs : Pietro Manelli, Giuseppe Cosimi et Anna Tonelli (femme du directeur, Bambini). Le répertoire de cette compagnie se compose d'opéras bouffes [1], de pasticcios et d'intermezzi, dont *la Serva padrona* de Pergolesi. Cette œuvre, peu remarquée lors de sa première représentation à Paris en 1746, suscite maintenant l'enthousiasme : c'est la fraîche nouveauté que l'on n'a pas su voir dans *Platée*, mais que l'on va opposer à la tragédie lyrique. Les sujets familiers de ces opéras de chambre italiens répondent à l'idéal de naturel des Encyclopédistes et débarrassent quelque temps la scène des dieux et des héros mythologiques.

Deux partis se forment sous les loges des souverains, dont on a su les goûts opposés : le « coin du roi », favorable à la musique

---

1. Le terme d'opéra bouffe recouvrait alors tout ce répertoire de comédies italiennes en musique... d'où le nom de Bouffons donné aux spécialistes du genre. Un *pasticcio* est composé de fragments empruntés à un ou plusieurs ouvrages célèbres (quels qu'en soient l'auteur et le genre). Tel est par exemple le fameux *Maestro di musica*, composé en grande partie d'après l'*Orazio* d'Auletta (1698-1771) et présenté comme une œuvre de Pergolesi.

française (Madame de Pompadour, Rameau, Philidor, Fréron, que la majorité soutient par chauvinisme), et le « coin de la reine », favorable à la musique italienne (Rousseau, Grimm et les Encyclopédistes). Le sage Voltaire, ami de Rameau, demeure étranger au débat : « Êtes-vous pour la France, ou bien pour l'Italie? Je suis pour mon plaisir, messieurs. » Et d'Alembert, qui vient de publier ses *Elémens de musique... suivans les principes de M. Rameau*, ne se risque pas à couvrir de son autorité scientifique ses amis de l'*Encyclopédie*.

Le mince prétexte d'une saison d'intermezzi n'aurait jamais fait couler autant d'encre et la « Querelle des Bouffons » se serait bornée à une spirituelle controverse entre musiciens, sans la violence inattendue de Jean-Jacques Rousseau. Sa *Lettre sur la musique française* (1753) surprend autant par la fureur qui l'anime que par l'extraordinaire incompétence de l'auteur et la légèreté de ses conclusions. « A l'égard des contrefugues, doubles fugues, fugues renversées, basses contraintes et autres sottises difficiles que l'oreille ne peut souffrir et que la raison ne peut justifier, ce sont évidemment des restes de barbarie et de mauvais goût, qui ne subsistent, comme les portails de nos églises gothiques, que pour la honte de ceux qui ont eu la patience de les faire. Du temps de Roland de Lassus et de Goudimel, on faisait de l'harmonie et des sons; Lulli y a joint un peu de cadence *(sic)*; Corelli, Bononcini, Vinci et Pergolèse sont les premiers qui aient fait de la musique. » Les Anglais, les Espagnols, les Allemands n'ont qu'un « misérable charivari ». Quant aux Français : « Je crois avoir fait savoir qu'il n'y a ni mesure ni mélodie dans la musique française, parce que la langue n'en est pas susceptible(...) Je conclus que les Français n'ont point de musique et ne peuvent en avoir, ou que, si jamais ils en ont une, ce sera tant pis pour eux! »

Huit ans plus tôt, le même Rousseau composait un opéra-ballet, *les Muses galantes*, dont Rameau avait souligné les maladresses, lors d'une lecture chez La Pouplinière. Et trois mois après l'arrivée des Bouffons à Paris, il donne devant le roi à Fontainebleau son charmant opéra-comique *le Devin du village*, suite d'ariettes agréables et faciles, composées encore en français. Il ne cache pas qu'il se fait aider pour les « remplissages » harmoniques (le mot est de lui), car « ce travail de manœuvre m'ennuyait fort ».

A la *Lettre* de Jean-Jacques succède une série de pamphlets (on en comptera une soixantaine). *Le Petit Prophète de Boehmischbroda* (1753), canular pesant de Grimm, n'est qu'un tissu de malveillances inutiles qui prétendent ridiculiser le « coin du roi ». Le vrai débat commence quelques jours plus tard. L'abbé de Voisenon, librettiste de Mondonville, publie une naïve *Réponse du coin du roi au coin de la reine*, où il fait un parallèle entre l'*Armide* de Lully, mise en cause par Rousseau et... *la Donna superba*, intermezzo du Napolitain Rinaldo Da Capua. Diderot réplique en suggérant « le parallèle du *Médecin malgré lui* et de *Polyeucte*, et en outre celui de *Pourceaugnac* avec *Athalie*, le tout afin de prouver que les farces de Molière sont mauvaises parce que les tragédies de Corneille et Racine sont bonnes » *(Arrêt rendu à l'amphithéâtre de l'Opéra)*. Dans une autre brochure, où il condamne le « petit prophète », le futur auteur du *Neveu de Rameau*, sérieux et intelligent, propose que l'on compare le monologue d'*Armide* et une scène analogue de l'opéra italien. Le principal défaut de la querelle réside justement dans la confusion des genres, qu'entretient de part et d'autre la mauvaise foi.

Au bout de deux ans, un édit du roi met fin aux représentations des Bouffons, au moment où une reprise de *Platée* tend à renverser la situation. Les musiciens et chanteurs de l'Opéra, dont on a éveillé le nationalisme, brûlent en effigie l'auteur de la *Lettre* [1] et Rousseau raconte dans ses *Confessions* que des ordres ont été donnés pour lui interdire l'accès de l'Opéra. On comprend qu'il ait continué à tempêter. Rameau, cependant, lassé du verbiage de ses partisans comme de ses adversaires, publie successivement des *Observations sur notre instinct pour la musique* (1754) où il étudie en musicien le fameux monologue d'Armide, et les *Erreurs sur la musique dans l'Encyclopédie* (1755). Maladroitement, Rousseau répond par un *Examen des deux principes avancés par M. Rameau*. Les deux principes sont : que l'harmonie est fondamentale et que la mélodie en découle; que l'harmonie est contenue dans la résonance d'un corps sonore. Manifestement Rousseau n'y comprend rien et Rameau a beau jeu d'insister en publiant une *Suite des Erreurs sur la musique...* (1756). Les forces sont trop inégales désormais pour que la polémique se poursuive [2].

Les écrits de Rousseau sur la musique sont des mines d'or pour les sottisiers, depuis sa *Dissertation sur la musique moderne* de 1743, publiée à une époque où il découvrait les charmes de la musique italienne en s'endormant au fond d'une loge au théâtre San Giovanni Grisostomo de Venise (c'est lui qui le raconte), jusqu'à son médiocre *Dictionnaire de musique* (1767). Mais cet amateur brouillon est généralement de bonne foi et certaines de ses opinions auraient mérité d'être mieux défendues. Il est vrai

---

1. Rousseau répond à cette ineptie par une savoureuse *Lettre d'un symphoniste de l'Académie royale de musique à ses camarades de l'orchestre*.
2. Il est absurde de « défendre » Rameau. Il n'a pas été, comme on le dit, la victime de Rousseau, auquel il a porté des coups plus rudes que ceux qu'il a reçus. Son éclipse a été celle de Versailles.

par exemple que les spectacles de l'Opéra sont d'une qualité insuffisante, que les œuvres du répertoire (Lully, Campra, Destouches) sont montées sans soin, que les chanteuses sont enrhumées six mois par an, que l'éducation de la voix est bâclée : de nombreux témoins s'en plaignent, même dans le « coin du roi ». Il est vrai que la tragédie lyrique et l'opéra-ballet sont les symboles d'un ordre révolu. Les sujets mythologiques ou héroïques, qui plaisaient au Roi-Soleil et fournissaient l'occasion de chanter sa gloire, ne sont plus de saison au siècle des lumières : l'opéra versaillais procède d'un rituel qui ne s'accorde plus à la philosophie du temps de Rousseau, fondée sur la nature et la raison. Il est vrai aussi que la langue française se prête mal au chant, en dépit des chefs-d'œuvre de Rameau, Berlioz, Bizet ou Debussy (le génie accomplit des miracles) : diphtongues sourdes, *e* muet, voyelles nasales et fermées, accentuation invariable (dernière syllabe), grasseyement des *r* (depuis le milieu du XVIIe siècle)... En France, cette dernière opinion paraîtra toujours scandaleuse; comme toute évidence elle devient un lieu commun et comme toute critique d'une particularité nationale elle suscite des réactions chauvines.

Mais le fond du débat est-il là? Les uns défendent Lully contre ses détracteurs et la tradition lyrique française contre les entreprises de l'opéra italien. Les autres opposent le réalisme et le naturel des Bouffons aux conventions et aux boursouflures de l'art officiel. S'agit-il de réformer le grand opéra traditionnel? Il faudrait alors s'en préoccuper en Italie autant qu'en France, en prenant exemple sur l'opéra bouffe napolitain d'une part, sur l'opéra-comique du Théâtre de la Foire d'autre part... Ou bien s'agit-il plutôt de confronter l'art vocal de la France et celui de l'Italie, le génie dramatique des deux peuples, leurs conceptions de l'opéra sérieux et de l'opéra comique, les qualités musicales de leurs langues? Ce sont deux débats différents que l'on a confondus [1].

On pourrait considérer les choses d'un point de vue idéologique. L'*Encyclopédie* est un mouvement de pensée progressiste, dont les conceptions artistiques devaient nécessairement s'opposer à celles d'une société conservatrice et plus particulièrement aux vieux mythes de la monarchie de Versailles. Mais puisque la Querelle s'était fixée sur le théâtre musical et que des hommes

---

1. Deux aspects de la Querelle trahissent son manque de sérieux. Elle mobilise les Français au point de les détourner de la confusion politique provoquée par l'opposition du Parlement aux entreprises réformistes du pouvoir royal (Grimm prétend qu'une guerre civile a été ainsi évitée). Elle s'est polarisée sur un aspect très particulier du théâtre musical, en ignorant complètement l'histoire de l'opéra et l'œuvre de la plupart des grands musiciens vivants ou récents : les Scarlatti, Vivaldi, Hændel...

nouveaux avaient l'idée généreuse de promouvoir un art plus vrai et plus humain, il fallait s'appuyer sur Rameau et non le rejeter dans le camp adverse, il fallait reconnaître en lui un homme moderne et un musicien d'avant-garde, le plus capable de réformer l'opéra dans le sens original de son évolution naturelle et de répandre les principes de l'art nouveau dans quelques ouvrages retentissants.

L'opéra-comique Pratiquement, la Querelle des Bouffons a eu pour conséquence principale le développement de l'opéra-comique français. C'est un genre mineur et l'on fait une caricature de l'histoire en affirmant qu'il s'est substitué à la tragédie lyrique. Mais pour les habitués de l'Opéra, qui ne fréquentaient pas tous les foires de Saint-Germain et de Saint-Laurent, ce spectacle facile et agréable fit l'effet d'une nouveauté. Comme l'*opera buffa* et le *Singspiel*, c'était par excellence le spectacle des classes moyennes, dont il contentait le réalisme, le nationalisme et le goût de la satire. Les sujets sont familiers; ils se rattachent à la culture nationale ou même régionale (la vocation de l'*opera seria* est, au contraire, internationale); ils se moquent de la noblesse, des étrangers, de l'opéra, du petit peuple...

Né sur les tréteaux des bateleurs, l'opéra-comique s'est beaucoup affiné au contact des Bouffons. On s'est mis à pasticher les Italiens, sans atteindre toutefois leur brio et leur virtuosité d'écriture. Au lieu des vaudevilles populaires, on compose des « ariettes » nouvelles à l'italienne; les féeries disparaissent, les bergeries subsistent, et les paysans vertueux nous donnent l'exemple d'une sagesse écologique en préférant les délices de la vie agreste aux plaisirs corrompus de la cour; la manie des péripéties étrangères à l'action et des épisodes dansés se perd au profit de l'unité.

Charles Simon Favart (1710-1792) a joué un rôle de premier plan dans la transition entre le spectacle de vaudevilles et la « comédie mêlée d'ariettes », comme librettiste et directeur de l'Opéra-Comique, mais aussi comme musicien. Avec une remarquable intelligence du théâtre, il pille adroitement les opéras bouffes, et il n'est pas le seul. En 1762, le Théâtre de la Foire est absorbé par le Théâtre Italien, mais Favart conserve ses fonctions jusqu'en 1769. Plus solide financièrement, la nouvelle organisation n'est toujours pas à l'abri des tracasseries de l'Opéra qui, s'appuyant sur le monopole obtenu par Lully et sur une longue jurisprudence, fait interdire aux autres théâtres les représentations « qui forment des ouvrages de musique suivie »! C'est une bonne raison pour conserver l'alternance du chant et des dialogues parlés, qui caractérise désormais l'opéra-comique,

Scène de *Tom Jones* de Philidor.

au lieu d'adapter à la langue française le recitativo secco de l'opéra bouffe. Le directeur musical du Théâtre Italien est un élève de Durante, Egidio Duni (1709-1775), qui s'est imposé comme le premier compositeur important d'opéras-comiques avec son excellent *Peintre amoureux de son modèle* (Foire Saint-Laurent, 1757). Mais le maître du genre est François André Philidor (1726-1795), illustre joueur d'échecs, et *Tom Jones* (1765) est sûrement son chef-d'œuvre [1]. Aucun de ses successeurs, de Monsigny à Grétry et à Boieldieu, dernier compositeur d'opéras-comiques à la mode du XVIIIe siècle, n'aura son merveilleux talent; aucun ne soutiendra la comparaison avec Giovanni Paisiello (1740-1816), Domenico Cimarosa (1749-1801)... et surtout Mozart, dont le génie dramatique procède en grande partie de la tradition instituée par l'opéra bouffe napolitain.

Philidor, *Les Femmes vengées*

Réalisation : R. Blanchard

Gluck Vingt ans après le départ des Bouffons, le chevalier Christoph Willibald Gluck (1714-1787) fait une entrée magistrale sur la scène musicale parisienne, entrée habilement préparée

1. *Tom Jones* est un drame politique. L'opéra-comique n'est plus nécessairement « comique » en effet : il se caractérise par la simplicité et par l'emploi de dialogues parlés. Ainsi en est-il du *Richard Cœur de Lion* de Grétry, véritable opéra romantique.

Christoph Willibald Gluck

Erasbach (Ht-Palatinat) 2 juillet 1714
Vienne 15 novembre 1787

Il était fils d'un forestier, successivement au service de l'électeur de
Bavière, du comte Kinsky, chan-
celier de Bohême, du prince Lobkowitz. On est incertain sur sa
nationalité : il fera toujours des
fautes en allemand et il a reçu
toute sa formation en Bohême.

1732-1736 Études à l'université
de Prague. Il joue du violon, du
violoncelle, de l'orgue. En 1736,
il rencontre chez les Lobkowitz,
à Vienne, un riche Lombard, le
comte Melzi qui l'invite à Milan.
1737-1745 Élève de Sammartini
à Milan. Il fait représenter ses
premiers opéras à Milan, Venise,
Crema, Turin, Bologne.
1745-1746 Voyage à Londres avec
le jeune prince Lobkowitz. Il rencontre Hændel.
1746-1749 Chef d'orchestre itiné-
rant d'une compagnie d'opéra
italien de Hambourg : Hambourg,
Leipzig (Bach était probablement
en route pour Potsdam), Dresde
(où il rencontre Hasse), Vienne,
Copenhague.
1749-1773 Établi à Vienne comme
Kapellmeister de la cour. Voyages
à Prague et à Naples. Épouse en
1750 une riche héritière viennoise,
Marianna Pergin. Compose des
opéras-comiques français pour la
cour. En 1762 commence sa collaboration avec Calzabigi *(Orfeo
ed Euridice)*.
1773-1779 Il se partage entre
Paris et Vienne. Ses grands opéras
français sont montés avec l'appui
de son ancienne élève Marie-Antoinette. En 1778, il rend visite à Voltaire, à Ferney.

Gluck (portrait anonyme).

1780-1787 Retraite à Vienne. Plusieurs attaques d'apoplexie l'ont
partiellement paralysé, lorsqu'il
succombe à une nouvelle attaque
après avoir festoyé avec des amis
de Paris.

œuvre Cent sept opéras, dont on
connaît une quarantaine d'opéras
italiens, une douzaine d'opéras-
comiques et six opéras français; des
ballets et pantomimes; quelques
œuvres religieuses; quelques compositions instrumentales.

grâce à la protection d'une ancienne élève, devenue la dauphine Marie-Antoinette. Ce sexagénaire ambitieux n'était pas un inconnu. Longtemps il avait composé des opéras italiens traditionnels, avec bien moins d'invention et d'habileté techniques que ses contemporains Niccolo Jommelli (1714-1774) et Tommaso Traetta (1727-1779). Hændel, qui le reçoit à Londres en 1745, trouve que son cuisinier connaît plus de contrepoint que lui. Parvenu cependant à ce qui serait pour d'autres la pleine maturité, Gluck subit à Vienne deux influences décisives : celle du Generalspektakeldirektor des théâtres impériaux, Giacomo Durazzo, qui lui fait partager son goût de l'opéra-comique français et le nomme directeur de la musique; celle du poète Ranieri da Calzabigi (1714-1795), qui vient de passer dix ans à Paris, et l'incite à rompre avec l'esthétique conventionnelle de Metastasio. Gluck donne alors à Vienne une série d'opéras-comiques français, culminant dans *la Rencontre imprévue ou les Pèlerins de La Mecque* (1764). Mais ses deux premiers chefs-d'œuvre, fruit de sa collaboration avec Calzabigi, sont *Orfeo ed Euridice* (1762) et *Alceste* (1767).

Ces ouvrages inaugurent une nouvelle conception de l'opéra, plus sobre et plus dramatique, dont la dédicace d'*Alceste* constitue le manifeste. « J'ai pensé restreindre la musique à sa véritable fonction, de servir la poésie dans l'expression et dans les situations dramatiques, sans interrompre l'action ou la refroidir par des ornements inutiles, superflus[...] J'ai imaginé que la sinfonia devait prévenir les spectateurs sur l'action qui va se représenter, et en former pour ainsi dire l'argument[...] J'ai cru en outre que mes plus grands efforts devaient se réduire à rechercher une belle simplicité, et j'ai évité de faire parade de difficultés au détriment de la clarté. »

Mais c'est à Paris que va s'affirmer la gloire du musicien et se préciser le sens de ce qu'on appelle sa « réforme ». La première d'*Iphigénie en Aulide*, opéra français, a lieu de 19 avril 1774 dans l'immense salle de l'Opéra, rebâtie quatre ans plus tôt. Toujours partagé dans le conflit franco-italien, qui n'a pratiquement pas cessé depuis un siècle, le public est d'abord dérouté. Au premier acte, le parterre bavarde, les loges applaudissent avec un zèle affecté que stimule la Dauphine. Au deuxième acte, tout le monde se tait : la noblesse de ton et la force dramatique de l'ouvrage sont impressionnantes. Partisans de la France, partisans de l'Italie et partisans de Gluck sont émus. Deux jours plus tôt, dans l'atmosphère tendue qui précède les grandes batailles artistiques, Rousseau lui-même, grisé des flatteries que lui a prodiguées le musicien, mais sincère à son habitude, écrit dans un billet au chevalier Gluck : « *Iphigénie* renverse toutes mes idées. Elle prouve que la langue française est aussi suscep-

tible qu'une autre d'une musique forte, touchante et sensible [1]. »
Le 2 août de la même année, *Orphée et Eurydice* obtient un
triomphe dans une adaptation française où le rôle d'Orphée
n'est plus chanté par un alto, mais par un ténor. Entre temps,
Louis XV est mort et la Dauphine est devenue reine.

Encouragé par le succès, Gluck donne successivement à l'Opéra
une adaptation française d'*Alceste* (1776), profondément rema-
niée, et trois opéras français : *Armide* (1777), sur le vieux livret de
Quinault qui avait servi à Lully en 1686, *Iphigénie en Tauride*
(1779) et *Echo et Narcisse* (1779). Gluck retrouve le ton de la
tragédie, avec plus de chaleur que Lully, avec plus de simplicité
— mais beaucoup moins d'art — que Rameau. La séduction
n'est pas immédiate ; d'ailleurs *Alceste* a failli sombrer sous les
sifflets du camp italien, avant de s'imposer triomphalement.
On est désorienté de ne pouvoir classer Gluck ni parmi les Italiens,
ni parmi les Français.

Sa conception de l'opéra n'est pas aussi révolutionnaire qu'on
l'a dit, mais elle est personnelle et elle apporte plusieurs facteurs
de progrès :

– L'intérêt dramatique est mieux distribué : il n'y a plus que
trois actes au lieu de cinq, et le conventionnel prologue, qui démo-
bilise l'attention, est abandonné. L'unité d'action permet l'expression de sentiments plus forts et plus naturels.

– L'ouverture annonce le drame. Elle en situe le décor et le
climat psychologique, empruntant parfois des thèmes à la partition (comme dans l'admirable ouverture d'*Iphigénie en Aulide*).
Elle peut avoir le caractère d'une symphonie descriptive, par
quoi commence l'action, et s'enchaîner directement à la première
scène (comme dans *Iphigénie en Tauride*).

– Au recitativo secco accompagné au clavecin, Gluck préfère
un récitatif arioso accompagné par l'orchestre. Le genre en est
plus pathétique et n'impose pas la rupture de continuité.

– De surcroît les airs ne sont jamais des parenthèses inutiles.
Ils sont sobres, naturels, sans les ornements nécessaires au bel
canto, qui « défigurent depuis longtemps l'opéra italien et qui,
du plus pompeux et du plus beau de tous les spectacles, en font
le plus ridicule et le plus ennuyeux ».

1. Voir Claude Manceron, *Les Hommes de la liberté*, t. I, *Les Vingt Ans du roi*,
Laffont 1974. L'évocation de la première d'*Iphigénie*, puis de la querelle des
gluckistes et des piccinistes, replacent ces événements dans leur contexte avec
un soin admirable. Tout ce qui concerne la musique dans ce passionnant ouvrage
(et dans les volumes suivants) est du plus grand intérêt historique.

Gluck, Air d'Alceste.

— Les chœurs participent à l'action. Dans *Alceste*, le chœur qui représente le peuple est un « personnage » de premier plan, comme chez Moussorgsky.

— La fonction dramatique de l'orchestre est considérable. L'instrumentation n'est pas ornementale mais fonctionnelle. Les négligences, les maladresses d'écriture sont fréquentes, mais l'impression produite est généralement forte, soit que des mélanges de timbres ou des tessitures extrêmes produisent les atmosphères souhaitées (« la voix insolite de ces flûtes dans le grave » dont parle Berlioz dans son *Grand Traité d'instrumentation*), soit que des instruments inhabituels, tels que les trombones, les piccolos ou une riche percussion, déchirent le tissu symphonique ou choral. L'orchestre romantique est en formation, avec une recherche de caractérisation instrumentale de certains personnages ou de certaines situations, qui procède de l'idée du leitmotiv.

Gluck n'est cependant pas le génie majeur qu'en ont fait les romantiques. C'est une forte personnalité, il a le sens dramatique, un instinct remarquable de l'émotion musicale et un bon sens qui fait défaut à beaucoup de ses contemporains. Mais on a beaucoup gonflé sa réforme : Monteverdi, Lully, Scarlatti, Rameau, ont apporté plus que lui, et bientôt Mozart, sans rien réformer, bouleversera par son génie infaillible toutes les conceptions que l'on pouvait avoir du théâtre musical. Et puis peut-on promouvoir une réforme fondée sur un concept aussi vague que celui de « vérité dramatique » en musique, tarte à la crème de tous les réformateurs? Le fameux air d'Orphée est d'une grande beauté — tout en étant mal prosodié —, mais il serait tout aussi beau dans l'expression de la paix retrouvée : « J'ai trouvé mon Eurydice, rien n'égale mon bonheur »!

Gluck règne sur l'Opéra de Paris depuis plus de deux ans lorsque les partisans de la musique italienne font venir de Naples Niccolo Piccini (1728-1800), dont l'excellent opéra bouffe *la Buona Figliuola* vient de triompher à Paris comme il n'a cessé de le faire dans toute l'Europe depuis sa création à Rome en 1760. Compositeur prolifique et de grand talent, il est amené par le marquis Caracciolo, ambassadeur de la reine de Naples Marie-Caroline, sœur de Marie-Antoinette et de Joseph II, qui se trouve justement à Paris. Il a déjà la protection de la Du Barry, qui déteste Gluck; il aura maintenant celle de la reine. Paradoxalement, c'est à des opéras français que l'on veut faire travailler Piccini... mais il ne parle pas un mot de la langue. Marmontel se charge de lui donner des leçons et de lui composer des livrets. Il va chez le musicien tous les matins et au bout d'un an de travail patient, en janvier 1778, *Roland* est représenté à l'Opéra avec un immense succès.

Ni Gluck, ni Piccini n'ont été mêlés personnellement à la guerre de pamphlets que se sont livrés leurs partisans. Elle est aussi vaine que celle que se livrent bientôt deux factions d'italianisants, l'une soutenant Piccini, l'autre Sacchini (1730-1786). Face à Gluck, cet autre Napolitain a peut-être un plus grand poids : son *Œdipe à Colone*, représenté à Versailles en 1786, est une œuvre de grand style. Mais son succès sera posthume (583 représentations à l'Opéra entre 1787 et 1844) : Sacchini meurt avant d'avoir pu faire exécuter cette œuvre à Paris (d'une attaque de goutte et du chagrin de perdre la protection de la reine, qui s'intéresse maintenant à la *Phèdre* d'un certain Jean-Baptiste Lemoyne, maître de la célèbre chanteuse Antoinette Saint-Huberty et imitateur de Gluck ou de Piccini, selon la conjoncture!).

Opéras de Mozart Gluck cependant a quitté définitivement Paris après l'échec de son dernier opéra français, *Écho et Narcisse* (1779), laissant les dilettantes à leurs querelles stériles et Piccini maître du terrain, jusqu'à ce que la Révolution lui fasse perdre ses emplois. Entre temps, Mozart donne *l'Enlèvement au sérail* (1782), dont une représentation spéciale est organisée pour Gluck, puis les *Nozze di Figaro* et *Don Giovanni* (1786 et 1787). Ces deux derniers ouvrages surtout constituent la réponse décisive à toutes les polémiques. Bien qu'ils ressortissent à l'esthétique italienne, ils ne peuvent être revendiqués par les partisans d'une école nationale, tant le génie leur donne d'universalité. La forme est bien celle qu'utilisent les musiciens de l'école napolitaine depuis Scarlatti, notamment les meilleurs contemporains de Mozart : Giovanni Paisiello (1740-1816) et surtout Domenico Cimarosa (1749-1801). Mais tout ce que ceux-ci font de mieux est encore dépassé. Chaque style parvient sans trace d'effort au plus haut niveau de perfection jamais atteint : le recitativo secco, l'arioso, l'aria da capo, l'orchestre et surtout les extraordinaires ensembles (les finals d'actes ont une importance inhabituelle).

En 1778, année qui débutait par le succès du *Roland* de Piccini, Gluck était à Vienne, où il travaillait à ses deux derniers opéras français; mais Mozart[1] était à Paris (pendant six mois) et personne

---

1. Pendant ce séjour décevant, Mozart s'est trouvé dans le milieu qui ne lui convenait pas, celui de l'Ancien Régime. Il avait évolué autrement; la compréhension n'était pas possible.

Guardi, *Campo San Zenipolo.*

Vermeer, *la Lettre*.

n'a songé à lui demander un opéra. Il avait vingt-deux ans, il était en pleine possession de ses moyens : les salons parisiens ont trouvé que le petit prodige avait grandi trop vite.

Au fond des débats sur l'opéra se trouve toujours le problème fondamental du rôle de la musique dans le drame : doit-elle servir le poème ou s'en servir? Mozart répond catégoriquement : « ... dans un opéra, il faut absolument que la poésie soit fille obéissante de la musique... Pourquoi les opéras bouffes italiens plaisent-ils donc partout... » (Lettre à son père, Vienne, 13 octobre 1781 [1]). La fonction dramatique de la musique n'est pas la même que celle des mots; mais son pouvoir est aussi légitime. Mozart n'en doutera jamais. On ne voit pas en effet par quel sentiment d'infériorité, par quel devoir supérieur d'obéissance, les musiciens seraient obligés à se faire les auxiliaires des poètes, à feindre de conduire leurs chants d'après la signification des paroles. La fonction de la musique n'est pas l'expression, mais l'évocation de l'inexprimable; elle peut être le moteur de l'action, s'y super-poser comme le contrepoint de la fatalité, ou représenter une réalité morale sous-jacente, un sentiment esthétique, un élément magique. C'est en conservant son autonomie que la musique exerce pleinement son pouvoir d'évocation ou de création des trames psychologiques.

Avec sa finesse coutumière, Grimm se demande : « Avec quelle vraisemblance une assemblée entière ou tout un peuple pourra-t-il manifester son sentiment en chantant ensemble?... Il faudra donc supposer qu'ils se soient concertés d'avance. » Or l'ensemble d'opéra est justement l'un des apports les plus originaux de la musique au théâtre. Point d'intersection des passions et des destinées, il réalise une extraordinaire concentration de l'intérêt musical et dramatique, précisément parce que la musique y reste souveraine et qu'en imposant son organisation polyphonique à la scène elle permet un contrepoint de passions, exprimées ou non, que ne connaît pas le théâtre parlé.

Les finals d'actes des opéras de Mozart sont à cet égard exem-plaires, particulièrement ceux des *Nozze di Figaro* et de *Don Giovanni*; ce sont de vastes scènes d'opéra continu (sans l'alter-nance conventionnelle des récits et des airs) pouvant durer plus d'une demi-heure. Avec des moyens simples en apparence, la musique révèle l'ambiguïté des sentiments, éclaire la face cachée des personnages, scrute les consciences, dévoile les contradictions et les conflits, dans un foisonnement inouï de destins et de pas-sions qui se croisent. Une simple ligne mélodique dessine le contour d'une âme éperdue d'angoisse et de désir tout à la fois; elle en dit bien plus long que ce dialogue anodin qu'elle réussit à plonger dans une lumière troublante :

1. *Lettres de W. A. Mozart,* traduction nouvelle par H. de Curzon, Paris 1956.

Zerline

Cachée entre ces arbres, il ne me verra peut-être pas.

Don Juan

Aimable petite Zerline, je t'ai déjà vue, ne te sauve pas.

Ces quelques mesures ont une beauté obsédante. Elles donnent aux personnages une dimension tragique et placent la courte scène de séduction sous le signe de la fatalité, qui va dominer ce prodigieux final du premier acte. Tous les grands moments sont de *pure* musique dans les quatre plus grands chefs-d'œuvre dramatiques de Mozart : *Le Nozze di Figaro* (Vienne, 1786), *Don Giovanni* (Prague, 1787), *Cosi fan tutte* (Vienne, 1790), *Die Zauberflöte* (Vienne, 1791). On comprend que Mozart ait été indifférent aux querelles de l'opéra. Pour lui le faux problème de « l'expression » ne se pose pas : sa musique est créatrice de situations et de personnages (la Comtesse ou Donna Anna par exemple).

C'est particulièrement frappant dans *Don Giovanni*. Après Tirso de Molina (*El Burlador de Sevilla*, vers 1625), les aventures de Don Juan ont été portées au théâtre un grand nombre de fois, notamment par Molière (1665) et par Goldoni (1736). Mais le mythe et ses personnages sont maintenant indissociables de la musique de Mozart : c'est elle qui les a engendrés. Gœthe, responsable d'un autre personnage mythique, répond en 1797 à une lettre de Schiller sur la vocation tragique de l'opéra : « Si vous aviez pu assister dernièrement à la représentation de *Don Giovanni*, vous y auriez vu réalisées toutes vos espérances au sujet de l'opéra. Mais aussi cette pièce est-elle tout à fait seule de son genre, et la mort de Mozart a détruit tout espoir de voir jamais quelque chose de semblable [1]. » Le personnage de Don Juan séduit irrésistiblement, *par sa musique*, alors qu'il est nettement antipathique chez Molière : « il se produit une communion hystérique qu'aucun esprit ne saurait nier », écrit P. J. Jouve [2].

---

1. Cité par J. V. Hocquard, *La Pensée de Mozart*, Paris 1958. Cet ouvrage fondamental est l'étude la plus attentive, la plus réfléchie, la plus honnête, la plus intelligente, du génie de Mozart. L'analyse des œuvres est passionnante, ainsi que l'examen critique des plus importantes exégèses.
2. Il a plus de séduction que son frère en damnation et en bravoure, le Capaneo de Dante, l'un des « sept contre Thèbes », qui brave les dieux jusqu'en Enfer : *Qual io fu vivo, tal son morto* (*Inferno*, 14, vers 43-72).

Donna Anna, pure création de Mozart, occupe une place prépondérante *par sa musique*. La véhémence inouïe de son entrée, suivie
de la lutte — *purement musicale* — contre Don Juan, établit entre
les deux protagonistes une connivence ambiguë, où, par le jeu
de subtiles inflexions mélodiques, le désir se mêle à la haine.
C'est encore par la musique de l'ouverture que s'exprime la
fatalité, comme justification métaphysique du drame. « Elle
n'est pas arrivée à ce point, écrit Kierkegaard, en suçant le
sang de l'opéra ; au contraire, elle est en face de lui une pro-
phétie. »

Tout serait à citer dans cet ouvrage fascinant, l'un des points
culminants de toute l'histoire de l'art. Le trio de la mort du
Commandeur (Commandeur, Don Juan, Leporello) d'une
étrange et lumineuse douceur... La scène sublime de l'invitation
aux masques, dans le final du premier acte, suivie du fameux
trio, quintessence du génie de Mozart : l'impression de mystère
et d'angoisse est d'autant plus forte que nous sommes dans l'ombre
avec les trois personnages en noir et, tandis que Leporello et
Don Juan apparaissaient à la fenêtre, nous avons entendu,

Manuscrit autographe de *Don Giovanni* :
l'entrée de Donna Anna poursuivant
Don Juan, au début de l'acte I.

venant de l'intérieur, un petit menuet presque enfantin dont la rigueur métronomique devient ici le symbole de la fatalité... Le bal, avec ses trois orchestres, et les répliques entrecroisées, dans un climat étouffant : le petit menuet métronomique domine, mais la contredanse (à 2/4) et la valse (à 3/8) créent en s'y superposant un désordre qui accentue l'angoisse... Les deux grandes scènes shakespeariennes du deuxième acte, celle du cimetière et le souper final : seule la musique de Mozart pouvait donner une telle grandeur tragique à la convention que raillait Goldoni (« Dans ma pièce, la statue du Commandeur ne parle pas, ne marche pas et ne va pas souper en ville »)... Dans les *Nozze*, les personnages de la Comtesse et de Chérubin sont eux aussi des créations de Mozart et c'est à lui que l'on doit la tendresse, la grâce exquise, l'extraordinaire vitalité qui animent les personnages de Beaumarchais [1].

Mais il faudrait étudier scène par scène chacun de ces opéras, pour montrer que leur importance tient à une forme exceptionnelle de génie musical à l'état pur, et non à une volonté de réforme. Mozart se sent peu à l'aise dans l'opera seria traditionnel, malgré la réussite d'*Idomeneo* (1781). En revanche, le Singspiel allemand et l'opéra bouffe italien sont les cadres familiers qui stimulent son génie. Seul *Cosi fan tutte*, œuvre de très grande maîtrise, de limpide perfection, est intitulé *opera buffa* : c'est le modèle absolu du genre. Mais les *Noces* et *Don Juan* relèvent aussi de la forme et de l'esthétique de l'opéra bouffe, même si une musique véritablement transcendante submerge les schémas habituels, en révélant l'inconscient des personnages, en leur donnant à la fois une profonde humanité et une valeur de mythe; cette musique provoque une émotion indéfinissable, de celles qui font « pleurer de joie ». La convention dramatique des livrets est dépassée, non par l'écriture musicale, mais par une idée supérieure du sens et de la fonction de la musique, surtout dans *Don Giovanni* et dans *Die Zauberflöte*, une œuvre de profonde spiritualité sous les apparences d'une féerie populaire, où Wagner reconnaîtra le premier grand opéra allemand... « Un souffle puissant de liberté shakespearienne a pénétré la composition de l'opéra : sans Mozart nous n'aurions pas *les Maîtres chanteurs* » (Kretschmar, *Mozart in der Geschichte des Oper*, 1905) [2].

1. Lorenzo Da Ponte (1749-1838), librettiste des *Nozze di Figaro*, de *Don Giovanni* et de *Cosi fan tutte* n'est ni le génie que certains portent au pinacle, ni le mauvais poète que d'autres traînent dans la boue. Il a eu le talent de piller les bons auteurs, avec un sens du théâtre remarquable, et de reconnaître le génie de Mozart.
2. Sur les opéras de Mozart, il faut consulter aussi les ouvrages de H. Barraud, E. J. Dent, P. J. Jouve, ainsi que les textes désormais classiques de Hoffmann et Kierkegaard sur *Don Juan*.

Scènes de
la Flûte enchantée :
Tamino
et Papageno
avec trois dames.

Pamina, attirée par le son de la flûte, découvre Tamino. Gravures de Schaffer, Vienne, 1791.

La musique sacrée de Bach à Mozart

Gabrieli et surtout Monteverdi avaient créé un style spécifique de musique sacrée, auquel ils donnaient une allure festivale, un éclat conforme à la somptuosité des cérémonies de San Marco. Malgré les exhortations à la simplicité, que les papes et les conciles renouvelaient périodiquement, l'époque dite « baroque » faisait de l'église le terrain d'élection des musiques fastueuses, des contrastes et des effets spectaculaires. Il n'était pas nécessaire que les musiciens eussent la foi, ou feignissent d'en porter le témoignage : leur musique d'église était religieuse par sa forme même, elle avait la magnificence ecclésiastique.

Mais le développement de l'opéra et des formes instrumentales engendrait un classicisme musical si impérieusement universel que, peu à peu, le style de la musique profane, instrumentale et vocale s'imposait à la musique sacrée. Dès le début du XVIIIe siècle, cette unification des styles s'accompagne d'une confusion des genres. Plus rien d'essentiel ne distingue le motet de la cantate d'église. Souvent l'oratorio lui-même se confond avec les autres genres sacrés lorsque l'élément lyrique l'emporte sur le narratif. Et la messe musicale, jadis assimilable à une série de motets polyphoniques, adopte la forme de la cantate. Certaines parties de la liturgie sont souvent développées au point d'être individuellement des cantates complètes, où se succèdent airs, ensembles et chœurs. Dans la monumentale *Messe en si* de Bach, le *Gloria* et le *Credo* se composent chacun de huit parties. La dénomination très imprécise de cantate est celle qui conviendrait le mieux au vaste répertoire indifférencié de la musique religieuse classique, dont les formes composites se nourrissent des acquisitions de l'opéra et de la symphonie.

Dès que les différences formelles s'estompent entre musique religieuse et profane, seule les distingue la spiritualité que rayonne l'éventuelle foi religieuse du compositeur. Encore une fois, il ne s'agit pas tant d'expression, d'adéquation aux paroles sacrées, que d'un sentiment diffus de spiritualité, d'une sorte de résonance au divin, que suscitent dans l'âme de l'auditeur des impondérables mélodiques et harmoniques. Il est peu concevable en effet, comme dans le cas de la musique dramatique, qu'un système de conventions purement musicales puisse exprimer directement le sentiment religieux [1].

---

1. La situation était analogue au temps de Lassus et Palestrina. Le sentiment religieux était traduit dans le même style d'imitation que les passions humaines et souvent avec un matériau thématique emprunté au répertoire profane.

Vivaldi La musique religieuse de Vivaldi réunit toutes les vertus :
la sorte de magnificence qui distingue si bien le sacré du profane
chez les vieux maîtres vénitiens comme chez ceux de l'école de
Versailles; le lyrisme de l'opéra; la brillante écriture instrumentale
des concertos et des sinfonie; enfin la maîtrise du style polyphonique, qualité que refusent étourdiment à Vivaldi ceux qui ne
connaissent pas le « Sicut erat » final du *Dixit Dominus* (monumental ricercare), celui du *Beatus Vir*, ou le « Cum Sancto Spiritu »
des deux *Gloria*. Les grandes compositions à double chœur (*Dixit
Dominus*, *Beatus Vir*, *Lauda Jerusalem* et *Kyrie*, notamment),
les deux *Gloria* aussi beaux l'un que l'autre (pourquoi s'obstine-
t-on à n'en connaître qu'un?) ou le bouleversant *Stabat Mater*
pour alto et cordes sont des chefs-d'œuvre dignes de Bach.

Bach Car Bach est évidemment ici la référence qui s'impose.
C'est une sorte de musicien théologique dont le génie est dédié
« ad majorem Dei gloriam », en connaissance de cause si l'on
peut dire. C'est un des rares musiciens de l'histoire (Victoria au
XVIe siècle... Messiaen au XXe...) chez qui la foi est essentielle
à la création artistique : principe et justification de l'œuvre
global. Ce n'est pas le cas de Vivaldi, dont l'art imite la ferveur
religieuse aussi parfaitement qu'il imite les passions profanes.
D'ailleurs, le génie simplificateur de Vivaldi, ce classicisme qu'il
inaugure dans sa musique instrumentale, marque aussi son œuvre
sacrée. Bach, au contraire, est complexe et baroque. Avec une
extraordinaire maîtrise, il enchevêtre les idées sans autre limite
que celle de son inspiration, et semble créer des difficultés pour la
joie de les résoudre. En dépit de son écriture libre et audacieuse,
de ses modernismes surprenants — ou par le fait même d'une
suprême hardiesse — Bach plonge ses racines dans un grandiose
passé qu'il résume et dépasse.

La *Passion selon saint Matthieu* est à emporter absolument sur
l'île déserte; la *Messe en si* est un monument de science et de
ferveur, dont la subtile beauté serait mieux perçue si l'on jouait
par fragments cet ensemble disparate que Bach lui-même n'a
jamais entendu intégralement [1]. Mais nulle part le génie de

---

1. Bach avait d'abord conçu cette œuvre comme une grande messe luthérienne
(*Kyrie* et *Gloria*), composée en 1733 à l'occasion de l'intronisation du nouvel
électeur de Saxe. Geiringer (*Jean Sébastien Bach*, Paris 1970) suggère même que
le *Kyrie* en si mineur était destiné au service funèbre de l'électeur défunt et le
Gloria en ré majeur à son successeur. Beaucoup plus tard (1738 selon certains,
1747 selon d'autres) il décidait d'ajouter à ce noyau initial des parties complémentaires. Le *Credo* avait probablement été composé en 1732, le *Sanctus* en 1724;
les pièces finales, *Hosanna*, *Benedictus*, *Agnus Dei*, *Dona nobis pacem*, sont des
arrangements de compositions antérieures. L'ensemble ne pouvait être destiné
ni au culte catholique, ni au culte luthérien. La première exécution intégrale n'eut
lieu qu'en 1859.

Bach n'est représenté de façon si complète que dans les cantates. Ces œuvres de circonstance, au destin modeste, promises à des interprètes médiocres et à des paroissiens bornés, ces œuvres sans ambition glorieuse sont la plus haute expression du sentiment religieux chez Bach et constituent une somme de son génie, dans toutes les formes, dans tous les styles, selon toutes les catégories de l'imagination et de la sensibilité.

Que faire sur les pas d'un tel homme? Comment écrire après lui une Passion, une cantate ou toute œuvre similaire? Il est vrai que les contemporains et les successeurs de Bach ne connaissent pas sa musique sacrée, et ne la connaîtront pas de sitôt, ce qui leur évite d'être intimidés par l'ombre tutélaire. Fascinés par la richesse des thèmes d'inspiration chrétienne, quelques-uns ont consacré le meilleur d'eux-mêmes à ce type de musique, où une grande variété de ressources peut être mise en œuvre avec plus de souplesse et de liberté qu'au théâtre. Mais, à quelques exceptions près, la veine religieuse paraît épuisée au XVIIIe siècle...

Hændel Puissante personnalité, aux antipodes de son exact contemporain Bach, Georg Friedrich Hændel était plus à son affaire à l'opéra qu'à l'église : ses hymnes et ses anthems pour le culte anglican sont de belles compositions, brillantes mais assez conventionnelles. Le génie sacré lui vient après les difficultés de son entreprise d'opéra : il se tourne vers l'oratorio biblique, qui présentait l'insigne avantage d'être la seule forme de spectacle autorisée pendant le carême. Traditionnel, mais simplificateur, il renonce à l'écriture polyphonique, où pourtant il excelle, et adopte tantôt le style concertant, tantôt une écriture chorale d'une admirable clarté : contrairement à Bach, il s'adresse à un grand public, qu'il faut conquérir d'emblée. Loin de céder à la facilité, en recueillant l'héritage de Carissimi et d'Alessandro Scarlatti, ou en créant sur le modèle éprouvé de l'opéra italien des drames bibliques sans mise en scène, il crée un type d'oratorio anglais absolument nouveau, où il est inimitable.

Comparé à Bach ou à Mozart, il paraît pompeux; mais ses chefs-d'œuvre, parmi lesquels culminent *Israel in Egypt* (1739), *Messiah* ou *le Messie* (1742), *Theodora* (1750) et *Jephtha* (1752), sont animés d'un souffle dramatique et religieux irrésistible. Selon Beethoven, Hændel était le plus grand musicien de tous les temps. Notre époque au contraire a tendance à le sous-estimer. Son prestige souffre peut-être de ce que sa gloire posthume n'a pas connu d'interruption : il lui manque ainsi le stimulant d'une « re-découverte », dont Vivaldi et Bach ont eu le bénéfice.

Le Messie, cette magnifique *saga* chrétienne, dont la grandeur n'exclut ni la grâce, ni la tendresse, n'a pas cessé d'être joué avec succès de 1742 à nos jours. Cette œuvre est à l'origine d'un

culte de l'oratio qui s'est perpétué en Angleterre, à la faveur des grands festivals choraux (Birmingham, Gloucester, Hereford, Worcester...). C'est aussi malheureusement l'origine du gigantisme

Londres, Saint-Paul vu d'une arche de Westminster Bridge, par Canaletto.

Hændel par sir James Thornhill.

Georg Friedrich Hændel

Halle 23 février 1685
Londres 14 avril 1759

Fils d'un chirurgien-barbier d'origine silésienne, Georg Hændel (1622-1697) et d'une fille de pasteur Dorothea Taust (v.1650-v.1730).

1692-1702 Études générales au Gymnasium de Halle et musicales avec F. W. Zachau (1663-1712), l'organiste de la Liebfrauen-kirche.

1702-1703 Étudiant en droit à l'université de Halle. Organiste titulaire de la cathédrale (il était organiste suppléant depuis 1697). Amitié avec Telemann.

1703-1705 S'installe à Hambourg, comme second violon et claveciniste dans l'orchestre de l'Opéra, dirigé par Keiser. Amitié avec Mattheson : ils vont à Lübeck, où ils se privent de la succession de Buxtehude à la perspective de devoir épouser sa fille. A la sortie d'une représentation de *Cleopatra* de Mattheson (1704), il se bat en duel contre son ami pour une affaire de préséance au clavecin.

1706-1710 Voyage en Italie : Florence (représentation de *Rodrigo*), Rome (fréquente chez le cardinal Ottoboni et le prince Ruspoli, rencontre Corelli et les Scarlatti), Naples (le cardinal Grimani lui fournit le livret d'*Agrippina*), Venise (représentation triomphale de cet opéra en 1709 au théâtre San Giovanni Grisostomo).

1710-1712 Kapellmeister de l'électeur de Hanovre. Il fait un premier voyage en Angleterre au cœur de l'hiver 1710-1711 (représentation de *Rinaldo*).

1712 Nouveau voyage à Londres, où il s'est fait un cercle d'admirateurs et jouit de la protection de la reine Anne. Il oublie de rentrer... En 1714 l'électeur de Hanovre succède à la reine Anne; mais Hændel parvient à conserver ses bonnes grâces! Chez le comte de Burlington (Piccadilly), il rencontre Gay, Pope, Swift.

1717-1720 Maître de chapelle du duc de Chandos.

1720-1737 Entreprise d'opéra italien (Royal Academy of music) au King's Theatre de Haymarket, puis à Covent Garden. Difficultés continuelles : rivalité de son propre associé Bononcini, hostilité du prince de Galles, querelles de chanteuses (Hændel a l'imprudence de faire paraître sur scène en même temps la Cuzzoni et la Bordoni), succès de la satire du *Beggar's Opera* (1728), fabuleux cachets qui compromettent la gestion, cabales mondaines, etc.

1729 Voyage à Halle. Il n'a pas le temps de se rendre à Leipzig à l'invitation de J. S. Bach qui lui délègue son fils Wilhelm Friedmann.

1736 Attaque d'apoplexie : paralysie partielle et troubles psychiques, dont le guérit une cure à Aix-la-Chapelle.

1742 Première du *Messie* à Dublin : triomphe. Désormais il se consacre presque exclusivement à l'oratorio.

1750 Un grave accident de voiture en Hollande, sur la route d'Allemagne, affecte sa santé. Sa vue baisse. En 1753 il est opéré trois fois (!) de la cataracte par le fameux John Taylor qui avait opéré Bach de façon désastreuse : l'intervention le rend aveugle.

1759 Il joue de l'orgue pour la dernière fois à une exécution du *Messie* à Covent Garden. Il meurt huit jours plus tard dans sa maison de Brook Street (Grosvenor square). Il est enterré dans Westminster Abbey (il avait été naturalisé en 1726).

œuvre Quarante et un opéras italiens (1705-1741); un « masque » anglais, *Acis and Galatea;* treize pasticcios; vingt-deux oratorios anglais (1732-1757), deux Passions allemandes; des Odes de circonstance; cent cantates italiennes; des anthems, des psaumes, des motets, etc. – Deux grandes suites pour orchestre, *Water Music* et *Fireworks Music;* vingt concertos pour orgue et orchestre, vingt concertos grossos, des concertos divers, une quarantaine de sonates, trios, etc., des pièces pour clavecin.

en musique. En 1759, quelques jours avant sa mort, Hændel, aveugle et malade, tient l'orgue une dernière fois dans une exécution du *Messie* à Covent Garden. C'est son habitude : il se ménage en même temps un succès de virtuose, en jouant entre les différentes parties. Les exécutants forment un ensemble imposant pour l'époque : trente-trois instrumentistes et une soixantaine de choristes. Mais en 1784, à Westminster Abbey, on mobilisera plus de cinq cents exécutants (250 instrumentistes et 274 chanteurs); en 1791, il en faudra plus de mille; en 1857 mille six cents; en 1859, quatre mille!... Il semble qu'on ait cru longtemps qu'une loi de symétrie, matérialisée dans l'architecture des théâtres, commandait que la multitude s'accrût proportionnellement de part et d'autre de la rampe [1].

Dans la tradition napolitaine, profondément marquée par le génie d'Alessandro Scarlatti, Leonardo Leo (1694-1744) occupe une place de premier plan. Ce grand musicien, injustement oublié, à qui l'on doit d'autre part des opéras bouffes étincelants, a laissé six oratorios et de nombreuses compositions pour l'église, qui se recommandent à la fois par la maîtrise de l'écriture polyphonique et par la fécondité de l'inspiration mélodique. L'oratorio *la Morte di Abele* (1732), la Messe en ré majeur, le *Dixit Dominus* en ut majeur et le *Miserere* en ut mineur (1739) en sont les plus beaux exemples. Le grand nombre de copies manuscrites des œuvres de Leo, dispersées dans les bibliothèques d'Europe (notamment à la Bibl. nat. de Paris), atteste le succès passé de cette musique.

Parmi les innombrables œuvres religieuses attribuées à Pergolesi, une faible partie seulement est d'authenticité certaine : six oratorios, trois messes et une quarantaine de motets ou psaumes. Le célèbre *Stabat Mater* (pour soprano, alto et orchestre : le chœur a été ajouté de nos jours) est une œuvre très touchante, tant par la fraîcheur d'inspiration, digne de Mozart, que par une justesse et une simplicité d'expression poignantes *(Salve Regina, Quis est homo)*. Mais dans l'ensemble la musique religieuse de Pergolesi, assez conventionnelle, est loin d'égaler la magnifique réussite de son œuvre dramatique.

A Stockholm, l'admirable Johan Helmich Roman (1694-1758) compose une Messe suédoise, où se révèle avec éclat une culture musicale autochtone. En Allemagne, Wilhelm Friedmann

Le Messie à Westminster Abbey en 1784.

---

1. C'est au XVIIIe siècle que l'on commence à traiter des sujets profanes dans la forme séduisante de l'oratorio. L'exemple le plus caractéristique est *Semele* de Hændel. Les autres œuvres chorales non religieuses de ce compositeur, comme *Carmen sæculare* de Philidor (encore un chef-d'œuvre oublié) ou *les Saisons* de Haydn sont davantage des cantates que des oratorios. Mais désormais la confusion des genres est courante.

Bach (1710-1784), la plus forte personnalité parmi les fils de Jean Sébastien, a composé une *Deutsche Messe* et vingt et une cantates où il allie la science polyphonique héritée de son père à une inspiration romantique. Deux autres fils de Bach ont enrichi de façon importante le répertoire religieux : Carl Philipp Emanuel, auteur de deux oratorios, deux Passions, plusieurs cantates et un splendide *Magnificat* et Johann Christian, « le Bach de Londres », que Mozart admirait profondément, en raison d'une affinité de style et de sensibilité musicale.

Mozart La musique religieuse de Mozart paraît se situer dans le prolongement de celle des Napolitains et des fils de Bach. Elle peut être ressentie comme équivalent musical du rococo d'Autriche ou d'Allemagne du Sud. Mais pour qui veut entendre, pour qui s'ouvre pleinement à la seule musique, attentif à des résonances ineffables, irrationnelles, étrangères à toute catégorie mentale, à tout concept culturel, pour cet auditeur ingénu et sensible, l'œuvre religieuse de Mozart est la suprême manifestation musicale de la spiritualité. Dans une affectueuse *Reconnaissance à Mozart*, le théologien Karl Barth (1886-1968), qui ne passait pas pour un esprit futile, laisse parler son cœur : « Je ne suis pas sûr que les anges, lorsqu'ils sont en train de glorifier Dieu, jouent de la musique de Bach; je suis certain, en revanche, que lorsqu'ils sont entre eux, ils jouent du Mozart, et que Dieu aime alors tout particulièrement les entendre » (*Luzerner Neueste Nachrichten*, 21 janvier 1956).

Il devrait suffire d'entendre le sublime *Ave verum* (1791), pour que soient dissipés tous les malentendus sur l'inspiration religieuse de Mozart. On y pressent la plus haute méditation que l'art puisse refléter. Pourtant, d'inusables lieux communs sont obstinément répétés à chaque génération : art mondain, futile, élégant... tout y est musique de salon ou musique de théâtre, même les compositions religieuses... la seule singularité du génie de Mozart est sa précocité... lui-même est un charmeur, cynique et superficiel... de surcroît, il est franc-maçon, ce qui est incompatible avec la spiritualité chrétienne (depuis la condamnation de l'ordre, en 1738, par le pape Clément XII)! Or, pour qui sait lire entre les lignes, la foi de Mozart est aussi sûre que celle de Bach, mais elle est naïve. Peu cultivé, il n'a jamais étudié la théologie ni la philosophie. Il ne connaît que la musique. Sa religion est celle de son enfance; il en conserve le vocabulaire, qui restitue des états de grâce; il s'attache aux affabulations et aux « bondieuseries » du culte catholique. Et lorsque son patron détesté, l'archevêque Colloredo (prélat moderniste), veut supprimer les croyances « superstitieuses » et réformer la musique religieuse, Mozart s'en indigne. Sa foi est puérile, mais exigeante. La maçonnerie ne l'en détourne pas : elle répond à son idéal d'amour fraternel, reflet de l'amour divin. Extrêmement sociable, épouvanté par la solitude et l'isolement moral, très sensibilisé depuis son enfance à l'inégalité des droits du génie et de ceux de la noblesse, il a cherché parmi ses frères maçons ce qu'il ne trouvait peut-être pas chez les hommes d'église.

Le style de Mozart n'est jugé profane que par référence à des conventions esthétiques très arbitraires. Ses vocalises (dans l'*Et incarnatus est* de la *Messe en ut mineur* par exemple) sont des chants d'amour désincarnés, aussi chargés de spiritualité que les jubila des graduels et des alléluias ou les chants d'oiseaux de Messiaen. Mais le plain-chant est rituel et incantatoire, comme le remarque Hocquard, tandis que l'art de Mozart est humain et sentimental. Ceux de Victoria et de Bach le sont aussi, mais on en a fait par convention des archétypes de musique sacrée. Mozart compose dans le style de son temps, avec la technique qu'on lui a enseignée, sans soulever de problème théorique. Comme Bach, et avec presque autant de virtuosité, il assimile l'ancienne écriture contrapuntique. La perfection du « métier » rend l'invention si prodigieusement facile, immédiate, qu'elle devient pure spiritualité, geste de l'âme, sans intention expressive. La spiritualité est directement transformée en musique et c'est directement qu'il convient de l'appréhender, sans passer par des concepts esthétiques. Il faut en chercher la résonance, en s'accordant sur la bonne fréquence, dans un état de vacance intellectuelle.

Pour qui perçoit alors ces envols d'anges blancs et ces descentes d'anges noirs, ces fortes extases et ces palpitations d'angoisse, ces vocalises d'oiseau d'amour dans des nuages de lumière, et cette conscience profonde de la mort libératrice, les sommets de l'art sacré sont atteints par Mozart dans ses plus grands chefs-d'œuvre religieux : le *Regina Cœli* K. 276, et les Vêpres K. 321 ; la *Messe en ut mineur* K. 427, inachevée (pourquoi?), où culmine l'*Et incarnatus est* pour soprano solo; les œuvres de la dernière année, *Ave verum* K. 618 et *Requiem* K. 626, auxquelles on peut ajouter, comme témoignage de haute spiritualité, la petite Cantate maçonnique K. 623. La force irrésistible, l'impression grandiose qui se dégagent du *Qui tollis* de la *Messe en ut mineur*, suffiraient à confondre les colporteurs d'idées reçues, qui s'imaginent comprendre le génie de Bach, parce qu'ils n'ont aperçu chez Mozart qu'une perfection un peu futile.

Le symbolisme de la lumière, commun au christianisme et à la maçonnerie, est essentiel à la révélation du génie de Mozart, comme le montre remarquablement Hocquard en définissant cinq « états » spirituels (*op. cit.*, p. 614 à 647) :

1. « L'angoisse de l'ombre » : *Kyrie* et *Dies iræ* (1er verset) du *Requiem*.

2. « Les éclats de la lumière » : *Confutatis* du *Requiem*, une page extraordinaire (l'éclat de lumière : *voca me cum benedictis*); *Kyrie* de la *Messe en ut mineur* (éclat de lumière sur *Christe*); tout le *Dies iræ*.

3. « La rupture psychique » : *Et in terra pax* (Gloria) et *Qui tollis* de la *Messe en ut mineur; Oro supplex* du *Requiem*. C'est l' « état » le plus tragique, « une expérience de la mort qui est véritablement atterrante », une intuition du chaos originel.

4. « L'infusion de la lumière : l'espérance » : l'*Ode funèbre;* l'ensemble du *Requiem* (particulièrement l'introït *Requiem*, le *Lux æterna*, le *Requies æterna*, le *Lacrymosa*).

5. « La pleine lumière » : *Et incarnatus est* et *Benedictus* de la *Messe en ut mineur* et la Cantate maçonnique. Je serais tenté d'ajouter l'*Ave verum*, mais on peut entendre de diverses manières cette œuvre d'apparence si simple.

Haydn Haydn et Mozart se rencontrent dans l'hiver 1781-1782 : ils ont respectivement cinquante et vingt-six ans. Dix ans plus tard, la mort du plus jeune mettra fin à l'amitié confiante et admirative qui s'était immédiatement établie entre eux. Mozart connaissait parfaitement les symphonies et les quatuors de Haydn, qu'il avait étudiés avec soin et dont il se savait pleinement tributaire. En musique religieuse, il semble que les rôles aient été inversés. Haydn ne s'était montré jusqu'alors ni fécond, ni original dans ce domaine; mais il avait tout de même écrit (vers 1775) l'émouvante, la lumineuse *Missa brevis sancti Joannis de Deo* et il aurait pris, dit-on, un plaisir particulier à composer la *Mariazeller-Messe* (1782). A l'exception d'une œuvre sans équivalent, dont je parlerai plus loin, il cesse pourtant de composer pour l'église et ne s'y hasardera de nouveau que quatre ans après la mort de son ami Wolfgang. La révélation du génie de Mozart est peut-être la raison de cette éclipse. Haydn confiait son admiration au père Leopold en ces termes : « Je vous le déclare à la face de Dieu, je vous le jure sur mon honneur, votre fils est le plus grand compositeur que je connaisse, de nom ou personnellement. » Venant du plus grand compositeur que l'on ait connu depuis Bach, d'un homme réputé pour sa bienveillance, mais aussi pour sa modération et sa clairvoyance, cette déclaration prend une résonance solennelle. L'intelligence et la noblesse de caractère de Haydn le préservaient de la vanité comme de la fausse modestie : s'il était conscient de sa propre valeur et de sa maîtrise absolue des formes instrumentales, il savait bien aussi où Mozart lui était supérieur.

Mais de 1796 à 1802, comme s'il sortait d'une longue méditation, il compose une série de six grandes messes superbes : *Missa in tempore belli* dite « Pauken-Messe » (1796), *Missa sancti Bernardi de Offida* dite « Heilig-Messe » (1796-1797), *Missa in angustiis* dite « Nelson-Messe » (1798), *Theresien-Messe* (1799), *Missa solemnis* dite « Schöpfungs-Messe » (1801), *Missa* dite « Harmoniemesse » (1802). De la même époque datent deux chefs-d'œuvre qui dominent l'œuvre vocale de Haydn : *Die Schöpfung* (la Création, 1798) et *Die Jahreszeiten* (les Saisons, 1801). Ils sont inséparables, tant par la forme et le style, que par la vitalité juvénile et la sérénité qu'ils rayonnent, bien que seul le premier soit d'inspiration religieuse.

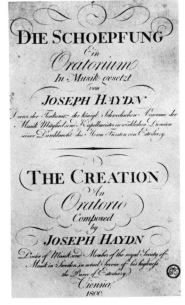

La Création, inspirée du *Paradise lost* de Milton, est bien une œuvre religieuse, en effet. Haydn affirme n'avoir jamais été aussi pieux que lorsqu'il composait cet oratorio : « Chaque jour je m'agenouillais et priais Dieu qu'il me donne la force d'accomplir cette œuvre. » L'idée lui en était venue de la forte impression que lui avaient laissée les oratorios de Hændel, entendus à Londres. Mais Haydn ne se conforme pas au modèle hændelien, pompeux et dramatique. Il renouvelle entièrement le genre, avec une fraîcheur et une variété d'invention inégalables. Bien plus qu'au *Messie*, c'est à *la Flûte enchantée* que se rattachent musicalement les deux grands oratorios de Haydn. Si celui-ci a médité l'exemple mozartien en abordant à nouveau la musique religieuse, il ne faut pas chercher dans son œuvre d'alternance de ténèbres et de lumière surnaturelle : elle rayonne de joie, d'équilibre et d'intelligence.

Le seul ouvrage que Haydn ait composé pour l'église pendant les dix années de son amitié avec Mozart est singulier à tous points de vue. C'est une vaste composition pour orchestre, commandée par le chapitre de la cathédrale de Cadix pour illustrer, pendant l'office du Vendredi saint, les « Sept paroles du Christ en croix » : *Die sieben Worte des Erlösers am Kreuze* (1785-1787). Le tour de force qui consistait à enchaîner sept mouvements lents, précédés d'une introduction lente et suivis d'un épilogue « presto e con tutta la forza » (le tremblement de terre), est encore plus frappant dans la version pour quatuor à cordes (op. 51) que publie Haydn cette même année 1787. L'extraordinaire beauté de cette tragédie en musique, où pas un instant l'attention ne faiblit, est accentuée par le dépouillement de l'instrumentation. Vers 1796, le compositeur en fera une sorte d'oratorio, pour soli, chœur et orchestre.

La trinité Haydn Mozart Beethoven

Haydn, Mozart et Beethoven ont dominé leur époque, comme peu de musiciens l'ont fait, et ils ont imposé à l'histoire leur définition du classicisme. L'importance historique de ces musiciens rejette dans l'ombre, bien injustement, leurs plus grands contemporains : les fils de Bach, Boccherini, Michel Haydn (frère de Joseph : on lui doit une musique religieuse splendide), Cimarosa...

Haydn La longue carrière de Hadyn recouvre la plus grande partie de cette période « classique », dont il est l'âme et le symbole. Au moment de sa naissance en 1732, Couperin a soixante-quatre ans, Vivaldi cinquante-quatre, Rameau quarante-neuf, Bach, Hændel et Domenico Scarlatti quarante-sept. Il a lui-même dix-huit ans à la mort de Bach, trente ans lors de la création de l'*Orfeo ed Euridice* de Gluck, soixante-treize ans lors de la création de *Fidelio*. Lorsqu'il meurt (1809), Beethoven a déjà composé six symphonies, vingt-cinq sonates pour piano, dix quatuors et il termine son cinquième concerto.

La postérité a été injuste à l'égard de Haydn. Il avait reçu avec une tranquille bonhomie des témoignages d'admiration comme peu d'artistes en ont reçu. Mais au XIXe siècle, après la re-découverte de Bach, il semblait qu'il n'y eût pas de place pour un grand musicien entre le « cantor de Leipzig » et Beethoven, sauf pour le « divin Mozart ». Rien dans la vie et dans l'œuvre de Haydn ne donne prise à la légende et au délire. Sa carrière, cependant, a été la plus noble, la plus paisible, la mieux réussie qu'on puisse rêver. A sa générosité légendaire, à son honnêteté intellectuelle, à sa haute conception de la vérité musicale, s'ajoute un inaltérable sens de l'humour. Cette qualité lui permet de supporter pendant quarante et un ans une femme acariâtre et bornée (« elle n'a aucune qualité et il lui est complètement indifférent que son mari soit cordonnier ou artiste »), de rester jusqu'en 1790 au service des Esterhazy avec un contrat indigne de sa célébrité universelle, de s'amuser des rumeurs qui circulent sur sa mort, en 1778 puis en 1805. C'est le personnage le plus sympathique de l'histoire de la musique. Son extraordinaire santé physique et mentale fortifie le sentiment de confiance qu'il inspire à tous. Mozart et quelques autres musiciens viennois l'appellent « père ». Mais l'image traditionnelle du « papa Haydn » est caricaturale : cet homme de cœur et d'esprit est un grand caractère, une personnalité musicale puissante et originale. Mozart se reconnaît dans ce génie apollinien qu'il vénère.

Haydn n'est pas un « inventeur » de styles et de formes. « Je dois beaucoup à Emanuel Bach, car je l'ai compris et je l'ai étudié avec application », écrit-il. Mais il est le magistral organisateur de la symphonie, du quatuor, de la sonate pour piano, à partir de 1770. Tout son art est dans la perfection de la dialectique purement musicale. La variation y joue le rôle de la fugue dans l'œuvre de Bach : elle définit la forme générale en même temps que les structures fines, elle est un principe de composition qui opère à tous les échelons. Haydn n'invente pas de mélodies sublimes comme Mozart, mais il embellit tout ce qu'il touche. « Il commence par l'idée la plus insignifiante, mais peu à peu cette idée prend une physionomie, se renforce, croît, s'étend, et le nain devient géant à nos yeux étonnés [1] ». Plus précisément, la thématique elle-même est une composition, plutôt qu'une invention spontanée. Mais l'idée est rarement « insignifiante », elle est parfois très originale, notamment lorsqu'elle nous apporte l'écho des musiques populaires hongroises et croates entendues à Esterhaz.

Deux thèmes de la *Symphonie n° 103*
(2e mouvement)

1. Stendhal, *Vies de Haydn, Mozart et Métastase*, Paris, 1817. Il faut bien reconnaître qu'on ne cite Stendhal qu'en raison de sa personnalité. Ses écrits sur la musique apportent peu d'informations originales. On n'y trouve ni la qualité de réflexion esthétique de la correspondance de Goethe, ni les solides connaissances musicales de Hoffmann, par exemple.

Joseph Haydn
Rohrau (Basse-Autriche) 1 avril 1732
Vienne 31 mai 1809

Fils de Matthias Haydn (1699-1763), charron, et de Maria Koller (1707-1754), cuisinière : Joseph est le deuxième et Michael le sixième d'une famille de douze enfants.

1736 Premier enseignement musical chez un cousin, maître d'école à Hainburg.

1740-1748 Choriste à la cathédrale de Vienne, où il se signale par ses espiègleries. Après sa mue, ses farces habituelles fourniront un bon prétexte pour le mettre à la porte.

1748-1759 Sans ressources, il s'installe à Vienne dans le grenier de la maison qu'habite Metastasio. Porpora l'engage comme accompagnateur et lui donne des leçons, que Haydn complète par l'étude du *Gradus ad Parnassum* de Fux. Il compose ses premiers quatuors (op. 1 et 2, 1755).

1759-1761 Musikdirektor du comte Morzin, près de Plzeň en Bohême. En 1760, il épouse Maria Anna Keller (1729-1800), inintelligente et acariâtre.

1761-1790 Kapellmeister des princes Esterhazy, d'abord à Eisenstadt puis à Esterhaz, près du lac de Neusiedler, somptueuse demeure où fonctionnent deux théâtres (dont un de marionnettes). Il n'en bouge pas, en dehors de quelques courts voyages à Vienne, où se noue une amitié avec les Mozart. Sous l'influence de Leopold Mozart, il est initié dans la maçonnerie (loge « de la Vraie Concorde »).

1791-1792 Libéré de ses engagements à Esterhaz à la mort du prince Nicolaus, il accepte une ancienne invitation et fait un voyage triomphal à Londres, où il donne six nouvelles symphonies (no 93 à 98). A Oxford, il est fait docteur *honoris causa*. Sur le chemin du retour, à Bonn, il rencontre Beethoven, qui devient son élève quelques mois plus tard.

1794-1795 Second voyage à Londres, pour composer et diriger six nouvelles symphonies (no 99 à 104). Il entend des oratorios de Hændel.

Au retour, il passe par Hambourg, dans l'espoir de rencontrer C.P.E. Bach, ne sachant pas que celui-ci est mort depuis sept ans.

1797 Il achète une maison dans le faubourg de Windmühle (actuellement 19 Haydngasse), où il passe le reste de sa vie, tandis que sa femme s'installe à Baden. La même année il compose un hymne impérial (devenu en 1922 l'hymne national allemand).

Après ses deux grands oratorios (1798 et 1801), derniers témoignages de son indestructible jeunesse, il ne compose presque plus. Il reçoit en revanche beaucoup de visites, parmi lesquelles celle de Constance Mozart et son fils Wolfgang.

1809 Il meurt peu après le bombardement de Vienne, en pleine occupation française. Au cours d'une importante cérémonie à sa mémoire, le 15 juin, on joue le *Requiem* de Mozart.

œuvre Une opérette allemande, dix-sept opéras italiens (quatre sérieux et treize comiques), des opéras pour marionnettes, de la musique de scène. – Quatorze messes, des hymnes, offertoires, cantiques, etc.; trois oratorios, d'innombrables œuvres vocales de toute sorte. – Cent quatre symphonies, seize ouvertures, un grand cycle symphonique *Die sieben Worte des Erlösers am Kreuz*, trente-cinq danses allemandes, de nombreux concertos (dont quinze pour clavier, huit pour violon, cinq pour violoncelle, un pour contrebasse, etc.); quatre-vingt-quatre quatuors à cordes, trente et un trios avec piano, soixante sonates pour piano, un grand nombre de divertimenti, cassations, trios, etc.

Haydn a donné le modèle parfait de la symphonie et de la sonate pour piano classiques. Mais c'est dans le quatuor à cordes que se révèle pleinement son génie. Il n'a pas « inventé » le genre, mais il l'a porté à une perfection que ses prédécesseurs n'ont pas approchée. Si belles que soient ses symphonies, particulièrement les douze dernières dites « de Londres », elles paraissent impures et redondantes si on leur oppose la limpide perfection des quatuors. « Haydn dans ses symphonies met en scène ses quatuors. »

La formule est excellente; mais pourquoi Pierre Barbaud et d'autres se sont-ils acharnés à refuser aux quatuors de Haydn tout « charme » irrationnel, tout recours à la transcendance?

Le plaisir musical n'est pas d'ordre intellectuel : il est une résonance intime avec une attitude ou avec l'organisation spirituelle
du créateur, il exprime notre accord sur des choix irrationnels,
autant que notre « compréhension » d'une démarche spéculative.
Ce qui ne se trouve pas chez Haydn, c'est l'intention d'*exprimer*
une passion : sa musique est pure de toute intention extra-musicale.
Mais ce que la composition révèle d'arbitraire, de préférence,
autrement dit d'inspiration ou d'amour, est justement la source
la plus précieuse de notre émotion. Dans un passage de *Kunst
und Altertum*, cité par P. Barbaud, Goethe exprime la rare qualité
d'émotion que lui communiquent les œuvres de Haydn : « A
leur contact, je ressens une tendance involontaire à faire ce qui
me semble être le bien et comme devant plaire à Dieu. Ce sen-

Une représentation
au théâtre Esterhazy
(Haydn au clavecin, 1765).

timent est indépendant de ma réflexion, et la passion n'y a aucune part. (Ses symphonies et ses quatuors) sont la langue idéale de la vérité : chacune de leurs parties est nécessaire à un ensemble dont elle est partie intégrante, tout en vivant de sa propre vie. On peut peut-être renchérir sur ces œuvres, on ne peut les surpasser [1]. »

Le 27 mars 1808, *la Création* est exécutée solennellement sous la direction de Salieri dans l'*aula magna* de l'université de Vienne, en présence du vieux maître malade, en une véritable apothéose. L'émotion de Haydn est telle qu'il doit quitter la salle après la première partie; Beethoven alors se précipite pour lui baiser les mains. Quelques mois plus tard, le même Beethoven donne la première audition de ses *Cinquième* et *Sixième Symphonies* et de son *Quatrième Concerto*, dans la stupeur générale.

Mozart Le génie ne se prouve pas, il s'affirme dans tous les sens du mot : sa révélation est une sorte d'expérience mystique. Dans le cas de Mozart, l'affirmation emprunte le langage exalté de la foi ou de l'amour. C'est que son génie offre peu de prise à l'exégèse et ne présente aucun signe évident de singularité. Mozart n'a rien bouleversé, rien découvert, rien proclamé. Une extraordinaire aptitude au bonheur est ce qui se remarque d'abord dans une personnalité apparemment insignifiante. Pourtant, jamais un artiste et son œuvre n'auront suscité autant de commentaires hyperboliques et fait délirer autant de grands esprits.

« On peut difficilement faire bonne figure auprès du grand Mozart. Si je pouvais imprimer dans l'âme de chaque amateur de musique, et principalement dans celle des grands de ce monde, ce que je comprends et ce que je ressens devant les inimitables travaux de Mozart, les nations rivaliseraient pour posséder un tel joyau dans leurs murs... Je m'en veux du fait que Mozart, cet être unique, ne soit pas encore engagé dans une cour impériale ou royale! Excusez-moi d'oublier le sujet de ma lettre : j'aime cet homme » (Haydn, Lettre à l'Opéra de Prague, 1787).

« Le plus prodigieux génie l'a élevé au-dessus de tous les maîtres, dans tous les arts et dans tous les siècles » (Wagner).

« Immortel Mozart! toi à qui je suis redevable de tout; toi grâce à qui j'ai perdu mon esprit, senti mon âme frappée d'étonnement, éprouvé dans mon être le plus intime une épouvante; toi à qui je dois des remerciements pour avoir rencontré dans ma vie quelque chose qui réussit à me secouer! » (Kierkegaard, *Ou bien... ou bien*).

« Rien n'est refusé à la prise de son esprit, à la condition de rentrer dans la forme de son esprit. Sa musique est baroque et

1. P. Barbaud, *Haydn*, le Seuil, 1957.

aussi grecque, classique et moderne, jamais entendue, en tout cas, en dehors de lui. Il y a toujours, dans le déroulement rapide de cette musique sauvage et exquise, la mise en œuvre des forces les plus grandes en tous les registres de l'orchestre et de la voix, pour l'union de plusieurs génies : génie de science et génie d'enfance... Mozart a accompli une destinée qui n'a pas sa seconde forme au monde » (Pierre Jean Jouve, *le Don Juan de Mozart*).

« Chez Mozart, je pressens un art que je ne discerne chez aucun autre » (Karl Barth, *op. cit.*).

De Goethe à Karl Barth (qui introduit des développements sur Mozart jusque dans ses ouvrages de théologie), on pourrait multiplier les citations. Il ne s'agit pas d'une psychose collective. Quiconque a eu la révélation du génie de Mozart ne peut éviter de s'exprimer dans le langage excessif de l'amour.

Cependant, la personnalité de Mozart est en contradiction avec l'idée que l'on se fait du génie. Très petit, très maigre, très pâle, très nerveux, avec une abondante chevelure blonde dont il est très fier et qu'il fait coiffer chaque matin à 6 heures, il est extrêmement sociable, plaisante à tout propos (pas toujours très finement) et, sorti de la musique, ne s'intéresse qu'à des futilités. Il ne peut pas supporter d'être seul, sauf pour les longues promenades à cheval que lui conseille son médecin. Il aime dîner en ville, danser, jouer au billard ou aux quilles, recevoir des visites. Depuis l'enfance, il manifeste une remarquable aptitude au bonheur. La mort de sa mère à Paris, dans des conditions particulièrement pénibles, n'est pas ressentie comme un « malheur », mais comme la « privation du bonheur », qu'il faut reconquérir à tout prix. Il charge un ami, l'abbé Bullinger, de préparer son père et sa sœur à la nouvelle, afin que leur réaction ne vienne pas troubler sa tranquillité : « Faites seulement que je puisse être en repos... et que je n'aie pas quelque autre malheur à attendre. » Les multiples contrariétés quotidiennes l'exaspèrent : il peut écrire des pages sur les retards de la poste, les négligences des domestiques, la malhonnêteté des copistes et, naturellement, ses continuelles difficultés financières.

Au premier abord, après une lecture superficielle de ses lettres par exemple, il paraît très content de lui. Mais il a un énorme besoin d'affection, d'encouragement et de succès, qui trahit une angoisse. Sa petite taille le préoccupe : il en parle souvent. Il est aussi très soucieux de sa santé : bien qu'il prétende se porter à merveille, il s'inquiète de ce qui arriverait s'il tombait malade. A-t-il, comme on le dit souvent, le pressentiment de sa mort prochaine, ou meurt-il d'avoir vécu trop intensément, pressé par une échéance mystérieuse? En septembre 1791, il écrit une lettre pathétique à un *Carissimo Signore* que Curzon pense être Da Ponte :

→

Wolfgang Amadeus Mozart

Salzbourg 27 janvier 1756
Vienne 5 décembre 1791

Fils de Leopold Mozart (1719-1787), Kapellmeister à la cour du prince-archevêque de Salzbourg, et de Anna Maria Pertl (1720-1778). Dès l'âge de trois ans, il assiste aux leçons de clavecin de sa sœur Maria Anna, dite Nannerl (1751-1829) et cherche sur le clavier « les notes qui s'aiment ». Leopold décide de consacrer sa vie à l'éducation musicale et à la carrière de ses deux enfants.

1762 Première tournée de concerts : Linz, Munich, Vienne. Le petit prodige de six ans s'amuse de son succès et saute au cou de l'impératrice. Il improvise des petites pièces que son père note religieusement (K. 1-5).

1763-1766 Deuxième tournée : Munich, Augsbourg, Mannheim Mayence, Francfort (émerveillement du jeune Gœthe), Aix-la-Chapelle, Bruxelles, Paris, Londres, la Haye, Amsterdam, Paris, Dijon, Lyon, Genève, Zurich, Munich. Acclamé, décoré, adoré, il supporte ces exhibitions sans dégradation du goût ni de la sensibilité.

1767 Fuyant la variole (que les enfants attrapent tout de même), les Mozart séjournent à Olomouc et à Brno.

1768-1770 Nommé Konzertmeister dans l'orchestre de la cour archiépiscopale de Salzbourg, qu'il déteste et qu'il espère quitter. Premières œuvres importantes (*Bastien und Bastienne, Quatuor en sol majeur*).

1769-1771 Troisième tournée (toujours avec son père) : Innsbruck, Vérone, Mantoue, Milan, Lodi, Bologne, Florence, Rome (note de mémoire le *Miserere* d'Allegri), Naples, Venise, etc. Partout il triomphe.

1778 Second voyage à Paris : la bonne société frivole qui s'était extasiée devant le petit prodige, pendant l'hiver 1763-1764, ne veut même pas l'écouter. Sa mère qui, cette fois, l'accompagne, meurt subitement dans leur modeste chambre de l'hôtel des Quatre Fils Aymon, rue du Gros-Chenet (actuelle rue du Croissant). Son grand amour, la jeune chanteuse Aloysia Weber, se marie avec un autre.

1781 A la suite d'une altercation violente avec le prince-archevêque Hyeronimus, qui l'accable d'humiliations depuis son retour de Paris, Mozart est mis à la porte. Enfin libre, il s'installe à Vienne, d'abord chez les Weber, Petersplatz, puis à son propre compte dans le Graben (par la suite, il déménagera continuellement).

1782 *L'Enlèvement au sérail* triomphe au Burgtheater. Gluck est enthousiaste; Mozart dîne plusieurs fois chez lui. Après mille difficultés et malgré la réticence de son père, il épouse Constanze Weber (1763-1842), une plus jeune sœur d'Aloysia, cantatrice elle aussi. Ils s'installent Grosse Schulestrasse.

1783 Il avait fait le vœu d'exécuter une nouvelle messe à Salzbourg, s'il y emmenait Constanze comme sa femme. La *Messe en ut mineur* est donnée ainsi dans l'église San Peter, avec Constanze comme soprano solo.

1784 Initiation dans la maçonnerie, dont il subit depuis longtemps l'attraction (loge « de la Bien-

faisance »). Naissance de son premier fils Karl : il sera fonctionnaire et mourra en 1858.

1785 Haydn (1er violon), Dittersdorf (2e violon), Mozart (alto), Vaňhal (violoncelle) déchiffrent devant le vieux Leopold les six quatuors dédiés à Haydn. Graves difficultés financières, qui ne cesseront pas pendant les six années qui lui restent à vivre : c'est pourtant la période des grands chefs-d'œuvre.

1786-1787 Deux séjours à Prague, pour la reprise des *Nozze di Figaro* (aussitôt après la création à Vienne) et pour la création de *Don Giovanni*. Une des auberges où il a logé existe toujours dans la vieille ville, tout près du théâtre Nostic (actuel théâtre Tyl) où a eu lieu la première de Don Juan. Mais le lieu le plus mozartien du monde est la maison de campagne de ses amis Dušek, dans le quartier de Smichov où Mozart a passé une partie de son second séjour : actuellement appelée « villa Bertramka », c'est un très émouvant musée Mozart.

1787 Musicien de la chambre de l'empereur, en remplacement de Gluck, aux appointements de huit cents florins (Gluck en touchait deux mille).

1788-1791 Période d'intense activité : les trois dernières symphonies (composées en six semaines, en 1788, année de désespoir), *Cosi fan tutte* (Vienne, 1790), *Die Zauberflöte* (Vienne, 1791), la *Clemenza di Tito* (Prague, 1791), les deux derniers concertos pour piano (ré majeur et si bémol), les quintettes en ré majeur et mi bémol majeur, etc. En 1789, il voyage en Allemagne avec son élève, le prince Karl Lichnowsky : Dresde, Leipzig, Berlin. Beaucoup de succès, mais pas d'argent. Les ennuis d'argent sont dramatiques.

1791 Le 26 juillet lui naît un second fils, Wolfgang (compositeur et pianiste, mort en 1844). Mozart est angoissé, hyperémotif. Lorsqu'il reçoit la commande anonyme du *Requiem*, il croit à un signe du destin et s'imagine qu'il travaille pour ses propres funérailles. Le mystérieux inconnu est un riche amateur, le comte Walsegg, accoutumé à commander secrètement de la musique pour la faire exécuter ensuite sous son nom!

En septembre, au retour de Prague, il est à bout de forces, en octobre il semble se porter comme un charme, en novembre (tandis qu'on donne la centième représentation de *la Flûte*), il se couche et recommande à son élève Süssmayr de terminer son *Requiem*, ce que celui-ci fera avec talent et respect. Le certificat de décès

Vienne : Michaelsplatz
et le Burgtheater.
Prague : façade baroque
à Mala Strana.

Son organisme est usé par le sur-
menage et par les nombreuses
maladies qu'il a contractées depuis l'enfance... N'ayant pas d'argent, il est enterré très modeste-
ment et la tempête disperse les
quelques amis qui suivent le cercueil. En 1809, Constanze se
remariera avec le diplomate danois
G. K. von Nissen, premier biographe de Mozart.

œuvre Vingt-trois œuvres de théâtre (dont trois inachevées). –
Huit grandes messes, un *Requiem*,
dix messes brèves; *Vesperae
de Dominica* et *Vesperae solemnes
de confessore*, deux *Litaniæ Lau-
retanæ* et deux *Litaniæ de Vene-
rabili*, motets, hymnes, psaumes,
etc. – Cinquante-six grands airs
de concert ou airs d'opéra séparés,
trente-deux lieder allemands, deux
airs italiens, deux airs français,
canons. – Quarante symphonies,
soixante-cinq divertimenti, deux
cent trois danses (menuets, danses
allemandes, etc.), sérénades, mar-
ches; une Ode funèbre maçonnique *(Maurerische Trauermusik)*;
vingt-cinq concertos pour piano,
six concertos pour violon, un
Concertone pour 2 violons, deux
Symphonies concertantes (une
pour violon et alto, l'autre pour
instruments à vent), des concertos
pour flûte (deux), flûte et harpe,
clarinette, basson, cor (quatre).
– Six quintettes à cordes, vingt-
quatre quatuors, deux quatuors
avec piano, sept trios, un quintette avec clarinette, des quatuors
avec flûte et hautbois, trente-cinq
sonates pour violon et piano,
vingt sonates pour piano, quinze
séries de variations, cinq fantaisies
et environ soixante-dix pièces diverses pour piano.

fait état de « eine hitziges Friesel-
fieber ». Selon le Dr Barraud, qui
a consacré une étude à la maladie
de Mozart, il aurait souffert de
néphrite chronique (« mal de
Bright ») : d'autres suggèrent le
typhus, d'autres encore l'urémie.

« J'ai la tête perdue, je suis à bout de forces et je ne puis chasser de mes yeux l'image de cet inconnu [1]... Je suis sur le point d'expirer. J'ai fini avant d'avoir joui de mon talent... » Que le destinataire soit Da Ponte ou un autre, comment Mozart, habituellement si familier, peut-il écrire des choses pareilles à quelqu'un qu'il appelle « très cher monsieur » ? Le mois suivant, sa dernière lettre à sa femme (14 octobre ; il mourra le 5 décembre) ne fait plus aucune allusion à la maladie, ni même à la fatigue : il a retrouvé le ton primesautier, il dîne en ville, va au théâtre, fait des farces, travaille et dort avec facilité.

Il est resté l'enfant exceptionnel. Seule son angoisse a grandi : on ne le sent pas dans ce qu'il dit, mais dans sa musique, dans sa hâte panique, sa susceptibilité, son instabilité, son besoin de paraître. Il lui faudrait beaucoup d'argent, pour ses vêtements, pour son train de maison (un valet de chambre, une cuisinière, une soubrette), mais il n'en a guère. Entre 1787 et 1791, période des chefs-d'œuvre, la musique paraît être le dernier de ses soucis. Il envoie lettre sur lettre à son frère maçon Puchberg, sur un ton de plus en plus désespéré : « Sans votre secours, l'honneur, le repos et peut-être la vie de votre ami et frère vont à néant... Au nom de Dieu, je vous demande et conjure de m'accorder tel secours immédiat qu'il vous plaira [2]. » Cette misère, dont on se demande si elle est davantage matérielle ou morale, a commencé à la mort de son père en 1787. L'enfant Mozart manifeste une dernière fois son complexe d'abandon.

Il semble être mort d'épuisement, surmené dès la prime enfance, affaibli par de nombreuses maladies (scarlatine, variole, typhus et, pour finir, maladie de Bright) et par une alimentation anarchique. Selon une lettre à sa sœur de 1782, il se lève à 6 heures, se couche souvent à 1 heure du matin. Mais il est surtout miné par la contradiction entre son personnage, constamment en représentation, et la densité inouïe de son œuvre, expression inconsciente de l'être sublime et souvent tragique qui s'ignore lui-même.

Mozart est le contraire d'un intellectuel : il est extraordinairement peu perméable aux idées. Son intelligence est moyenne, sa culture est rudimentaire et sa curiosité bornée. Ses lettres ne révèlent pas le moindre intérêt pour la littérature, la philosophie et la politique de son temps : jamais il ne fait allusion à Goethe, à Schiller, à Kant, à Voltaire, à Rousseau, à la Révolution française, aux États-Unis d'Amérique... Même sa culture musicale est faible (il semble qu'il ait découvert les fugues de Bach en 1782 et qu'il n'ait guère connu les grands violonistes italiens).

Portrait inachevé de Mozart par Lange, 1782.

1. Il s'agit du mystérieux visiteur, porteur de la commande anonyme du *Requiem*, qui s'est révélé être un domestique d'un certain comte Walsegg. Mozart n'a voulu y voir qu'un signe du destin, persuadé qu'il travaillait à son propre Requiem.
2. En mourant, il laissera 3 000 florins de dettes.

Mais le plus surprenant est de ne trouver, dans sa correspondance, aucune remarque importante sur sa propre musique. Il en parle souvent, mais très superficiellement et avec la vanité puérile d'un homme qui posséderait un talent de société. Il s'émerveille lui-même de ses dons et de son « métier », comme s'il était « habité » par une force qui le dépasse. Mais, lorsqu'il évoque une de ses œuvres, il ne s'éloigne pas de l'anecdote ou du détail pratique : son nouvel opéra a été très applaudi, il vient de rajouter un air pour Madame Untel et il en attend beaucoup de succès; il a besoin d'une copie de tel concerto (il est souvent noyé dans les problèmes de copies); il tient particulièrement à protéger ses droits sur telle œuvre importante...

Il est très satisfait de ses compositions et il discerne les meilleures avec une lucidité parfaite; mais il se contente généralement d'une épithète banale pour qualifier les plus grands chefs-d'œuvre. Les applaudissements le ravissent, même s'ils tombent mal : « Juste au milieu du premier allégro était un passage que je savais bien devoir plaire : tous les auditeurs en furent transportés et il y eut un grand *applaudissement* [en français dans le texte]. Comme je savais bien, quand je l'écrivis, quelle sorte d'*effet* il ferait, je l'avais ramené une seconde fois à la fin... » Il s'agit de la *Symphonie en ré majeur* K. 297, exécutée à Paris au Concert spirituel en 1778. « Dans ma joie, sitôt la symphonie achevée... », que pensez-vous que fit ce grand artiste de vingt-deux ans? Il alla aussitôt manger une glace au Palais Royal, récita le chapelet qu'il avait promis de réciter et rentra seul chez lui!

Son inattention et sa manie de la dispersion sont corrigées par une imagination et une mémoire infaillibles qui jouent certainement un rôle capital dans le processus créateur. Il est capable de se représenter mentalement les structures musicales les plus complexes et d'en garder le souvenir détaillé. A Rome, en 1770, il entend le célèbre *Miserere* d'Allegri (à 9 voix, en deux chœurs), appartenant au répertoire de la chapelle pontificale, prend quelques notes et parvient à le retranscrire exactement!

Cette capacité phénoménale rend plausible l'anecdote fameuse sur la composition de l'ouverture de *Don Giovanni*. La veille de la première représentation, pas une note de cette ouverture n'est écrite. Mozart se met au travail dans la soirée. Comme il est fatigué par les répétitions, Constanze lui sert du punch et lui lit des contes de Perrault pour le tenir éveillé. Il succombe pourtant au sommeil pendant quelques heures. Mais, à sept heures du matin, la partition est remise au copiste... Personne, même Mozart, ne peut « composer » une œuvre d'orchestre de cette importance et de cette richesse en si peu de temps et dans d'aussi mauvaises conditions : cette nuit-là, Mozart n'a sans doute rien fait d'autre que de transcrire ce qu'il a composé mentalement pendant les jours précédents et qu'il a conservé dans sa mémoire. Depuis qu'il est tout jeune, il a toujours composé facilement. Il ne se sert pas du piano, mais il chantonne tout le temps et son invention est sans relations aux circonstances extérieures et aux événements de sa vie. Les exercices des chanteurs, violonistes et hautboïstes des logements voisins ne le gênent pas : il prétend que cette cacophonie lui donne des idées!

En dehors des opéras et de la musique religieuse, les chefs-d'œuvre de Mozart sont probablement les concertos pour piano et les quintettes... mais aussi tel menuet, telle sérénade, tel divertimento (celui en mi bémol K. 563, par exemple : un sommet)...

Mozart n'a pas modifié le cours de l'histoire de la musique, comme Haydn ou Beethoven. Il n'a pas cherché à transformer l'héritage : il s'est contenté de maîtriser prodigieusement les formes et les techniques apprises... y compris la science du contrepoint, qu'on ne reconnaît pas assez chez lui (extraordinaire naturel des ensembles d'opéra, admirables fugues qui paraissent spontanées, enchevêtrements de voix d'anges dans la musique religieuse). Il n'est pourtant ni timoré ni conformiste dans son écriture. Les dissonances en rupture d'harmonie traditionnelle, les séries d'appogiatures se résolvant l'une sur l'autre, les incursions fugitives hors du système tonal, tout est justifié par une inspiration irréprochable, par une remarquable « pertinence » de chaque invention. Mais l'ambition la plus audacieuse de cette musique est de rester absolument pure de toute idéologie; et c'est parce qu'elle produit un effet immense sans la moindre intention de signifier, que la musique de Mozart incite à la réflexion la plus haute.

Beethoven, dernier classique En 1787, année de *Don Giovanni*, un jeune musicien de la cour électorale de Cologne, nommé Beethoven, est envoyé à Vienne à l'âge de dix-sept ans pour travailler avec Mozart. Il est possible que la rencontre n'ait jamais eu lieu : Mozart n'en souffle mot dans sa correspondance. Ce premier séjour de Beethoven à Vienne est d'ailleurs de très courte durée. Quand il y retourne en 1792, c'est pour devenir élève de Haydn, qu'il a rencontré à Bonn quatre mois plus tôt. Il n'y a pas de maître plus prestigieux : Haydn est, depuis la mort de Mozart, le plus grand compositeur vivant. Le comte Waldstein écrit à son protégé : « Cher Beethoven! Vous partez aujourd'hui pour Vienne, accomplissant vos désirs, si longtemps contrariés. Le génie de Mozart s'afflige encore et pleure la mort de son possesseur. Il a trouvé un refuge chez l'inépuisable Haydn, mais nul emploi. Par son intermédiaire, il cherche de nouveau quelqu'un à qui s'unir. Par un travail sans relâche, vous allez recevoir, des mains de Haydn, l'esprit de Mozart » (Bonn, 29 octobre 1792). Mais il semble que cette pédagogie n'ait pas été fructueuse : Haydn est trop fantaisiste pour enseigner, Beethoven ne l'est pas assez pour comprendre un homme pareil. Il apprendra beaucoup plus dans l'œuvre de Haydn que dans ses leçons, et conservera toute sa vie pour son maître une profonde admiration; mais les relations des deux hommes seront d'estime cordiale, plutôt que de confiance.

Vienne, où Beethoven s'installe définitivement, offre alors des ressources musicales considérables. Haydn et Mozart ont illuminé de leur génie cette ville heureuse, Cimarosa lui réserve en 1792 la primeur de son merveilleux *Matrimonio segreto*. Les meilleurs opéras italiens du jour sont représentés au Burgtheater (appartenant à la Couronne) et au théâtre de Kärntnertor (dépendant de la ville), avec le concours des plus illustres chanteurs, tandis qu'au Prater on entend à tout moment des arrangements des airs à succès, que chacun fredonne dans la rue et pendant les promenades dans la forêt ou au bord du Danube. Au théâtre Auf der Wieden, puis au théâtre An der Wien, exploités par Schikaneder dans le faubourg de Wieden, on continue de jouer *la Flûte enchantée* de Mozart. On imagine la révélation qu'aura été pour Beethoven cet extraordinaire opéra allemand. Il sera engagé lui-même par Schikaneder en 1803, comme compositeur du théâtre An der Wien où il logera même quelque temps. Pourtant, il ne composera qu'un seul opéra, *Fidelio*, qui ne sera créé qu'en 1805, une semaine après l'entrée de Napoléon à *Vienne* [1].

Mais c'est surtout la musique instrumentale qui contribue au prestige de la capitale impériale. L'aristocratie cultivée, qui gravite autour de la cour des Habsbourg, multiplie les soirées musicales où se font entendre les meilleurs artistes viennois et étrangers, et les familles les plus riches entretiennent des orchestres privés. A toute heure du jour, on est convié à entendre de nouvelles compositions pour pianoforte ou pour quatuor à cordes.

C'est ce milieu que fréquente Beethoven grâce aux lettres d'introduction du comte Waldstein et c'est dans ce milieu qu'il rouvera la plupart de ses amis. On admire son très grand talent d'improvisateur au piano; peut-être aussi la droiture et la fierté de son caractère. C'est un insoumis : même dans les premières

---

1. Emanuel Schikaneder (1751-1812) était le librettiste de la *Zauberflöte*, où il tenait lui-même le rôle de Papageno. Ce n'était pas un très grand auteur dramatique, mais il connaissait son métier et il a démontré une parfaite intuition du génie de Mozart. La commande de *Fidelio* est un nouveau témoignage de son intelligence musicale. Mais les circonstances dramatiques qui avaient vidé Vienne de son aristocratie ne permirent pas à ce chef-d'œuvre de dépasser trois représentations. D'un opéra dont il avait écrit le livret pour Beethoven, *Vestas Feuer*, seule une scène a été composée (1803).

Fragonard, *Un concert*.

Hubert Robert,
Danse et concert dans un parc.

années de son établissement à Vienne, lorsqu'il paraît encore élégant et mondain, jamais il ne s'incline. Son génie, formé aux disciplines classiques, notamment par l'étude du *Clavecin bien tempéré* et des sonates de Haydn, se nourrit à Vienne d'un classicisme dont il va représenter aussitôt l'apogée. Il est bien le dernier grand musicien viennois du XVIIIe siècle. Mais s'il recueille l'héritage de Haydn et Mozart, c'est pour l'adapter librement à son inspiration exigeante. Formé dans l'atmosphère du *Sturm und Drang* [1], il se sent différent, libre, et affiche les exigences de l'*Empfindlichkeit* (« sensibilité »). Les grandes pages des œuvres de jeunesse ne sont déjà plus tout à fait classiques, au sens où on l'entendait au siècle de l'*Aufklärung* : trois premiers concertos (1795-1800), quatuors op. 18 (1798-1800), sonate *Pathétique* (1798) et surtout l'extraordinaire *largo* de la sonate op. 10 n° 3 (1797)...

Et quel amateur, si peu cultivé qu'il soit, ne reconnaîtra pas Beethoven dès l'introduction de la *Première Symphonie* (qui fuit le ton principal au lieu de l'imposer).

Cependant l'originalité de Beethoven n'est pas une pure curiosité formelle; il ne souhaite pas a priori transformer l'héritage. Mais les formes éclatent sous la pression de ses idées. Il a très tôt une conception romantique de son art, le sentiment d'une « mission » de l'artiste, le besoin d'exprimer une « idéologie ». Il ne s'exprime pas lui-même, comme beaucoup de romantiques

---

1. « Tempête et Passion » : titre d'un drame de F. M. von Klinger (1777), qui donne son nom à un mouvement intellectuel de la fin du XVIIIe siècle, inspiré des idées de Rousseau. A la vieille civilisation aristocratique, au rationalisme et (pour les musiciens) au classicisme du siècle des lumières, le *Sturm und Drang* oppose le culte de la nature, la libération de l'individu, l'irréductibilité du « génie » et de la sensibilité.

(j'y reviendrai au prochain chapitre) et il n'est jamais anecdotique : dans le tumulte de son âme inquiète, c'est l'humanité qu'il reconnaît et dont il veut porter témoignage. En dépit d'un excellent métier (les prétendus défauts de son orchestration sont des sornettes) et d'un talent d'improvisateur renommé, il écrit lentement et difficilement, comme angoissé par sa responsabilité : les carnets d'esquisses témoignent de ses hésitations. Pour lui l'art n'est pas une fonction, mais un sacerdoce.

La fameuse théorie des « trois styles », due à Fétis et W. von Lenz, est fragile et schématique : bien des œuvres la contredisent. Mais c'est une division commode qui rend compte approximativement d'une évolution particulièrement intéressante.

○ jusqu'à 1800-1802. *Symphonies n°s 1, 2, Concertos pour piano n°s 1-3, Sonates n°s 1-11* (dont « *Pathétique* »), six *Quatuors op. 18 :* influence de Haydn, style classique très personnel, importance du piano.

○ de 1801 à 1815. *Symphonies n°s 3-8, Concertos n°s 4, 5, Sonates n° 12 (op. 26)* à *27 (op. 90)* (dont « *Appassionata* »), *Quatuors n°s 7-11, Fidelio :* recherches orchestrales, substitution du scherzo au menuet, opposition de deux « idées » dans la forme-sonate, avec un thème B agrandi, puissance « orchestrale » de l'écriture pianistique. C'est l'époque des crises, des maladies, du *Testament d'Heiligenstadt* et de la *Lettre à l'Immortelle Aimée.*

○ de 1815 à 1826. *Neuvième Symphonie, Missa solemnis, Sonates n° 28 (op. 101)* à *32 (op. 111), six derniers Quatuors, Variations Diabelli :* éclatement et spiritualisation des formes classiques, ésotérisme, message universel, proportions parfois monumentales. Période d'isolement dans la surdité complète, d'évasion vers des cimes.

Incontestablement, Beethoven prend un virage décisif après la grande crise de 1801-1802, lorsqu'il découvre que ses troubles auditifs s'aggraveront inexorablement. Mozart se serait hâté; lui s'enfonce dans une réflexion solitaire. Son génie déjà l'isole : c'est le seul grand compositeur de son temps. Lorsque, à trente-trois ans, il compose la *Troisième Symphonie* (1803), Haydn a cessé d'écrire, les autres musiciens classiques sont morts, sauf Paisiello (soixante-trois ans) qui organise la musique du Premier consul et Boccherini (soixante ans) qui finit ses jours pauvre et oublié à Madrid. Paganini (vingt et un ans) mène une vie de plaisirs et se livre à sa passion pour la guitare, Weber a dix-sept ans, Rossini onze, Schubert six...

Le grand sourd que notre civilisation a fait entrer dans sa mythologie occupe une position capitale dans l'histoire de la musique. En transcendant le classicisme, il est devenu le phare du romantisme. Il a donné l'exemple de tous les dépassements et il a si bien agrandi les formes traditionnelles qu'elles paraîtront éternelles et capables de contenir toute invention musicale à venir. D'une autre façon que Bach, c'est un grand témoin à la frontière de deux âges. Mais son rôle historique est bien plus considérable (toute appréciation qualitative mise à part), parce qu'il a bouleversé les rapports entre la musique et la société, en détournant son art de sa destinée aristocratique pour s'adresser à l'humanité entière.

Il est le premier musicien dont la fonction de créateur est assumée et non déléguée. Un peu snob et plus pratique qu'il n'en a l'air, il dédie ses œuvres à ses amis de l'aristocratie viennoise, grâce auxquels il est sûr d'être joué et rémunéré : le comte von Waldstein, le prince Lichnowsky, l'archiduc Rodolphe, le prince Kinsky, le prince Lobkowitz, les Brunswick, Thun, van Swieten, Rasumovsky, etc., sans oublier les dédicaces à l'impératrice, à l'empereur et au roi de Prusse... Mais il n'écrit pas à leur intention; il les considère comme ses amis ou ses « agents »; il ne se sent pas leur obligé, au contraire, et pense comme Mozart que le mérite doit avoir plus de prix que la naissance. C'est un homme libre qui ne s'incline jamais. Mieux encore, au-delà de sa situation personnelle, c'est la noblesse et l'autonomie de l'artiste qu'il fait reconnaître au monde. Avec lui, les droits du génie s'imposent à notre civilisation.

La musique et la Révolution La philosophie de Beethoven ne se fonde pas sur une pensée révolutionnaire bien définie; mais sa nature sentimentale et généreuse est touchée par l'idéal démocratique et libéral de la Révolution française. Quand celle-ci éclate, il a dix-huit ans. Un peu plus tard, à la fin de 1792, il rencontre les armées conquérantes en se rendant de Bonn à Vienne. Il vient alors de noter dans ses carnets cette belle profession de foi : « Faire tout le bien qu'on peut, aimer la liberté par-dessus tout; et, quand ce serait devant un trône, ne jamais trahir la vérité! »

En 1798, il fréquente chez l'ambassadeur de France, Bernadotte. Le Premier consul rejoint Plutarque, Homère, Shakespeare et Goethe dans sa galerie des grands hommes : c'est le type exaltant du héros révolutionnaire, qui trouve la gloire militaire en libérant l'Europe de toutes les tyrannies. Beethoven lui dédie sa *Troisième Symphonie*, mais il déchire sa dédicace lorsqu'il apprend que Bonaparte est devenu Napoléon : « Ce n'est donc rien de plus qu'un homme ordinaire, déclare-t-il à son ami Ries. Maintenant, il va fouler aux pieds tous les droits humains, il n'obéira plus qu'à son ambition, il voudra s'élever au-dessus de tous les autres, il deviendra un tyran. » Beethoven est le premier compositeur « engagé » dans un combat pour la justice et la liberté. Il partage l'idéalisme politique de Schiller, qu'il conservera au mépris de tout opportunisme. A vrai dire, il est le seul grand musicien qui se soit nourri des idées de 1789, restant toujours fidèle à ses convictions républicaines après le congrès de Vienne. Ce n'est pas sa moindre singularité.

Haydn et Mozart ont anticipé l'attitude beethovenienne. Ils ont transformé l'héritage en lui conférant une valeur universelle, ils ont dépassé le public concret, connu, des commanditaires, pour atteindre l'auditeur individuel et anonyme... Mozart, le premier musicien indépendant, a dû se sentir concerné par les idées de son temps, car il les a transformées en musique (*Figaro*, *Don Juan*, *la Flûte*, la musique maçonnique)...

Cependant, comme toutes les grandes révolutions, celle de 1789-1793 s'est révélée impuissante à promouvoir un art original. Ses musiciens chantent la république comme ils avaient chanté la monarchie et, quel que soit le talent de Gossec (1734-1829), de Cherubini (1760-1842) et surtout de Méhul (1763-1817), le plus authentique et le plus inspiré des musiciens de la Révolution, l'extraordinaire bouleversement qu'ils ont vécu ne leur a pas inspiré d'accents bien neufs.

Sartre observe que « la révolution sociale exige un conservatisme esthétique, tandis que la révolution esthétique exige, en dépit de l'artiste lui-même, un conservatisme social [1] ». N'est-ce pas, de façon plus générale, l'idéologie dominante qui exige le conservatisme esthétique? Réciproquement, l'art ne devient-il pas, au sein des sociétés conservatrices, l'écho d'une révolution souterraine? L'artiste est subversif et prophétique. Il peut accomplir sa révolution esthétique permanente en annonçant des révolutions à faire, jamais en défendant un ordre présent, fût-il révolutionnaire. C'est pourquoi les représentants de l'idéologie dominante s'en méfient et utilisent leur pouvoir à contraindre l'artiste au devoir de conformité... Dès qu'il est au service d'une idéologie, le musicien doit abdiquer son originalité pour se faire complice de l'éternel malentendu sur les qualités « expressives » de son art. Si Beethoven est un artiste révolutionnaire, c'est parce qu'il vit dans la capitale du conservatisme, qu'il est insoumis, subversif, et que cette disposition individuelle éclate dans son œuvre. Celle-ci n'exprime pas les *idées* révolutionnaires : elle est un acte de révolution.

En bouleversant les structures de la société, la Révolution française a naturellement modifié le statut social du musicien, qui n'est plus lié par la corporation, ni par ses obligations à l'église et à la cour. Mais, si les conditions matérielles et morales de son travail ont changé, si sa dignité est reconnue et ses droits élémentaires sauvegardés, il faudra pendant de longues années encore

---

1. Préface de Sartre à R. Leibowitz, *L'Artiste et sa conscience*, L'Arche 1950.

qu'il trouve un emploi fixe, pour assurer sa subsistance sans être continuellement dans la situation humiliante du solliciteur. L'indépendance de Mozart et de Beethoven est encore très exceptionnelle... et l'un et l'autre ont bénéficié des faveurs et de la générosité des « grands ». La génération suivante commence seulement à organiser son autonomie. Il faudra que s'élabore la protection légale du droit d'auteur pour que des artistes créateurs prétendent à vivre de leur art, sans rien devoir à l'initiative privée ni au privilège d'une position officielle. Comme je l'ai signalé plus haut, Mozart avait pressenti la notion moderne de propriété artistique. Les législations qui apparaissent un peu partout à partir de 1793 définissent le droit des créateurs; mais la protection de ce droit ne sera pas vraiment efficace avant la Convention de Berne (1886).

L'esprit de la Révolution française modifie profondément le sens et les conditions de la communication artistique. La libération du sentiment individuel donne naissance au romantisme et la promotion de nouvelles catégories sociales abolit les relations privilégiées entre le créateur et son public. Il s'adressait à un auditoire bien défini, dont il pouvait satisfaire le goût; désormais, il écrira pour une foule indéterminée d'individus, le « grand public » anonyme, dont le goût et l'intelligence artistique ne seront prévisibles que statistiquement.

Cependant, le concept de nation, qui tend à se substituer à celui d'état, implique une spécificité ethnique et culturelle. C'est la source de tous les nationalismes, en particulier de celui qui s'éveillera au cours du XIXe siècle dans la musique européenne. En affirmant l'originalité d'un patrimoine culturel et en s'identifiant aux aspirations particulières d'un peuple, le nationalisme musical fait écho à l'individualisme du compositeur romantique.

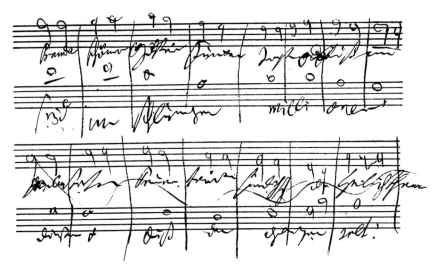

Esquisse
de l'Hymne à la Joie.

Droits d'auteur et propriété artistique

Antiquité Dans le *Gītālamkāra*, ouvrage sanscrit du sage Bharata (IIIe ou IVe siècle avant notre ère) : « Le voleur de chansons commet un crime égal à celui de tuer un brahmane, d'abuser de la femme d'un maître, de tuer une vache ou un enfant encore à naître » (trad. Daniélou, *op. cit.*).
Les Grecs et les Romains reconnaissent implicitement la notion de propriété artistique. Cicéron entretient une correspondance d'affaires avec son éditeur Atticus. Sénèque distingue la propriété de l'auteur et celle du libraire, également légitimes, mais différentes (*De Beneficiis*, VII, 6). La vente d'une pièce à une organisation de « jeux » est faite pour un nombre déterminé de représentations (droit d'auteur distinct de la propriété du manuscrit). Seul l'auteur peut décider de la divulgation de ses œuvres. L'usage illicite de l'œuvre d'autrui est un vol et Martial traite le voleur de *plagiarius*, par une métaphore qui nous sert encore (*plagium* : vente d'une personne libre ou de l'esclave d'un autre).

Moyen Age Jusqu'au XIIe siècle, la vie culturelle est réfugiée dans les monastères, où l'anonymat est la règle. On se préoccupe seulement du respect du texte (aspect du « droit moral »). Les troubadours étant généralement leurs propres interprètes, la protection du droit d'auteur ne se pose pas... Le concept d'œuvre est encore confus et le travail de l'artiste n'est pas exposé à une exploitation vénale continue.

XVe-XVIe siècle L'imprimerie suscite la concurrence... et les procès en contrefaçon. La propriété artistique commence à exister de droit lorsque des compositeurs reçoivent, sous forme de « privilège », un monopole d'impression, de diffusion et de représentation. Les premières jurisprudences concernent ce type de propriété artistique et non le véritable droit d'auteur (si un auteur vend son œuvre à un éditeur, il ne conserve plus aucun droit). Cependant les privilèges n'ont pas de valeur à l'étranger.

xviiᵉ siècle Dédicaces et pensions détournent les créateurs du souci d'un droit permanent sur leurs œuvres.

A l'Académie royale de musique, les compositeurs reçoivent cent livres pour chacune des dix premières représentations, puis cinquante livres pour chacune des vingt suivantes; après quoi l'œuvre devient la propriété de l'Académie.

10.4.1709 Loi Wortley ou Loi de la reine Anne, en Angleterre : première loi sur le droit d'auteur, promulguée sous l'influence de Locke et des idées nouvelles. L'auteur a un droit exclusif de reproduire ses œuvres pendant quatorze ans, renouvelable s'il vit toujours.

xviiiᵉ siècle Partout ailleurs, le possesseur d'une œuvre écrite peut l'exploiter à son profit. Aussi les compositeurs se réservent-ils pendant quelques années l'exécution de leurs propres œuvres, avant de les confier à l'imprimeur. Mozart est attentif à ne pas laisser circuler de copies et s'indigne de ce que son talent pourrait être « payé en une seule fois », au préjudice de « tous ses droits à venir » (lettre du 5.10.1782 déjà citée).

1777 Beaumarchais jette les bases d'une Société des auteurs dramatiques.

15.9.1786 Arrêt interdisant les contrefaçons musicales en France.

1787 Le § 8 de la Constitution des États-Unis accorde aux auteurs et inventeurs un droit exclusif sur leurs travaux, pour un temps limité.

4.8.1789 L'abolition des privilèges permet le libre exercice du droit d'auteur.

19.1.1791 Décret instituant le « droit de représentation » en France.

Pratiquement ce droit ne concerne pas la musique populaire, qui n'a pas de valeur marchande avant l'apparition du Caf'conc'.

24.7.1793 Loi française sur la « propriété littéraire et artistique », définissant les modalités du droit d'auteur et la durée de protection légale (dix ans après la mort de l'auteur). Dans tous les pays apparaissent des dispositions analogues, notamment en Allemagne sous l'influence de Kant.

1793 La Convention crée l'institut national de musique, à l'instigation de Gossec. Les créateurs y sont salariés et ne perçoivent pas de droit sur les exécutions.

1838 Création de la Société des gens de lettres. Premiers présidents : Villemain (professeur à la Sorbonne), Balzac, Victor Hugo.

1851 Fondation de la SACEM [1]. (Société des auteurs, compositeurs et éditeurs de musique).

1866 La durée de protection légale en France est portée à cinquante ans après la mort.

6.9.1886 Convention internationale de Berne « pour la protection des œuvres littéraires et artistiques », signée par dix pays : Allemagne, Belgique, Espagne, France, Grande-Bretagne, Haïti, Italie, Liberia, Suisse, Tunisie. Tous les pays importants y adhèreront par la suite, sauf les États-Unis, la Russie et l'Autriche-

Hongrie. En 1970, cinquante-neuf États seront membres de l'Union de Berne.

1896 Conférence de Paris (internationale) : premières précisions sur la reproduction mécanique des œuvres musicales.

30.1.1925 Loi soviétique sur la protection du droit d'auteur, complétée par celle du 8.12.1961.

30.7.1927 Un arrêt du tribunal de Marseille considère la radiodiffusion comme une exécution publique.

1937 Contrat entre la SACEM et les postes privés de radiodiffusion.

22.4.1941 Loi italienne.

31.7.1947 Loi américaine.

1952 Convention universelle de Genève, préparée sur l'initiative de l'UNESCO. Elle complète la convention de Berne. Soixante-trois pays y ont adhéré, y compris l'Union soviétique (1974).

5.11.1956 Loi anglaise.

11.3.1957 Loi française (très intéressante et assez complète).

9.9.1965 Loi allemande.

1967 Conférence de Stockholm, complétant notamment la législation du droit de reproduction mécanique.

1. Au bout d'un an, la Société a 350 adhérents qui se partagent 14 000 francs de droits perçus pour leur compte. A partir de 1974, les membres de la SACEM seront plus de 30 000 et le montant des règlements dépassera 100 millions de francs.

Prémisses

Préhistoire et Antiquité
Cent siècles
de civilisation musicale

La musique dans le monde

L'héritage antique
et le chant chrétien
La première renaissance

La liberté de créer
La seconde renaissance
L'Ars nova

La grande Renaissance
Apogée de la polyphonie et commencement
des temps modernes

Formation du mélodrame
et du style concertant
L'âge baroque du classicisme

La musique classique et le siècle des lumières

Table des encadrés

Illustrations

Bayerishe Staatsbibliothek München, 281b. – Bibl. de Grenoble, 257. – Bibl. nazionale Florence, 361, 448. – Bibl. nationale Paris, 18, 19abc; coll. Kwok-on, 115ab, 116ab, 118ab, 119abc; 186b, 193, 204, 205, 207, 211, 219, 222, 223, 224, 227, 232, 233, 236ab, 237, 240ab, 241, 244b, 245b, 248, 252, 255, 258ab, 259, 263, 265, 267, 275, 276, 277, 281a, 282abc, 285, 290, 291, 310, 311ab, 318, 319, 335, 408, 409, 418, 419, 445, 449, 458, 459, 466ab, 467, 468, 472, 476 (BN/Seuil), 477, 482, 545, 580ac; BN/Musique, 422, 423, 475, 595, 604. – Bibl. de l'Opéra, 426, 588. – Bibliotheek der Rijkuniversität Utrecht, 194, 195. – Bibl. vaticane, 550. – CRDP Bordeaux, 44 (A. Roussot), 45ab (P. Bardou). – Royal College of music, Londres, 487. –Royal Library Windsor, 601.

Musées. Allemagne : Archiv für Kunst und Geschichte Berlin, 491, 605. Badische Landesmuseum, Karlsruhe, 68b. Bildarchiv Preussischer Kulturbesitz, 492, 493, 560, 561ab, 609. Germanisches Nationalmuseum, Nürnberg, 445, 554. Museum für Kunst, Hambourg, 523. Theater Museum, München, 613. – Autriche : Bildarchiv d. Osterreich Nationalbibliothek, 479ab. Museen der Stadt, Wien, 597a, 618. – Belgique : Musée instrumental de Bruxelles, 62, 81. Musée luxembourgeois d'Arlon, 187. Musées royaux des Beaux-Arts, Bruxelles, 377, 483. – France : Musée de Bretagne, 186a (coll. Rault). Musée de Chambéry, 45c. Musée de l'homme, 47, 48 (Oster); 152abcd, 153; 166 (G. Fournier); 170 (Clavreul); 172 (Destable); 173. Musées de Rennes, 330. Réunion des Musées nationaux, 43, 53ab, 54, 55, 60a, 68a, 74, 85c, 164, 165, 328, 329, 338, 342ab, 360b; 105, 127 (Musée Guimet); 347 (Musée de Cluny); 503 (Musée de Troyes). – Grande-Bretagne : British Museum, 61b. National Galleries of Scotland, Edimbourg, 326. National Portrait Gallery, 484, 572. – Italie : Musée Correr, Venise, 576, 577. Musée de la Scala, Milan, 510. – Pays-Bas : Centraal Museum, Utrecht, 444. Rijkmuseum Amsterdam, 555. – Suède : National Museum, Stockholm, 474ab. Drottningholms teatermuseum, 454abc, 455ab.

Coll. André Meyer, 370, 498, 511, 516. – Coll. Speiser, 621. – Denise Tual, « Olivier Messiaen et les oiseaux », photo Mali, 12. – Arch. part., 412, 413. – Arch. Seuil, 334, 369, 529, 531, 533, 534, 540, 541, 573ab, 597b.

ACL Bruxelles, 483. – Afrique photo, 162 et 164 (Fiévet), 163ab (Fouquer). – Archives photographiques, 235. – Boubat/Top, 170. – Boudot-Lamotte, 42, 52, 53c, 60b, 61, 85b, 229a, 400, 617. – Bulloz, 363 (Musée Arts déco. Paris), 443 (Musée de Tours), 510, 571, 630 (coll. David Weill). – R. Burri/ Magnum, 69. – Cauboué, 460. – Ed. Combier, 185. – Ph. Coqueux, 9. – Enguerand, 28, 37. – Gamma, 11(D. Simon), Gamma/Pékin, 109. – Giraudon, 29, 32 et 33 (Musée de Bourges), 85a et 103 (Louvre), 182 (Musée de Laon), 234 (Musée de Navarre, Pampelune), 251 (Bibl. méjane, Aix-en-Provence), 295 (BN), 300 (Bibl. Med. Laurenziana, Florence), 304, 308 (Musée des Beaux-Arts, Dijon), 315 (BN), 316 (Arsenal), 324 (BN), 325, 349 (Offices, Florence), 355, 371, 384, 403 (Musée de Nîmes), 429 (Louvre), 470, 488, 522 et 581 (Musée Condé, Chantilly), 527 (Musée d'Erfurt), 530 (Conservatoire); Alinari/Giraudon, 83; Anderson/Giraudon, 323, 336, 360a (palais Riccardi,

Florence), 387 (Accademia, Venise), 438 (National Gallery), 519 (National Gallery, Londres), 580b; Brogi/Giraudon, 305; Bruckmann/Giraudon, 13; Lauros/Giraudon, 22, 228c, 244a, 245a, 395 (Gal. Borghese, Rome). – A. Held, 183. – Hoa Qui, 171. – Harbutt/Magnum, 619. – Mary Evans Picture Library, 486. – Inge Morath/Magnum, 75. – J. L. Nou, 136ab, 137ab. – Roger Pic, 101, 121ab, 124, 125, 126b, 146, 147. – Radio Times Hulton Picture Library, 485, 602. – Rapho, 178 (S. de Sazo). – Roger-Viollet, 215; Anderson/Viollet, 312; Lapad/Viollet, 214. – Daniel Sachs, 63. – Mireille Vautier, 149; Vautier/Decool, 100, 126a. – Viva, 8, 37, 39 (Martine Franck), 35 (Alain Dagbert). – O. Wertheimer, 141. – Yan, 49, 224, 225, 228abd, 229b, 231.

Hors-texte couleurs : Afrique-Asie photo, (en face de la page) 81; BN, Ms., 272; Bulloz, 80, 337, 624, 625; J. L. Charmet, 496; Giraudon, 273, 336; Roland Michaud/Rapho, 144; J. L. Nou, 145; Scala, 368; Snark, 592, 593; Wurtembergische Landesbibliothek, 497; Ziolo, 369.

La calligraphie des exemples musicaux est de Gaston Martin.

La photogravure en noir et blanc a été faite par Haudressy, la photogravure couleurs par Bussière/Arts graphiques.

La jaquette et les gardes sont de Janine Lescarmontier.

Les images de ce premier tome ont été rassemblées par Sophie Antier, Claude Simion, Anne Wolff. Les graphiques ont été exécutés par Noëllie Gastoué. La mise en page a été réalisée par Françoise Billotey.

Achevé d'imprimer en 1978 par Firmin-Didot SA - 1781
Dépôt légal 4e trimestre 1978, no 4976.